まえがき

簿記論と財務諸表論は同時に学ぼう！

本書を手にしたみなさんにとって大切なことは「まずは、いかにして税理士試験の会計科目（簿記論、財務諸表論）に合格していくか」ということではないでしょうか。

そこで、認識しておきたいのが、次の状況です。

・簿記論はほぼ100％計算問題であり、財務諸表論では50％が計算問題、残りの50％が理論問題で出題され、計算問題の内容は簿記論と財務諸表論で差がないこと
・これまで財務諸表論で出題されていた内容が突然簿記論で出題されるなど、片方だけの学習では網羅できない可能性があること
・計算問題を解くにも、理論的な背景（財務諸表論の理論部分）がわかっている方が有利なこと
・学習する際にも理論と計算を並行した方が頭には入りやすいこと
・財務諸表論の合格率は、平均すると20％弱と比較的高いこと
・仮に簿記論を落としても、財務諸表論さえ合格していれば、学習量的にみて税法に進めること

これらの状況を勘案すると、簿記論と財務諸表論は絶対に同時に学習した方がいい。1つの計算ミスで合否が入れ替わってしまう簿記論の試験のためだけに、1年かけて学習するのはリスクが大きすぎる。

このような判断から、簿記論・財務諸表論一体型の教科書及び問題集になっています。

さらに、本書はネットスクールが提供するWEB講座の採用教材にもなっていますので、独学で学習する方が授業を聴きたいと思ったときにも無駄になることなく活用いただけます。

また本書は、日商簿記３～２級の学習経験者がスムーズに学習し、合格してもらうために作られた本ですので、日商簿記３～２級の復習からはじまり、本試験のレベルまでを収載しています。

状況は我々が整えます。
みなさんは、この本で勇気を持って始め、本気で学んでみてください。
そうすれば、みなさん自身ばかりではなく、みなさんの周りの人たちをも幸せにできる、そんな人生が開けてきます。
さあ、この一歩、いま踏み出しましょう！

ネットスクール株式会社
代表　桑原　知之

目次

Contents

税理士試験　教科書
簿記論・財務諸表論 Ⅲ　応用編

本書で使用する略語や記号について

本書で学習するうえで、次の略語を使用しています。下記の略語は、一般的にも使用されているので、ぜひ覚えてください。

① B/S ： 貸借対照表(Balance Sheetの略)
② P/L ： 損益計算書(Profit and Loss statementの略)
③ S/S ： 株主資本等変動計算書(Statements of Shareholders'equityの略)
④ C/F ： キャッシュ・フロー計算書(Cash Flow statementの略)
なおC/S(Cash flow Statement)と表記する場合もありますが、本書ではC/Fで統一しています。
⑤ C/R ： 製造原価報告書(Cost Reportの略)
⑥ T/B ： 試算表(Trial Balanceの略)
⑦ a/c ： 勘定(accountの略)
⑧ @ ： 単価や単位(atの略)

なお、本書では勘定科目(表示科目)については、科目名を意識していただく狙いから『　』を使って記載しています。つまり『○○』は、「○○勘定」を意味しています。

(例)投資有価証券勘定に加算するとともに、その他有価証券評価差額金勘定に計上…
→『投資有価証券』に加算するとともに、『その他有価証券評価差額金』に計上…

本書は2024年４月時点の会計基準等にもとづいて作成しています。

本書(教科書)の構成・特長

❶ episode

冒頭で、これからどのような内容を扱うのか、何が問題なのかを簡潔にまとめてあります。内容がイメージでき、スムーズに学習を進めることが出来ます。

❷ 重要度ランキング

学習テーマごとに、**A、B、Cで重要度**を示しています(Aがもっとも重要度が高いことを表します)。なお、「簿記論」と「財務諸表論　計算問題」では重要度が異なることがあるので、簿A、財計Aと科目別に示しています。

また、本書は主に計算対策用の教材となりますが、財務諸表論の理論対策用教材として『税理士試験教科書　財務諸表論　理論編』がありますので併せてご利用ください。

❸ 側注

補足的な説明や知識を示しています。

❹ イラスト

イラストにより学習テーマの内容が理解しやすくなります。

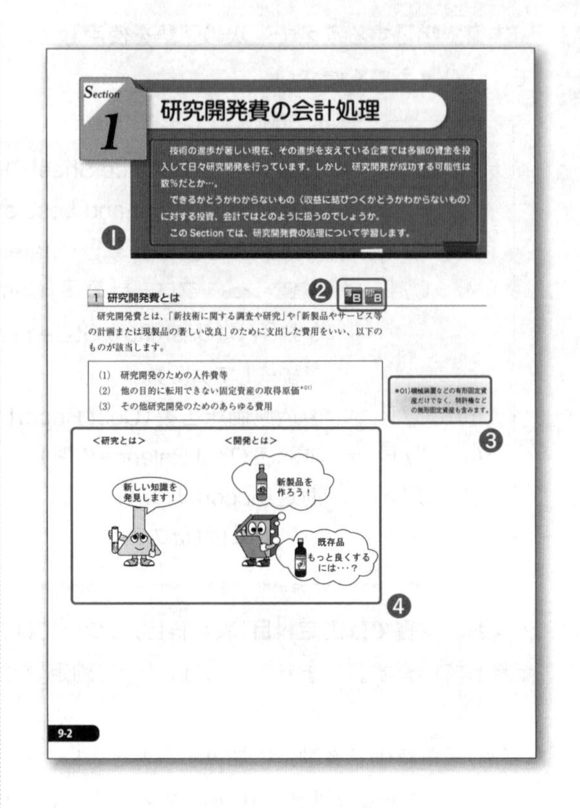

Section 1 研究開発費の会計処理

技術の進歩が著しい現在、その進歩を支えている企業では多額の資金を投入して日々研究開発を行っています。しかし、研究開発が成功する可能性は数%だとか…。

できるかどうかわからないもの（収益に結びつくかどうかわからないもの）に対する投資、会計ではどのように扱うのでしょうか。

このSectionでは、研究開発費の処理について学習します。

❶

1 研究開発費とは　❷ 簿B 財計B

研究開発費とは、「新技術に関する調査や研究」や「新製品やサービス等の計画または現製品の著しい改良」のために支出した費用をいい、以下のものが該当します。

(1) 研究開発のための人件費等
(2) 他の目的に転用できない固定資産の取得原価*01)
(3) その他研究開発のためのあらゆる費用

*01)機械装置などの有形固定資産だけでなく、特許権などの無形固定資産も含みます。

❸

❹

9-2

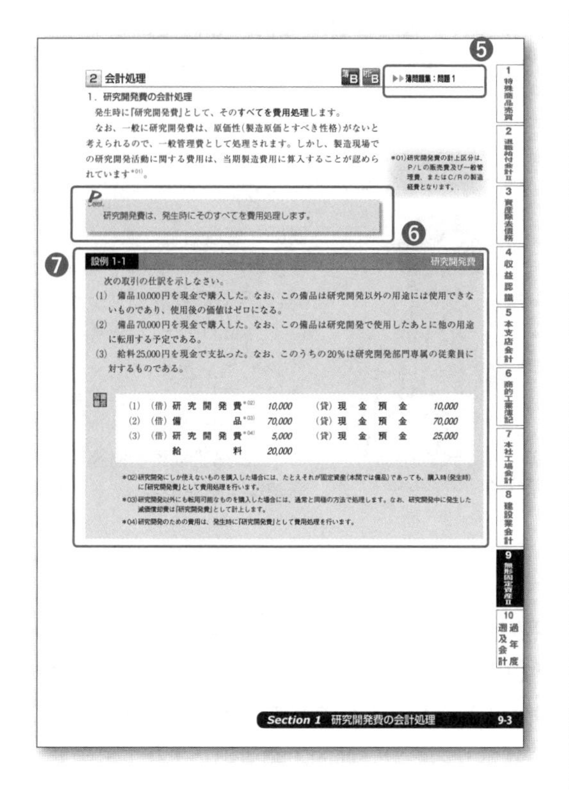

2 会計処理

▶▶簿問題集：問題1

1．研究開発費の会計処理

発生時に「研究開発費」として、そのすべてを費用処理します。

なお、一般に研究開発費は、原価性（製造原価とすべき性格）がないと考えられるので、一般管理費として処理されます。しかし、製造現場での研究開発活動に関する費用は、当期製造費用に算入することが認められています＊01)。

＊01)研究開発費の計上区分は、P/Lの販売費及び一般管理費、またはC/Rの製造経費となります。

研究開発費は、発生時にそのすべてを費用処理します。

設例 1-1　研究開発費

次の取引の仕訳を示しなさい。

(1)　備品10,000円を現金で購入した。なお、この備品は研究開発以外の用途には使用できないものであり、使用後の価値はゼロになる。

(2)　備品70,000円を現金で購入した。なお、この備品は研究開発で使用したあとに他の用途に転用する予定である。

(3)　給料25,000円を現金で支払った。なお、このうちの20%は研究開発部門専属の従業員に対するものである。

(1)	(借) 研究開発費＊02)	10,000	(貸) 現金預金	10,000
(2)	(借) 備品＊03)	70,000	(貸) 現金預金	70,000
(3)	(借) 研究開発費＊04)	5,000	(貸) 現金預金	25,000
	給料	20,000		

＊02)研究開発にしか使えないものを購入した場合には、たとえそれが固定資産（本問では備品）であっても、購入時（発生時）に「研究開発費」として費用処理を行います。

＊03)研究開発以外にも転用可能なものを購入した場合には、通常と同様の方法で処理します。なお、研究開発中に発生した減価償却費は「研究開発費」として計上します。

＊04)研究開発のための費用は、発生時に「研究開発費」として費用処理を行います。

Section 1 研究開発費の会計処理　9-3

❺ 問題番号

応用編の教科書と問題集は、学習内容が完全に対応されています。教科書の該当テーマを学習し終えたら、問題番号で示した問題を解くようにしましょう。なお、**「簿問題集」**は簿記論対策の問題、**「財問題集」**は財務諸表論（計算問題）対策の問題となります。

❻ ポイント

テーマごとに「注意点」をPoint（ポイント）としています。復習するさいにもPointを追っていくことで、学習内容の再確認ができます。

❼ 設例

会計の学習では数値例が必須です。テーマごとに【設例】を設けていますので、数値により確認しながら、内容の理解を深めることができます。

学習をはじめる前に

講師からのメッセージ

WEB講座の講師である中村雄行先生、穂坂治宏先生から、本書を学習する前の心構えとしてメッセージがございます。本書を最大限に有効活用するためにも、まずはこのメッセージをお読みください。

プロフィール
講師　中村雄行（なかむらゆうこう）
講師歴35年。
実務的な話を織り交ぜながら誰もが納得できるように工夫された、わかり易い講義が大好評！
WEB講座税理士簿記論講義等を担当。

プロフィール
講師　穂坂治宏（ほさかはるひろ）
講師歴21年、税理士開業（登録平成6年)。「わかればできる」をモットーに、経験に基づく実践的な講義は、楽しみながら学習出来ると大好評！
ＷＥＢ講座税理士財務諸表論講義等を担当。

◆応用編の内容について

教科書と問題集は、「基礎導入編」「基礎完成編」「応用編」の３部構成となっています。

多くの重要な個別論点は基礎完成編までに取り上げていますが、応用編ではそれに加えて「資産除去債務」「無形固定資産(ソフトウェア)」「組織再編(合併など)」といった内容も取り上げていきます。

また、応用編では構造的な論点として「特殊商品売買」「本支店会計」「商的工業簿記」「本社工場会計」「建設業会計」「連結会計」「帳簿組織」などが取り上げられています。

◆全体の流れを理解する

応用編で取り上げる「本支店会計」や「商的工業簿記」といった構造的な論点は、その全体的な流れ(構造)や解法手順をしっかり身につけておかないと、思うように点数が伸びないことになってしまいます。問題集の総合問題を解くことを通じて、その流れをしっかりつかめるようにしましょう。

◆帳簿組織などは簿記論固有

教科書と問題集は簿財一体型としていますが、応用編では簿財それぞれで固有の内容も出てきます。特に「帳簿組織」や「伝票会計」は簿記論固有の論点であり、また「特殊商品売買」や「本支店会計」といったあたりの内容は、どちらかと言えば簿記論でよく出題される重要論点となっています。

ネットスクールの書籍シリーズのご案内

税理士試験合格に向けた学習

教科書／問題集　Ⅰ基礎導入編

次年度の試験に向けた学習を開始しましょう。まずは日商簿記検定３級・２級の学習内容を含めた基礎的な部分について、教科書でインプット学習をします。その後、教科書に準拠した問題集でアウトプット学習を行い、どれだけ理解できたかを確かめます。教科書には、問題集の問題番号が記載されているので、すぐに学習した内容の問題を解くことができます。

教科書／問題集　Ⅱ基礎完成編

基礎導入編での学習が終わったら、基礎完成編に移ります。基礎導入編と同様に、税理士試験で頻繁に出題される重要項目ばかりなので、漏れなく学習を進めましょう。

基礎完成編も基礎導入編と同様に、教科書でインプットしたことを必ず問題集を使ってアウトプットし、学習した知識を定着させましょう。

教科書／問題集　Ⅲ応用編

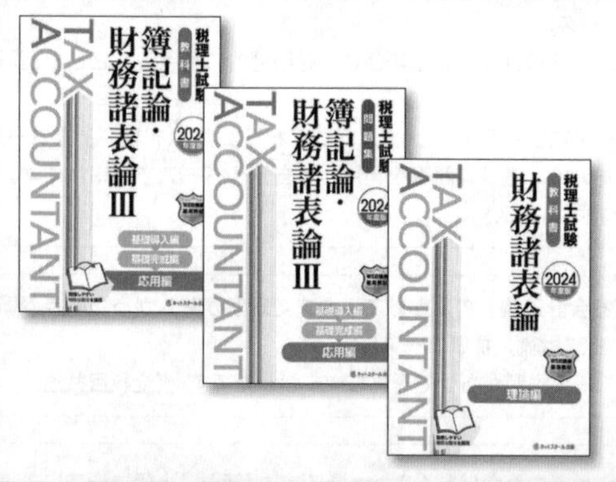

基礎完成編での学習が終わったら、応用編の学習に移ります。

また、理論問題対策用の教科書として、「財務諸表論 理論編」も刊行しています。「税理士試験 教科書 簿記論・財務諸表論」シリーズの各編（基礎導入編・基礎完成編・応用編）にある各 Chapter 名と同じテーマで並行して取り組んでいただくことで、計算対策と理論対策を同時に行うことができるようになっています。

穂坂式つながる会計理論

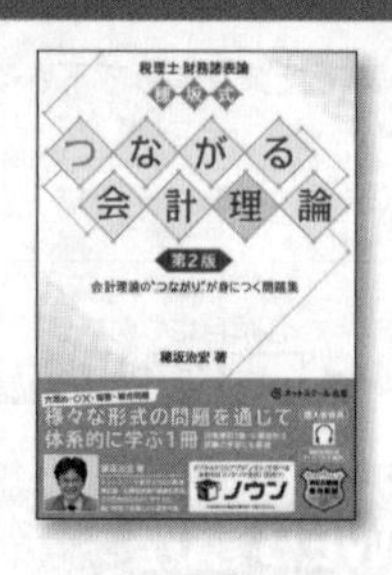

「財務諸表論」の“効率的”な理論学習を行なうための問題集で、模範解答を覚えることなく、問題集を「読む」ことで合格する力が付くような構成になっています。

この問題集を繰り返し解くことで、合格に必要な体系的な理論学習を行うことができます。本試験での応用的な出題にも対応できる力を身に付けましょう。

過去問ヨコ解き問題集

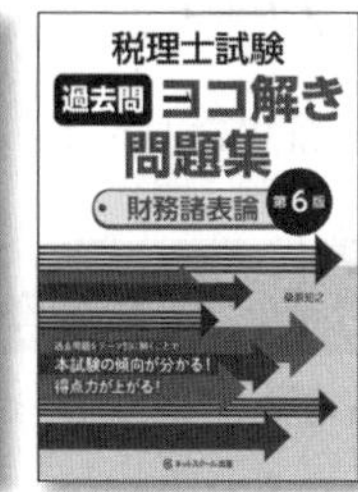

教科書や問題集を使った学習が一通り終わったら、本試験の過去問題を解きましょう。過去に出題された試験問題を解くことで、出題傾向や本試験のレベルを体験できます。

また、「ヨコ解き過去問題集」では、試験１回分を通しで解くのではなく項目ごとに解いていくため、苦手な項目をピンポイントで繰り返し解くことができます。苦手克服に繋げましょう。

解答・解説では解答方法の記載だけではなく、特筆すべき箇所については、各論点が実際に出題された際の考え方を『ポイント』や『参考』としてまとめておりますので、基本テキストを使った復習（今後の学習方法・戦略の立て方）にお役立てください。

ラストスパート模試

過去問題集での学習が終わったら、本試験形式で構成された模擬試験問題を解きましょう。本シリーズでは、ネットスクールの税理士講師の先生が作成した模擬問題を３回分収載しています。

試験問題を本体から取り外し、YouTube で配信している「試験タイマー」を流しながら解くことで、試験本番の臨場感の中で解くことができます。学習してきた力を試験本番で十分に発揮できるよう訓練をしましょう。

試験合格！

※掲載している書影は、すべて 2024 年８月現在の最新版、教科書／問題集シリーズは 2024 年度版のものとなります。
※書籍のお求めは全国の書店・インターネット書店、またはネットスクール WEB-SHOP をご利用ください。

多数の“合格者の声”が信頼と実績の証です！

ネットスクールWEB講座 合格者の声

ネットスクールで見事！合格を勝ち取った受講生様からのお言葉を紹介いたします。

takk 様（40 代男性、簿記論・財務諸表論合格）

簿記1級より引き続き、ネットスクールで簿記論・財務諸表論を受講し、合格をすることができました。ネットスクールの皆様には感謝の言葉しかありません。

1級合格後、簿記論と財務諸表論のテキストを購入しましたが、独学が非効率だと感じ、簿記論・財務諸表論上級コースを受講することにしました。1級と勝手が違うこと、既に講義が始まっていたこと、財務諸表論の理論は馴染みがなかったことから混乱しましたが、疑問点やスケジューリングなど、ことあるごとに先生に相談をしていました。

直前期はとにかく問題を解きました。総合問題を主軸に、理論は講義を受けつつアウトプットとして穂坂先生のつながる会計理論を周回していました。おかげで平均点はじりじりと上がっていきましたが、ときにはひどい点数の時もあり、何度先生に泣きついたか。陰鬱な内容を送ってしまうこともありましたが、聞き入れてくださり、気持ちを前向きにする助けとなりました。メンタルコントロールにとても配慮していただいたように思います。

試験当日は平常心を心掛け、ベストを尽くしてきました。ケアレスミスが若干あり、自己採点では合否どちらにも転がりうるという感じでしたが、結果は合格でした。ほっと胸を撫で下ろすとともに、合格の旨を報告させていただきました。

M.K. 様（30 代女性、医療従事者、財務諸表論合格）

簿記とは全く縁のない職種で働いておりますが、第一子の出産を機に、税理士を目指して簿記論と財務諸表論を独学で勉強しておりました。試験について無知であったため、直前対策コースを受講しましたが、学び足りないことを痛感して１年目の試験を受け、不合格でした。２年目は標準コースで学びなおそうと思い、受講したことが今回の財務諸表論の合格につながったと思っています。

本年は、育休から復帰し、仕事と家事と第一子の育児、また第二子の出産 (11 月) とイベントが多く、勉強する時間が限られておりました。しかし、講師の方々のわかりやすく丁寧な講義を早朝や通勤時間にダウンロードして見ることができたこと、再生スピードを調整することができたこと、また、試験までの見通しを把握して勉強できたことが合格につながったと思います。

簿記論は合格できませんでしたので、また来年度の試験に挑もうと思っております。税法にも挑戦できればいいなと思っているところです。

財務諸表論に合格できたのはひとえにネットスクール講師の先生のおかげだと思っております。本当にありがとうございました。

官報合格者も
続々輩出！

中井　優様（40 代男性、会計事務所勤務、財務諸表論・官報合格）

所長税理士の引退が現実味を帯び、事務所内に有資格者がいない中、会計2科目を残す自分が合格を目指すしかない状況となった。2021 年 1 月より簿記論・財務諸表論の学習を他校で開始した。第 71 回本試験では、両科目とも合格ボーダーに全く届かず。しかし、不十分ながらも最後まで学習を継続したことで、簿記の「歩留まり」が自分に発生する。

学習を継続して挑んだ第 72 回本試験では、簿記論は合格。財務諸表論は 53 点（理論 18 点、計算 35 点）で惜しくも不合格となった。時間的な余裕もないので、穂坂先生の講義を受けるべく、ネットスクールの門を叩いた。

答練期より、自身の学習スタイルが確立する。5 時起床からの 2 時間の早朝学習。21 時から 23 時までの 2 時間の夜学習の計 4 時間／日の学習の習慣化、学習時間の確保である。基本、この学習スタイルを継続した。休日はこの学習に数時間を加算した。通勤移動のスキマ時間には、スマートフォンなどを用いた理論の学習をした。答練期の一例では、早朝の 2 時間で過去問や答練の解答。夜に採点と間違いノートへの書き出しと復習を行った。答練の成績は大原で上位 20%程度（上位 40% 位までが合格圏内）であった。

財務諸表論の理論学習については、つながる会計理論の知識を定着させること意識して、基本センテンスの書き出しや音読、デジタルアプリ「ノウン」の問題編をタブレットやスマートフォンで繰り返し回答した。

結果、合格確実ラインを超える点数（理論 29 点計算 41 点の計 70 点）を得て、官報合格を勝ち取ることができた。

C. T 様（女性、財務諸表論合格）

以前は他社の通信講座で 2 年程学習していましたが、全く結果が出せなかったので、思い切ってネットスクールに乗り換えました。

そこでまず驚いたのが、手厚いサポートでした。最初の Zoom カウンセリングにて、これまでの状況を手短に説明しただけで、熊取谷先生に「財務諸表論は計算問題から取り掛かるようにしたらどうですか」というアドバイスをもらいました。私にとってはすごく参考になりました。

講義もとにかく面白く分かり易かったです。ライブ授業の日は、毎回朝から楽しみでした。そして、ひたすら苦行だった理論の勉強が、穂坂先生の講義のお陰で、めちゃくちゃ楽しい時間に変わった事にも驚きました。試験対策だけではなく、背景にあるものや作問に関わっている先生方がどういう考えでいるかなど、とても興味深い話が聞けて、飽きることなく学べました。

現在、3 人の子供達の子育てをしながら勉強しておりますが、今年は結果が届いてすぐ、子供達に「合格したよ！」と知らせる事ができ、心の底から嬉しかったです。子供達も一緒に喜んでくれました。毎年、子供達に少し寂しい思いをさせてしまいますが、今年は結果が出せて本当に良かったです。

ネットスクールが自信をもって提唱する

簿財一体型の学習法

【税理士受験を始めた人に共通する最大の悩み】

⇒簿財の会計2科目のボリュームが多くて心が折れそう……

しかし、実は簿財の学習内容は**50％重複**しています。

※　( )内の時間は１年間での標準学習時間となりますが、日商簿記検定などの学習経験や学習時期などの相違により個人差があります。

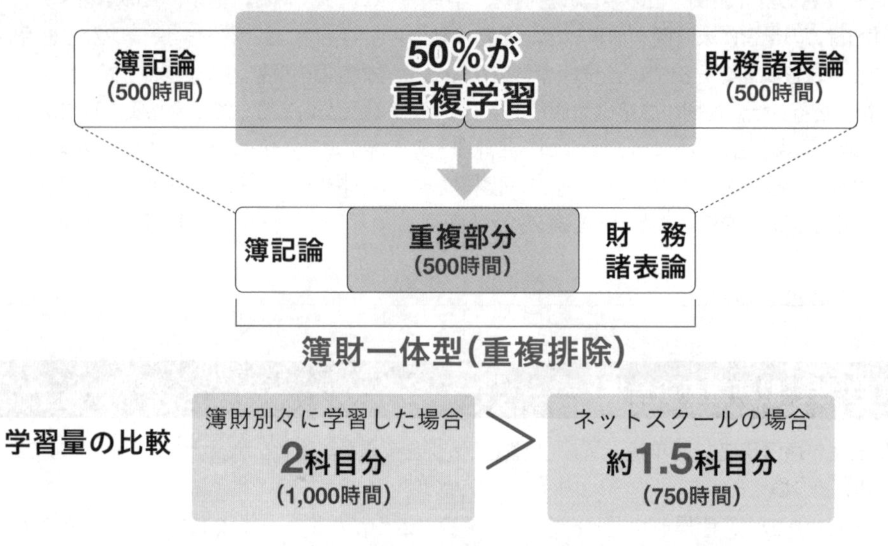

⇒悩みをスッキリ解決する新学習法が、**簿財一体型の学習法**です！

【参考】簿記論・財務諸表論の重複学習項目一覧

貸借対照表の作成	現金預金	金銭債権	棚卸資産	金融商品
有形固定資産	無形固定資産	繰延資産	営業費	負債会計
退職給付会計	純資産会計	外貨換算会計	リース会計	減損会計

なお、簿記論は基本的にはすべて計算問題として出題されますが、**財務諸表論では100点満点中50点までが理論問題の出題**となり、その出題量は相当なものとなりますので、**十分な理論対策が必要**となります。理論学習は日商簿記検定試験では１級会計学の出題内容となるため、特に３～２級までの学習修了者にとってはその理論対策が重要となってきます。

基礎導入編、基礎完成編、応用編の教科書・問題集は主に簿記論・財務諸表論の計算問題対策の教材となっていますので、財務諸表論の理論対策については別冊の**「財務諸表論教科書・理論編」**をご利用ください。

プロの会計人を目指すチャンス到来

今こそ税理士試験にチャレンジしよう！

簿記論および財務諸表論の受験資格が不要となったことに伴い、日商簿記の学習経験者にとってはこれまでよりも税理士試験（簿・財）にチャレンジしやすい環境になるものと考えられます。

これまで多くの税理士受験生が日商簿記検定の学習からスタートし、学習の進捗度合いや各級の合格を機に、簿記論や財務諸表論へステップアップしています。

そこで、以下の日商簿記検定試験の学習範囲との関連性（重複学習の度合い）をご参照いただき、今後における税理士試験へのチャレンジに向けて、学習開始の目安としていただきたいと思います。

なお、税理士試験では原価計算の出題はありません。また、工業簿記についても原価計算を行わない簡便的な工業簿記（商的工業簿記）の出題に限られています。

◆ **日商簿記検定試験の学習範囲との関連性**

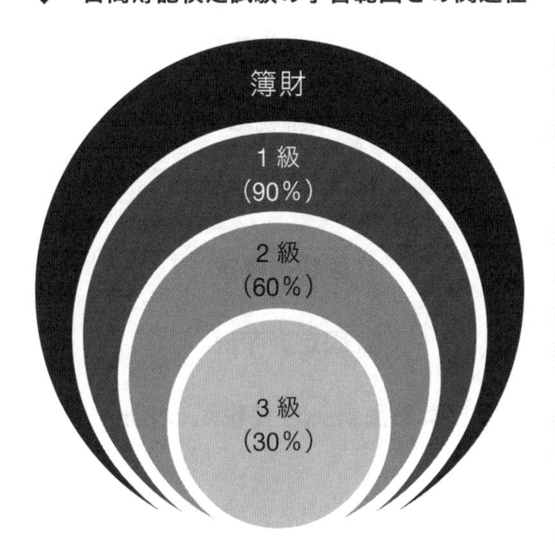

日商簿記１級

・ほとんどの内容は学習済みであり、復習もかねて学習を開始することができます。

・11月の検定試験後～年明けからのスタートが可能です。

日商簿記２級

・学習済みの内容も多く、比較的余裕をもって学習を開始することができます。

・理想は9月からですが、11月前後からのスタートも可能です。

日商簿記３級

・新規の学習項目も多くなりますが、基礎固めをしながら学習を進めていくことになります。

・9月から約1年をかけての学習をおススメします。

税理士試験（簿記論･財務諸表論）の学習については、これまででしたら日商簿記検定２級（商業簿記）の学習修了者が主な対象と考えられてきていたのですが、近年の日商簿記検定試験の出題範囲の改正等も考慮すると、**今後は日商簿記検定３級の学習修了者でも税理士試験（簿記論・財務諸表論）の学習開始は十分可能**であると考えられます。

さあ、今こそ税理士試験にチャレンジしましょう！

税理士試験は難易度の高い試験ではありますが、科目合格制度を採用しており、コツコツと努力を続ければ必ず合格できる可能性がある試験です。そして、税理士の資格は様々な分野で活躍できる魅力にあふれています。この魅力あふれる資格に今こそチャレンジしてみてください！

税理士試験の2大特徴

特徴その1　科目選択制度

以下の試験科目全11科目から5科目を選択して受験する制度です。会計科目の2科目と選択必須科目1科目以上を含む税法科目3科目の合計5科目に合格する必要があります。

会計科目	必須の2科目	簿記論
		財務諸表論
税法科目	選択必須の1科目 ※法人税法または所得税法のいずれか	法人税法
		所得税法
	選択科目 [2科目または1科目選択]	相続税法
		消費税法または酒税法のいずれか
		国税徴収法
		固定資産税
		事業税または住民税のいずれか

特徴その2　科目合格制度

1度の受験で5科目全てに合格する必要はなく、1科目ずつ受験することができます。
なお、1度合格した科目は生涯有効となります。

税理士試験の受験資格及び試験日程については、国税庁ホームページをご覧下さい。
https://www.nta.go.jp/index.htm

国税庁ホームページ　›　税の情報・手続・用紙　›　税理士に関する情報　›　税理士試験

Chapter 1

特殊商品売買

特殊商品売買とは、『特殊な商品』の売買取引という意味ではありません。代金分割払いで買ってもらうとか、お試しで使ってよかったら買ってもらうといった売買形態に、ちょっと特徴があるという意味合いのものです。

このChapterでは、特殊商品売買の会計処理について学習します。

Section 1

特殊商品売買の全体像

“商品を販売する”ということには、①商品の引渡しと②対価の受取りという要件があります。

この2つの要件を同時に満たすものを商品売買といいます。では、特殊商品売買とはどのような販売形態をいうのでしょうか。

このSectionでは、特殊商品売買の概要について学習します。

1 特殊商品売買とは

特殊商品売買は、商品の販売にさいし、①商品の引渡しと②対価を受け取ることが同時に行われる「一般商品売買」に対して、①商品の引渡しと②対価の受取りに**時間的なズレ**が生じるという特殊性があります。特殊商品売買では、こうした特殊性に応じた会計処理が行われます。

2 特殊商品売買の種類と収益の認識基準

1. 種　類

特殊商品売買には、主に次のものがあります。

販売形態	内　　容
割賦販売（かっぷ）	商品引渡し後、販売代金を分割して受け取る販売形態をいいます(Section 2で学習)。
試用販売	まず得意先に商品を発送し、一定の期間試用してもらい、後日買取りの意思表示を受ける販売形態をいいます(Section 3で学習)。
委託販売 受託販売	商品販売を行うにあたり、他社に販売を代行してもらうことがあります。この、販売の代行をしてもらう側の販売形態を委託販売といいます。また、販売の代行をする側の形態を受託販売といいます*01)(Section 4・5で学習)。
未着品売買	注文した商品について、その商品の到着を待たず、商品の引取証(貨物代表証券（かもつだいひょうしょうけん）など)をもって他に転売する販売形態をいいます*01)(Section 6で学習)。

特殊商品売買の問題で重要になってくるのは、会計処理を正確に把握し、処理の流れを理解したうえで商品のデータを整理し、どの勘定の数字がどのように動くかがわかるようになることです*02)。また、複雑になりがちな「仕入」について分析図を作成することが、特殊商品売買の問題を解くうえで有効です。つまり、特殊商品売買の問題を解くにあたっては、ボックス図と勘定連絡図を素早く正確に描くことが重要です。

*01)未着品売買と受託販売は特殊商品売買には該当しませんが、特殊商品売買と関連して出題されることがあるため、このChapterで説明します。

*02)商品のデータを整理するために下書用紙にボックス図を作成するのが有効です。

2. 収益の認識基準

特殊商品売買の収益の認識基準は、①商品の引渡しと②対価の受取りの２要件が満たされたとき、つまり**販売基準**が原則となります。

なお、「例外的基準」については、特殊商品売買の事情によりこれまで容認されてきましたが、「収益認識に関する会計基準」(Chapter 4で学習)ではその適用が認められていません。

概観すると、次のようになります*03)。

*03)詳しくはSection 2以降で学習します。

販売形態	原則的基準(販売基準)	例外的基準(収益認識基準では不可)
割賦販売	商品を引き渡した日	割賦金の入金の日(回収基準) 割賦金の回収期限の到来した日(回収期限到来基準)
試用販売	試用先が買取りの意思表示を示した日(買取意思表示基準)	—
委託販売	受託者が委託品を販売した日	仕切精算書が販売のつど送付されている場合に限り、当該仕切精算書が到達した日(仕切精算書到達日基準)
未着品売買	貨物代表証券などを転売した日	—

3 特殊商品売買の処理方法

特殊商品売買と処理方法の結びつきは、ほぼパターンが決まっています。太字表記は重要ですので、意識して学習するようにしましょう。

販売形態	主な処理方法
割賦販売	原則として一般の商品売買と同様
試用販売	**対照勘定法**、手許商品区分法(期末一括法、その都度法など)
委託販売	**手許商品区分法**(期末一括法、その都度法など)
未着品売買	**手許商品区分法**(期末一括法、その都度法など)

手許商品区分法は、商品の原価を手許にある商品原価とは区分して仕入勘定(または商品勘定)とは別の勘定科目を設けて処理する方法です。

対照勘定法は手許にある商品の原価と区別せず、売上に対応する売上原価を計上し、売上計上していない原価は繰越商品勘定等で繰越す処理方法です。

Section 2

割賦販売

「欲しい商品があるけど、ちょっと高くて一括で支払うのは厳しいなぁ…」―こんなときに分割して代金を支払う方法があれば、一括支払いでは買えないものでも買えるかもしれません。

このSectionでは代金分割払いという条件による販売形態(割賦販売)について販売者側の処理を学習します。

1 割賦販売とは

割賦販売とは、商品等を引き渡したあと、月賦等で売上代金を分割して定期的に回収する販売形態をいいます。

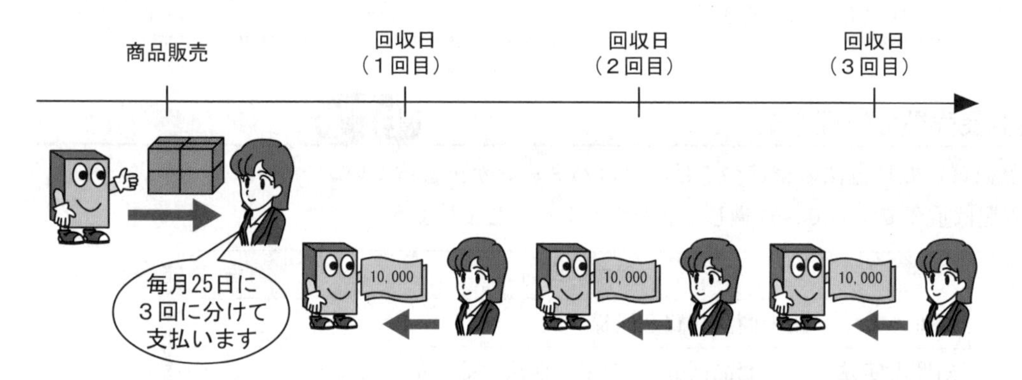

2 収益の認識基準

割賦販売における売上収益の認識基準[*01]には、「**販売基準**」、「**回収基準**」、「**回収期限到来基準**」の3つがあり、それぞれで売上収益の認識のタイミングが異なります。

*01)「どの時点で(収益を)計上するか」を認識といいます。

	収益認識基準	内容(認識のタイミング)	会計処理方法
原則的基準	販売基準	**商品等を引き渡した日に**収益を認識する方法	一般の商品販売と同様
例外的基準	回収基準	**割賦代金を回収した日に**収益を認識する方法	未実現利益整理法 対照勘定法
	回収期限到来基準	**割賦代金の回収期限到来日**に収益を認識する方法	

このうち、割賦販売では**販売基準が原則**です。しかし、割賦販売では代金回収の期間が**長期**にわたり、また**分割払い**であるという特徴があります。そのため、貸倒れの危険性が高く、回収に付随して諸費用も発生します*02)。

*02) 回収費用は通常、回収側が負担すべきものです。

そこで、収益の認識を慎重に行うために、販売基準を原則的な収益の認識基準としながらも、例外的に**回収基準**と**回収期限到来基準**が認められていました。

ただし、「収益認識に関する会計基準」においては、割賦販売について**販売基準**で処理されることになります。そのため、同基準が適用される会社（上場企業など）では、例外的基準であった回収基準と回収期限到来基準の適用は認められなくなりました。

よって、本書では**販売基準**による処理のみを取り上げます。

3 販売基準

▶▶簿問題集：問題1

販売基準では、商品の引渡し時に売上収益を計上します。なお、会計処理方法は、一般商品販売と同様です。

設例 2-1 割賦販売（販売基準）

割賦販売(会計処理方法は販売基準による)にかかる次の取引の仕訳を示しなさい(重要な金融要素については考慮不要)。なお、商品の仕入れは第１期中に行った１回のみ(仕入原価は4,000円)であり、各期とも期首および期末に商品の在庫はなかった。また、代金の受払いは現金預金勘定で処理する。

第１期(×１年４月１日～×２年３月31日)

① ×1年９月１日　商品（売価5,000円、原価4,000円）を５回の均等払いの契約で販売した。

② ×1年９月25日　第１回目の割賦金1,000円を現金で受け取った。

③ ×2年３月25日　第２回目の割賦金1,000円を現金で受け取った。

④ 第１期の決算日を迎えた。

第２期(×２年４月１日～×３年３月31日)

⑤ ×2年９月25日　第３回目の割賦金1,000円を現金で受け取った。

⑥ ×3年３月25日　第４回目の割賦金1,000円の回収期限日であったが、実際には×3年４月５日に現金で受け取っている。

⑦ 第２期の決算日をむかえた。

解答

第1期

① 割賦商品の販売時

(借)	**割賦売掛金**	*5,000*	(貸) **割賦売上**	*5,000*

② 1回目の代金回収時

(借)	**現金預金**	*1,000*	(貸) **割賦売掛金**	*1,000*

③ 2回目の代金回収時

(借)	**現金預金**	*1,000*	(貸) **割賦売掛金**	*1,000*

④ 第1期の決算時

(借)	**仕訳なし**		(貸)	

第2期

⑤ 3回目の代金回収時

(借)	**現金預金**	*1,000*	(貸) **割賦売掛金**	*1,000*

⑥ 4回目の代金回収期限（実際の回収は翌期）

(借)	**仕訳なし**		(貸)	

⑦ 第2期の決算時

(借)	**仕訳なし**		(貸)	

解説

販売基準によって処理しているため、一般商品販売と同様の処理をします。なお、割賦商品にかかる売掛金は、一般商品の『売掛金』と区別するために**『割賦売掛金』**とします。また、割賦売掛金は実際に割賦代金を回収したときに減額するため、期限が到来しただけの⑥では「仕訳なし」となります(実際に割賦代金を回収した第3期の4月5日に「**(借)現金預金 1,000 (貸)割賦売掛金 1,000**」と仕訳します)。

設例 2-2　割賦販売（原価率の算定）

次の資料にもとづいて、(1)一般商品販売の原価率、(2)割賦販売の原価率を算定しなさい。

【資料1】

決算整理前残高試算表（一部）　（単位：円）

繰越商品	15,000	一般売上	100,000
仕入	100,000	割賦売上	62,500

【資料2】

1　当期の割賦販売売価は、一般商品販売の25%増しに設定されている。

2　期末商品棚卸高 10,000円

解答

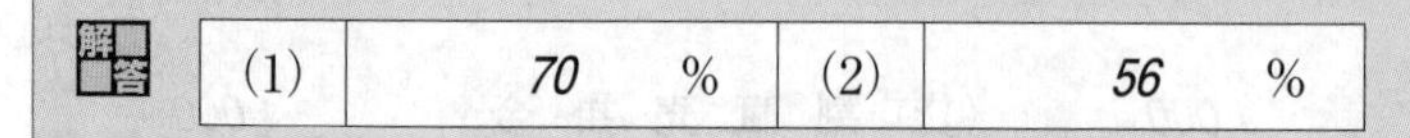

(1)	70 %	(2)	56 %

解説

割賦売価を一般売価ベースに統一することにより、一般販売の原価率を求めることができます。

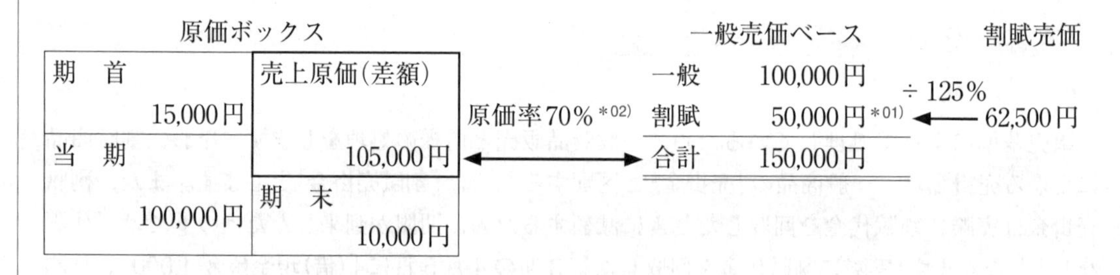

＊01) $\frac{62{,}500円}{125\%}=50{,}000円$

＊02) 原価率（一般）：$\frac{105{,}000円}{150{,}000円}=70\%$

原価率（割賦）：$\frac{70\%}{125\%}=56\%$

4 重要な金融要素の処理

薄B 財計B ▶▶薄問題集：問題 2,3

割賦販売については、代金の回収が長期にわたるため、その販売価格に利息(**重要な金融要素**)が含まれていることがあります。

この場合、収益を顧客が支払うと見込まれる現金販売価格で計上し、金利部分については受取利息として決済期日まで配分します*01)。

*01)「収益認識に関する会計基準」において、取引価格の算定にあたり考慮すべきもの(契約における重要な金融要素)となります。
Chapter 4「収益認識」で改めて取り上げます。

設例 2-3　割賦販売（重要な金融要素）

次の一連の取引の仕訳を示しなさい。なお、割賦売価と現金正価との差額は利息として計上し、定額法により回収のつど処理している。

Ⅰ期の取引
① 販売　商品(原価400円、割賦売価500円、現金正価450円、差額は利息分)を5回の分割払いの契約で販売した。
② 回収　第1回の割賦金100円を現金で受け取った。
③ 回収　第2回の割賦金100円を現金で受け取った。
④ 決算　Ⅰ期決算、期首および期末の棚卸商品なし、当期仕入400円

Ⅱ期の取引
⑤ 回収　第3回の割賦金100円を現金で受け取った。
⑥ 回収　第4回の割賦金100円を現金で受け取った。
⑦ 決算　Ⅱ期決算、取引は上記のみ。

解答

Ⅰ期の取引

	借方	金額	貸方	金額
①	(借) 割賦売掛金	450	(貸) 割賦売上	450
②	(借) 割賦売掛金	10	(貸) 受取利息	10 *02)
	(借) 現金	100	(貸) 割賦売掛金	100
③	(借) 割賦売掛金	10	(貸) 受取利息	10
	(借) 現金	100	(貸) 割賦売掛金	100
④	仕訳なし			

Ⅱ期の取引

	借方	金額	貸方	金額
⑤	(借) 割賦売掛金	10	(貸) 受取利息	10
	(借) 現金	100	(貸) 割賦売掛金	100
⑥	(借) 割賦売掛金	10	(貸) 受取利息	10
	(借) 現金	100	(貸) 割賦売掛金	100
⑦	仕訳なし			

*02) 利息部分：500円−450円=50円　50円÷5回=10円

解説

Ⅰ期における損益計算書は次のようになります[*03)]。

損益計算書〈Ⅰ期〉

Ⅰ 売上高		
1. 割賦売上高		450
Ⅱ 売上原価		
1. 期首商品棚卸高	0	
2. 当期商品仕入高	400	
合計	400	
3. 期末商品棚卸高	0	400
売上総利益		50
⋮		⋮
Ⅳ 営業外収益		
受取利息		20

＊03) Ⅱ期の損益計算書の収益は受取利息のみとなります。

利息部分については**利息法**または**定額法**により配分します。

なお、金利部分について**利息調整勘定**(または**利息未決算**)で処理し、割賦代金の回収時に利息調整勘定(または利息未決算)から受取利息勘定に振替える方法もあります。

利息調整勘定[*04)]を用いた場合の仕訳は、以下のとおりです。

Ⅰ期の仕訳

	借方	金額	貸方	金額
①	(借) 割賦売掛金	*500*	(貸) 割賦売上	*450*
			利息調整勘定	*50*
②	(借) 現金	*100*	(貸) 割賦売掛金	*100*
	(借) 利息調整勘定	*10*	(貸) 受取利息	*10*
③	(借) 現金	*100*	(貸) 割賦売掛金	*100*
	(借) 利息調整勘定	*10*	(貸) 受取利息	*10*
④	仕訳なし			

Ⅱ期の仕訳

	借方	金額	貸方	金額
⑤	(借) 現金	*100*	(貸) 割賦売掛金	*100*
	(借) 利息調整勘定	*10*	(貸) 受取利息	*10*
⑥	(借) 現金	*100*	(貸) 割賦売掛金	*100*
	(借) 利息調整勘定	*10*	(貸) 受取利息	*10*
⑦	仕訳なし			

＊04) 利息調整勘定の貸借対照表の表示については会計基準等に特に規定されていませんが、利息調整勘定で処理しない方法との整合性から、割賦売掛金から直接控除して表示することが考えられます。

5 戻り商品の処理

簿B 財計C ▶▶簿問題集：問題4

戻り商品の処理は、割賦売掛金の貸倒れと考えます。そして、商品価値のある戻り商品を資産として計上し、差額を戻り商品損失とします。戻り商品を改めて評価するので、その点にだけ注意してください。

1．割賦販売における戻り商品

割賦販売は、代金の回収が長期にわたるため、回収不能となる場合が多くあります。

割賦代金が回収不能となったときは、取戻権にもとづいて相手から商品を取り戻すことができます。この商品を戻り商品といい、戻り商品に商品価値がある場合には評価額を見積もり、**戻り商品勘定で処理**します。

2．戻り商品の会計処理（前期引渡し・当期戻り）

回収不能となった**割賦売掛金を消去**します。そして、取り戻した商品の評価額を**戻り商品勘定に計上**し、前期末に割賦売掛金に貸倒引当金を設定していた場合には貸倒引当金を取り崩します。貸倒引当金が不足していた場合には、貸借差額を**戻り商品損失**[*01]とします。

決算にさいしては**戻り商品勘定の残高を仕入勘定に振り替え**、さらに未販売の場合には繰越商品勘定に振り替えて次期に繰り越します。

＊01）戻り商品損失勘定はP/L・販売費及び一般管理費に表示します。

商品取戻時	（借）	戻り商品	××	（貸）	割賦売掛金	×××
		貸倒引当金	×			
		戻り商品損失	×			
決算時	（借）	仕入	××	（貸）	戻り商品	××
	（借）	繰越商品	××	（貸）	仕入	××

利息調整勘定（利息未決算）を用いている場合では以下の仕訳になります。

まず回収不能となった利息調整勘定（利息未決算）を消去します。そのあとで戻り商品や戻り商品損失を計上します。

商品取戻時	（借）	利息調整勘定	×	（貸）	割賦売掛金	×××
		戻り商品	××			
		貸倒引当金	×			
		戻り商品損失	×			

設例 2-4　戻り商品の処理（前期引渡し・当期戻り）

次の一連の取引の仕訳を示しなさい。

Ⅰ期の取引

① 販売　当期に仕入れた商品(原価400円、割賦売価500円、現金正価450円、差額は利息分)を5回の分割払いの契約で販売した。金利部分については受取利息として定額法により決済期日まで配分する。

② 回収　第1回の割賦金100円を現金で受け取った。

③ 決算　Ⅰ期決算、期首および期末の棚卸商品なし。割賦代金の未回収額に対し20円の貸倒引当金を設定する。

Ⅱ期の取引

④ 貸倒　前期に割賦販売した商品を購入者の支払不能につき4回分(400円)を未回収のまま取り戻した(決算日において当該商品は売れていない)。なお、この商品は110円と評価された。

⑤ 決算　Ⅱ期決算、取引は上記のみ。

解答

Ⅰ期の仕訳

	借方	金額	貸方	金額
①	(借)割賦売掛金	450	(貸)割賦売上	450
②	(借)割賦売掛金	10	(貸)受取利息	10
	(借)現金	100	(貸)割賦売掛金	100
③	(借)貸倒引当金繰入	20*02)	(貸)貸倒引当金	20

Ⅱ期の仕訳

	借方	金額	貸方	金額
④	(借)戻り商品	110	(貸)割賦売掛金	360
	貸倒引当金	20		
	戻り商品損失	230		
⑤	(借)仕入	110	(貸)戻り商品	110
	(借)繰越商品	110	(貸)仕入	110

*02) 割賦代金の未回収分に対する引当金の設定にはいくつかの計算方法が考えられますので、問題の指示に従って解答してください。

※　利息調整勘定を用いている場合の仕訳

①	(借)割賦売掛金	500	(貸)割賦売上	450
			(貸)利息調整勘定	50
②	(借)現金	100	(貸)割賦売掛金	100
	(借)利息調整勘定	10	(貸)受取利息	10
③	(借)貸倒引当金繰入	20	(貸)貸倒引当金	20
④	(借)利息調整勘定	40	(貸)割賦売掛金	400
	戻り商品	110		
	貸倒引当金	20		
	戻り商品損失	230		
⑤	(借)仕入	110	(貸)戻り商品	110
	(借)繰越商品	110	(貸)仕入	110

3．戻り商品の会計処理(当期引渡し・当期戻り)

回収不能となった**割賦売掛金を消去**し、取り戻した商品の評価額を**戻り商品勘定**に、差額を評価損に相当する額として**戻り商品損失**[*01]とします。

なお、決算にさいしては**戻り商品勘定の残高を仕入勘定に振り替え**、さらに未販売の場合には繰越商品勘定に振り替えて次期に繰り越します。

*01)貸倒損失とすることもあります。

商品取戻時	(借)　戻り商品 　　　戻り商品損失	×× ×	(貸)　割賦売掛金	×××
決算時	(借)　仕入 (借)　繰越商品	×× ××	(貸)　戻り商品 (貸)　仕入	×× ××

設例 2-5　戻り商品の処理（当期引渡し・当期戻り）

次の一連の取引の仕訳を示しなさい。

① 販売　当期に仕入れた商品(原価400円、割賦売価500円、現金正価450円、差額は利息分)を5回の分割払いの契約で販売した。金利部分については受取利息として定額法により決済期日まで配分する。

② 回収　第1回の割賦金100円を現金で受け取った。

③ 貸倒　当期に割賦販売した商品を購入者の支払不能につき4回分(400円)を未回収のまま取り戻した(決算日において当該商品は売れていない)。なお、この商品は110円と評価された。

④ 決算　取引は上記のみ。期首商品なし。期末商品は戻り商品のみである。

解答

	借方	金額	貸方	金額
①	(借) 割賦売掛金	450	(貸) 割賦売上	450
②	(借) 割賦売掛金	10	(貸) 受取利息	10
	(借) 現金	100	(貸) 割賦売掛金	100
③	(借) 戻り商品	110	(貸) 割賦売掛金	360
	戻り商品損失	250		
④	(借) 仕入	110	(貸) 戻り商品	110
	(借) 繰越商品	110	(貸) 仕入	110

※　利息調整勘定を用いている場合の仕訳

	借方	金額	貸方	金額
①	(借) 割賦売掛金	500	(貸) 割賦売上	450
			(貸) 利息調整勘定	50
②	(借) 現金	100	(貸) 割賦売掛金	100
	(借) 利息調整勘定	10	(貸) 受取利息	10
③	(借) 利息調整勘定	40	(貸) 割賦売掛金	400
	戻り商品	110		
	戻り商品損失	250		
④	(借) 仕入	110	(貸) 戻り商品	110
	(借) 繰越商品	110	(貸) 仕入	110

6 財務諸表の表示

割賦販売について財務諸表の表示上注意する点は、次のとおりです。

(1) 割賦売上高は、他の販売形態と区別し、『**割賦売上高**』として独立表示します。

(2) 割賦売掛金も原則、貸倒引当金の設定対象になります。

なお、損益計算書項目は、次のようになります(数値は仮定です)。

損 益 計 算 書　　(単位：円)

Ⅰ 売 上 高		
1 割賦売上高		50,000
Ⅱ 売上原価		
1 期首商品棚卸高	6,000	
2 当期商品仕入高	30,000	
合 計	36,000	
3 期末商品棚卸高	8,000	28,000
売上総利益		22,000

貸借対照表項目は、次のようになります。

貸 借 対 照 表　　(単位：円)

Ⅰ 流動資産		
割賦売掛金	35,000	
商 品	8,000	

Section 3

試用販売

「とりあえず試しに使ってみて、よかったら買って」── これが試用販売のイメージです。

試しに使ってみたものの、イマイチだったからといって返送するのも何だか気が引ける…、そんな人間心理を上手くついた販売方法こそが試用販売……かもしれません。

このSectionでは試用販売について学習します。

1 試用販売とは

試用販売とは、顧客に商品を送付して一定期間試用してもらい、後日顧客から買い取るかどうかの意思表示を受ける販売形態のことをいいます。

試送*01)しただけでは商品を販売したとはいえないため、試用販売では、**顧客から買取りの意思表示を受けたときに『試用品売上』を計上***02)します。また、顧客に買い取る意思がない場合には、商品を返送してもらいます。

*01) 試用品として商品を顧客に送ることをいいます。

*02) 試用販売以外では、商品を相手に渡した時点で売上を計上するのが原則です。

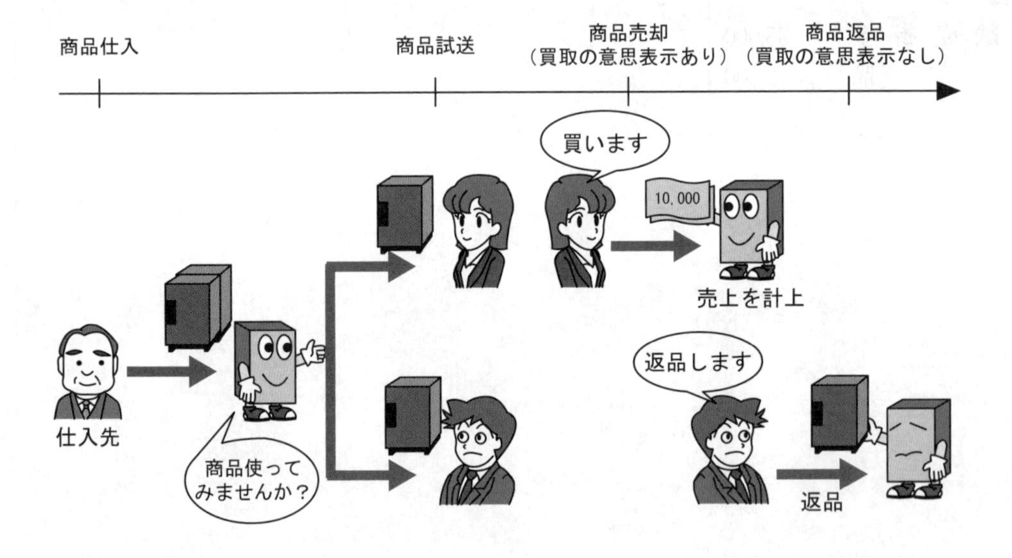

2 試用販売の会計処理方法

簿B 財計C

▶▶簿問題集：問題 5,6
▶▶財問題集：問題 7,8

1．記帳方法

試用販売の主な記帳方法は、次のように分類されます。

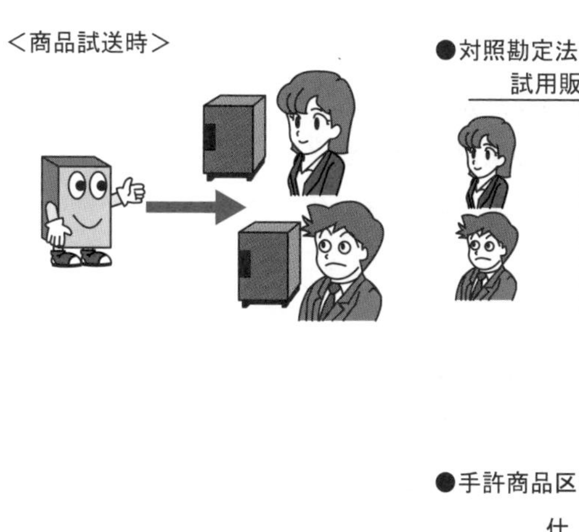

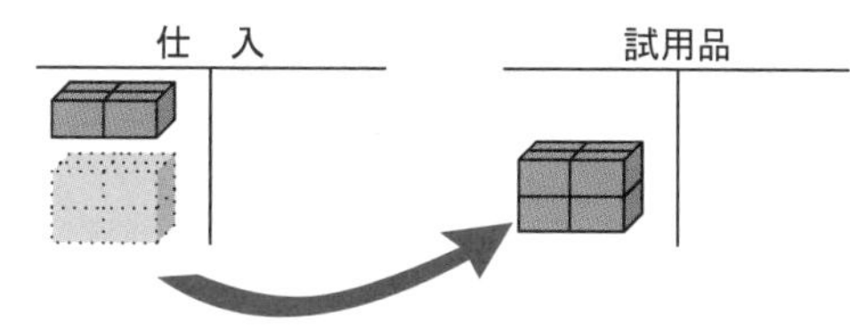

2．対照勘定法とは

対照勘定法とは、対照勘定と呼ばれる借方・貸方で一対となっている勘定科目を用いて備忘記録*01)をしておく方法です。試用販売では、**売価をもって備忘記録を行います**。なお、対照勘定の一例としては、次のものがあります。

*01)備忘記録とは、商品を試送している事実を忘れないようにするために行う記録です。

借　方	貸　方
試用販売契約	**試用仮売上**
試用未収金	試用販売仮売上
試用売掛金	試用販売
試用販売売掛金	

※太字の勘定科目が一般的に用いられています。

本書では、『**試用販売契約**』と『**試用仮売上**』とを用いて説明します。ただし、問題を解くときは勘定が指定されていることが通常ですので、問題の指示に従ってください。

3．対照勘定法の処理

試用販売の処理では、①商品を試送したとき、②顧客から買取りの意思表示を受けたとき、③顧客から商品の返送を受けたときの３つの場合が問題となります。

(1) 対照勘定の記帳・取消し

①商品を**試送したときに対照勘定で記帳**し、当社の商品が先方にあることを示しておきます。その後、②顧客から**買取りの意思表示を受けたとき**、③顧客から**商品の返送を受けたときに対照勘定を取り消します**。

(2) 原価率の算定（試用品売価が一般売価の○割増の場合）

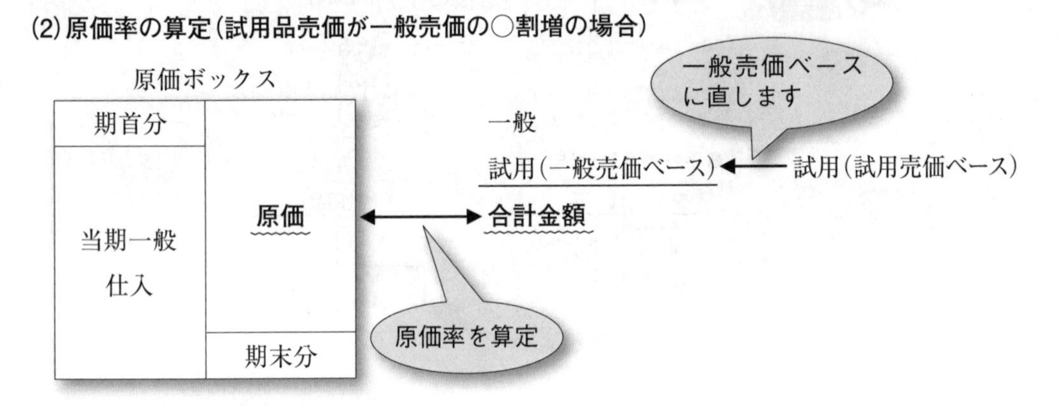

この場合は、試用販売の原価率が不明なため、期末対照勘定残高も売れたものとみなして一般販売の原価率を算定します。

設例 3-1　　試用販売・対照勘定法

当社では、一般販売とともに、当期より試用販売を行っている。次の資料にもとづいて、各取引（①～⑥）の仕訳を示しなさい。なお、取引はすべて掛けで行い、対照勘定法により処理している。

【資料１】

第１期の取引

① 商品12,000円を掛けで仕入れた。

② 商品9,000円（売価）を試送した。

③ 商品8,000円（売価）を売り上げた（一般販売）。

④ 試用品6,000円（売価）について買取りの意思表示を受けた。

⑤ 試用品900円（売価）が返送された。

⑥ 決算をむかえた。なお、手許商品および試用品の状況は以下のとおりである。

期首手許商品原価 500円　　期末手許商品原価 700円

期首試用品原価　なし

【資料２】

(1) 一般販売の原価率は80％で期中は一定である。

(2) 試用販売の売価は、毎期一般売価の20％増しに設定している。

解答

① 仕入時

借方	金額	貸方	金額
(借) 仕入	12,000	(貸) 買掛金	12,000

② 試送時

借方	金額	貸方	金額
(借) 試用販売契約	9,000	(貸) 試用仮売上	9,000

③ 一般販売時

借方	金額	貸方	金額
(借) 売掛金	8,000	(貸) 一般売上	8,000

④ 買取意思表示時

借方	金額	貸方	金額
(借) 売掛金	6,000	(貸) 試用品売上	6,000
(借) 試用仮売上	6,000	(貸) 試用販売契約	6,000

⑤ 返送時

借方	金額	貸方	金額
(借) 試用仮売上	900	(貸) 試用販売契約	900

⑥ 決算時

借方	金額	貸方	金額
(借) 仕入	500	(貸) 繰越商品	500
(借) 繰越商品	2,100	(貸) 仕入	2,100

または

(繰越商品	700
繰越試用品	1,400)

解説

(1)仕訳

②試送時

試用販売のために商品を試送している事実を対照勘定で備忘記録します。

④買取意思表示時

一般商品と区別するために**『試用品売上』**を用います。なぜなら、通常は一般販売原価率と試用販売原価率は異なることが多いからです。これに対し、**『売掛金』**については区別していません。これは、販売代金を回収することに関しては一般販売と変わらないからです。

また、買取意思表示によって商品を試送した旨の備忘記録は不要になるので、取り消します。

⑤返送時

返送された分の対照勘定も、備忘記録を残しておく必要がないので取り消します。

⑥決算時

期末対照勘定残高に試用販売の原価率を乗じた金額(期末試用品原価)を繰越商品勘定または繰越試用品勘定等に計上し、売上原価に計上しないような処理を行います。

(2)勘定連絡図による分析

第１期の取引①～⑤の仕訳を勘定に記入すると、次のようになります。

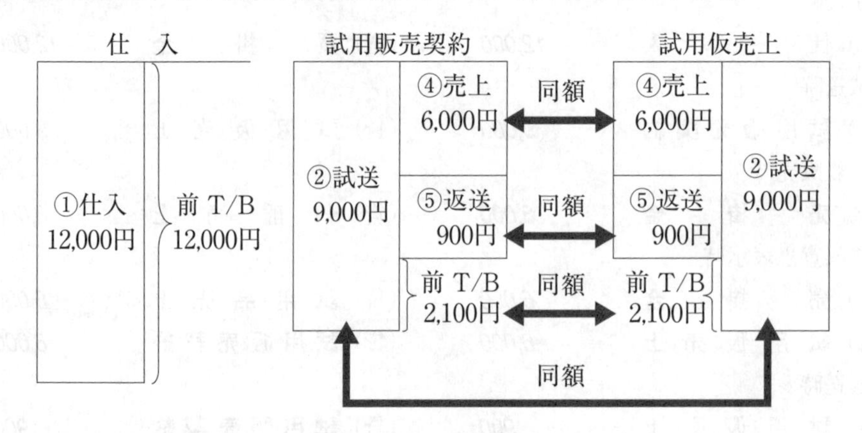

したがって、決算整理前残高試算表(売掛金と買掛金を除く)は次のようになります。

決算整理前残高試算表（一部）　（単位：円）

繰越商品	500	試用仮売上*02)	2,100
試用販売契約*02)	2,100	一般売上	8,000
仕入*03)	12,000	試用品売上	6,000

(3)原価率の算定

本問では資料で一般販売原価率80%が与えられているため解答上は求める必要はありませんが、原価率の算定方法を確認するため以下の解説を行います。

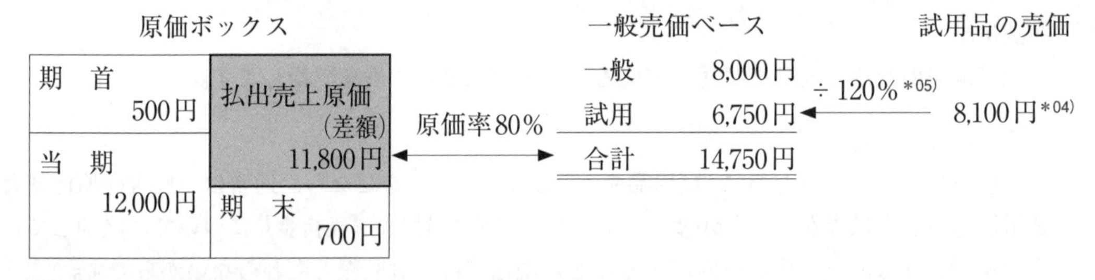

試用品の売価：6,000円＋2,100円＝8,100円

原価率：$\frac{11{,}800円}{14{,}750円}$＝80%

*02)対照勘定はつねに貸借一対で記帳されるため、同額となります。

*03)前T/Bの仕入は当期商品仕入高(一般商品仕入高＋試用仕入高)を示しています。

*04)期末対照勘定残高を売上に加算して一般販売ベースの売価に換算して計算します。

*05)払出売価純額8,100円を120%で割ることで、払出売価(一般売価ベース)を求めます。

(4)期末試用品原価の算定

原価率から期末の『**試用品**』の金額*06)を求めます。

試用品：試用仮売上(または試用販売契約)×試用品原価率

$$= 2{,}100\text{円} \times \frac{80\%}{120\%} = 1{,}400\text{円}$$

したがって、決算整理後残高試算表は次のようになります。

決算整理後残高試算表(一部)　(単位：円)

繰越商品	2,100	試用仮売上	2,100
試用販売契約	2,100	一般売上	8,000
仕入	10,400	試用品売上	6,000

後T/Bの『**仕入**』は、当期商品売上原価(一般販売売上原価 6,400円*07)＋試用販売売上原価 4,000円*08))を示しています。

*06)買取の意思表示を受けていない試用品の原価です。

*07)8,000円(一般売上)×80%＝6,400円

*08)6,000円(試用品売上)×$\frac{80\%}{120\%}$＝4,000円

〈財務諸表の作成〉

設例3-1をもとにP/L・B/Sを作成すると、次のようになります。なお、『**試用販売契約**』、『**試用仮売上**』等の**対照勘定は備忘記録であるため、財務諸表に計上されません**ので注意してください。また、対照勘定法、手許商品区分法等、どのような記帳方法を採用しても外部公表用財務諸表は同じになります。

損益計算書　(単位：円)

Ⅰ 売上高		
1 一般売上高	(8,000)	
2 試用品売上高	(6,000)	(14,000)
Ⅱ 売上原価		
1 期首商品棚卸高	(500)	
2 当期商品仕入高	(12,000*09))	
合計	(12,500)	
3 期末商品棚卸高	(2,100*10))	(10,400)
売上総利益		(3,600)

貸借対照表　(単位：円)

商品	(2,100*10))	

*09)試用品の返送高は、返送時の仕訳に『**仕入**』がないため、当期商品仕入高に別途加算しないことに注意してください。

*10)財務諸表上、一般商品と試用品の残高は区別しません。

実際に問題を解くとき、『**試用販売契約**』に含まれる原価の増減関係を整理するために、試用販売契約ボックス[*11)]を描くと理解に役立ちます。

左上段に期首分、左下段に当期発生分の売価および原価を記入します。また、右側は期首分・当期分それぞれの期末状況を記入します。

なお、原価は（　）で表します。そして原価率を算定し、各売価項目に原価率を掛けることにより、対応する原価が求められます。

試用販売契約ボックス：売価(原価)

期首　0円 （　0円）	買取　0円（　0円）	
	期末　0円（　0円）	
当期[*12)] 9,000円 (6,000円[*13)])	買取 6,000円(4,000円)	⇒前T/B・後T/B『**試用品売上**』6,000円
	返送　900円(　600円)	
	期末 2,100円(1,400円[*14)])	⇒前T/B・後T/B『**試用販売契約**』2,100円 ⇒後T/B『**繰越商品**』1,400円(期末試用品原価)

＊11）対照勘定である『**試用仮売上**』についてボックス図を作成しても同じことです。

＊12）当期試用販売原価率：$\frac{80\%}{120\%}$

＊13）9,000円×$\frac{80\%}{120\%}$＝6,000円

＊14）2,100円×$\frac{80\%}{120\%}$＝1,400円

4．返送があった場合の処理

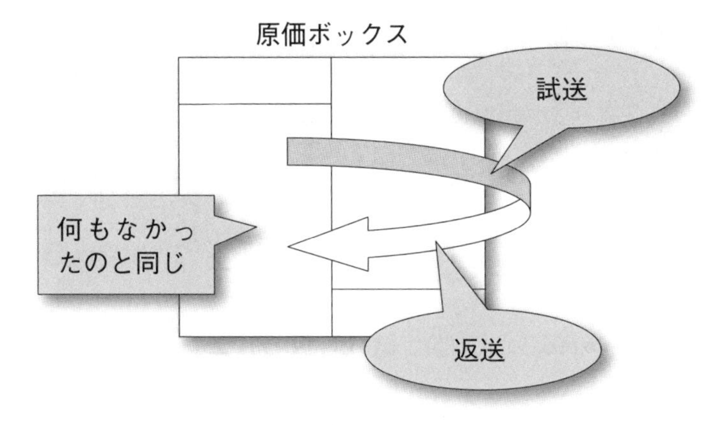

試送した商品が返送されてきた場合には、商品は行って返ってきただけなので、何もなかったことと同じになります。なお、行う仕訳は備忘記録を取り消すだけです。

設例 3-2 試用販売・対照勘定法

当社では、一般販売とともに、前期より試用販売を行っている。次の資料にもとづいて、各取引(①～⑥)の仕訳を示すとともに、損益計算書および貸借対照表(一部)を作成しなさい。なお、取引はすべて掛けで行い、対照勘定法による。

【資料１】

当期の取引

① 商品9,500円を掛けで仕入れた。
② 商品6,000円(売価)を試送した。
③ 商品を8,000円で売り上げた(一般販売)。
④ 試用品4,860円(売価)について買取りの意思表示を受けた。うち、1,500円は前期試送分である。
⑤ 試用品1,800円(売価)が返送された。うち、600円は前期試送分である。
⑥ 決算をむかえた。なお、期末手許商品は1,600円である。

【資料２】 決算整理前残高試算表および試用販売契約の期中増減

決算整理前残高試算表(一部)　(単位：円)

借方科目	金額	貸方科目	金額
繰越商品	2,100	試用仮売上	1,440
試用販売契約	1,440	一般売上	8,000
仕入	9,500	試用品売上	4,860

試用販売契約　(単位：円)

	期首残高	当期試送高	買取高	返送高	期末残高
前期試送	2,100	—	1,500	600	—
当期試送	—	6,000	3,360	1,200	1,440

【資料3】

(1) 一般販売の原価率は毎期異なるが、期中は一定である。なお、前期の一般販売の原価率は80%であった。

(2) 試用販売の売価は、毎期一般売価の20%増しに設定している。

解答

①仕入時

(借)	仕入	9,500	(貸) 買掛金	9,500

②試送時

(借)	試用販売契約	6,000	(貸) 試用仮売上	6,000

③一般販売時

(借)	売掛金	8,000	(貸) 一般売上	8,000

④買取意思表示時

(借)	売掛金	4,860	(貸) 試用品売上	4,860
(借)	試用仮売上	4,860	(貸) 試用販売契約	4,860

⑤返送時

(借)	試用仮売上	1,800*15)	(貸) 試用販売契約	1,800

⑥決算時

(借)	仕入	2,100	(貸) 繰越商品	2,100
(借)	繰越商品	2,500	(貸) 仕入	2,500

損益計算書 (単位:円)

Ⅰ 売上高		
1 一般売上高	(8,000)	
2 試用品売上高	(4,860)	(12,860)
Ⅱ 売上原価		
1 期首商品棚卸高	(2,100)	
2 当期商品仕入高	(9,500)	
合計	(11,600)	
3 期末商品棚卸高	(2,500)	(9,100)
売上総利益		(3,760)

貸借対照表 (単位:円)

商品	(2,500)	

*15) 試用品返送分は、前期試送分と当期試送分は区別せずに一括して仕訳をします。

解説 この設例は、**設例3-1**の翌期の取引になっています。

(1)勘定連絡図による分析

第2期の取引①～⑤の仕訳を勘定に記入すると、次のようになります。

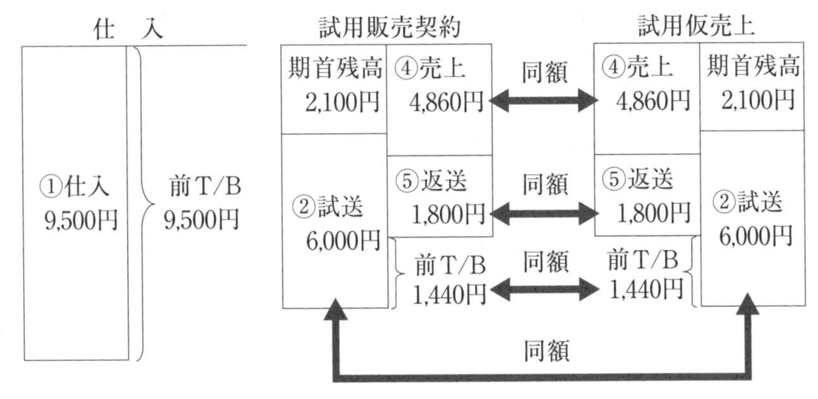

したがって、決算整理前残高試算表は次のようになります。

決算整理前残高試算表（一部）　（単位：円）

繰越商品	2,100	試用仮売上	1,440
試用販売契約	1,440	一般売上	8,000
仕入	9,500	試用品売上	4,860

(2)一般販売原価率の算定

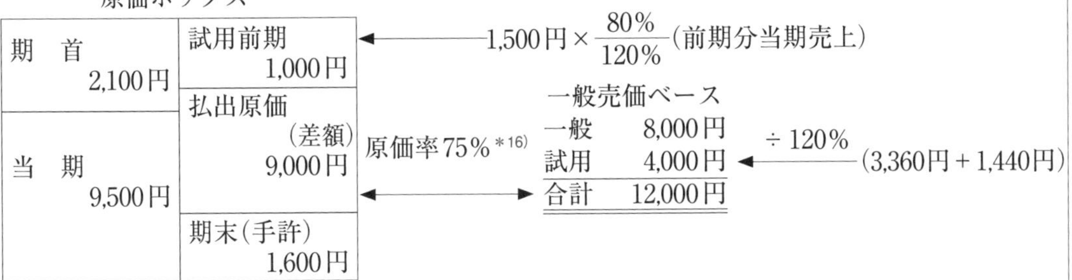

①返送分

対照勘定法のため期中は原価の金額での処理をしていません。そのため、原価率を算定するさいは、返送原価は考慮する必要はありません。

②試用品の売価について

試用品売上のうち当期試送分(3,360円)に期末対照勘定残高(1,440円)の合計4,800円を120%で割ることで一般販売ベースの売上になります。

③試用販売原価率

前期試用販売原価率：$\frac{80\%}{120\%}$

当期試用販売原価率：$\frac{75\%}{120\%}$

＊16) $\frac{9,000円}{12,000円}=75\%$

(3)試用販売契約ボックス

試用販売契約ボックス：売価(原価)

期　首	買取　1,500円(　1,000円)	
2,100円 (1,400円)	返送　600円(　400円[*17)])	►前T/B・後T/B『**試用品売上**』4,860円
当　期	買取　3,360円(　2,100円)	
6,000円[*18)]	返送　1,200円(　750円)	
(3,750円)	期末　1,440円(　900円[*19)])	⇒前T/B・後T/B『**試用販売契約**』1,440円 ⇒後T/B『**繰越商品**』900円

したがって、決算整理後残高試算表は次のようになります。

決算整理後残高試算表（一部）　(単位：円)

借方	金額	貸方	金額
繰越商品	2,500	試用仮売上	1,440
試用販売契約	1,440	一般売上	8,000
仕入	9,100	試用品売上	4,860

後T/Bの「仕入」は、当期商品売上原価(一般商品売上原価6,000円[*20)]＋試用売上原価(前期) 1,000円[*21)]＋試用売上原価(当期) 2,100円[*22)])を示しています。

以上の処理からP/L・B/Sを作成すると、次のようになります。

損益計算書　(単位：円)

Ⅰ 売上高		
1 一般売上高	(8,000)	
2 試用品売上高	(4,860)	(12,860)
Ⅱ 売上原価		
1 期首商品棚卸高	(2,100)	
2 当期商品仕入高	(9,500)	
合計	(11,600)	
3 期末商品棚卸高	(2,500[*23)])	(9,100)
売上総利益		(3,760)

貸借対照表　(単位：円)

商品 (2,500[*23)])	

＊17) 600円×$\frac{80\%}{120\%}$＝400円

＊18) 6,000円×$\frac{75\%}{120\%}$＝3,750円

＊19) 1,440円×$\frac{75\%}{120\%}$＝900円

＊20) 一般売上8,000円×原価率75％＝6,000円

＊21) 試用品売上(前期) 1,500円×$\frac{80\%}{120\%}$＝1,000円

＊22) 試用品売上(当期) 3,360円×$\frac{75\%}{120\%}$＝2,100円

＊23) 財務諸表上、一般商品と試用品の残高は区別しません。

〈手許商品区分法〉

試用販売についても、未着品売買や委託販売と同様に手許商品区分法を行うこともでき、(1)期末一括法*24)と、(2)その都度法*25)による処理があります。

*24) 期末一括法とは、期末に一括して試用品売上原価を『試用品』から『仕入』に振り替える方法です。

*25) その都度法とは、試用品を販売のつど、試用品売上原価を『試用品』から『仕入』に振り替える方法です。

仕入（手許商品）　　　試用品（手許にない商品）

一般仕入＋試用仕入　　試用仕入 →試送→ 試用仕入 ｝手許にない商品の仕入高

｝手許にある商品の仕入高

数値はすべて**設例3-1**と同じですので、対照勘定法による処理と比較して、手許商品区分法の特徴をよく理解してください。

また、**対照勘定法、手許商品区分法等、どのような記帳方法を採用しても外部公表用財務諸表は同じ**になります。

<table>
<tr><th></th><th>(1)期末一括法</th><th>(2)その都度法</th></tr>
<tr><td>①仕　入</td><td colspan="2">(借)仕　入 12,000　(貸)買掛金 12,000</td></tr>
<tr><td rowspan="2">②試　送</td><td colspan="2">(借)試用品 6,000　(貸)仕　入 6,000</td></tr>
<tr><td colspan="2">試送した商品の原価を『仕入』から『試用品』へ振り替えます。この処理により、試用品原価は『試用品』で、手許商品原価は『仕入』で区別して管理することになります。</td></tr>
<tr><td>③一般販売</td><td colspan="2">(借)売掛金 8,000　(貸)一般売上 8,000</td></tr>
<tr><td rowspan="3">④買取意思表示</td><td>(借)売掛金 6,000　(貸)試用品売上 6,000</td><td>(借)売掛金 6,000　(貸)試用品売上 6,000
(借)仕　入 4,000　(貸)試用品 4,000</td></tr>
<tr><td>期末に一括して売上原価を算定するため『試用品売上』のみを計上します。</td><td>『試用品売上』を計上するつど、売り上げた試用品売上原価を『仕入』に振り戻します。</td></tr>
<tr><td colspan="2">つまり、売上原価の振替えを期末に一括して行うか、売上のつど行うかの違いになります。</td></tr>
<tr><td rowspan="3">⑤返　送</td><td colspan="2">(借)仕　入 600　(貸)試用品 600</td></tr>
<tr><td colspan="2">顧客から商品の返送を受けたときは、試送した商品が再び手許に戻ってくるため、その原価を『試用品』から『仕入』に振り替えます。</td></tr>
<tr><td>決算整理前残高試算表(一部)(単位：円)
繰越商品 500 ｜ 一般売上 8,000
試用品*26) 5,400 ｜ 試用品売上 6,000
仕　入*27) 6,600
*26) 期首試用品原価＋当期純試送高
*27) 手許商品仕入原価</td><td>決算整理前残高試算表(一部)(単位：円)
繰越商品 500 ｜ 一般売上 8,000
試用品*28) 1,400 ｜ 試用品売上 6,000
仕　入*29) 10,600
*28) 期末試用品原価
*29) 手許商品仕入原価＋試用品売上原価</td></tr>
</table>

<table>
<tr><td rowspan="3">⑥決　　算</td><td colspan="2">決算をむかえた。 {期首手許商品原価　500円
期首試用品原価　なし} {期末手許商品原価700円
期末試用品原価 1,400円}</td></tr>
<tr><td>(借) 仕　　入　500　(貸) 繰越商品　500
(借) 繰越商品　700　(貸) 仕　　入　700

(借) 仕　　入 5,400　(貸) 試 用 品 5,400
(借) 試 用 品 1,400　(貸) 仕　　入 1,400</td><td>(借) 仕　　入　500　(貸) 繰越商品　500
(借) 繰越商品　700　(貸) 仕　　入　700</td></tr>
<tr><td>決算整理後残高試算表(一部)(単位：円)

繰越商品　700 ｜ 一般売上　8,000
試 用 品　1,400 ｜ 試用品売上　6,000
仕　　入　10,400 ｜</td><td>決算整理後残高試算表(一部)(単位：円)

繰越商品　700 ｜ 一般売上　8,000
試 用 品　1,400 ｜ 試用品売上　6,000
仕　　入　10,400 ｜</td></tr>
</table>

Section 4 委託販売

この本は、実は委託販売で販売されています。つまり、ネットスクールは書店に委託して本を置いてもらい、皆さんに買って頂くと、その代金は1カ月ごとに集計され、書店が手数料を差し引いた残額をネットスクールに振り込むというシステムになっているのです。

このSectionでは、委託販売の処理について学習します。

1 委託販売とは

委託販売とは、当社の商品を受託者(販売代行会社)に預け、その会社に販売を代行してもらう販売形態をいいます。販売の代行を依頼する側を**委託者**といい、代行する側を**受託者**といいます。委託者は、**受託者**が商品を販売してはじめて売上収益を計上します。

1. 収益の認識

(1) 受託者販売日基準(原則)

受託者が、委託者から販売を依頼された商品を第三者に販売した日を売上収益実現の日とします。

(2) 仕切精算書(しきりせいさんしょ)到達日基準(例外*01))

受託者が、委託者から販売を依頼された商品について、販売のつど仕切精算書*02)を委託者に送付している場合には、当該仕切精算書が到達した日に売上収益を計上します。

*01) この例外処理は「収益認識に関する会計基準」では認められていません。

*02) 売上計算書のことです。

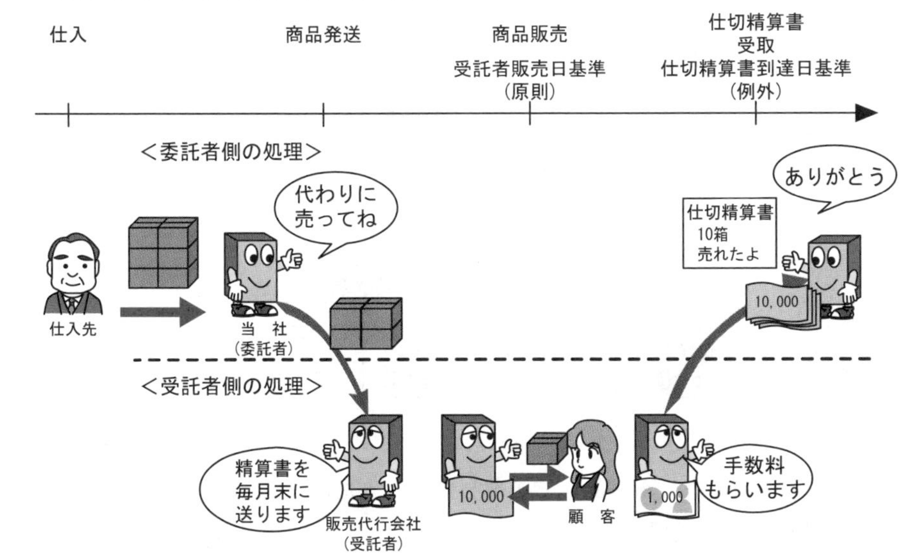

2．収益の測定

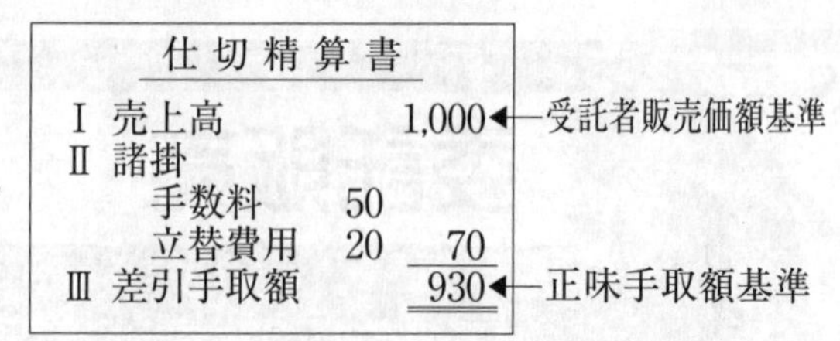

仕切精算書		
Ⅰ 売上高		1,000 ←受託者販売価額基準
Ⅱ 諸掛		
手数料	50	
立替費用	20	70
Ⅲ 差引手取額		930 ←正味手取額基準

(1) 受託者販売価額基準

受託者が販売した金額(指値)を売上計上します。

(2) 正味手取額基準

受託者の手数料や立替費用を差引いた額を売上計上します。

2 委託販売の会計処理方法

委託販売は、通常は**手許商品区分法**で処理されます[*01]。手許商品区分法とは、手許に保有している商品(手許商品)原価と委託販売している商品(積送品)の原価を区分して計算する方法になります。処理方法には、分割法(期末一括法、その都度法)、分記法、総記法、売上原価対立法があります。なお、本書では分割法による処理を取り上げます。

*01) 対照勘定法も考えられますが、重要度を考慮して割愛します。

1．期末一括法

期末一括法とは、期末に一括して販売した積送品の売上原価を『**仕入**』に振り替える方法です。

2．売上の都度、売上原価を仕入へ振替える方法(その都度法)

その都度法とは、商品の販売のつど、積送品の売上原価を『**仕入**』に振り替える方法です。

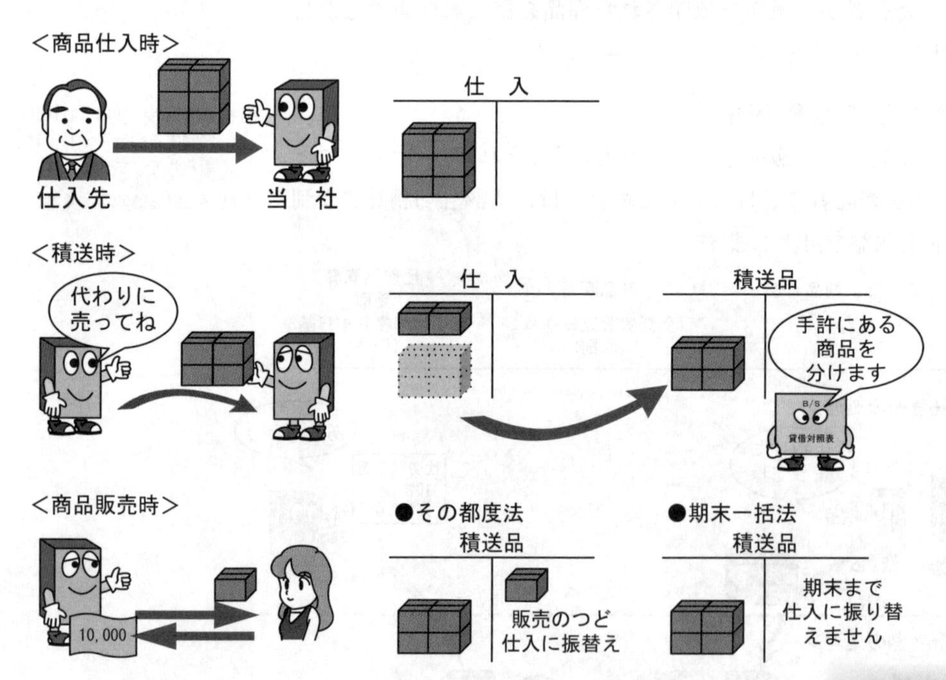

なお、委託販売では、発送した商品を『**積送品**』で処理します。また、受託者に対する債権は『**委託販売**』[*02]で処理します。

*02)『委託売掛金』または『積送売掛金』とする場合もあります。なお、通常の商品販売と同様、『売掛金』で処理する場合もあります。

設例 4-1　手許商品区分法・期首積送品なし

当社は、一般販売とともに委託販売を行っている。次の資料にもとづいて、各取引の仕訳を示しなさい。なお、取引はすべて掛けで行っている(単位：円)。

【資　料】

① 商品 12,000円を仕入れた。
② 商品 7,000円(原価)を受託者に積送した。
③ 商品を 6,000円で売り上げた(一般販売)。
④ 受託者が当社商品4,200円(原価)を 6,000円(売価)で売り上げた(委託販売)。なお、当社は受託者に対する債権を委託販売勘定で処理している。
⑤ 積送品 700円(原価)が返送された。
⑥ 決算をむかえた。　期首手許商品残高　500円　期首積送品残高　なし
　　　　　　　　　　　期末手許商品残高　1,400円　期末積送品残高　2,100円

解答

取　引	期末一括法	その都度法
①仕入時	(借)仕入 12,000 (貸)買掛金 12,000	（同左）
②積送時	(借)積送品 7,000 (貸)仕入 7,000 積送した商品の原価を『仕入』から『積送品』へ振り替えます。この処理によって積送品原価は『積送品』で、また手許商品原価は『仕入』で区別して管理することになります。	（同左）
③販売時(一般)	(借)売掛金 6,000 (貸)売上 6,000	（同左）
④受託者販売時(委託)	(借)委託販売 6,000 (貸)積送品売上 6,000 売上原価は期末に一括して算定するため、積送品売上を計上する処理のみを行います。	(借)委託販売 6,000 (貸)積送品売上 6,000 (借)仕入 4,200 (貸)積送品 4,200 積送品売上を計上するつど、その売上原価を『仕入』に戻す処理も同時に行います。
⑤返品時	(借)仕入 700 (貸)積送品 700 積送の逆の行為なので、②の貸借逆の仕訳を行います。また、この処理は積送品が返品され、手許商品になったことを意味します。 したがって、決算整理前残高試算表は次のようになります。	（同左）

期末一括法

決算整理前残高試算表

借方		貸方	
繰越商品 期首手許商品原価	500	売上	6,000
積送品 期首積送品原価＋当期純積送高	6,300	積送品売上 積送品売価	6,000
仕入 手許商品仕入原価	5,700		

その都度法

決算整理前残高試算表

借方		貸方	
繰越商品 期首手許商品原価	500	売上	6,000
積送品 期末積送品原価	2,100	積送品売上 積送品売価	6,000
仕入 手許商品仕入原価＋積送品売上原価	9,900		

⑥決　算　時	決算をむかえた。期首手許商品残高　500円　期首積送品残高　なし 期末手許商品残高　1,400円　期末積送品残高　2,100円	
	(借)仕　　入　*500* (貸)繰越商品　*500* (借)繰越商品　*1,400* (貸)仕　　入　*1,400* (借)仕　　入　*6,300* (貸)積 送 品　*6,300* (借)積 送 品　*2,100* (貸)仕　　入　*2,100*	(借)仕　　入　*500* (貸)繰越商品　*500* (借)繰越商品　*1,400* (貸)仕　　入　*1,400* (借)仕訳なし (貸)

3 積送諸掛費の処理

積送諸掛費とは、商品の委託販売にともなって**付随的に発生する諸費用**をいいます。発生形態によって以下の２つに分けられます。

積送諸掛費
- (1)積送時に発生する諸掛(発送諸掛)
  - 積送品原価に含める方法
  - 積送諸掛費勘定で処理する方法
- (2)販売時に発生する諸掛(販売諸掛)
  - 積送諸掛費勘定で処理する方法
  - 積送諸掛を計上しない方法

<積送諸掛費>

(1)積送時に発生する諸掛(発送諸掛)

委託者の支払った発送運賃、荷造費など積送時に発生する諸掛については①**積送品原価に含める**方法と②**積送諸掛費で処理する**方法とがあります*01)。なお、『**積送諸掛費**』で処理する場合には、期末に未販売の積送品に対する諸掛を『**繰延積送諸掛**』*02)として次期に繰り延べます。

*01)委託販売に特有の処理です。問題文の指示に従って処理をします。

*02)前払費用です。B/S流動資産に表示します。

設例 4-2 積送時に発生する諸掛の処理

次の各取引について、発送運賃を①積送品原価に含めて処理する方法と②積送諸掛費勘定で処理する方法とで、それぞれ仕訳(分割法による)を示しなさい。

(1) 委託販売のため、商品200,000円を積送し、発送運賃10,000円を現金で支払った。

(2) 決算日において期末積送品の原価は50,000円、これに対応する諸掛は2,500円であった。

解答

(1) 積送時

①	(借)	積送品	210,000	(貸)	仕入	200,000
					現金預金	10,000
②	(借)	積送品	200,000	(貸)	仕入	200,000
		積送諸掛費*03)	10,000		現金預金	10,000

(2) 決算時

①	(借)	仕入	210,000	(貸)	積送品	210,000
	(借)	積送品	52,500	(貸)	仕入	52,500
②	(借)	仕入	200,000	(貸)	積送品	200,000
	(借)	積送品	50,000	(貸)	仕入	50,000
	(借)	繰延積送諸掛	2,500	(貸)	積送諸掛費	2,500

*03) P/L・販売費及び一般管理費に表示します。

(2)販売時に発生する諸掛(販売諸掛)

受託者が立て替えた引取運賃、保管料や受託者が受け取る販売手数料については、①**積送諸掛費勘定で処理する方法***04)(受託者販売価額基準)と②**積送諸掛費を計上しない方法**(正味手取額基準)があります。

*04)販売費として処理する方法ともいいます。

設例 4-3 販売時に発生する諸掛の処理

次の取引について、(1)積送諸掛費勘定で処理する方法と(2)積送諸掛費を計上しない方法とで、それぞれ仕訳を示しなさい。なお、委託販売勘定で仕訳すること。

受託者が当社の積送品を300,000円で販売し、受取額は販売手数料などの販売諸掛30,000円を差し引かれた額である。

解答

(1)	(借)	委託販売	270,000	(貸) 積送品売上	300,000
		積送諸掛費	30,000		
(2)	(借)	委託販売	270,000	(貸) 積送品売上	270,000

設例 4-4 委託販売・勘定連絡図

次の資料にもとづいて、分割法の(1)期末一括法、(2)その都度法、それぞれを採用している場合の決算整理仕訳を示すとともに、決算整理後残高試算表を作成しなさい。

期首積送品 200円　当期積送高 1,000円　期末積送品 300円　積送品売上 1,500円

当期一般仕入 5,000円　期末手許商品 500円　一般売上 3,750円

なお、期首手許商品はなかった。

解答

(1) 期末一括法

①決算整理仕訳

＜一般商品＞

(借)	繰越商品	500	(貸) 仕入	500

＜積 送 品＞

(借)	仕入	1,200	(貸) 積送品	1,200
(借)	積送品	300	(貸) 仕入	300

②決算整理後残高試算表

決算整理後残高試算表　(単位：円)

繰越商品	500	一般売上	3,750
積送品	300	積送品売上	1,500
仕入	4,400		

(2) その都度法

①決算整理仕訳

＜一般商品＞

(借)	繰越商品	500	(貸) 仕入	500

＜積送品＞

(借)	仕訳なし		(貸)	

②決算整理後残高試算表

決算整理後残高試算表　(単位：円)

繰越商品	500	一般売上	3,750
積送品	300	積送品売上	1,500
仕入	4,400		

解説

(1) 期末一括法

①決算整理前

〈勘定連絡図〉

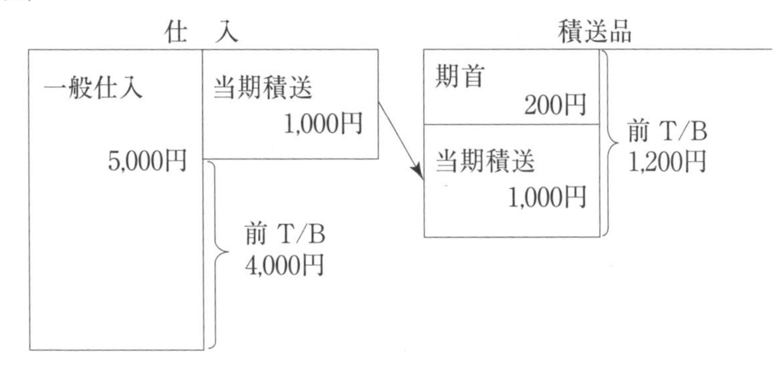

〈決算整理前残高試算表〉

決算整理前残高試算表　(単位：円)

積　送　品	1,200	一　般　売　上	3,750
仕　　　入	4,000	積　送　品　売　上	1,500

②決算整理

期末一括法のため、決算整理前残高試算表の『**積送品**』は、期首からの繰越分と当期積送分の合計額となっているため、期末棚卸分に調整します。

③決算整理後

〈勘定連絡図〉

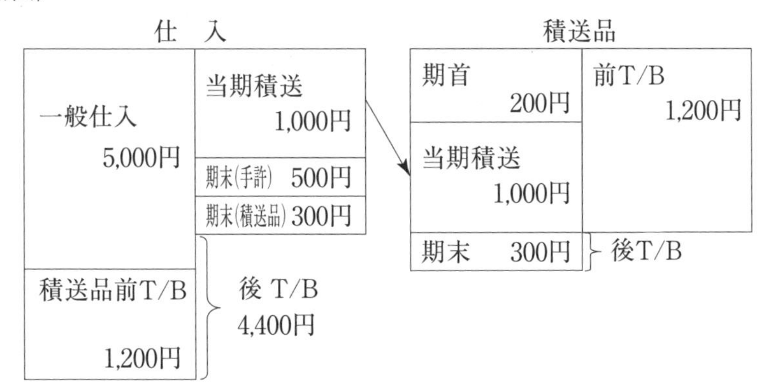

(2) その都度法

①決算整理前

〈勘定連絡図〉

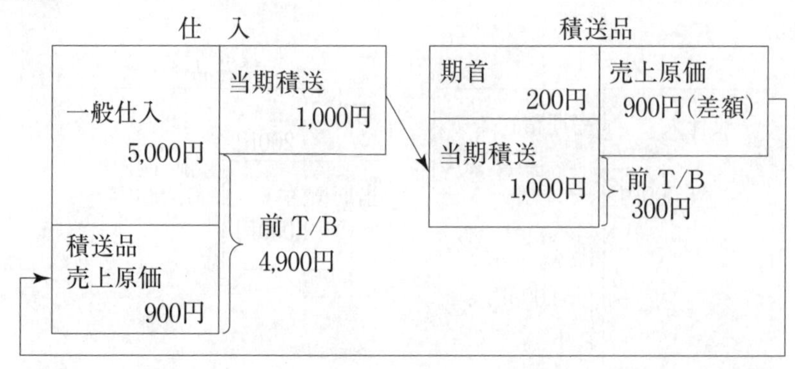

〈決算整理前残高試算表〉

決算整理前残高試算表　(単位：円)

借方	金額	貸方	金額
積　送　品	300	一　般　売　上	3,750
仕　　　入	4,900	積　送　品　売　上	1,500

②決算整理

その都度法のため、決算整理前残高試算表の積送品勘定は、期末棚卸分の金額となっています。

③決算整理後

〈勘定連絡図〉

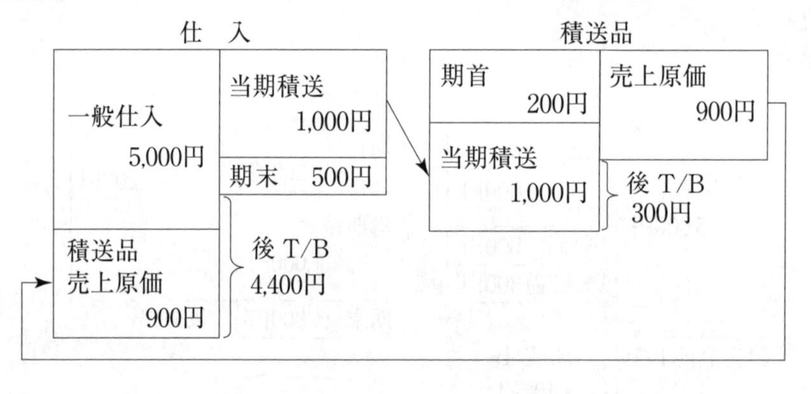

5 財務諸表の表示

簿C 財計C ▶▶財問題集：問題 11

委託販売について財務諸表の表示上注意する点は、次のとおりです。

(1) 積送品売上高は、他の販売形態と区別し、『**積送品売上高**』として独立表示します。
(2) 売上原価の表示については、一般販売とは区別しないでまとめて表示します。
(3) 『**委託販売**』は、借方残高の場合は売掛金と変わらないので、期末残高は『**売掛金**』に含めて表示します。また、売掛金の委託販売部分も貸倒引当金の設定対象となります。

Section 5

受託販売

前のSectionでは委託販売を扱いましたが、このSectionでは、その受託者側の処理である受託販売について学習します。売るのが得意だから代わりに売ってあげる立場の人を想像してみてください。ポイントはあくまで人から預かったものを売っているので『仕入』や『売上』は使わない点です。手数料を受け取ることを目的とするのが、受託販売です。

1 受託販売とは

受託販売とは、委託者から商品を預かり、その販売を代行する形態をいいます*01)。

*01) 前のSection 4で委託販売を学習しましたが、その受託者側の処理が受託販売です。

商品発送
商品販売
仕切精算書受取
<委託者側の処理>
代わりに売ってね
当社（委託者）
仕切精算書 10箱 売れたよ
ありがとう
10,000
<受託者側の処理>
精算書を毎月末に送ります
販売代行会社（受託者）
10,000
顧客
手数料もらいます
1,000
受託者側の処理を行います
B/S 貸借対照表

2 受託販売の会計処理

▶▶簿問題集：問題12

受託販売では、受託者は売上収益の計上は行わず、販売手数料を**『受取手数料』**として計上します*01)。受託販売の会計処理のポイントは、委託者から預かった商品の保管や販売にともなって発生する、委託者に対する債権・債務の処理です。これらはすべて**『受託販売』***02)で処理します。

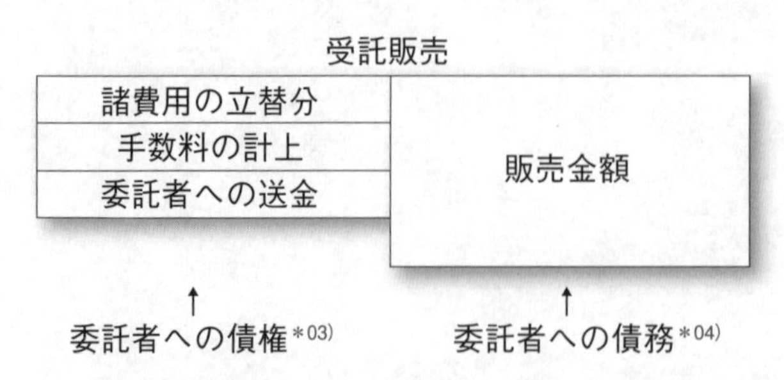

*01)『売上』は、自社の所有する商品が他者のものとなったときに用いる科目です。

*02) 受託販売では、すべての取引に**『受託販売』**が用いられます。

*03) 貸借対照表上、**『受託販売』**の借方残高は**『(受託販売)立替金』**として流動資産の区分に表示されます。

*04) 貸借対照表上、**『受託販売』**の貸方残高は**『(受託販売)預り金』**として流動負債の区分に表示されます。

設例 5-1　受託販売

当社では受託販売を行っている。次の取引の仕訳を示しなさい。代金の支払いは現金預金勘定による。

(1)　委託者から商品200,000円(原価)を引き取り、引取費用2,000円を現金で支払った。

(2)　販売を受託した商品をすべて300,000円(指値売価(さしねばいか)*05))で販売し、代金は掛けとした。なお、発送費用3,000円を現金で立て替えた。

(3)　以下の仕切精算書を作成し、委託者に送付した。

仕切精算書　(単位：円)

売上高		300,000
諸掛		
引取費	2,000	
発送費	3,000	
販売手数料	10,000	15,000
手取金*06)		285,000

(4)　販売代金から諸掛を差し引いた残額285,000円を委託者に現金で送付した。

*05) 指値売価とは、委託者が指定した売価をいいます。
*06) ここでいう「手取金」は、委託者の手取金です。

解答

(1)	(借) 受託販売	*2,000*	(貸) 現金預金	*2,000*
(2)	(借) 売掛金	*300,000*	(貸) 受託販売	*300,000*
	(借) 受託販売	*3,000*	(貸) 現金預金	*3,000*
(3)	(借) 受託販売	*10,000*	(貸) 受取手数料	*10,000*
(4)	(借) 受託販売	*285,000*	(貸) 現金預金	*285,000*

解説

『受託販売』の記入は、次のようになります。

受託販売　(単位：円)

(1)引取費	2,000	(2)販売代金	300,000
(2)発送費	3,000		
(3)手数料	10,000		
(4)送金	285,000		
	300,000		300,000

Section 6

未着品売買

仕入先から商品を仕入れるときに、商品そのものに先立って証券が送られてくることがあります。これを貨物代表証券といいます。商品を受け取るさいの引換券とされるこの証券は、法律上は商品そのものと同じように扱われます。ということは、この証券自体を商品と同じように売ってしまうこともあるわけです。その場合、会計上の扱いはどのようになるでしょうか？

このSectionでは未着品売買について学習します。

1 未着品売買とは

未着品売買とは、遠隔地にある仕入先に注文した商品を、その商品の到着を待たず、さきに届いた商品の引取証(**貨物代表証券**など*01))をもって他に転売する販売形態をいいます。

*01) 貨物代表証券は運送会社が発行する貨物の預り証で、運送会社はこれを所有する人に貨物を引き渡します。具体的には貨物引換証、船荷証券などがあります。貨物代表証券はそのまま第三者に売却することができます。

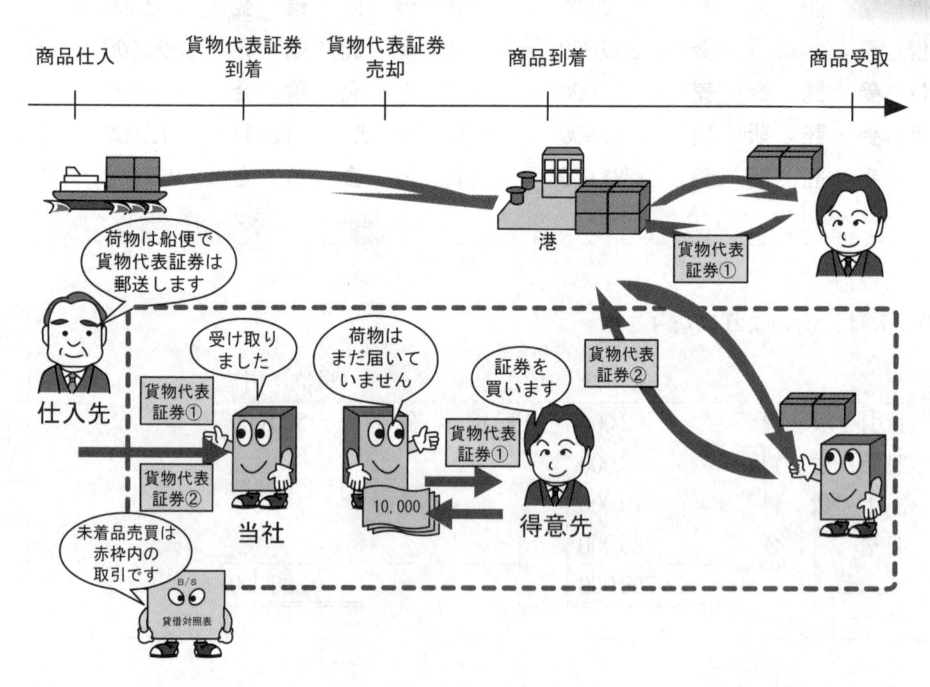

2 未着品売買の会計処理方法

薄B 財計C

未着品売買の会計処理は、**(1) 貨物代表証券を受け取ったとき**、**(2) 貨物代表証券をそのまま転売したとき**、貨物代表証券を転売せず**(3) 自社で商品を引き取ったとき**に行われます。処理方法には、分割法(期末一括法、その都度法)、分記法、総記法、売上原価対立法があります。なお、本書では分割法による処理を取り上げます。

(1)貨物代表証券を受け取ったとき

貨物代表証券を受け取ったときは、商品を受け取ることのできる権利として『**未着品**』(資産)に計上します。

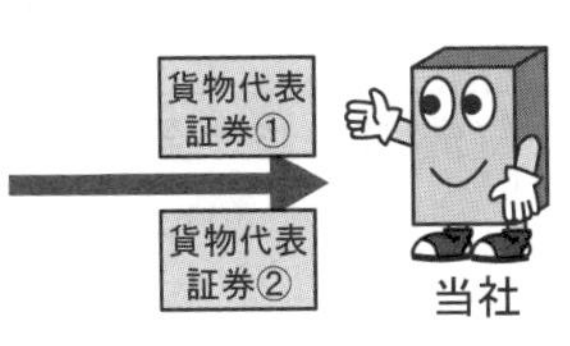

(2)貨物代表証券をそのまま転売したとき(分割法を前提)

貨物代表証券をそのまま転売したときは、一般の商品売上と区別するために『**未着品売上**』として収益計上します。

なお、売上原価については、未着品の売上原価を『**仕入**』に振り替えるタイミングの違いにより、次の処理方法があります。

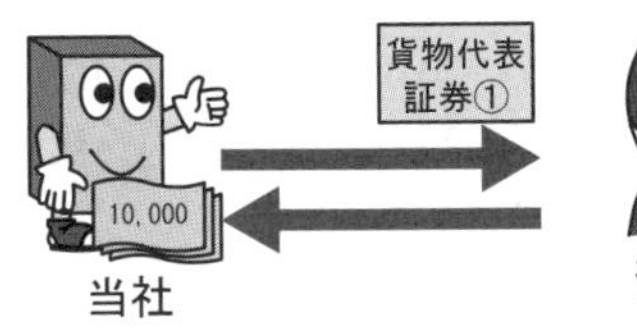

①期末一括法

未着品売上原価の『**仕入**』への振替えを、**期末に一括して行う**方法です[*01]。

②売上の都度、売上原価を仕入へ振替える方法(その都度法)

未着品売上原価の『**仕入**』への振替えを、**売上げのつど行う**方法です[*02]。

*01) この方法を行った場合、期末に決算整理仕訳をすることによって売上原価の算定を行うことになります。

*02) この方法によった場合、期中に売上原価の算定を行うことになります。

(3)自社で商品を引き取ったとき

自社で商品を引き取ったときは、貨物代表証券と引換えに商品を仕入れただけですから、『**未着品**』から『**仕入**』に振り替えます。

なお、このときに要した引取費用などの付随費用は、取得原価に算入されるので、『**仕入**』に加算します。

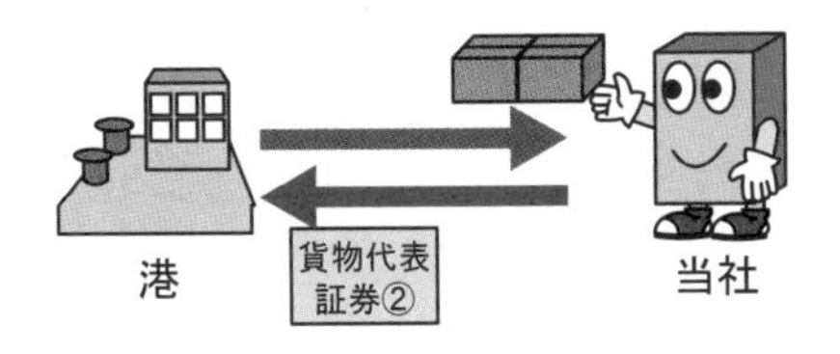

設例 6-1　未着品売買

当社は未着品売買を行っている。次の資料にもとづいて、次の一連の取引の仕訳を示しなさい。なお、取引はすべて掛けで行っており、期首未着品残高は5,000円であった。

【資　料】

① 当社は仕入先より商品の貨物引換証100,000円を掛けにより取得した。

② ①で取得した貨物引換証100,000円のうち、60,000円(売価:90,000円)を掛けで売り上げた。

③ ①で取得した貨物引換証100,000円のうち、20,000円分を引き取った。なお、そのさいに引取費用として2,000円を現金で支払った。

解答

取　引	期末一括法	その都度法
①貨物引換証の取得	(借)未着品 100,000　(貸)買掛金 100,000	
②貨物引換証の売却	(借)売掛金 90,000 (貸)未着品売上 90,000	(借)売掛金 90,000 (貸)未着品売上 90,000 (借)仕入 60,000 *03) (貸)未着品 60,000
③現品引取	(借)仕入 22,000　(貸)未着品 20,000 現金預金 2,000 *04)	
決算整理前残高試算表	以上の一連の取引をもとに残高試算表を作成すると、次のようになります。	

期末一括法

決算整理前残高試算表

借方	貸方
売掛金 90,000	買掛金 100,000
未着品 85,000 期首分+当期分−現品引取分	未着品売上 90,000
仕入 22,000 現品引取分	

その都度法

決算整理前残高試算表

借方	貸方
売掛金 90,000	買掛金 100,000
未着品 25,000 期末分	未着品売上 90,000
仕入 82,000 売上原価分+現品引取分	

*03) そのつど売上原価を計上します。

*04) 付随費用は仕入高に含めます。

3 各勘定の記入と残高試算表

簿B 財計C ▶▶簿問題集：問題13～19

①「期末一括法」と②「その都度法」では売上時の処理が異なるため、期中の未着品の残高も異なります。

問題を解くうえで大切なのは、勘定連絡図などを描いて数字を整理し、どちらの方法を採用しているときに、どの金額が前T/B、後T/Bに表示されるかを答えられるようになることです。

設例 6-2 未着品売買（期末一括法）

次の資料にもとづいて、未着品の会計処理について期末一括法を採用していた場合の(1)決算整理仕訳を示すとともに、(2)決算整理後残高試算表を作成しなさい。なお、期首手許商品はなかった。

【資　料】

期首未着品 200円　当期貨物引換証購入高 1,100円　現品引取高 100円
期末未着品 300円　未着品売上高 1,500円　当期一般仕入 5,000円
期末手許商品 1,000円　一般売上高 5,500円

解答

(1) 決算整理仕訳

＜一般商品＞

（借）	繰越商品	*1,000*	（貸）仕入	*1,000*

＜未着品＞

（借）	仕入	*1,200*	（貸）未着品	*1,200*
（借）	未着品	*300*	（貸）仕入	*300*

(2)

決算整理後残高試算表　（単位：円）

繰越商品	*1,000*	一般売上	*5,500*
未着品	*300*	未着品売上	*1,500*
仕入	*5,000*		

解説

期末一括法を採用しているため、未着品の売上原価を期末に『**仕入**』に振り替えます。

①決算整理前

〈勘定連絡図〉

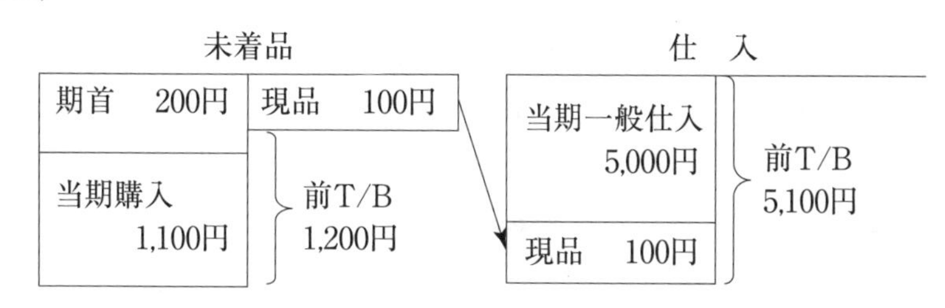

〈決算整理前残高試算表〉

決算整理前残高試算表　(単位：円)

未着品	1,200	一般売上	5,500
仕入	5,100	未着品売上	1,500

②決算整理

前T/Bの『**未着品**』を『**仕入**』に振り替えます。さらに、期末未着品を『**未着品**』に振り替えます。

③決算整理後

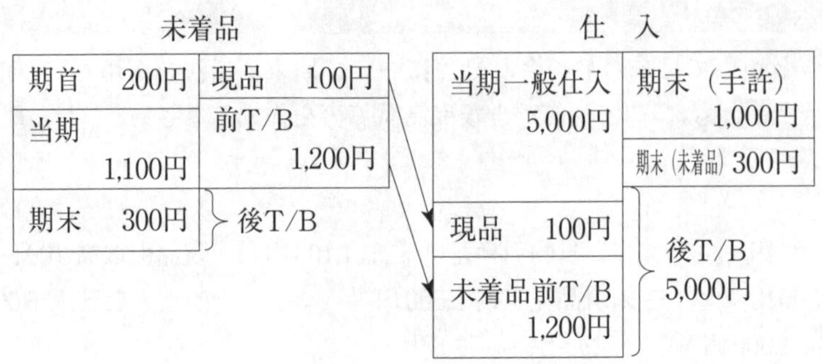

帳簿記帳に基づいた勘定記入により示しましたが、問題解答上は、**設例6-3**の勘定連絡図を復元するとよいです。

設例 6-3　未着品売買（その都度法）

次の資料にもとづいて、未着品の会計処理についてその都度法を採用していた場合の(1)決算整理仕訳を示すとともに、(2)決算整理後残高試算表を作成しなさい。なお、期首手許商品はなかった。

【資　料】

期首未着品 200円　当期貨物引換証購入高 1,100円　現品引取高 100円

期末未着品 300円　未着品売上高 1,500円　当期一般仕入 5,000円

期末手許商品 1,000円　一般売上高 5,500円

解答

(1) 決算整理仕訳

<一般商品>

(借) 繰越商品　*1,000*　(貸) 仕入　*1,000*

<未着品>

(借) 仕訳なし　(貸)

(2)

決算整理後残高試算表　(単位：円)

繰越商品	*1,000*	一般売上	*5,500*
未着品	*300*	未着品売上	*1,500*
仕入	*5,000*		

解説

その都度法を採用しているため、未着品の売上原価の算定は期中取引時に行われています。

①決算整理前

〈勘定連絡図〉

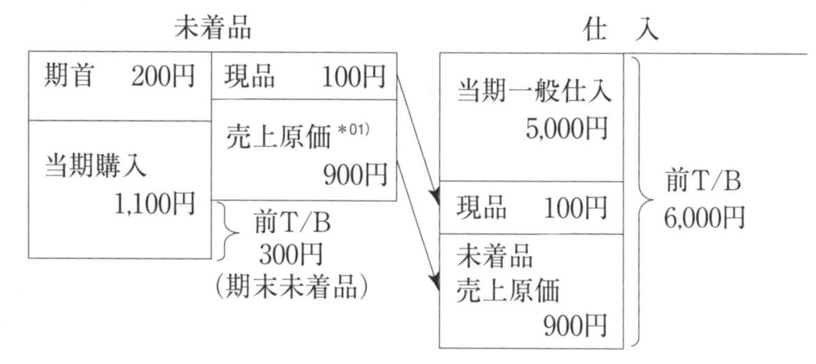

〈決算整理前残高試算表〉

決算整理前残高試算表　(単位：円)

未　着　品	300	一　般　売　上	5,500
仕　　入	6,000	未　着　品　売　上	1,500

②決算整理

期中取引時に売上原価の算定が行われているため、未着品に関する決算整理仕訳は「仕訳なし」になります。

③決算整理後

〈勘定連絡図〉

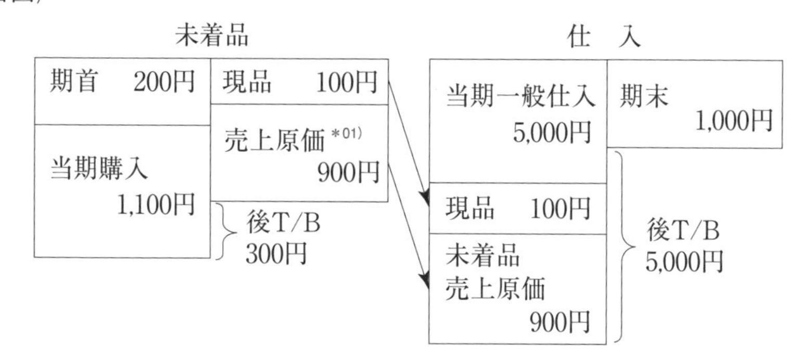

※「期末一括法」によっても「その都度法」によっても、後T／Bは同じになります。

＊01）貸借差額。

このChapterでの表示と注記

貸借対照表			
（資産の部）		（負債の部）	
Ⅰ　流動資産			
売掛金	×××		
割賦売掛金	×××	（純資産の部）	
商品	×××	⋮	
繰延積送諸掛	×××		

損益計算書		
Ⅰ　売上高		
一般売上高	×××	
積送品売上高	×××	
未着品売上高	×××	
試用品売上高	×××	
割賦売上高	×××	×××
Ⅱ　売上原価		
期首商品棚卸高	×××	
当期商品仕入高	×××	
合計	×××	
期末商品棚卸高	×××	×××
売上総利益		×××
Ⅲ　販売費及び一般管理費		
積送諸掛費		×××
戻り商品損失		×××
⋮		

Chapter 2
退職給付会計Ⅱ

退職給付会計についてはすでに教科書Ⅱ基礎完成編で一通り学習しましたが、そこでは退職給付債務よりも年金資産の方が少ないこと（積立不足）が前提となっていました。ただし実際には、年金資産が退職給付債務よりも大きくなる場合もあるのです。

このChapterでは、年金資産が「積立超過」となった場合の処理を中心に学習します。

Section 1

退職給付引当金と前払年金費用

退職給付引当金は、将来に企業が従業員に対して退職金を支払う負債なので、貸方残高になるのが通常です。しかし、年金基金の運用が予想をはるかに上回る好成績だったなど、企業側にとってラッキーに恵まれると借方残高になる場合があります。こんなときはどう処理すればよいのでしょうか？

このSectionでは、退職給付引当金と前払年金費用についてさらに詳しく学習します。

1 退職給付引当金

退職給付引当金とは、貸借対照表において退職給付にかかる負債を計上するための科目です。

「退職給付債務＝年金資産＋退職給付引当金」という関係*01)より、年金資産は退職給付支払いのために外部に拠出した残高であるのに対し、退職給付引当金は退職給付支払いのために**企業内部に留保した残高**といえます。

*01) 正確には未認識の差異を加減します。

退職給付債務と年金資産・退職給付引当金の関係式

退職給付債務 ＝ 年金資産 ＋ 退職給付引当金

年金資産（外部拠出の残高）	退職給付債務	
	（企業の負債）	退職給付引当金（内部留保の残高）

なお、一般的には「年金資産＜退職給付債務」というように、退職給付債務の額のほうが大きくなります。つまり、企業としては差額分（退職給付引当金）を将来の支払いに備えて負債（貸方）に計上しています。

2 前払年金費用

▶▶簿問題集：問題1

前払年金費用*01)とは、貸借対照表において退職給付にかかる資産を計上するための科目です。

『前払年金費用』（B／S資産）*02)は年金資産の**積立超過**を意味します。

*01) 退職給付に対する前払費用なので、『前払年金費用』です。

*02)「固定資産」のうち「投資その他の資産」に計上します。

退職給付債務と年金資産・前払年金費用の関係式
退職給付債務 ＝ 年金資産 － 前払年金費用

	年金資産 （外部拠出の残高）	退職給付債務 （企業の負債）
前払年金費用（積立超過）		

通常は「年金資産＜退職給付債務」となり、退職給付引当金が計上されるので、**仕訳は『退職給付引当金』**[*03)]**で行います**が、期末時点で「年金資産＞退職給付債務」と年金資産の額のほうが大きくなった場合は、**『退職給付引当金』**の借方残高を**『前払年金費用』**[*03)]に振り替えます。

*03) 連結貸借対照表では、「退職給付引当金」は「退職給付に係る負債」、「前払年金費用」は「退職給付に係る資産」として表示します。

設例 1-1　退職給付引当金と前払年金費用

次の２つの場合について、当期末の退職給付引当金または前払年金費用の金額はいくらになるかを答えなさい。なお、解答が前払年金費用となる場合には、金額の前に△を付すこと。
(1)　退職給付債務：200,583円、年金資産：64,083円
(2)　退職給付債務：200,583円、年金資産：264,083円

解答

(1)	*136,500* 円	(2)	△ *63,500* 円

解説

(1)　「退職給付債務＞年金資産」のパターン
退職給付引当金：200,583円－64,083円＝136,500円
(2)　「退職給付債務＜年金資産」のパターン
退職給付引当金：200,583円－264,083円＝△63,500円（前払年金費用）
なお、この場合は期末において（**『退職給付引当金』**が借方残高になっているため）以下の仕訳を行います。

(借) 前払年金費用	63,500	(貸) 退職給付引当金	63,500

Section 2

退職給付信託と早期退職割増金

会社は退縮給付にあてる目的で、有価証券などの保有資産を信託財産として拠出する場合があります。この場合、その信託財産が年金資産となります。また、早期退職者に対して、既定の退職金のほかに割増金を支払った場合、その割増金部分についても退職給付引当金の減額としてよいのでしょうか？

このSectionでは、退職給付信託と早期退職にかかる割増金の会計処理を学習します。

1 退職給付信託

1．退職給付信託とは

退職給付信託とは、事業主の保有資産を退職給付にあてる目的で、有価証券等を外部の運用機関に信託するものです。

2．会計処理

信託財産を年金資産として拠出した場合は、事業主から当該資産を時価で拠出されたものとして*01)会計処理を行います。このさいに生じた資産の評価差額は、**『退職給付信託設定損益』**で処理します。

*01）時価評価を行うという意味です。

設例2-1 退職給付信託

次の取引の仕訳を示しなさい。

その他有価証券として保有しているＮＳ社株式を退職給付信託の受託機関に信託した。なお、ＮＳ社株式の帳簿価額は10,000円、信託時の時価は12,000円である。

解答

（借）退職給付引当金*02)	12,000	（貸）投資有価証券*03)	10,000
		退職給付信託設定損益	2,000

*02）信託時の時価を計上します。

*03）保有資産の簿価を計上し、設定損益は差額で求めます。

2 早期退職にかかる割増金

会社の雇用政策によっては、一定年齢以上の従業員に対して早期退職者を募ることがあります。通常、これに応じた従業員に対しては、規定の退職金のほかに割増金を支払います。この割増金に関しては、退職給付会計とは別に費用または損失*01)として処理します。

*01）早期退職制度が経常的なものであるか否かで判断しますが、通常は特別損失となります。

設例2-2 早期退職の割増金

次の取引の仕訳を示しなさい。
早期退職を募った結果、これに応じた従業員に対して、退職一時金3,000円を現金で支払った。
なお、このうちの500円については、早期退職に対する割増金部分である。

（借）	退職給付引当金	2,500	（貸）現　金　預　金	3,000
	特別割増退職金	500		

3 表示科目のまとめ 

退職給付会計にかかる表示科目と表示箇所は次のとおりです。

表示科目	表示箇所
退職給付引当金	B/S　固定負債
(前払年金費用)	(B/S　投資その他の資産)
退職給付費用	P/L　販売費及び一般管理費(またはC/R労務費)
退職給付信託設定損(益)	特別損失(特別利益)
特別割増退職金	特別損失(または営業外費用)

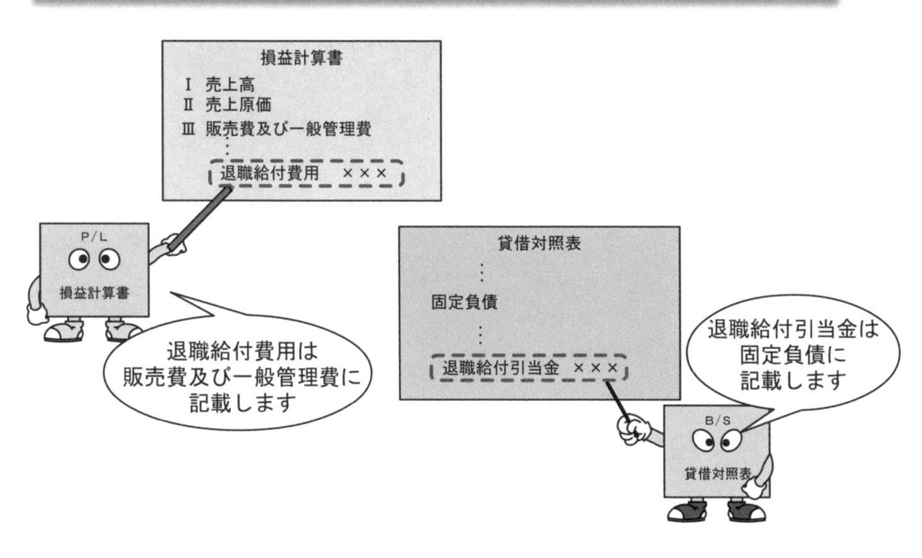

このChapterでの表示と注記

（個別）貸借対照表

（資産の部）	（負債の部）
⋮	⋮
Ⅱ　固定資産	Ⅱ　固定負債
⋮	退職給付引当金　×××
3　投資その他の資産	（純資産の部）
（前払年金費用　×××）*01)	⋮

＊01）「退職給付債務＜年金資産」の場合に計上。

損益計算書

⋮
Ⅲ　販売費及び一般管理費
　退職給付費用　×××
⋮
Ⅶ　特別損失
　退職給付信託設定損*02)　×××
　特別割増退職金*03)　×××

＊02）特別利益に計上される場合もある。
＊03）営業外費用に計上される場合もある。

【注記例】（一部）
〈重要な会計方針に係る事項に関する注記〉
退職給付の会計処理基準に関する事項
（イ）　退職給付引当金又は前払年金費用並びに退職給付費用の処理方法
①　退職給付見込額の期間帰属方法
　退職給付の算定にあたり、退職給付見込額を当期までの期間に帰属させる方法については、期間定額基準によっている。
②　数理計算上の差異及び過去勤務費用の費用処理方法
　過去勤務費用は、その発生時の従業員の平均残存勤務期間以内の一定の年数（10～15年）による定額法により費用処理している。

Chapter 3

資産除去債務

建物などの有形固定資産は、企業が長期にわたり使用する目的で保有するものです。ところで、耐用年数の到来などで使用を終えたときにその建物を取り壊す必要がある場合、将来その取り壊し費用を負担することになるはずです。この取り壊し費用は建物の使用を終えたときだけの費用として計上してよいのでしょうか。

このChapterでは、資産除去債務について、その一連の会計処理を学習します。

Section 1

資産除去債務

たとえば10年契約で借りた土地の上に、建物を建てたとします。10年後に土地を返すとき、その建物は取り壊さなければなりません。建物を壊すには多くの費用がかかります。

このSectionでは、その将来の負担をどうやって現在の財務諸表に反映させるかについて学習していきます。

1 資産除去債務の概要

1．資産除去債務

「資産除去債務」とは、**有形固定資産**[*01]**の取得、建設、開発または通常の使用によって生じ、当該有形固定資産の除去に関して法令または契約で要求される法律上の義務およびそれに準ずるもの**[*02]をいいます。また、除去そのものは義務ではなくても、有形固定資産に使用されている有害物質等を法律等の要求による特別な方法で除去するという義務も含まれます。

*01）有形固定資産には建設仮勘定やリース資産の他、財務諸表等規則において「投資その他の資産」に分類されている投資不動産なども含みます。

*02）たとえば、アスベスト等の法律で処理方法等を規定されている有害物質を除去する義務などが、これに該当します。

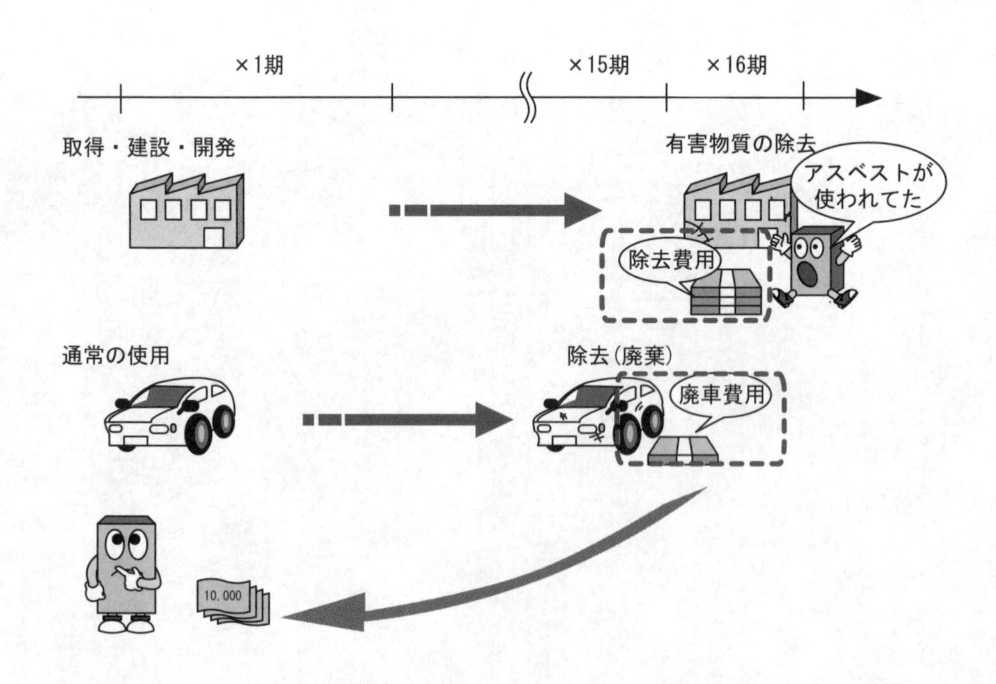

なお、ここでいう「除去」とは、有形固定資産を用役提供から除外することをいい、具体的には、売却、廃棄、リサイクル等があげられます*03)。ただし、転用や用途変更は含まれません。また、当該有形固定資産が遊休状態になる場合は、除去に該当しないとされています。

*03) 有形固定資産の使用期間中に実施する環境修復や修繕は対象とはなりません。

2．一連の流れ

資産除去債務の会計処理の一連の流れは、次のようになっています。

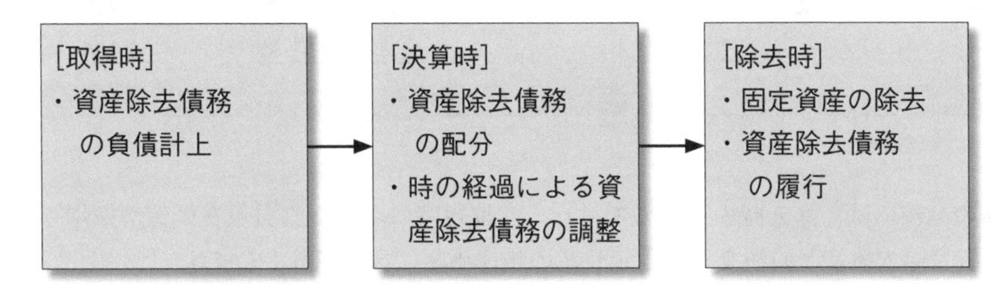

2 資産除去債務の会計処理

簿A 財計A

▶▶簿問題集：問題1
▶▶財問題集：問題2

1．取得時の処理

資産除去債務は、有形固定資産の取得、建設、開発または通常の使用によって発生したときに**『資産除去債務』**を負債として計上します。資産除去債務はそれが発生したときに、有形固定資産の除去に要する割引前の将来キャッシュ・フローを見積もり、**割引後の金額(割引価値)**で算定します。

算定した資産除去債務は負債として計上し、同額を関連する有形固定資産の帳簿価額に加えます。

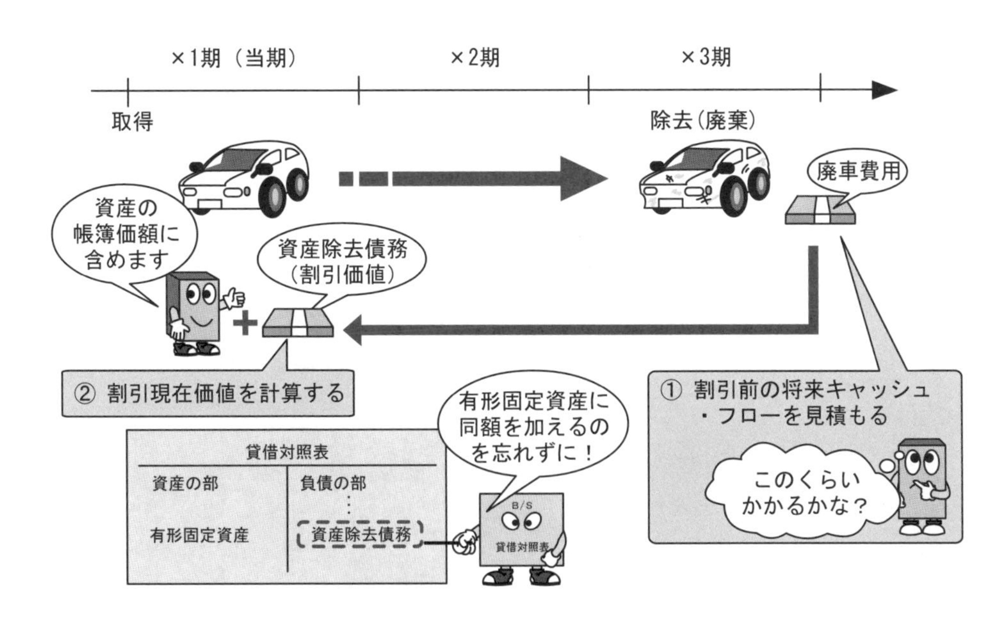

設例 1-1 資産除去債務の負債計上

次の取引の仕訳を示しなさい。

×1年4月1日に備品30,000円を取得し、現金で支払った。当社には、契約上当該備品を使用後に除去する義務がある。当該備品の除去に必要な支出は11,979円と見積もられ、取得時における資産除去債務の割引現在価値は、9,000円と算定された。

(借)	備　　品	*39,000*	(貸) 現金預金	*30,000*
			資産除去債務	*9,000*

解説

資産除去債務の金額には、除去時の見積額ではなく、取得時における割引現在価値が採用されます。なお、資産除去債務と同額を有形固定資産の帳簿価額に含めて計上します。

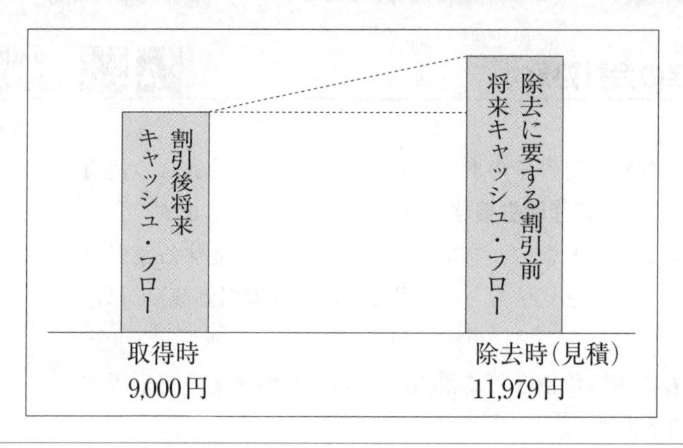

2．決算時の処理

(1) 資産除去債務の配分

資産除去債務を負債計上したさい、当該負債の計上額と同額を有形固定資産の取得原価に含めて計上しました。資産計上することにより、減価償却を通じて、資産除去債務に対応する除去費用を有形固定資産の残存耐用年数にわたり、各期に費用配分することができます。

設例 1-2　資産除去債務の配分

次の取引にもとづいて、決算時の仕訳を示しなさい。

×2年3月31日の決算にあたり、**設例 1-1**で取得した資産について、減価償却を行う。当該備品は耐用年数3年の定額法により償却を行う。なお、残存価額はゼロである。

(借) 減価償却費	13,000	(貸) 備品減価償却累計額	13,000

解説

資産除去債務に対応する除去費用は、減価償却により費用化します。

本体部分：30,000円 ÷ 3年 = 10,000円

除去費用部分：9,000円 ÷ 3年 = 3,000円

減価償却費：10,000円 + 3,000円 = 13,000円

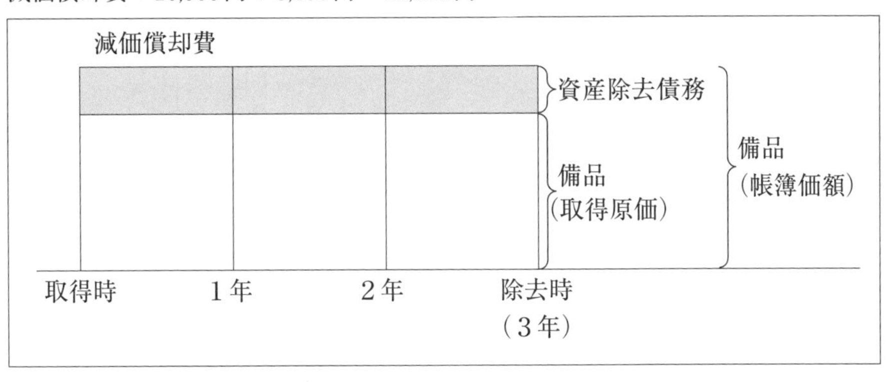

(2) 時の経過による資産除去債務の調整

時の経過による利息費用と資産除去債務の調整額は、期首の資産除去債務の帳簿価額に割引率を乗じて算定します。この**時の経過による増加額**を**『利息費用』**[*01)]といい、この分だけ資産除去債務の金額を増加させる必要があります。

なお、このときに用いる割引率は、資産除去債務を計上したときの割引率を用います。

*01)「利息」と名前に付いていますが、お金を借りているわけではないため、営業外費用として計上する『支払利息』とは異なる性質をもつものです。

設例 1-3　　時の経過による資産除去債務の調整

次の取引にもとづいて、決算時に必要な仕訳を示しなさい。

×2年3月31日の決算にあたり、**設例 1-1** で資産を取得したさいに発生した資産除去債務の調整を行う。なお、資産除去債務計上時の割引率は年10%である。

解答

(借)	利息費用	900	(貸)	資産除去債務	900

解説

取得時から決算時までの計算上の利息を利息費用として、資産除去債務の金額を調整します。

9,000円 × 0.1 = 900円
期首資産除去債務

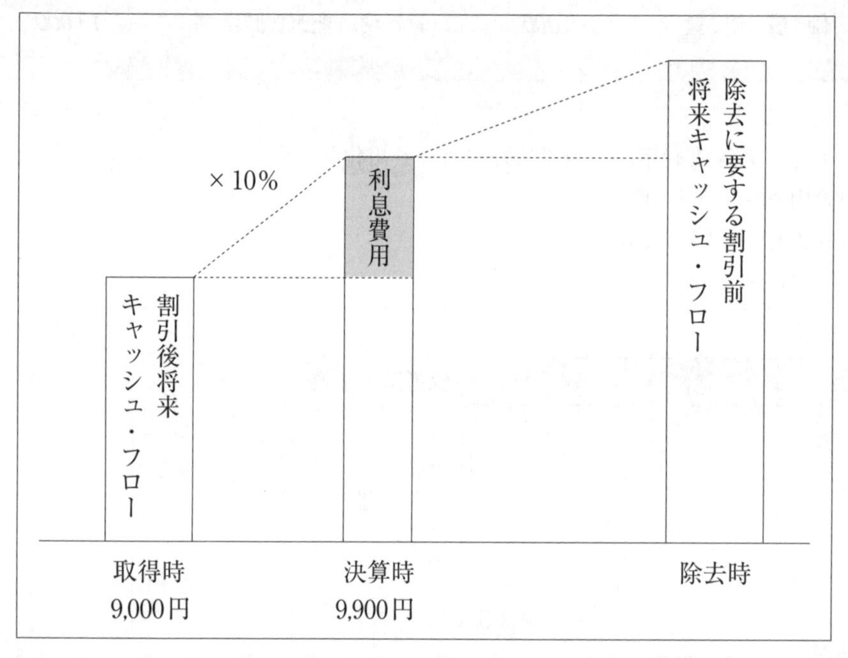

なお、利息費用を算定するさいに用いる割引率は、資産除去債務計上時の割引率です。

3．除去時の処理

(1) 有形固定資産の除去

売却、廃棄等により有形固定資産を除去する場合には、その除去方法に応じて処理を行います[*02]。

*02) 問題文の指示に従ってください。

(2) 資産除去債務の履行

資産除去債務を履行する場合には、資産除去債務を取り崩す処理を行います。なお、このとき、除去にかかる支出と当初の見積もりにもとづく資産除去債務計上額に差異がある場合には、その差額を『**履行差額**』として損益計上します。

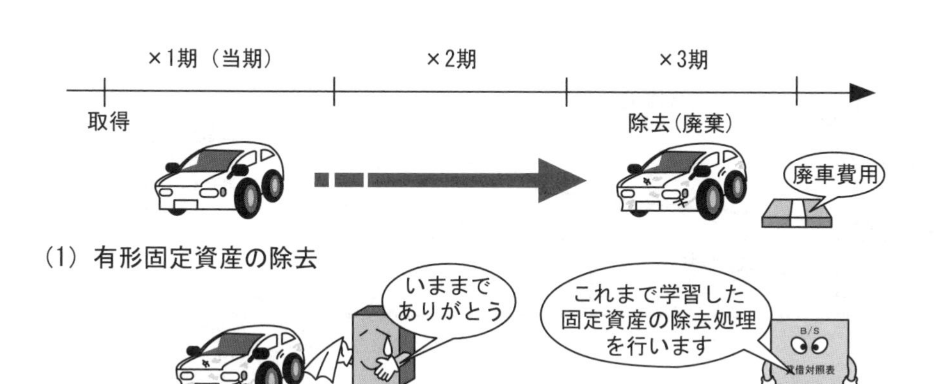

(1) 有形固定資産の除去

(2) 資産除去債務の履行

設例 1-4　**有形固定資産の除去および資産除去債務の履行**

次の取引にもとづいて、除去時に必要な仕訳を示しなさい。

×4年3月31日に、**設例 1-1** で取得した備品の使用終了にともない、除去を行う。同日における当該備品の減価償却累計額は39,000円、資産除去債務は11,979円となっている（当初の見積もりと同額）。なお、除去にかかる支出は12,000円である（現金支払い）。

なお、当期の減価償却費と利息費用の計上は終了しているものとする。

（借）	備品減価償却累計額	*39,000*	（貸）	備　　品	*39,000*
（借）	資産除去債務	*11,979*	（貸）	現金預金	*12,000*
	履行差額	*21*			

解説

資産除去債務履行時の実際の支出額が当初の見積もりにもとづく資産除去債務の計上額を上回る場合には、履行差額として費用処理します。

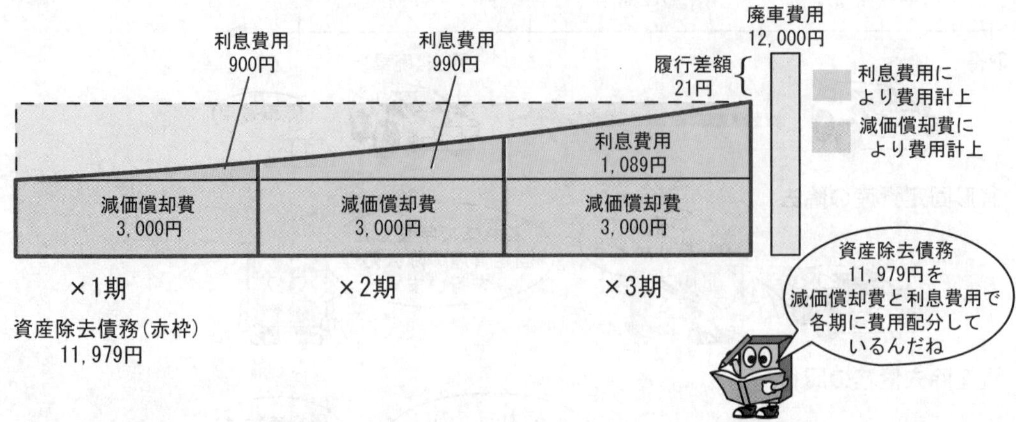

×1期	×2期	×3期
備　　品 39,000　現金預金 30,000 資産除去債務 9,000		
減価償却費 13,000　減価償却累計額 13,000 利息費用 900　資産除去債務 900	減価償却費 13,000　減価償却累計額 13,000 利息費用 990　資産除去債務 990	減価償却費 13,000　減価償却累計額 13,000 利息費用 1,089　資産除去債務 1,089
		減価償却累計額 39,000　備　　品 39,000 資産除去債務 11,979　現金預金 12,000 履行差額 21

3 貸借対照表における表示

資産除去債務は、**貸借対照表日後１年以内にその履行が見込まれる場合を除き、固定負債の区分に『資産除去債務』と表示**します。貸借対照表日後１年以内に資産除去債務の履行が見込まれる場合には、流動負債の区分に表示します[*01]。

*01）一年基準が適用されます。

貸借対照表

○○株式会社	××年×月×日	（単位：円）
	Ⅱ　固　定　負　債	
	資産除去債務	**9,000**

4 損益計算書における表示

1．減価償却費・利息費用

資産除去債務にかかる減価償却費[*01]・利息費用については、その資産除去債務に関連する有形固定資産の減価償却費と同じ区分に表示します。したがって、通常の有形固定資産にかかるものであれば、その減価償却費と同様に**販売費及び一般管理費に表示**されます。

*01）帳簿価額に含めた資産除去債務にかかる減価償却費のことです。

2．履行差額

資産除去債務履行時の資産除去債務残高と、資産除去債務の決済のために実際に支払われた額との差額である履行差額についても、通常の減価償却費と同じ区分に計上します。

損益計算書

自××年×月×日

○○株式会社　至××年×月×日　（単位：円）

Ⅲ　販売費及び一般管理費

減価償却費	13,000	←通常のものに含めて表示
利息費用	1,089	
履行差額	21	

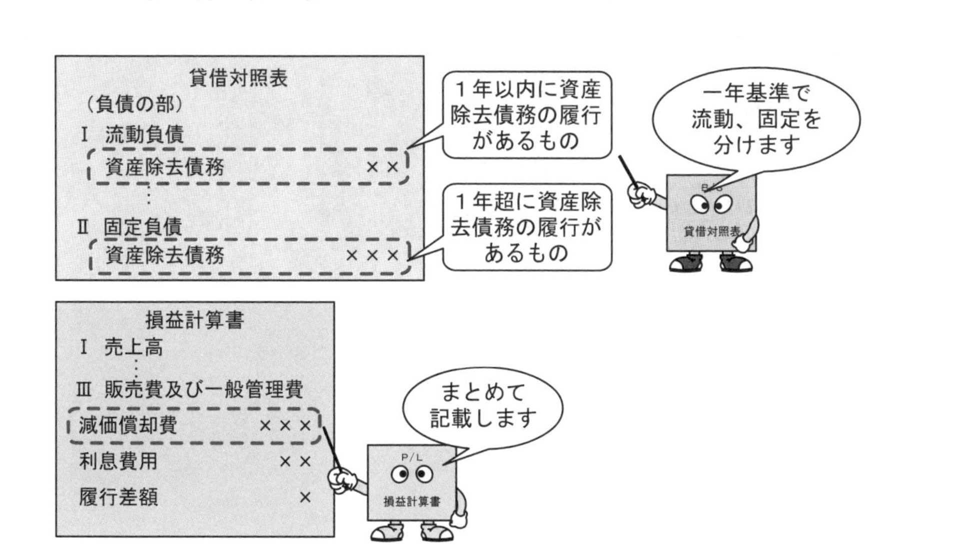

このChapterでの表示と注記

貸借対照表

（資産の部）	（負債の部）	
：	Ⅰ　流動負債	
	：	
	Ⅱ　固定負債	
	資産除去債務*01)	×××
	（純資産の部）	
	：	

＊01）一年基準により流動負債に計上される場合もある。

損益計算書

：	
Ⅲ　販売費及び一般管理費	
減価償却費	×××
利息費用	×××
履行差額	×××

【注記例】（一部）
〈資産除去債務に関する注記〉
当社は×年×月×日に取得した備品について、備品使用後の除去義務の契約にもとづき、資産除去債務を計上している。資産除去債務の見積りにあたり、使用見込期間は取得から○年間、割引率は×％を採用している。
当事業年度において資産除去債務に計上した金額は×××千円である。当事業年度末における資産除去債務残高は、上記金額×××千円と時の経過による資産除去債務の調整額××千円の合計×××千円である。

Chapter 4

収益認識

会社にとって「売上高」はもっとも重要な科目でありながら、それをどのように計上するかについての包括的なルールは、これまでの日本の会計基準にはありませんでした。
「収益認識に関する会計基準」は、顧客との契約から生じる収益に関する会計処理を規定した基準です。このChapterではその「収益認識に関する会計基準」の基本的内容について確認していきます。

Section 1

収益認識の基本的処理

企業の事業内容の多様化・複雑化などを背景に、伝統的な収益の認識基準では、収益の計上時期を明確に判断できず、各会社の判断によって行うケースが増えてきました。ここで、現代のさまざまな契約の取引について収益の認識の仕方を統一するために「収益認識に関する会計基準」が設けられました。

主なポイントは、履行義務の充足により収益を認識する点、変動対価という考え方の導入、契約資産、契約負債、返金負債という新たな科目の登場です。

1 収益認識の基本原則

収益認識の基本原則は、商品[*01]またはサービスの顧客(こきゃく)への移転と交換に、**企業が権利を得ると見込む対価の額で収益を認識**することです。

つまり、相手先から得る対価の額をもとに収益を認識する点がポイントとなります。

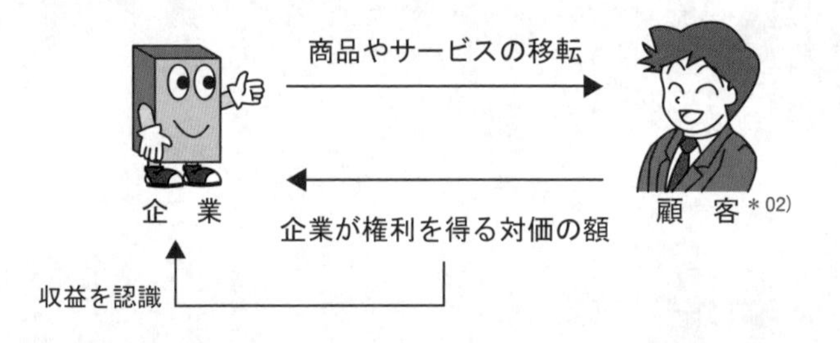

収益認識のイメージ

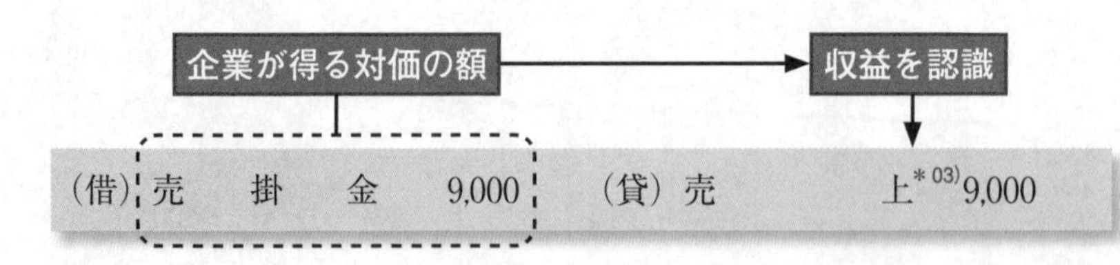

*01)「収益認識に関する会計基準」では、「財またはサービス」としています。財の例としては、商品や製品などがありますが、本書では商品を前提として説明していきます。
なお、「収益認識に関する会計基準」は、証券取引所に上場している企業や、上場していなくても公認会計士の監査を受けている大規模な企業に適用されます。中小企業については強制適用ではないため、これまでの伝統的な実現主義の原則により収益を認識することができます。

*02)顧客とは企業と契約した当事者のことで、個人のお客様だけでなく法人も含まれます。

*03)「収益認識に関する会計基準」は、企業の営業活動から生じる収益が対象となります。そのため、事業で使用している固定資産の売却に係る収益については、同基準の対象外となります。

2 収益認識の5つのステップ

企業が権利を得ると見込む対価の額で収益を認識するために、「収益認識に関する会計基準」(以下、基準)では、収益を認識するまでの過程を5つのステップに分解し、このステップに従って収益を認識します。

ステップ1 **顧客との契約の識別**

⇩

ステップ2 **履行義務の識別**

→ 収益の計上単位の決定（どの単位で収益を計上するか）（ステップ1・2）

⇩

ステップ3 **取引価格の算定**

⇩

ステップ4 **取引価格を履行義務へ配分**

→ 収益の計上金額の決定（いくらで収益を計上するか）（ステップ3・4）

⇩

ステップ5 **履行義務の充足時に収益を認識**

→ 収益の計上時期の決定（いつ収益を計上するか）

1．顧客との契約の識別(ステップ1)

収益を計上するにあたっては顧客に商品やサービスを提供することが必要ですが、そのためには商品やサービスを提供する約束(契約)があることが前提となります。

契約の識別とは契約として認められるかどうかを判断し、その範囲を明確にすることであり、契約として認められるためには一定の要件*01)を満たす必要があります。

*01)契約として認められるための要件は、契約の当事者双方が契約を承諾していること、引き渡す商品やサービスが決まっていること、支払条件が決まっていること、取引の実態があること、代金を回収できる可能性が高いことです。
また、必ずしも契約書のような書面はなくても双方の合意があれば、契約となります。

2．履行義務の識別(ステップ2)

履行義務とは、商品やサービスを顧客に提供する義務をいいます。履行義務の識別とは、顧客に提供する商品やサービスを具体的に特定することをいいます。

なお、契約に対して履行義務を識別する場合として、次のものがあります。

(1) **1つの契約に1つの履行義務がある場合**

顧客に商品を販売する契約⇒商品の提供義務という履行義務

(2) **1つの契約に複数の履行義務がある場合**

顧客に商品を販売し、商品に一定期間の保守サービスを行う契約
⇒商品の提供義務と、保守サービスの提供義務という2つの履行義務

3．取引価格の算定（ステップ3）

取引価格とは、商品またはサービスの顧客への移転と交換に**企業が権利を得ると見込む対価の額**をいいます。取引価格の算定とは、商品やサービスを顧客に移転したときに顧客からもらえる金額を算定することであり、これをもとに収益として計上する金額を決定します。

なお、取引価格の算定にあたっては、「変動対価」、「重要な金利部分」などの影響を考慮する必要があります。

また、取引価格には「第三者のために回収する額」は含まれません。

4．取引価格を履行義務へ配分（ステップ4）

履行義務とは商品やサービスの提供義務であり、取引価格とはいわば収益として計上する金額です。履行義務への配分とは、商品やサービスの提供義務に対し、収益計上する金額を配分することをいいます。

1つの契約に複数の履行義務がある場合には、取引価格を各履行義務に配分する必要があります。配分するにあたっては、**それぞれの履行義務を単独で提供した場合の価格（独立販売価格）にもとづいて配分**します。

5．履行義務の充足（ステップ5）

履行義務の充足とは商品やサービスの提供義務を果たすことであり、履行義務を充足したときに収益を認識します。履行義務を充足するパターンとしては、次の2つがあります。

> 履行義務の充足
> ①**一時点で充足される履行義務**：商品の販売など
> 　　**⇒履行義務を充足した時点（一時点）で収益を認識**
> ②**一定期間にわたり充足される履行義務**[*02]：サービスの提供など
> 　　**⇒履行義務を充足するにつれて（一定期間）収益を認識**

＊02）建設業における工事契約もその多くが一定期間にわたり充足される履行義務に該当します。Chapter 8 で改めて取り上げます。

3 商品やサービスの提供（移転）の時期  ▶▶簿問題集：問題2

1．「支配」の考え方

商品やサービスを顧客に提供（移転）したときに履行義務を充足したと考えて収益を計上しますが、移転とは、顧客が商品やサービスに対する**支配**[*01]**を獲得した時点**となります。

顧客が商品に対する支配を獲得する時点とは、**商品を受け取り検収が終わった時点**となります。

そのため、企業は基本的には検収基準で収益認識を行います。

＊01）支配とは、要するに顧客が使用できることをいいます。

2．代替的取り扱い

基準では、企業の事務負担を考慮し、原則的な処理に加えて、認められる処理として代替的な取り扱いを設けています。

商品の移転では、国内の販売において、商品の出荷から支配の移転までの期間が「通常の期間」*02) である場合、商品の出荷時または引渡し時に収益を認識できる代替的取り扱いが定められています。

*02)「通常の期間」について会計基準では明記されていませんが、出荷から検収までの期間がおよそ2日～5日以内であると考えられます。

設例 1-1 　　収益認識の5つのステップ

次の取引について、収益の計上額を答えなさい。当期は×1年4月1日から×2年3月31日までの1年である。

1．取引時(×1年4月1日)

(1)　当社は、甲社と商品Aの販売および保守サービスの提供と、代金を現金で受取る契約を締結した。

(2)　商品Aの販売と2年間の保守サービスの提供の対価：9,000円

(3)　独立販売価格

商品A：8,000円　　2年間の保守サービス：2,000円

(4)　×1年4月1日に商品を甲社に引き渡し、甲社では検収を完了し使用可能となり、代金9,000円を現金で受け取った。

2．決算時(×2年3月31日)

当期末において、保守サービスのうち当期分について収益計上を行う。

解答

商品Aの販売	*7,200* 円
保守サービス	*900* 円

解説

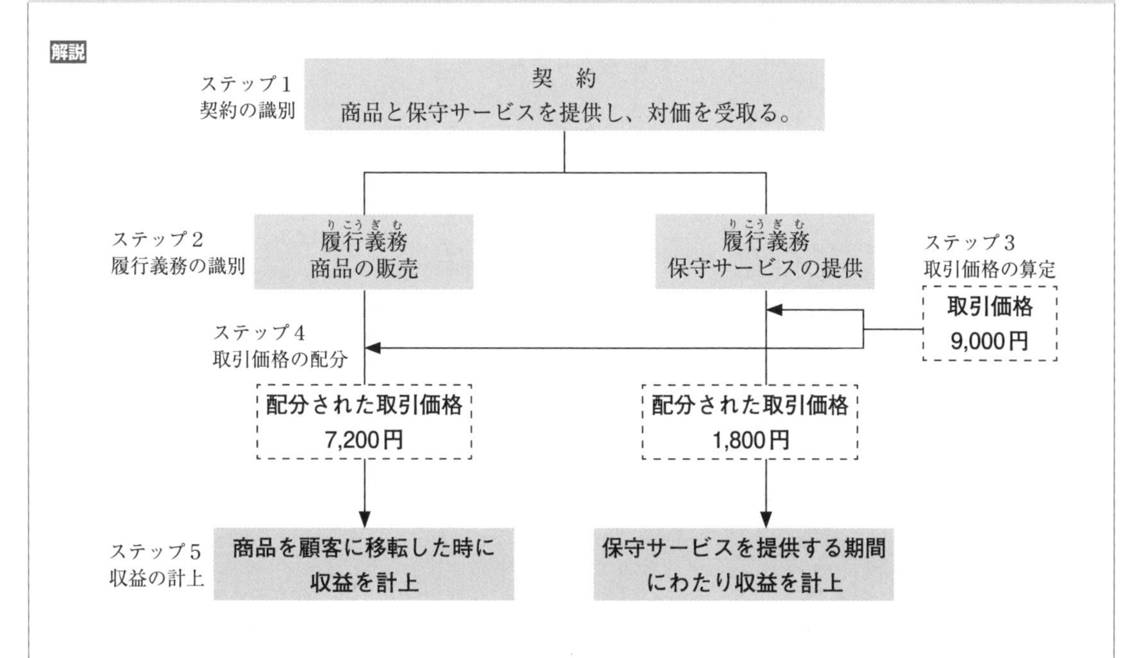

(1) 取引価格の配分

取引価格を、独立販売価格にもとづいて履行義務に配分します。

商品の販売：$\underset{取引価格}{9{,}000円} \times \dfrac{8{,}000円}{8{,}000円 + 2{,}000円} = 7{,}200円$

サービスの提供：$\underset{取引価格}{9{,}000円} \times \dfrac{2{,}000円}{8{,}000円 + 2{,}000円} = 1{,}800円$

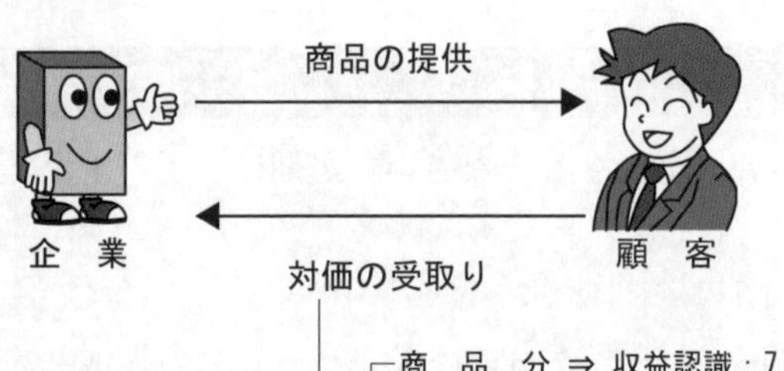

(2) 履行義務の充足

① 商品の販売

商品を引渡し顧客の検収が完了した時点(一時点)で収益を計上します。

② サービスの提供

保守サービスを提供する期間(一定期間)にわたり収益を計上します。当期に1年分900円*03)を計上します。

*03) $1{,}800円 \times \dfrac{12カ月}{24カ月} = 900円$

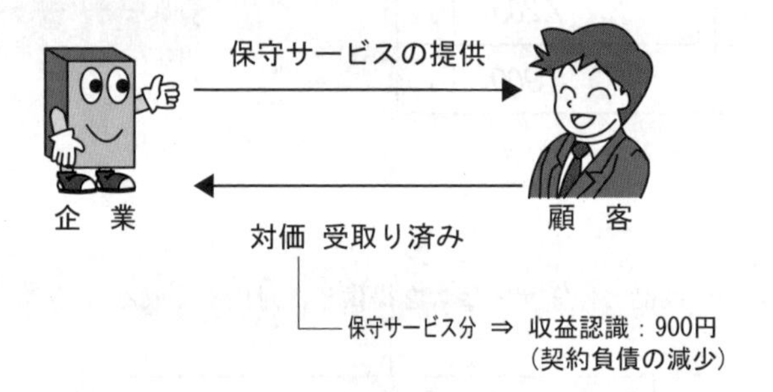

(3) 仕訳

① 取引時(×1年4月1日)

顧客から受取った対価のうち、**未だ果たしていない履行義務**(サービスの提供義務)は**契約負債***04)として処理します。

(借)			(貸)	
現　金	9,000		売　上	7,200
			契約負債 または(前受金)	1,800

*04) 前受金とすることもあります。

② 決算時(×2年3月31日)

(借)		(貸)	
契約負債	900	売　上	900

4 取引価格算定上の考慮事項

ステップ3からステップ5において、算定した取引価格のうち履行義務に配分した額について収益を認識することをみてきました。

取引価格の算定にあたっては、変動対価、重要な金融要素の影響などを考慮し、第三者のために回収する額を除きます。

取引価格の算定にあたり考慮すべきもの＊01)
(1) 変動対価
(2) 契約における重要な金融要素＊02)
(3) 現金以外の対価
(4) 顧客に支払われる対価
取引価格から除くもの
(1) 第三者のために回収する額

＊01)「現金以外の対価」と「顧客に支払われる対価」については、本試験の重要性から本書では割愛しています。

＊02) 基準では「重要な金融要素」と規定していますが、金融要素とは金利部分のことです。

取引価格の算定のイメージ

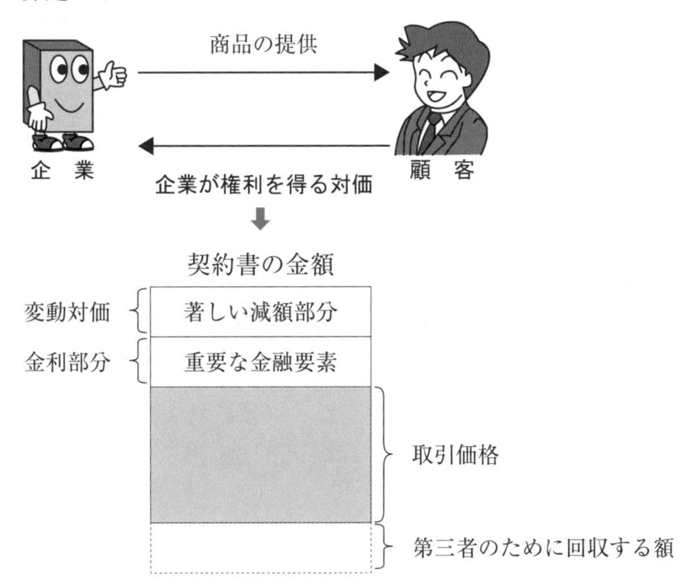

5 変動対価

▶▶簿問題集：問題3,4

変動対価とは、**顧客と約束した対価のうち変動する可能性のある部分**をいいます。

契約において約束された対価に変動性のある金額を含んでいる場合には、その金額を見積もる必要があります。

変動対価のうち、収益の著しい減額が発生する可能性が高い部分については、ステップ3の取引価格に含めず＊01)、**返金負債**などとして計上します。

変動対価の例としては、売上割戻、返品権付き販売などがあります。

＊01) 取引価格から除いて収益計上を行うのは、収益の過大計上を防止するためです。
なお、「著しい減額」の判断基準は試験で問われることはないと考えられるため、割愛しています。

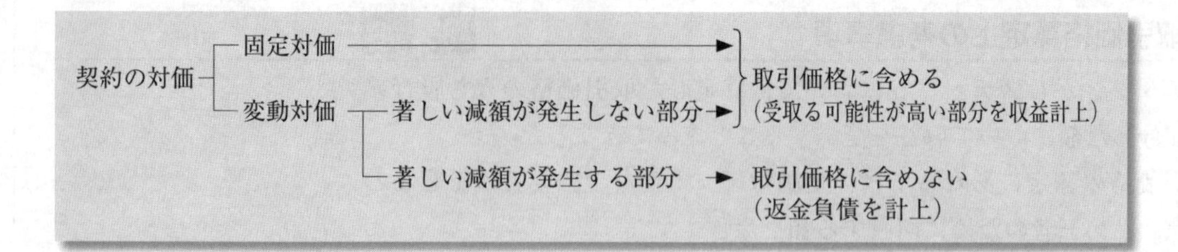

1. リベート(売上割戻)

リベートとは、一定期間に多額または多量の販売をした顧客に対して行う商品代金の免除や金銭の払戻し*02)をいいます。

リベート(売上割戻)のうち収益の著しい減額が発生する可能性が高い部分については、売上計上せずに**返金負債**として計上します*03)。

*02) 販売価格を減額する場合と、顧客に現金で支払う場合があります。

*03) 売上割戻については、「基準」の適用前は売上割戻を行ったときに売上から減額し(または実務上、販売促進費として費用処理)、期末に売上割戻引当金を計上していました。
「基準」の適用により、著しい減額が発生すると見込まれる部分についてはその期の売上高とすることはできません。

設例 1-2　リベート(売上割戻)

次の取引の仕訳を示しなさい。

当社は、得意先甲社に商品を10,000円で掛け販売した。甲社に対する過去の販売実績より、当期の販売金額のうち甲社に返金する可能性が高いリベートを500円と見積もった。

この500円について、取引価格に含めないものとする。

解答

(借)		(貸)	
売掛金	10,000	売上	9,500
		返金負債*04)	500

*04) 返金負債とは、顧客に返金する義務を負債として計上したものです。

解説

(1)　**商品の販売**

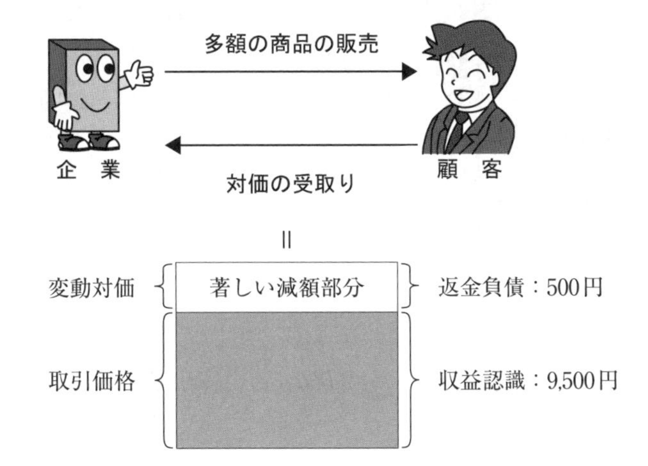

(2)　**リベートの支払い**

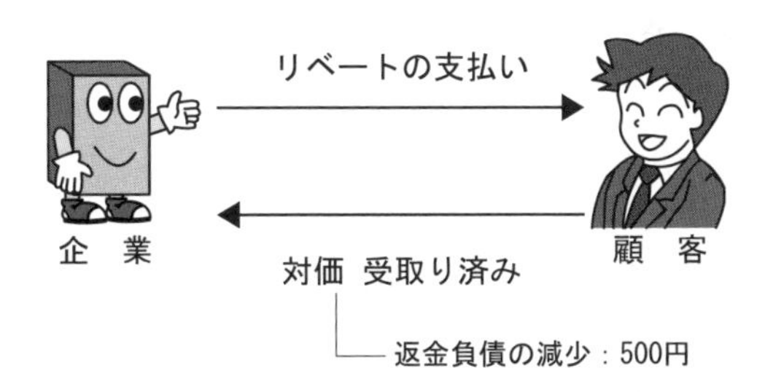

なお、実際には商品販売時に販売金額で売上計上し、期末などリベート見積り時に返金負債を計上する処理も考えられます。

(1)　販売時

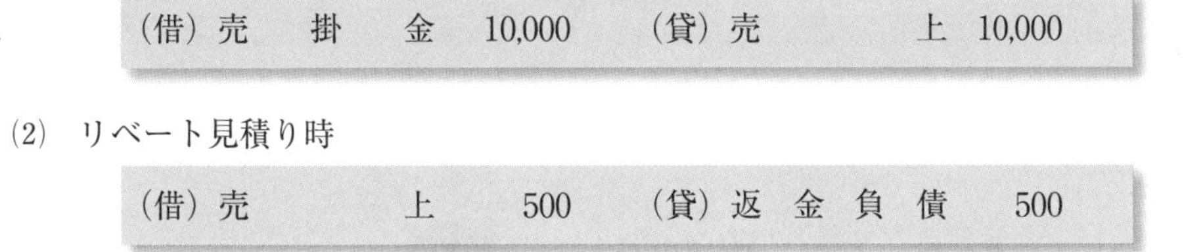

(借) 売掛金	10,000	(貸) 売上	10,000

(2)　リベート見積り時

(借) 売上	500	(貸) 返金負債	500

2．返品権付き販売

返品権付き販売[*05]とは、顧客に、商品を返品し支払った代金の返金を受ける権利が付与されている販売契約をいいます。

返品権付き販売をしたときは、返品による返金が見込まれる分について売上計上せず、**返金負債**として認識します。

また、**顧客から商品を回収する権利**を**返品資産**として認識します。

*05) 返品権付き販売を行っているのは、化粧品や医薬品の製造業や卸売業、音楽ソフトの卸売業や、一定の条件で返品を認めている通信販売業などです。

設例 1-3　　返品権付き販売

次の取引の仕訳を示しなさい。

(1) 商品を5,000円で得意先甲社に掛け販売した。なお、顧客が未使用の商品を30日以内に返品する場合、全額、返金に応じる契約となっている。

これまでの販売実績よりこのうち1,000円の返品が見込まれた。商品の原価率は60%であり、記帳方法は売上原価対立法による。

(2) 甲社より1,000円(売価)の返品があり、代金は現金で支払った。

解答

(1) 商品の販売

① 収益計上

(借)	売掛金	*5,000*	(貸) 売上	*4,000*
			返金負債	*1,000*

② 売上原価計上

(借)	売上原価	*2,400* *06)	(貸) 商品	*3,000*
	返品資産	*600* *07)		

(2) 商品の返品

① 返金

(借)	返金負債	*1,000*	(貸) 現金	*1,000*

② 商品の返品

(借)	商品	*600*	(貸) 返品資産	*600*

*06) (5,000円−1,000円)×60%=2,400円

*07) 1,000円×60%=600円

解説

(1) 商品の販売

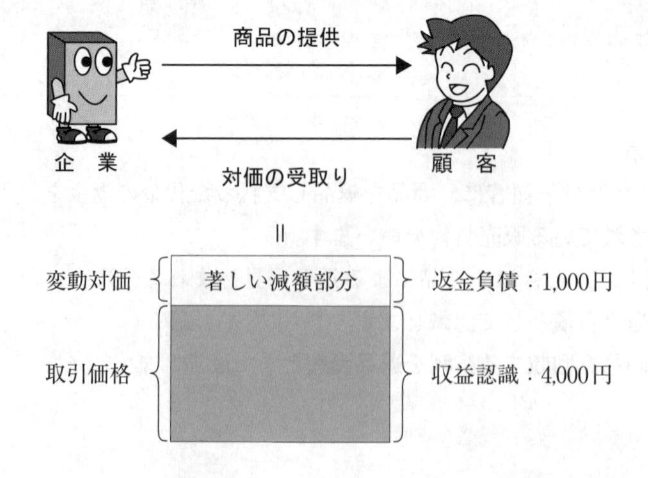

(2) **返品**

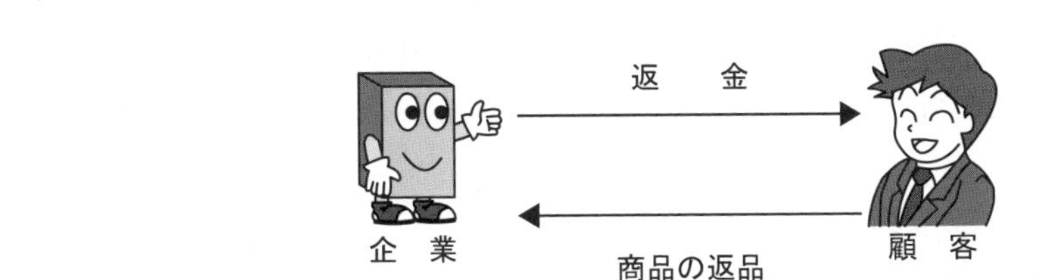

なお、返品権付き販売について、収益認識の5つのステップにあてはめると次のようになります。

ステップ1 契約の識別 →返品権が付いた商品の販売

⬇

ステップ2 履行義務の識別 →商品の引渡し(返品権は提供義務でないため、履行義務になりません)

⬇

ステップ3 取引価格の算定 →企業が権利を得ることとなる対価の額：4,000円

⬇

ステップ4 履行義務へ配分 →単一の履行義務のため全額を配分

⬇

ステップ5 履行義務の充足 →商品の引渡し時に収益計上(4,000円)

6 重要な金融要素

▶▶簿問題集：問題5

顧客との契約に重要な金融要素(金利部分)が含まれる場合、取引価格の算定にあたっては、約束した対価の額に含まれる金利相当分の影響を調整します*01)。

具体的には、**収益を現金販売価格で計上し、金利部分については受取利息として決済期日まで配分します。**

*01)商品またはサービスを移転してから顧客が支払いを行うまでの期間が1年以内である場合には、金利相当分の影響を調整しない(金利相当分も含めて売上計上)ことができます。

設例 1-4　重要な金融要素

次の取引の仕訳を示しなさい。会計期間は4月1日から3月31日までの1年である。

1．取引日(×1年4月1日)

当社は乙社に機械装置を販売し、代金を2年後の決済とした。乙社への販売価格は、現金販売価格2,000,000円に金利(年5％)を含んだ2,205,000円である。当社では取引価格に重要な金利部分が含まれていると判断し、利息法により利息を配分することとした。

2．期末(×2年3月31日)

金利部分のうち当期分について利息を計上する。

3　期末(×3年3月31日)

金利部分のうち当期分について利息を計上するとともに、売掛金2,205,000円を現金で回収した。

解答

(1)　×1年4月1日

(借) 売掛金	2,000,000		(貸) 売上	2,000,000

(2)　×2年3月31日

(借) 売掛金	100,000	*02)	(貸) 受取利息	100,000

(3)　×3年3月31日

(借) 売掛金	105,000	*03)	(貸) 受取利息	105,000
(借) 現金	2,205,000		(貸) 売掛金	2,205,000

*02)2,000,000円×5%＝100,000円

*03)(2,000,000円＋100,000円)×5%＝105,000円

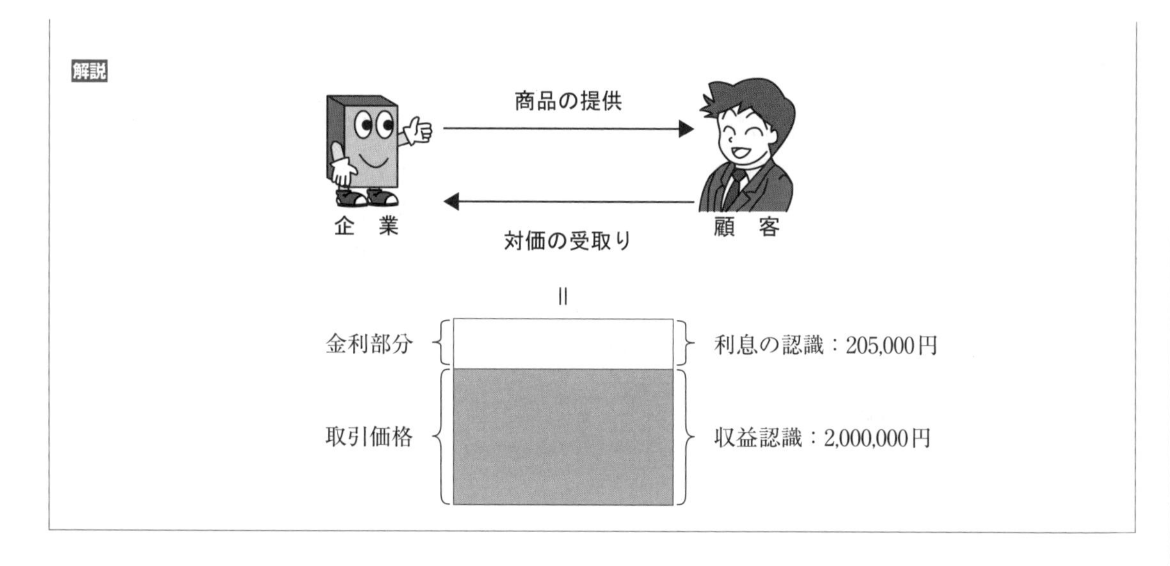

7 第三者のために回収する額

▶▶簿問題集：問題6

取引価格は、商品やサービスの顧客への移転と交換に、**企業が権利を得ると見込む対価の額**となります。

しかし、代理人取引に該当する場合の代金回収や消費税の受取りは、**当社のために回収する額ではなく、第三者のために回収する額であるため、取引価格には含めません。**

1．代理人取引

他社*01)が顧客に対して行う商品やサービスの提供を、当社が他社から請け負っているにすぎない場合には、当社は取引の代理人に該当します。

当社が取引の代理人にすぎないときは、他社から受け取る手数料の金額(顧客から受け取る額から他社に支払う額を引いた金額)を収益として計上します。

*01)厳密には会社からだけでなく個人から請け負うこともありますが、便宜上、他社としています。

設例 1-5　代理人取引

次の取引の仕訳を示しなさい。

1　商品販売時

(1)　当社は、乙社から商品Bの販売を請け負っており、当社の店舗で商品Bの販売を行っている。

商品Bが当社に納品された時に当社は商品の検収を行っておらず、商品の所有権および保管責任は乙社が有している。そのため、商品B納品時に、当社では仕入計上を行っていない。

(2)　当社は、顧客に商品Bを10,000円で販売し、代金は現金で受取った。販売した商品の当社の仕入値は7,000円であり、乙社に後日支払う。

2　代金送付時

乙社に、買掛金7,000円を現金で支払った。

1　商品販売時

当社が取引の代理人にすぎない場合、商品の仕入・販売を行っても、売上と売上原価を計上せずに、純額の手数料部分を収益に計上します。

(借)	現　　金	*10,000*	(貸)	手数料収入	*3,000* *02)
				買　掛　金	*7,000*

2　代金支払時

(借)	買　掛　金	*7,000*	(貸)	現　　金	*7,000*

＊02) 10,000円－7,000円＝3,000円

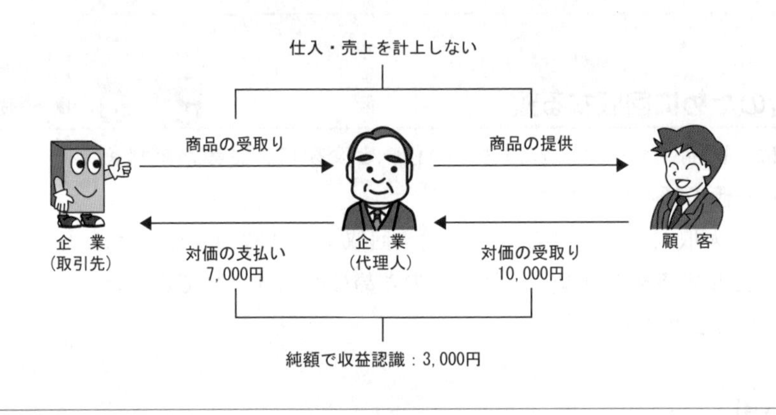

2．消費税

消費税は、顧客が国や地方公共団体に支払うものを当社が代わりに回収しているにすぎないため、取引価格には含めません*03)。そのため、「収益認識に関する会計基準」を適用する場合、税抜方式で処理します。

＊03) なお、「収益認識に関する会計基準」を適用しなくてもよい中小企業では、従来どおり税抜方式と税込方式が認められます。

設例 1-6　消費税

次の各取引の仕訳を示しなさい。消費税率は10%とする。

1．当社は、顧客に商品を5,500円(税込)で掛け販売した。

2．当社は、顧客に商品を掛け販売した。販売金額は、税抜きで10,000円、税込みで11,000円である。なお、10,000円のうち将来、顧客に支払うリベートを500円と見積もった。この500円については、取引価格に含めない。

解答

1．商品販売

（借）売掛金	5,500	（貸）売上	5,000
		仮受消費税等	500

2．変動対価がある場合

消費税法上、変動対価という考え方はないため、販売金額10,000円に対して1,000円の仮受消費税等を計上します。

（借）売掛金	11,000	（貸）売上	9,500
		返金負債	500
		仮受消費税等	1,000

8 契約資産が計上される場合

▶▶財問題集：問題7

1つの契約の中に1つの履行義務がある場合、企業が顧客に対して履行義務を充足したときに、顧客の支払義務と、企業の顧客に対する法的な債権が発生し、売掛金を計上します。

一方、1つの契約の中に2つの履行義務があり、2つの履行義務を充足してはじめて顧客に支払義務が発生する契約を締結する場合があります。

その場合、最初の履行義務を充足したときは、顧客の支払義務及び法的な債権が発生していません。このように、履行義務を充足しても法的な債権として発生していないときは、**契約資産を計上します**＊01)。

＊01）顧客に支払義務が発生していなくても、移転した商品と交換に企業が受け取る対価に対する権利は生じるため、契約資産として計上します。

設例 1-7　契約資産が計上される場合

次の取引の仕訳を示しなさい。当社の決算日は3月31日である。

(1)　当社は、甲社と商品A及び商品Bを合わせて10,000円で販売する契約を締結した。10,000円の対価は、当社が商品Aと商品Bの両方を甲社に移転した後にはじめて支払われる契約となっている。
(2)　当社は、商品Aと商品Bの独立販売価格に基づいて、商品Aを移転する履行義務に4,000円、商品Bを移転する履行義務に6,000円を配分する。
(3)　当社は×1年3月1日に商品Aを甲社に移転した。
(4)　当社は×1年5月1日に商品Bを甲社に移転した。

解答

(1) 商品Aの引渡し時(×1年3月1日)

(借)	**契約資産**	*4,000*	(貸) **売上**	*4,000*

(2) 商品Bの引渡し時(×1年5月1日)

商品Aと商品Bの両方の引渡しにより顧客に支払義務が発生するため、商品Aについて契約資産から売掛金に振り替えます。

また、商品Bについて収益と売掛金の計上を行います。

(借)	**売掛金**	*10,000*	(貸) **契約資産**	*4,000*
			売上	*6,000*

9 使用する科目

薄B 財計B ▶▶財問題集：問題1

「収益認識に関する会計基準」の内容を理解するためには、以下の科目の区別ができるかがポイントです。

特に顧客との契約から生じた債権と契約資産については、相手に対する法的な請求権があるかどうかで科目が変わってくる点に注意します。

種類	内容	
顧客との契約から生じた債権 (売掛金など)	企業が顧客に移転した商品またはサービスと交換に受け取る対価に対する企業の権利のうち、	相手に支払義務が発生し、**法的な請求権があるもの。**
契約資産		相手にいまだ支払義務が発生せず、**法的な請求権がないもの。**
契約負債	商品またはサービスを顧客に移転する**企業の義務**に対して、企業が**顧客から対価を受け取った**もの。	
返金負債	顧客から対価を受け取っているものの、その**対価の一部又は全部を顧客に返金する義務**。	

このChapterでの表示と注記

貸借対照表

(資産の部)		(負債の部)	
Ⅰ 流動資産		Ⅰ 流動負債	
売掛金	×××	契約負債	×××
契約資産	×××	返金負債	×××
返品資産	×××	⋮	
⋮			

Chapter 5

本支店会計

本支店会計では、ほとんどのケースで本店と各支店がそれぞれ１つの企業のように活動し、会計処理も行っていることが前提になっています。そのため、本店と支店での取引や、支店同士の取引であっても、仕訳を行い、帳簿に記録します。しかし、このように記帳はしていても本来は１つの企業ですから、財務諸表は１つの企業として公表すべきですし、その中では本支店間の取引などを載せるべきではありません。そのあたりの修正が、本支店会計の要になります。

このChapterでは、本支店会計について学習します。

Section 1

本支店会計の基礎知識

会社の規模が大きくなり、支店を開設しました。これで収益の大幅アップが見込まれますが、いままでのような会計処理をしていたのでは、取引が増えた分、本店の記帳作業に負担がかかります。また、支店でどれだけ利益が生じたのかも不明です。何かよい方法はないものでしょうか？

このSectionでは、本支店会計の基礎知識について学習します。

1 本支店会計とは

本店の他に支店がある場合に適用される会計制度を、本支店会計といいます。

支店を開設した場合、各支店に帳簿(仕訳帳や総勘定元帳)を設け、支店ごとに会計処理を行うことで各支店の財政状態や経営成績を把握することができるとともに、事務処理が効率的になります。

このように、本店と支店においてそれぞれ会計帳簿を備え、支店を独立した会計単位とした制度を、**支店独立会計制度**といいます*01)。

*01) これに対し、本店のみが帳簿をもち、支店のすべての取引を本店で処理する制度を「本店集中会計制度」といいます。ただし、出題の可能性は低いため、本書では取り扱いません。

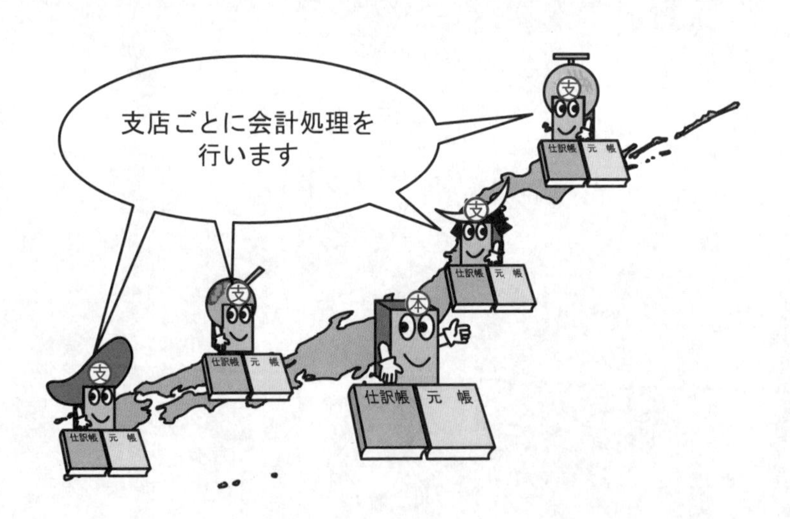

2 本店勘定と支店勘定

簿A 財計C

支店が独自の帳簿を設けて独立した会計処理を行う場合、本店・支店間の取引(内部取引)と、外部企業との取引(外部取引)とを区別する必要があります。

そこで、本店の帳簿には『**支店**』*01)、支店の帳簿には『**本店**』*02)という勘定をそれぞれ設定することで、本支店間取引を把握します。

この2つの勘定は**照合勘定**と呼ばれ、貸借反対に同じ金額が記入され、その残高は通常、貸借逆で一致します*03)。

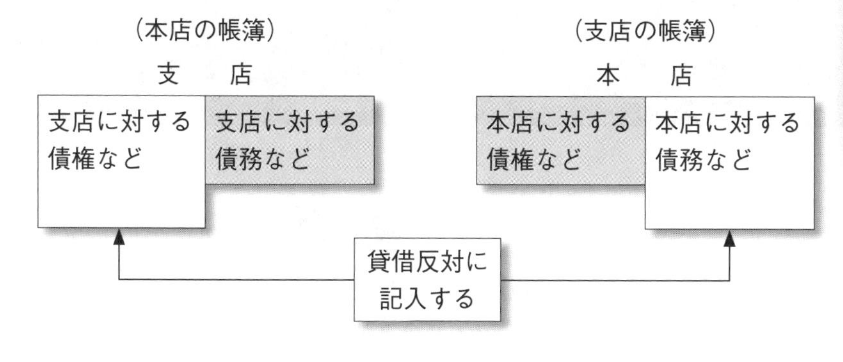

*01) 本店の支店に対する債権・債務関係を処理する勘定です。本店から支店に対する投資額と考えれば、子会社株式のイメージです。

*02) 支店の本店に対する債権・債務関係を処理する勘定です。支店における本店からの投資額と考えれば、資本金のイメージです。

*03) ただし、未達取引がある場合は一致しません。

Section 2

期中取引の会計処理

本社が仕入れた商品を、支店の販売用に支店に送りました。このとき、本店では売上を認識し、支店では仕入を認識します。しかし、この売上＆仕入、はたして外部の企業との取引により生じた売上＆仕入と同じように扱ってよいものでしょうか？

このSectionでは、本支店間の期中取引の会計処理について学習します。

1 期中取引の全体像

本支店会計の期中取引は、外部取引、本支店間取引、支店間取引の３つに分けることができます。なお、会社内での取引、つまり本支店間取引と支店間取引をあわせて「内部取引」といいます。

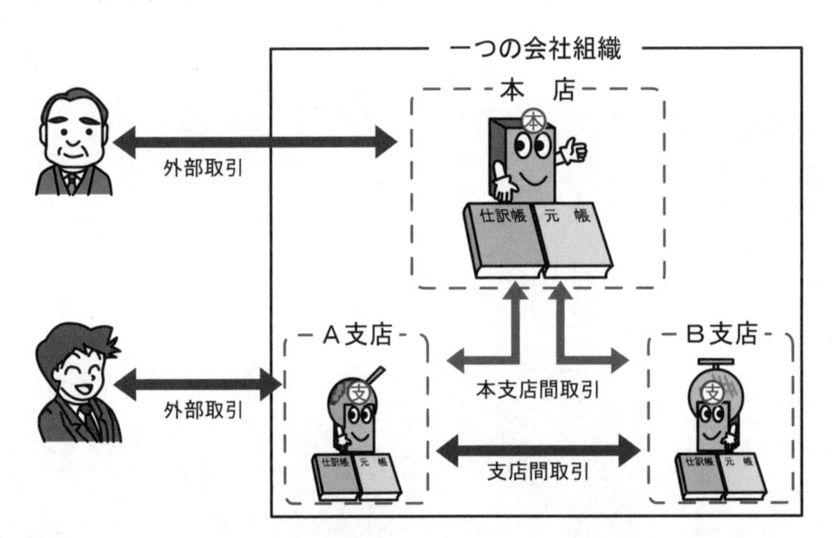

本支店間の期中取引では、本店が外部から仕入れた商品に利益*01)を付加して支店に送付し、支店はこの商品を販売することで収益をあげるという流れがあります*02)。この場合には、本店には『**支店売上**』が、支店には『**本店仕入**』という照合勘定が設定されます*03)。

*01) 内部利益といいます。内部利益については、Section３で詳しく学習します。

*02) 逆に支店が商品を仕入れ、本店に送付する場合もあります。問題文の指示に注意しましょう。

*03)『支店へ売上』や『本店より仕入』を使用することもあります。

<本店および支店の帳簿に設ける照合勘定>(支店が1つの場合)

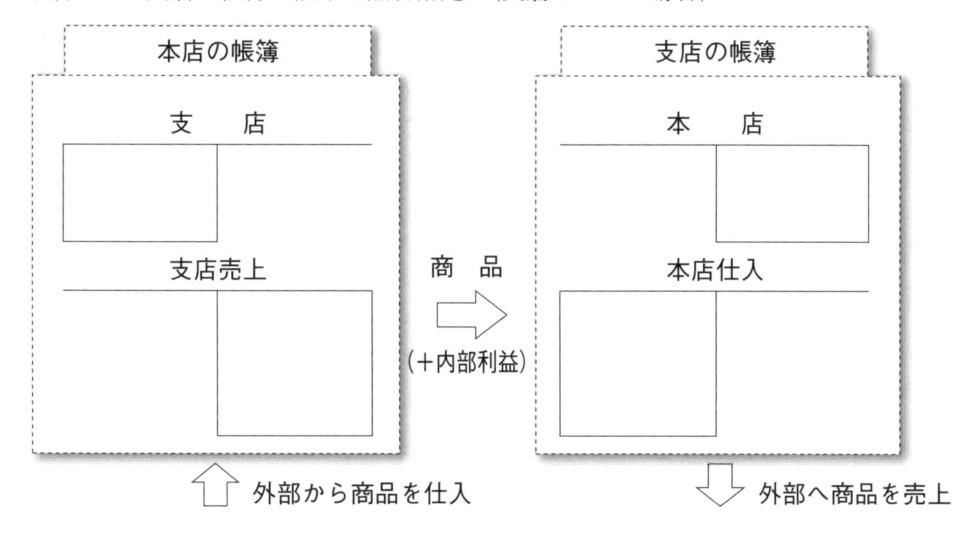

2 本支店間取引

簿A 財計C

▶▶簿問題集:問題1
▶▶財問題集:問題9

本支店間では、送金取引や商品の発送取引など、さまざまな取引が行われていますが、なかでも問題となるのが、次にあげる(1)と(2)の取引です。

(1)支店が本店の仕入先から直接商品を仕入れた場合

通常、本店が仕入先から商品を仕入れ、その商品を支店に送付します。しかし、支店が本店をとおさず、直接本店の仕入先から商品を仕入れることがあります*01)。この場合は、本店がいったん仕入先から商品を仕入れ、これを支店に送付したものとみなして処理します。

*01)支店が本店の仕入先に直接商品を返品する場合もあります。その場合は、支店がいったん本店に商品を返品し、これを本店が仕入先に返品したものとみなします。

本店(借)買掛金×× (貸)仕　入××
　　(借)支店売上×× (貸)支　店××
支店(借)本　店×× (貸)本店仕入××

設例2-1　本支店間取引1

次の取引について本店および支店の仕訳を示しなさい。

支店は、本店を通じて仕入れている商品を、直接本店の仕入先から10,000円(本店の仕入価格)で掛けで仕入れ、支店はこの旨を本店に報告した。なお、本店は支店へ商品を送付するさいに、仕入原価に20%の利益を加算している。

本店	(借)	仕　入	10,000	(貸)	買掛金	10,000
	(借)	支　店	12,000	(貸)	支店売上	12,000
支店	(借)	本店仕入	12,000	(貸)	本　店	12,000

解説

本問では、いったん本店が仕入先から商品を掛けで仕入れ、それに利益を加算した振替価格で支店に商品を送付したとみなして処理します(仕訳上の流れは下図の実線矢印)。なお、本店の仕入先からの掛仕入のため、買掛金は本店の債務となる点に注意してください。

支店への商品送付額：10,000円×1.2＝12,000円

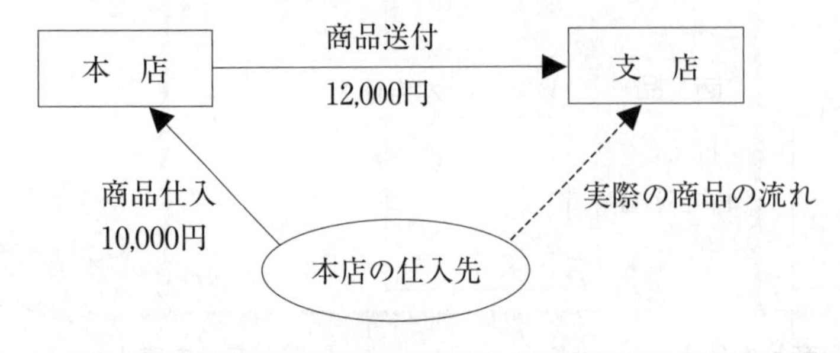

(2)本店が支店の得意先に直接商品を販売した場合

本店が支店をとおさず、直接に支店の得意先に商品を売り上げることがあります。この場合は、本店がいったん支店に商品を送付し、これを支店が得意先に販売したものとみなして処理します。

設例2-2　　本支店間取引2

次の取引について本店および支店の仕訳を示しなさい。

本店は、支店へ送付している商品を直接支店の得意先に15,000円(仕入原価10,000円)で掛けで販売し、本店はこの旨を支店に報告した。なお、本店は支店へ商品を送付するさいに、仕入原価に20%の利益を加算している。

解答

本店	(借)	支　　　店	*12,000*	(貸)	支　店　売　上	*12,000*
支店	(借)	本　店　仕　入	*12,000*	(貸)	本　　　店	*12,000*
	(借)	売　掛　金	*15,000*	(貸)	売　　　上	*15,000*

解説

本問では、いったん本店が利益を加算した商品を支店に送付し、その商品を支店が得意先に掛けで販売したものとみなして処理します(仕訳上の流れは下図の実線矢印)。なお、支店の得意先に対する掛売上のため、売掛金は支店の債権となる点に注意してください。

支店への商品送付額：10,000円×1.2＝12,000円

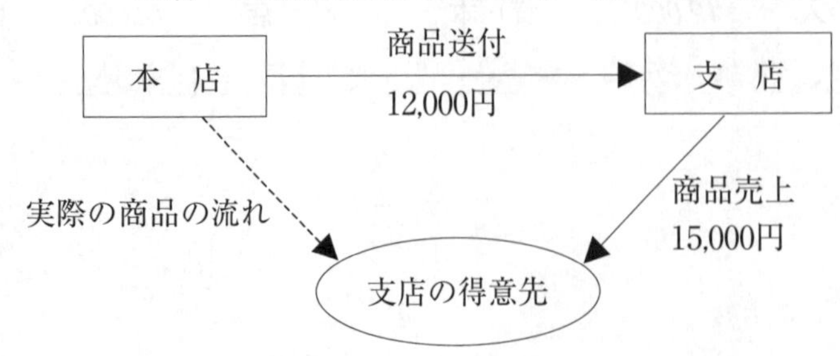

3 支店間取引

簿B 財計C ▶▶簿問題集：問題 2,3

一つの本店に対して、支店が２つ以上ある場合もあります。支店間取引とは、支店が２つ以上ある場合に支店相互間で行われる企業内部の取引をいいます。

支店間取引の会計処理方法には、(1)**支店分散計算制度**と(2)**本店集中計算制度**とがあります。

(1)支店分散計算制度

支店分散計算制度とは、本店を介さず支店同士で直接取引を行っているものと考えて仕訳を行う制度です。したがって、支店相互間取引において取引相手を各支店とし、相手の支店名の勘定(『○○**支店**』)を用いて仕訳を行います。この制度によった場合、支店相互間取引について本店は何も処理を行いません。本店の帳簿には各支店名の勘定(『○○**支店**』)を設け、支店の帳簿には『**本店**』と各支店名の勘定(『○○**支店**』)を設けます。

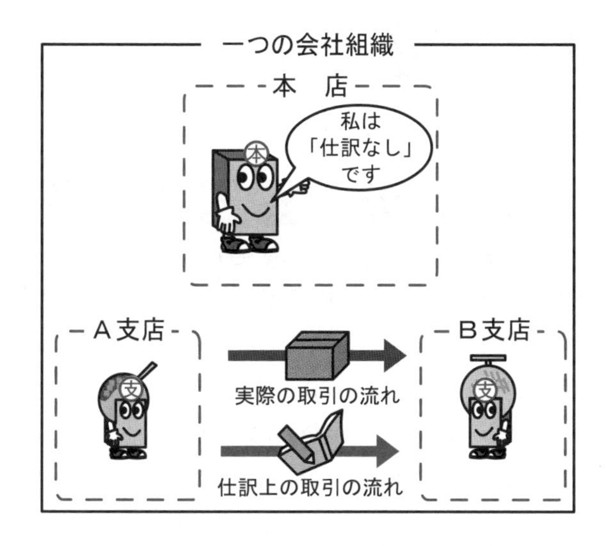

設例2-3　支店分散計算制度

次の取引について本店および各支店の仕訳を支店分散計算制度により示しなさい。
大阪支店は、横浜支店に対して原価10,000円の商品に20%の利益を加算して送付した。

解答

本　店	(借)	**仕訳なし**		(貸)		
大阪支店	(借)	**横浜支店**	*12,000*	(貸)	**横浜支店売上**	*12,000*
横浜支店	(借)	**大阪支店仕入**	*12,000*	(貸)	**大阪支店**	*12,000*

解説

本問では、支店分散計算制度にもとづいているため、本店での処理は「仕訳なし」となります。
支店相互間取引額：10,000円×1.2＝12,000円

(2)本店集中計算制度

本店集中計算制度とは、すべていったん本店を介して行っているものと考えて仕訳を行う制度です。したがって、支店相互間の取引を本店と支店の取引とみなして仕訳を行います。この制度によった場合、本店の帳簿には各支店名の勘定(『○○**支店**』)を設け、各支店の帳簿には『**本店**』のみ設けます。

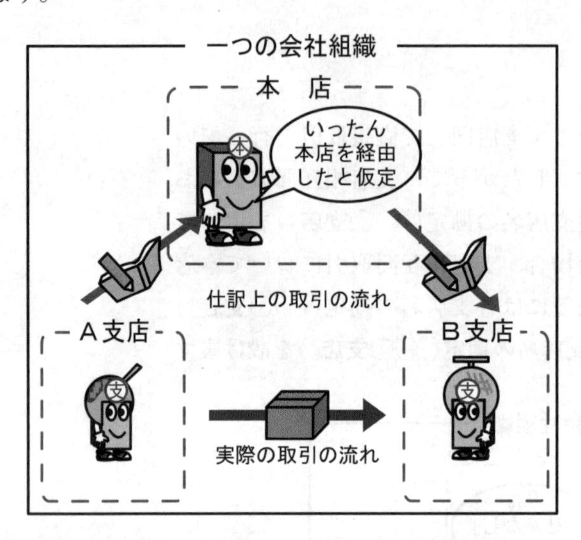

設例2-4 本店集中計算制度

次の取引について本店および各支店の仕訳を本店集中計算制度により示しなさい。
大阪支店は、横浜支店に対して原価10,000円の商品に20%の利益を加算して送付した。

本　店	(借)	横浜支店	*12,000*	(貸) 大阪支店	*12,000*
大阪支店	(借)	本店	*12,000*	(貸) 本店売上	*12,000*
横浜支店	(借)	本店仕入	*12,000*	(貸) 本店	*12,000*

解説

本問では、本店集中計算制度にもとづいているため、いったん本店を経由して商品の送付が行われたと考えます。なお、内部利益の付加は、最初の支店が商品を送付した段階で行われます。

本支店間取引額：10,000円 × 1.2 = 12,000円

Section 3 本支店の帳簿の締切り

本支店合併財務諸表を作成するさいには支店勘定と本店勘定とを相殺消去することとなるのですが、帳簿上においては、本店と支店の帳簿をつなぐ「パイプ役」を務める支店勘定と本店勘定のコンビを相殺消去することはしません。そして、このパイプ役を通じて、支店の利益を本店に受け渡しています。その橋渡しは絶妙です。

このSectionでは、本支店の帳簿の締切りについて学習します。

1 帳簿の締切りの流れ

帳簿の締切りは、帳簿上で会社全体の利益を把握するために行います[*01]。

本店および支店の決算手続と帳簿の締切りまでの流れを示すと、次のとおりです。

*01）これに対し、本支店合併財務諸表の作成は、会社全体の財政状態や経営成績を明らかにするために、帳簿外の合併精算表で行います。混同しないようにしましょう。

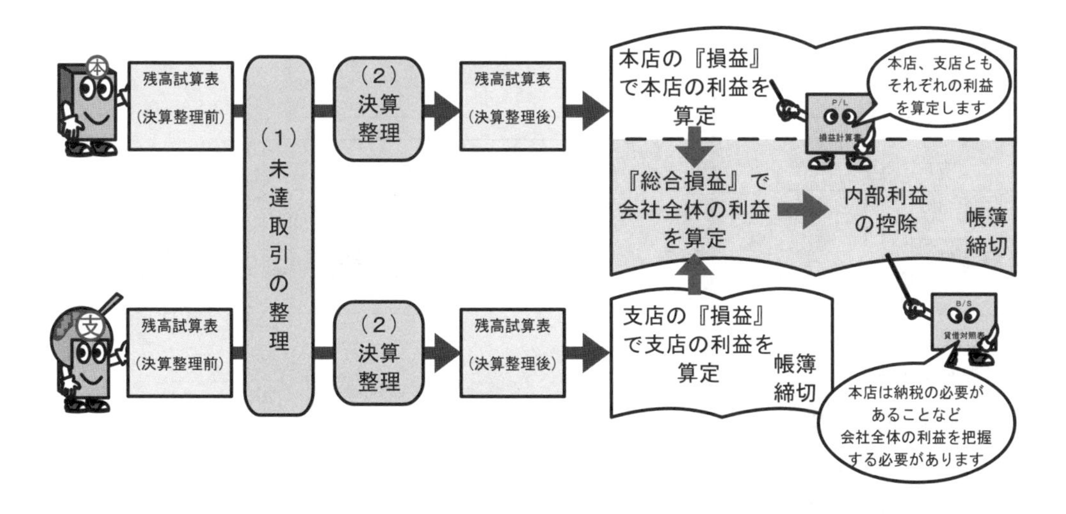

2 純損益の振替え(決算振替)

本店と支店は、それぞれ独自に決算手続を行うため、本店の純損益は本店の『**損益**』で、支店の純損益は支店の『**損益**』で計算されます。しかし、会社は本支店全体の純損益を把握するために、両者を合算する必要があります。そこで、本店において『**総合損益**』*01)を設けて*02)、次のように会社全体の純損益を計算します。

*01)本店の利益と支店の利益を合計し、内部利益を加減する勘定です。

*02)総合損益を設けずに本店の『損益』で算定する場合もあります。

(1)本店の純損益

本店における純損益を『**損益**』から『**総合損益**』に振り替えます。

(2)支店の純損益

支店における純損益を『**損益**』から『**本店**』に振り替えるとともに、本店において『**支店**』から『**総合損益**』に振り替えます*03)。

*03)

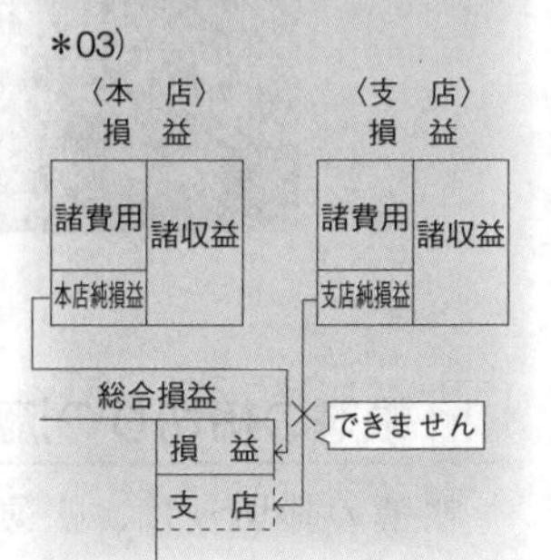

<勘定連絡図>

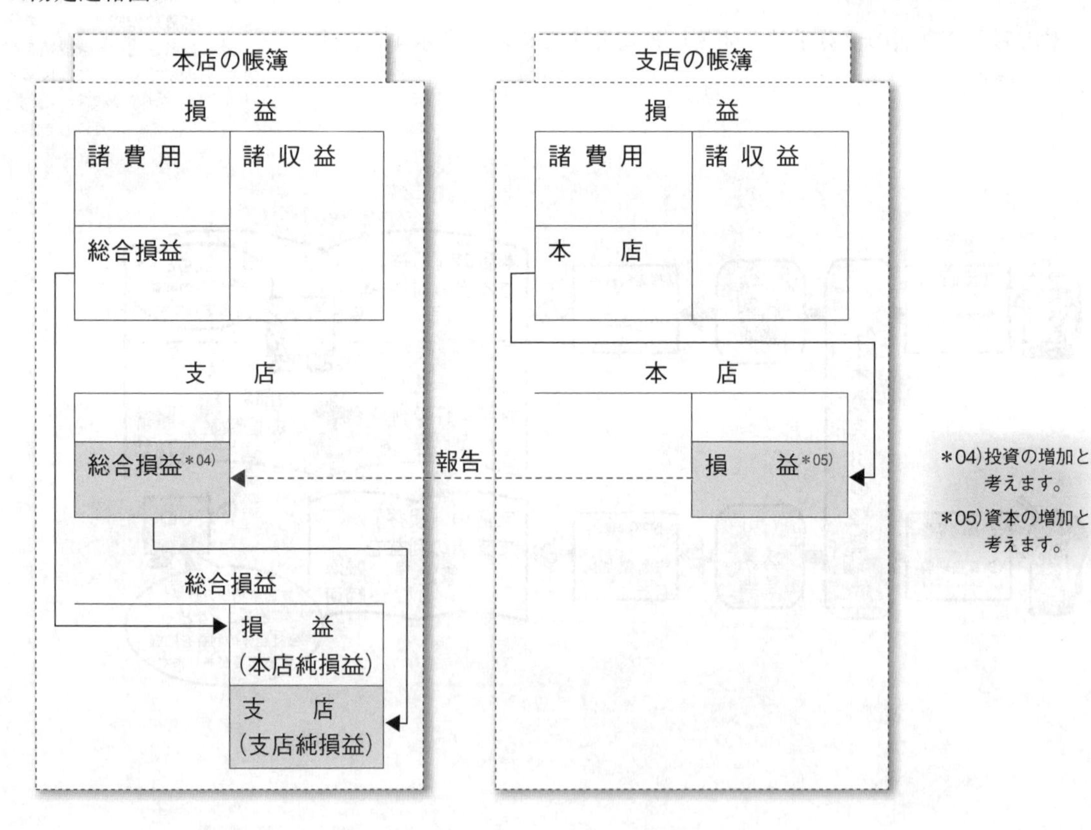

*04)投資の増加と考えます。

*05)資本の増加と考えます。

設例 3-1　決算振替仕訳

次の資料にもとづいて、必要な決算振替仕訳を示しなさい。

【資　料】

(1)　本店は、決算の結果50,000円の当期純利益を計上し、これを総合損益勘定に振り替えた。

(2)　支店は、決算の結果30,000円の当期純利益を計上し、その旨を本店に報告した。

解答

(1)	本店	(借)	**損　　　益**	*50,000*	(貸) **総　合　損　益**	*50,000*
(2)	支店	(借)	**損　　　益**	*30,000*	(貸) **本　　　　店**	*30,000*
	本店	(借)	**支　　　店**	*30,000*	(貸) **総　合　損　益**	*30,000*

解説

この仕訳によって、支店の純損益が『本店』および『支店』を経由して『総合損益』に振り替えられることになります。なお、勘定連絡図を示すと次のようになります。

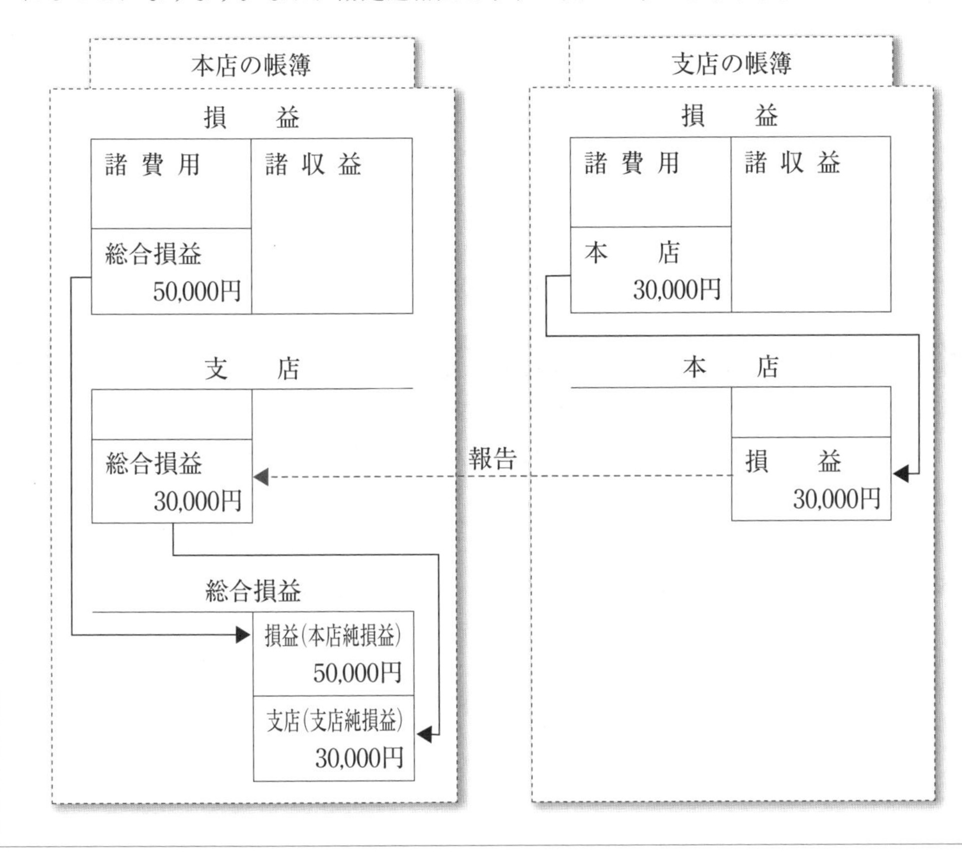

3 内部利益の処理

1．期末商品に含まれる内部利益の控除

期末商品に含まれる内部利益は、『**繰延内部利益**』*01) により次期に繰り延べます。このときの相手勘定として『**繰延内部利益控除**』(利益の控除を示す勘定)を用います。

*01) 内部利益に関する勘定名は、財務諸表に記載される科目ではないので、特に決まってはいません。使用する勘定科目は問題文に従いましょう。

設例3-2 内部利益の控除

次の期末商品に含まれる内部利益の処理にかかる仕訳を示しなさい。

支店の期末商品のうち36,000円は本店から仕入れた商品である。なお、本店は支店へ商品を発送するにあたり、原価に20%の利益を加算している。

本店	(借)	**繰延内部利益控除**	*6,000*	(貸) **繰 延 内 部 利 益**	*6,000* *02)

*02) 36,000円 × $\frac{0.2}{1.2}$ ＝6,000円

2．期首商品に含まれる内部利益の戻入れ

本支店会計では、期首商品は当期中に販売されたと考え、期首商品に含まれる内部利益は当期に実現したものとして処理します。

したがって、期末において、前期から繰り延べられていた『**繰延内部利益**』を戻し入れ、相手勘定として『**繰延内部利益戻入**』を用います。

設例3-3 内部利益の戻入れ

次の期首商品に含まれる内部利益の処理にかかる仕訳を示しなさい。

支店の期首商品のうち18,000円は、本店から仕入れた商品である。なお、本店は支店へ商品を発送するにあたり、原価に20%の利益を加算している。

本店	(借)	**繰 延 内 部 利 益**	*3,000*	(貸) **繰延内部利益戻入**	*3,000* *03)

*03) 18,000円 × $\frac{0.2}{1.2}$ ＝3,000円

3．内部利益控除および内部利益戻入の『総合損益』への振替え

『**繰延内部利益控除**』および『**繰延内部利益戻入**』を『**総合損益**』へ振り替えます。

これにより、会社全体の税引前当期純利益を算定することができます。

設例 3-4　総合損益への振替え

次の内部利益の処理にかかる仕訳を示しなさい。

内部利益控除6,000円と内部利益戻入3,000円を、総合損益勘定へ振り替える。

解答

本店	（借）**総合損益**	*6,000*	（貸）**繰延内部利益控除**	*6,000*
本店	（借）**繰延内部利益戻入**	*3,000*	（貸）**総合損益**	*3,000*

解説

設例3－1～**設例3－4**をもとに勘定連絡図を示すと、次のようになります。これらのステップを踏むことで、会社全体の税引前当期純利益を求めることができます。

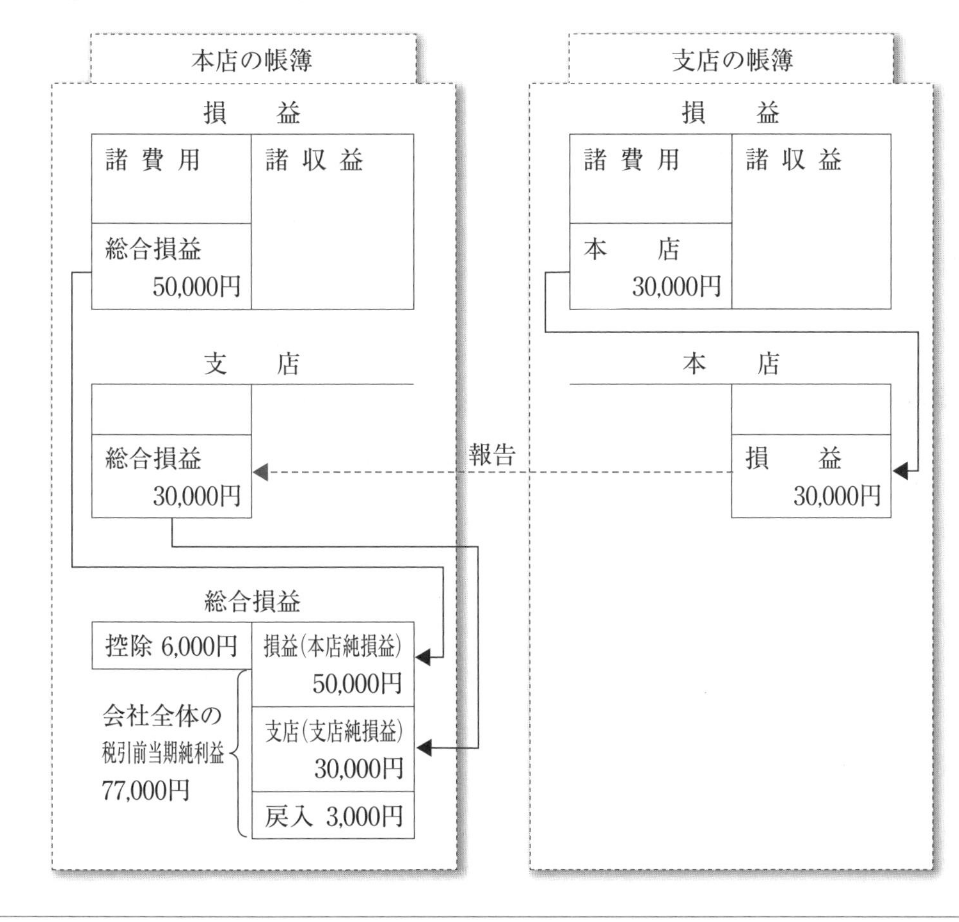

4 法人税等の計上と繰越利益剰余金への振替え

▶▶簿問題集：問題4,5

法人税等は、本店の総合損益で計算される会社全体の税引前当期純利益に対して課せられます。そして、計上した法人税等は『**総合損益**』に振り替えます。

この結果、総合損益の残高は「本支店をあわせた(税引後)当期純損益」を示すことになり、総合損益の残高を『**繰越利益剰余金**』へ振り替えます。

設例 3-5　本支店会計の法人税等

次の各取引について本店で行われる仕訳を示しなさい。

(1)　税引前当期純利益77,000円に対して30％の法人税等を計上する。なお、中間納付額13,000円が仮払法人税等勘定に計上されている。

(2)　(1)で計上した法人税等を、総合損益に振り替える。

(3)　(2)の結果をふまえ、当期純利益を繰越利益剰余金勘定に振り替える。

解答

		借方科目	金額		貸方科目	金額
(1)	本店(借)	**法人税等**	*23,100*	(貸)	**仮払法人税等**	*13,000*
					未払法人税等	*10,100*
(2)	本店(借)	**総合損益**	*23,100*	(貸)	**法人税等**	*23,100*
(3)	本店(借)	**総合損益**	*53,900*	(貸)	**繰越利益剰余金**	*53,900*

解説

<本店の勘定連絡図>

繰越利益剰余金

借方	貸方
剰余金の配当等	前期末残高(期首の繰越利益剰余金)
当期末残高(期末の繰越利益剰余金)	総合損益 53,900円(税引後当期純利益)

総合損益

借方	貸方
内部利益控除 6,000円	損益 50,000円
法人税等 23,100円	支店(支店純損益) 30,000円
繰越利益剰余金 53,900円(税引後当期純利益) → 繰越利益剰余金の総合損益へ	内部利益戻入 3,000円

Section 4 本支店合併財務諸表の作成

支店独立会計制度を採っている場合には、本店にも支店にも帳簿が存在することになります。しかし、外部から見れば、本店も支店も一つの会社を構成しているものにすぎません。このように、一つの会社に複数の会計帳簿が存在している場合には、どのようにして財務諸表を作成するのでしょうか？

このSectionでは、本支店合併財務諸表の作成について学習します。

1 本支店合併財務諸表とは

支店独立会計制度を採用している場合、本店と支店とで独立した会計帳簿が備えられています。しかし、本店も支店も外部から見れば一つの企業を構成しているものなので、その企業全体としての財務諸表を作成しなければなりません。

この財務諸表を「本支店合併財務諸表*01)」といい、本店と支店をあわせた企業全体の財政状態や経営成績を表すために作成されます。

*01)次の財務諸表をいいます。
・合併貸借対照表
・合併損益計算書

なお、本支店合併財務諸表は外部に公表するために作成されるものなので、内部取引を処理するための照合勘定、つまり『**支店**』・『**本店**』や『**支店売上**』・『**本店仕入**』といった科目は記載されません。

2 本支店合併財務諸表の作成手順

本支店合併財務諸表は、次の手順で作成します。なお、これらの手続きはすべて精算表上で行います*01)。

*01)精算表とは、帳簿外で一時的に作成されるものです。帳簿外で作成されるため、本店帳簿にある『支店』と支店帳簿にある『本店』を相殺消去できるのです。

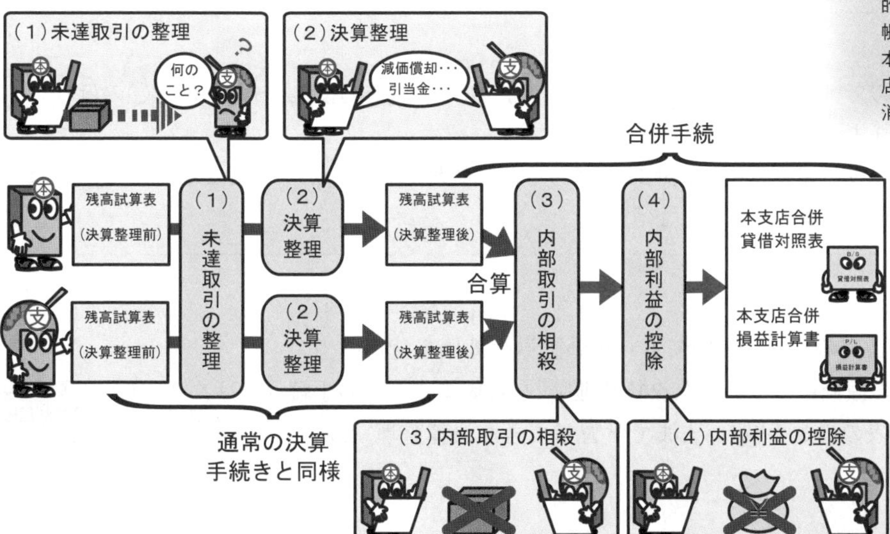

1．未達取引の整理

未達取引とは、本店・支店のどちらか一方が処理していて、他方が処理していない内部取引のことをいいます。

未達取引がある場合は、**『支店』**と**『本店』**、および**『支店売上』**と**『本店仕入』**といった照合勘定の残高は一致していないため、処理をしていない側が適正な処理を行い、照合勘定の残高を一致させる必要があります＊02)。

＊02)本支店会計の問題では、この未達取引の処理がよく出題されます。期末商品棚卸高や内部取引の算定に影響するためです。

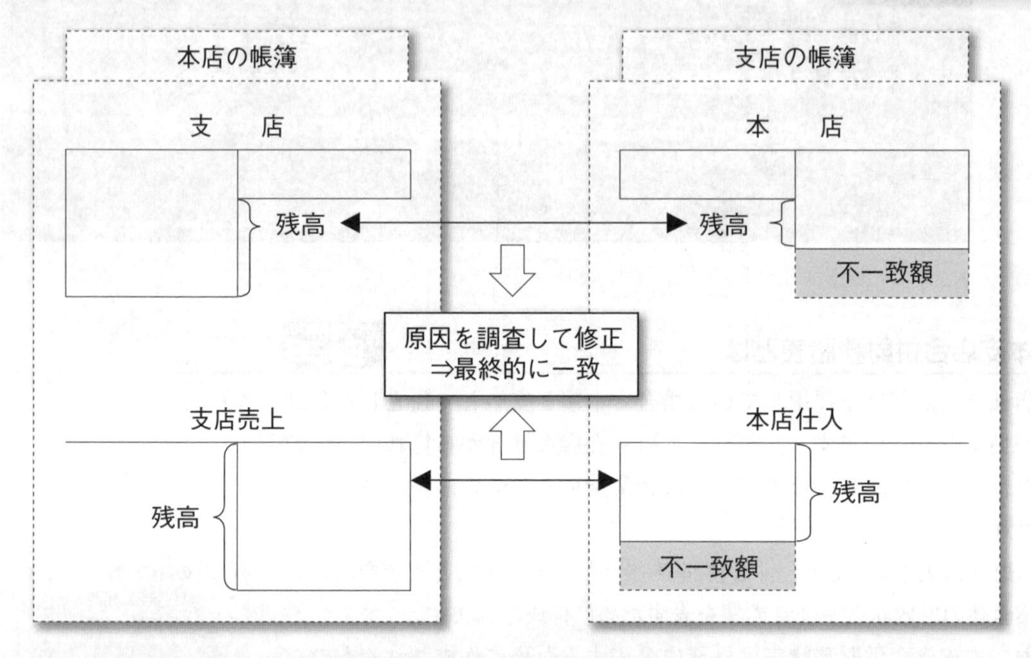

設例 4-1　　未達取引の整理

次の未達事項の整理にかかる仕訳を示しなさい。

決算において、支店勘定と本店勘定が一致していなかったため、不一致の原因を調査したところ、本店は支店に商品24,000円を発送したが、支店に未達であったことが判明した。

解答

支店　（借）**本　店　仕　入**　*24,000*　（貸）**本　　　店**　*24,000*

解説

支店に未達なので、支店側の処理が必要となります(「○○に未達であった」の○○のほうで処理が必要となります)。

本支店会計における未達取引の整理は、どちら側で処理を行うのかが重要となるので、つねに意識して問題を解くようにしましょう。

2．決算整理

本支店合併財務諸表の作成においても、有価証券の評価や貸倒引当金の設定、固定資産の減価償却といった決算整理＊03)を行います。この手続きは通常の財務諸表の作成手続(いままで学習してきた決算整理)と同じです。

＊03)通常は未達取引の整理のあとに行うため、それが正確に処理されていることが前提となります。

設例 4-2 決算整理

次の決算整理の仕訳を示しなさい。なお、未達取引を考慮すること。

決算につき、本店の売掛金期末残高に対して２％の貸倒引当金(差額補充法)を設定する。決算整理前未達取引考慮前の本店の売掛金残高は130,000円、貸倒引当金残高は1,200円である。

なお、支店は本店の売掛金30,000円を回収したが、本店に未達であることが判明した。

解答

本店	(借)	**貸倒引当金繰入**	*800*	(貸) **貸倒引当金**	*800*

解説

未達取引を考慮したあとの売掛金残高が、貸倒引当金の設定対象となります。

未達取引の処理：

本店	(借)	支店	*30,000*	(貸) 売掛金	*30,000*

貸倒引当金：(130,000円 − 30,000円) × 0.02 = 2,000円

貸倒引当金繰入額：2,000円 − 1,200円 = 800円

3．内部取引の相殺

(1)『支店』と『本店』の相殺消去

『**支店**』と『**本店**』は、企業内部における投資額と被投資額を示すものです。したがって、外部利害関係者への財政状態の報告にさいして相殺消去します[*04)]。

*04) 未達取引を含めて正確に処理されていれば、『支店』と『本店』の残高は一致します。

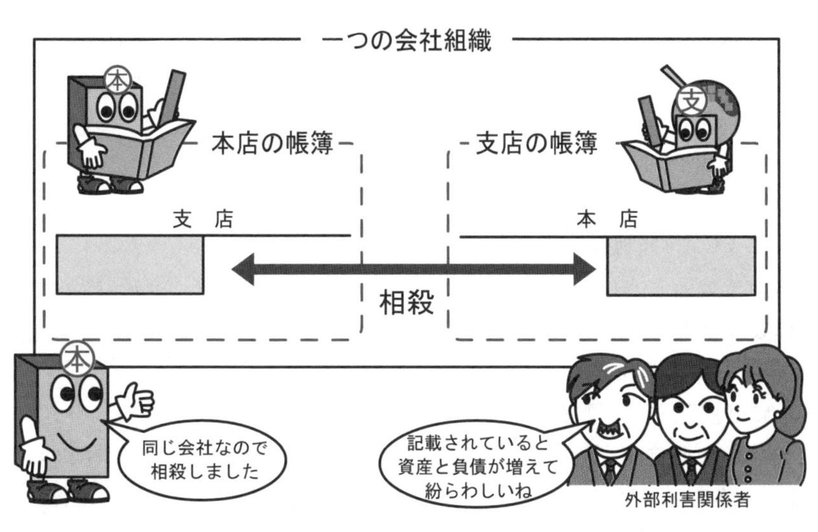

(2) 内部取引の相殺消去

『**支店売上**』と『**本店仕入**』など[*05)]は内部取引を示す勘定であり、対外的には企業内部での商品の移動です。したがって、外部利害関係者への経営成績の報告にさいして相殺消去します[*06)]。

なお、内部勘定の相殺消去は、精算表上で行なわれる合併手続であり、帳簿上の処理ではありません。

*05) 支店から本店に商品を送付している場合は、『支店仕入』や『本店売上』となります。

*06) 未達取引を含めて正確に処理されていれば、『支店売上』と『本店仕入』の残高は一致します。

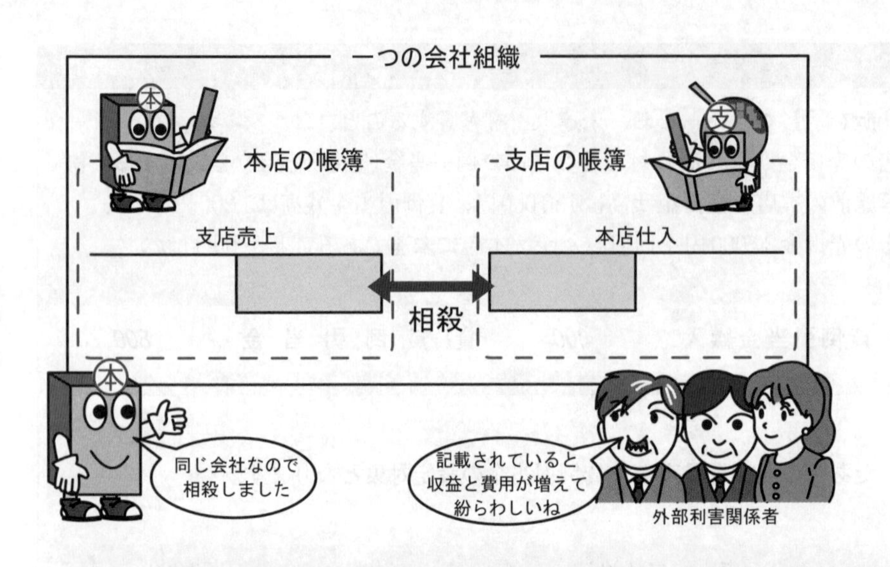

設例4-3 内部取引の相殺

次の資料にもとづいて、本支店合併精算表上で行われる内部取引の相殺に関する仕訳を示しなさい。

【資　料】　本店・支店の決算整理後残高試算表(一部)

決算整理後残高試算表

(単位：円)

借方科目	本　店	支　店	貸方科目	本　店	支　店
支　　店	200,000		本　　店		200,000
本店仕入		150,000	支店売上	150,000	

解答

(借) 本　　店	*200,000*		(貸) 支　　店	*200,000*
(借) 支店売上	*150,000*		(貸) 本店仕入	*150,000*

4．内部利益の控除

本支店間で商品を送付するさいに内部利益を加算している場合に、この商品が期末に在庫として残っているときは、期末商品棚卸高*07) には内部利益が含まれていることになります。

この内部利益は会社内部の取引により生じた利益なので、外部に公表する財務諸表を作成するときには控除する必要があります。

なお、財務諸表の作成において、期首商品*08) および期末商品に含まれる内部利益については、損益計算書上の期首商品棚卸高、期末商品棚卸高および貸借対照表上の商品から直接控除します*09)。

*07) 本店→支店と商品を送付している場合には、支店の期末商品棚卸高に内部利益が含まれます。

*08) 本支店会計においては、期首商品は期末までにすべて販売されたと考えます。

*09) 通常、内部利益は『繰延内部利益』で処理します。もし、前T/Bに『繰延内部利益』があれば、その金額は期首商品棚卸高に含まれる内部利益を示しています。

設例 4-4 内部利益

次の資料にもとづいて、支店の期末商品に含まれる内部利益の金額を答えなさい。

支店における期末商品実地棚卸高50,000円のうち、36,000円は本店から仕入れたものである。なお、本店は支店へ商品を送付するさいに、仕入原価に20%の利益を加算している。

支店の期末商品棚卸高に含まれる内部利益　*6,000*　円

解説

期末商品棚卸高のうち、本支店間の取引によるものについては内部利益を控除します。

支店の期末商品棚卸高に含まれる内部利益：36,000円 × $\frac{0.2}{1.2}$ = 6,000円

3 合併損益計算書の作成

未達取引を整理し、決算整理を行ったあとに、本支店の合併損益計算書を作成します。

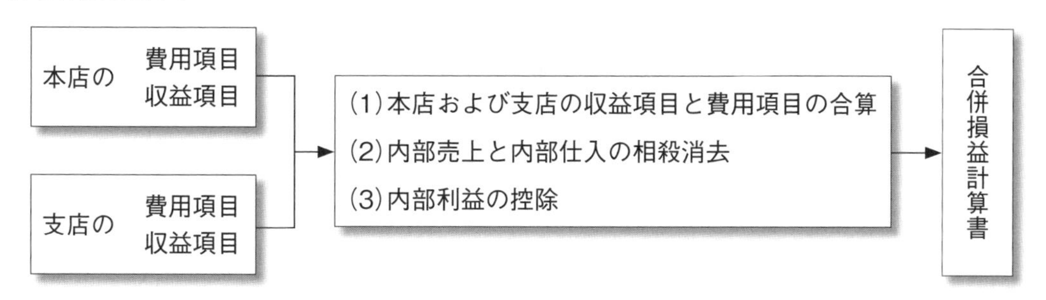

(1)　本店および支店の費用項目(仕入、販売費など)と収益項目(売上、受取利息など)をそれぞれ合算します。

(2)　**『支店売上』**・**『本店仕入』**などを相殺消去します。

(3)　本支店の合併損益計算書上、期首商品棚卸高および期末商品棚卸高から、内部利益を控除します。

なお、本支店の合併損益計算書における売上原価の内訳は、以下のようになります*01)。

合併損益計算書

Ⅰ 売上高	×××	←内部取引を控除*02)
Ⅱ 売上原価		
1 期首商品棚卸高	×××	←内部利益を控除(期首分)
2 当期商品仕入高	×××	←内部取引を控除*02)
合計	×××	
3 期末商品棚卸高	×××	←内部利益を控除(期末分)
差引	×××	

*01) 内部利益の処理がポイントとなります。

*02)『支店売上』や『本店仕入』などですが、これは(2)で相殺消去されます。

4 合併貸借対照表の作成

簿A 財計C

▶▶簿問題集：問題 6,7,8
▶▶財問題集：問題 10

合併損益計算書の作成と同様の手続きによって合併貸借対照表を作成します。

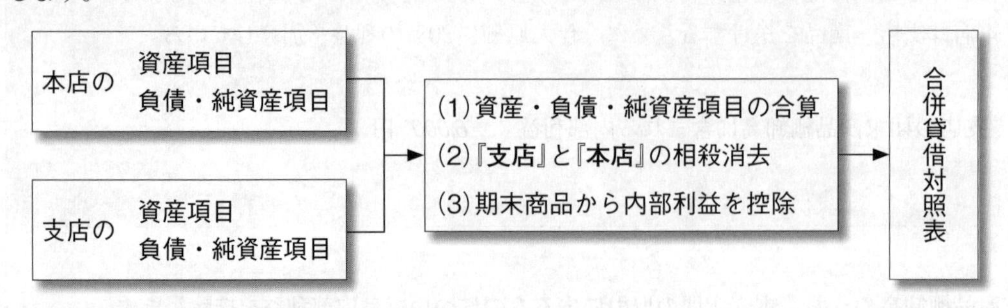

(1)　本店・支店の資産、負債、純資産項目についてそれぞれ合算します。

(2)　**『支店』**・**『本店』**を相殺消去します。

(3)　本支店の合併貸借対照表上、支店(本店)の期末商品に含まれている内部利益*01)は、商品(繰越商品)から直接控除します。

なお、本支店の合併貸借対照表における商品(繰越商品)の金額は、次のようになります。

合併貸借対照表

商　　　品	×××	

↑内部利益を控除します。

*01) 期末商品に含まれる内部利益は『繰延内部利益』として次期に繰り延べます。

Chapter 6

商的工業簿記

これまでは、主に商品売買業を営む企業を前提に学習を進めてきました。商品売買業では、「いくらで買ったか」をもとに売上原価を計算すれば済みました。では、製品を作っている製造業の場合はどうなるのでしょうか？　販売する製品は材料を買ってくるだけではなく、さまざまな加工作業の末に完成するため、売上原価の計算が商品売買業ほど単純ではなさそうです。

このChapterでは、製造業を営む企業の会計処理について学習します。

Section 1

商的工業簿記の概要

帳簿記入や財務諸表の作成は、何も商品販売業だけに求められているのではなく、製造業や建設業などすべての業種について求められています。

このSectionでは、製造業で行われる商的工業簿記について学習します。税理士試験では、複雑な原価計算は求められていないので、安心して学習していきましょう！

1 製造業と工業簿記

1．商業簿記と工業簿記

外部から商品を仕入れ、その商品をそのまま外部に販売する業種を商品販売業*01)といい、そこで用いられる簿記が商業簿記です。

これに対して、外部から材料などを仕入れ、自社内で加工・製造したもの*02)を外部に販売する業種を製造業といい、そこで用いられる簿記が工業簿記です。工業簿記は、製造活動をとおして生産される製品の原価を計算することを主な目的としています。

*01) 扱うものは「商品」となります。

*02) 扱うものは「製品」となります。

2．商的工業簿記(製造業会計)とは

工業簿記は原価計算手法を行うか行わないかにより、(1)完全工業簿記と(2)商的工業簿記に分けられます。

(1) 完全工業簿記

完全工業簿記*03)とは、原価計算手法を用いて厳密に製品原価を算定する、一般的な工業簿記です。

*03) 税理士試験の試験範囲外です。

(2) 商的工業簿記

商的工業簿記(不完全工業簿記ともいいます)とは、厳密な原価計算手法を用いずに、商業簿記における売上原価算定に準じて、決算日に棚卸計算法によって製品原価を一括で算定する、簡便的な工業簿記*04)です。

*04) 中小企業では、厳密な原価計算を行うより、簡便な処理によって原価計算コストの負担を軽減するほうが有利な場合があります。

〈完全工業簿記〉

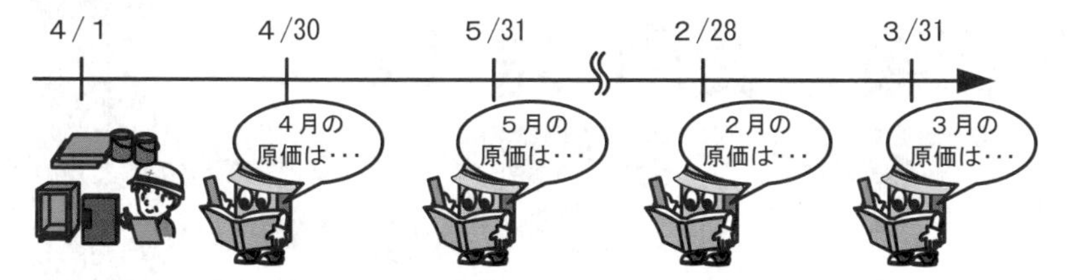

〈商的工業簿記(不完全工業簿記)〉

2 商的工業簿記の流れ

製造業では、材料を仕入れ、その材料を加工して製品を作ります。これについて会計的な流れを示すと、次のとおりとなります。商的工業簿記(製造業会計)では、この勘定科目の流れが大切です*01)。

*01)各勘定の内容や金額は、次のSectionから学習します。

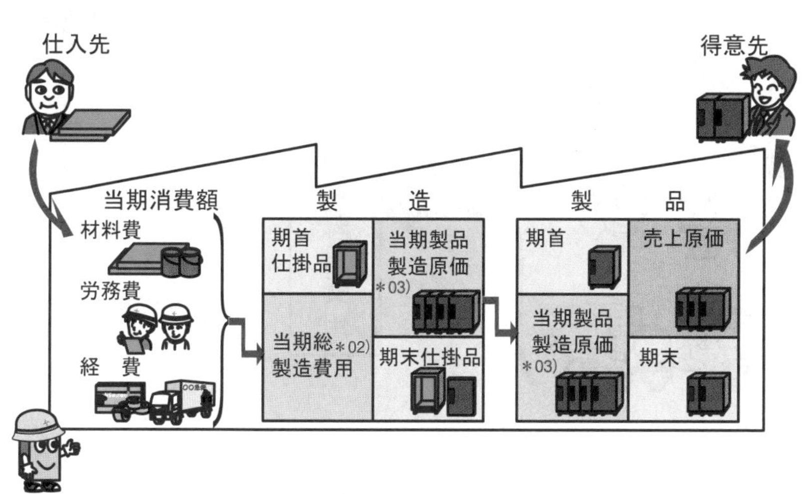

*02)当期の製造活動にかかった金額のことです。

*03)当期完成品原価のことです。

Section 2

当期総製造費用の計算

商的工業簿記の基本的な計算の流れは一般商品売買と同じですが、商品を安く仕入れて高く売っていただけの商業簿記とは違い、商的工業簿記では材料を仕入れて加工し、それを製品にして売り上げるので、それらをうまく記帳する必要があります。

このSectionでは、商的工業簿記の具体的な会計処理を学習していきます。まずは当期総製造費用から学習しましょう！

1 商的工業簿記の原価要素

商的工業簿記における原価要素は、「材料費」、「労務費」、「経費」に分類されます。これらの原価要素ごとに、当期の消費額*01)（**当期製造費用**）を計算します。

＊01）製品を作るために使った金額のことを「消費額」といい、よりかしこまった表現をすると「製造費用」となります。また、「原価」ともいいます。

材料費
労務費
経　費
合算
当期総製造費用

原価はこの
３要素ごとに
計算します

2 材料費

材料費とは、物品の消費によって生じる原価をいい、**原材料費**（原料費、素材費など）、**工場消耗品費**、買入部品費、燃料費などがあります。

1．原材料費

期中に材料を購入した場合、『**材料仕入**』に費用計上します。

また、決算時に期首未使用分を『**繰越材料**』から『**材料仕入**』に、期末未使用分を『**材料仕入**』から『**繰越材料**』に振り替えることで、当期材料消費額を計算します*01)。さらに、当期材料消費額は『**材料仕入**』から『**製造**』に振り替えます。

なお、材料の期末未使用分は、貸借対照表上、流動資産に『**材料**』として計上します。

＊01）商業簿記における繰越商品の処理、
（借）仕　　入（貸）繰越商品
（借）繰越商品（貸）仕　　入
と同じ要領です。

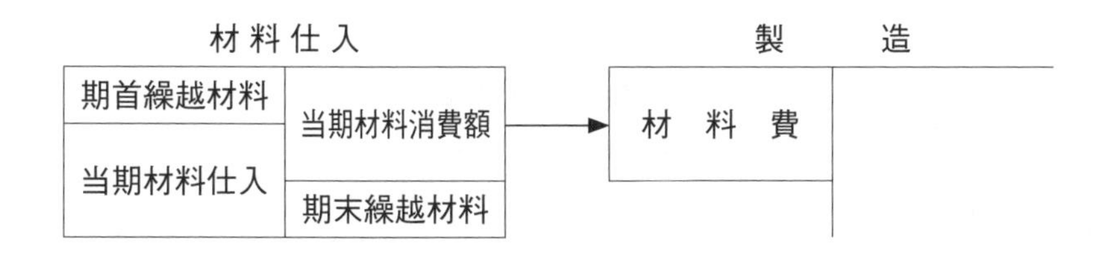

設例 2-1　材料費の処理 1

次の各取引の仕訳を示しなさい。なお、(2)は(1)の取引も考慮すること。

(1)　期中に材料100,000円を現金で仕入れた。

(2)　決算日現在の材料未使用分は6,000円であり、前期末の材料未使用分は7,000円であった。当期消費額を製造勘定に振り替える。

(1)	(借)	材料仕入	*100,000*	(貸) 現金預金	*100,000*
(2)	(借)	材料仕入	*7,000*	(貸) 繰越材料	*7,000*
	(借)	繰越材料	*6,000*	(貸) 材料仕入	*6,000*
	(借)	製　　造	*101,000*	(貸) 材料仕入	*101,000*

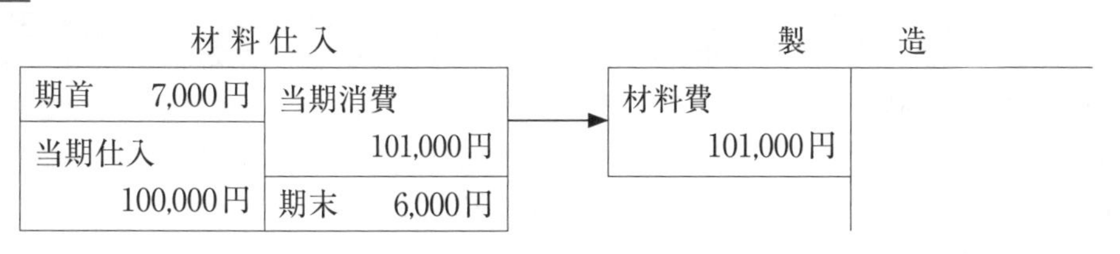

2．工場消耗品費

工場消耗品の会計処理には、(1)購入時に資産計上する方法と、(2)購入時に費用計上する方法の２通りの方法があります*02)。

*02)商業簿記における消耗品の処理と同じです。どちらの方法によっても、最終的な計算結果は同じとなります。

(1)購入時に資産計上する方法

工場消耗品を購入したさいに、いったん**『工場消耗品』**(資産)として計上します。期末においては、当期消費額を**『工場消耗品費』**(費用)に振り替え、さらにそれを**『製造』**に振り替えます。

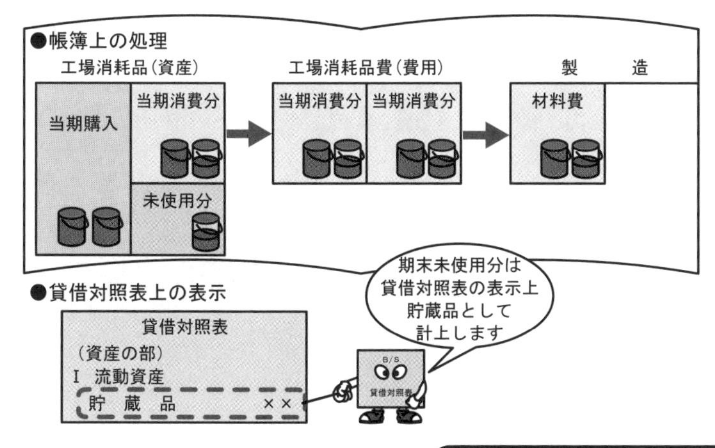

(2)購入時に費用計上する方法

工場消耗品を購入したさいに、いったん『**工場消耗品費**』(費用)として計上します。期末においては、当期未消費額を『**工場消耗品**』(資産)に振り替え、当期消費額を『**製造**』に振り替えます。

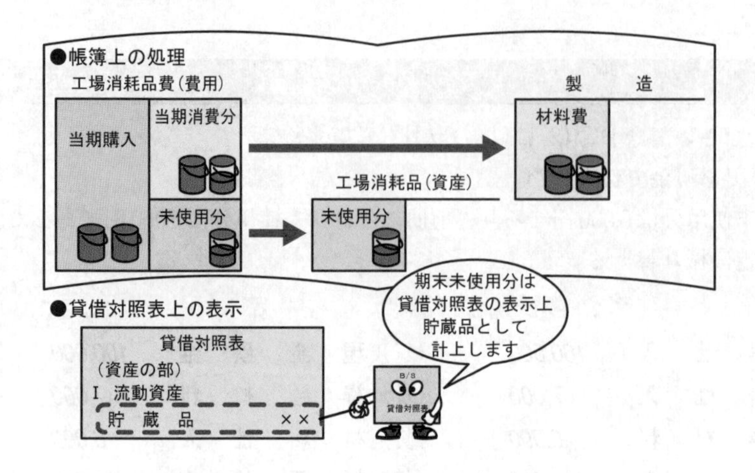

なお、いずれの方法によっても、工場消耗品の期末未使用分は、貸借対照表上、流動資産に『**貯蔵品**』として計上します。

設例2-2　　材料費の処理2

次の取引について、購入時と決算時(製造勘定への振替えも含む)における仕訳を示しなさい。

当期に工場消耗品7,500円を現金で購入し、そのうち5,000円分を当期中に消費した。なお、期末に工場消耗品2,500円が残っている(減耗等は考慮する必要はない)。

(1)　購入時に資産計上する方法を採用していた場合

(2)　購入時に費用計上する方法を採用していた場合

(1) 購入時に資産計上する方法

購入時	(借)	工場消耗品	7,500	(貸)	現金預金	7,500
決算時	(借)	工場消耗品費	5,000	(貸)	工場消耗品	5,000
	(借)	製造	5,000	(貸)	工場消耗品費	5,000

(2) 購入時に費用計上する方法

購入時	(借)	工場消耗品費	7,500	(貸)	現金預金	7,500
決算時	(借)	製造	5,000	(貸)	工場消耗品費	7,500
		工場消耗品	2,500			

解説

(1)購入時に資産計上する方法

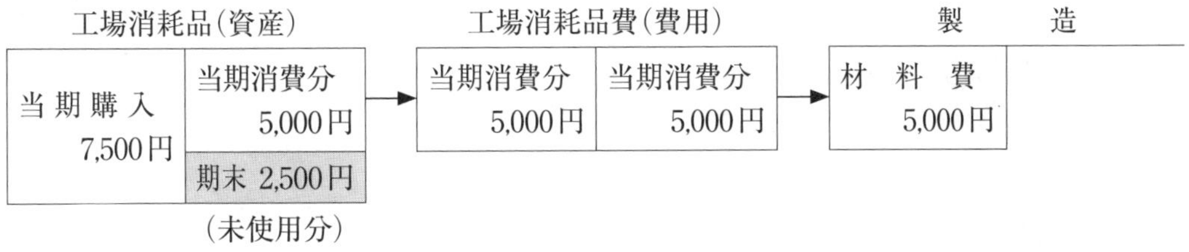

(2)購入時に費用計上する方法

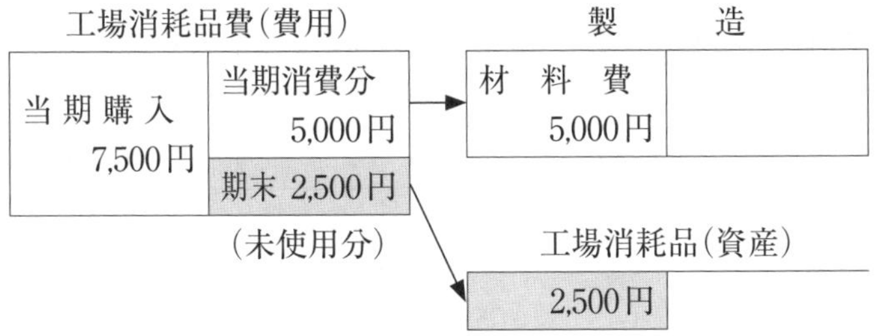

3. 期末材料の評価(減耗・評価損の取扱い)

(1)減耗の取扱い

期末材料の評価により、棚卸減耗損が生じる場合、原価性の有無により次のように表示します。

	原価性あり	原価性なし
材料棚卸減耗損	製造原価報告書の経費*03)	P/L営業外費用

*03)材料に関連して発生する費用ですが、経費になります。材料費にはなりません。

(2)評価損の取扱い

期末材料の評価により評価損が生じる場合、通常の収益性の低下によるものか、臨時的なものかにより、次のように表示します。

	通常の収益性の低下	臨時かつ多額の損失
材料評価損	P/L売上原価の内訳項目 または 製造原価報告書の経費*04)	P/L特別損失

*04)製造に関連し、不可避的に発生すると認められるものは製造原価報告書に計上します。

4. 他勘定振替高(火災損失・見本品費等による材料の減少)

材料が火災や見本品費等によって減少してしまった場合には、製造原価報告書の材料費の内訳に、他勘定振替高として記載します*05)。

*05)P/Lの売上原価の内訳の記載と同じ要領です。

設例2-3　**材料費の他勘定振替**

次の資料にもとづいて、製造原価報告書の材料費の内訳を作成しなさい。

【資　料】

1　決算整理前残高試算表の金額

材　　料	7,000円
材料仕入	100,000円
見本品費	5,000円

2　当期に材料5,000円を見本品として使用しており、その全額を材料仕入勘定から見本品費勘定に振り替える処理を行っている。

3　期末材料棚卸高は6,000円である(棚卸減耗損、評価損は考慮する必要はない)。

解答

製造原価報告書(一部)　(単位：円)

Ⅰ 材　料　費		
期首材料棚卸高	(7,000)	
当期材料仕入高	(105,000)	
合　計	(112,000)	
見本品費振替高	(5,000)	
期末材料棚卸高	(6,000)	
当期材料費		(101,000)

解説

当期材料仕入高：100,000円（前T／B）＋ 5,000円（見本品費振替分）= 105,000円

※製造原価報告書については、Section 5で詳しく学習します。

3 労務費

労務費[*01]とは、労働用役の消費によって生じる原価をいい、**賃金**、**給料**、**賞与**、**退職給付費用**、**法定福利費**などがあります[*02]。

*01) 原価計算基準の定義上「労務費」といいますが、商業簿記における「人件費(給料)」と内容は同じです。

*02) 問題によっては、諸項目を一括して『賃金給料』、『労務費』などの勘定科目が与えられる場合があります。

1．賃金

労務費のうち、工員に対するものを賃金といいます。

期中に賃金を支払った場合、**『賃金』**として費用計上します。なお、決算時に期末未払額がある場合には、**『未払費用』**として負債計上します。

当期の賃金消費額は**『製造』**に振り替えます。

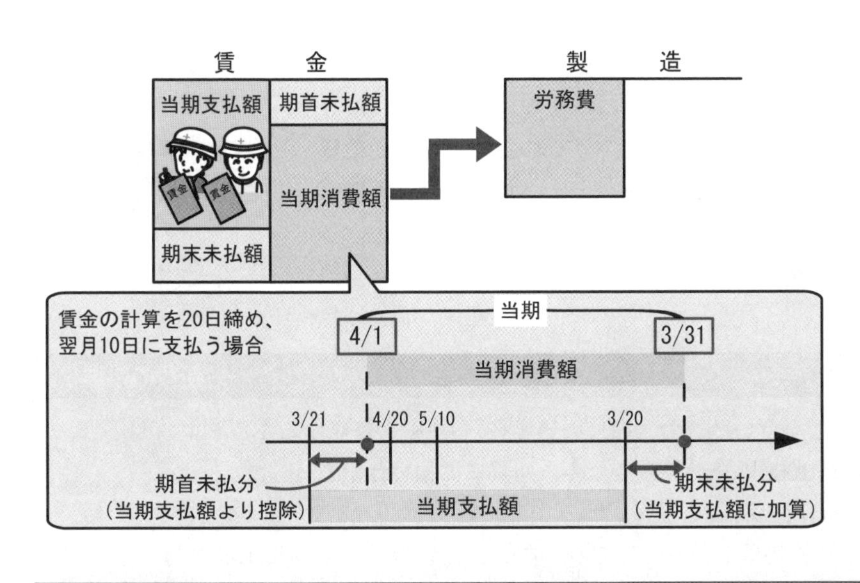

設例2-4　労務費の処理1

次の各取引の仕訳を示しなさい。なお、(3)は(1)・(2)の取引も考慮すること。

(1)　前期末に未払賃金14,000円を計上したため、期首に再振替仕訳を行った。

(2)　期中に賃金250,000円を現金で支払った。

(3)　決算日現在の未払賃金は15,000円である。当期消費額を製造勘定に振り替える。

(1)	(借) 未払費用	14,000	(貸) 賃金	14,000
(2)	(借) 賃金	250,000	(貸) 現金預金	250,000
(3)	(借) 賃金	15,000	(貸) 未払費用	15,000
	(借) 製造	251,000	(貸) 賃金	251,000

※『未払費用』は『未払賃金』等で、『賃金』は『賃金給料』等で処理することもあります。

解説

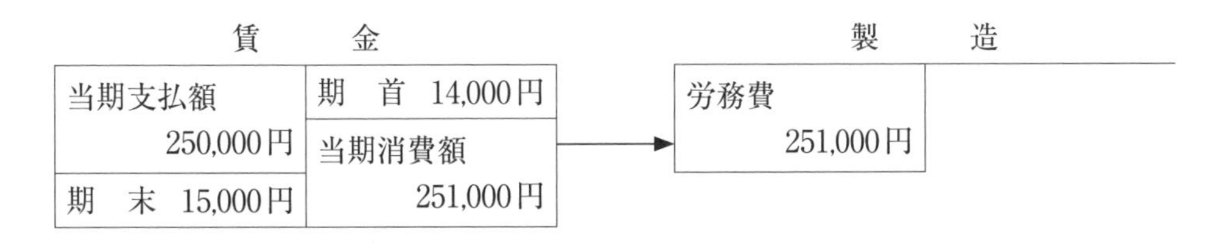

2．給料

事務員に対する人件費を給料といいます。このうち、工場事務員に対する給料は労務費（製造原価）として扱います[*03]。そのため、本社従業員等と工場事務員の人件費を合わせて**『給料』**としている場合には、両者を区別する必要があります[*04]。

なお、費用処理の方法は賃金と同じです。

＊03）本社の従業員や管理者の給料は、『給料』としてP/Lの販売費及び一般管理費に計上されます。

＊04）賞与や退職給付費用など他の人件費についても同様です。

設例2-5　労務費の処理２

次の各取引の仕訳を示しなさい。なお、(3)は(1)・(2)の取引も考慮すること。

(1)　前期末に未払給料8,000円を計上したため、期首に再振替仕訳を行った。

(2)　期中に給料120,000円を現金で支払った。

(3)　決算日現在の未払給料は12,000円である。なお、給料のうち40％は工場事務員に対するものであり、残りの60％は本社従業員に対するものである。

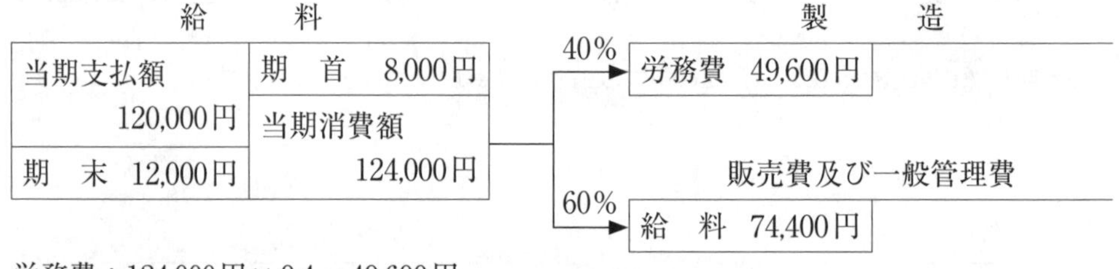

(1)	(借)	未払費用	8,000	(貸)	給料	8,000
(2)	(借)	給料	120,000	(貸)	現金預金	120,000
(3)	(借)	給料	12,000	(貸)	未払費用	12,000
	(借)	製造	49,600	(貸)	給料	49,600

※『未払費用』は『未払給料』等で、『給料』は『給与手当』等で処理することもあります。

解説

給　料

当期支払額 120,000円	期　首　8,000円
期　末　12,000円	当期消費額 124,000円

40％ → 製　造

労務費　49,600円

60％ → 販売費及び一般管理費

給　料　74,400円

労務費：124,000円 × 0.4 = 49,600円

4 経費

簿A 財計A ▶▶簿問題集：問題4

経費[*01]とは、材料費・労務費以外の原価要素をいい、**減価償却費**、**棚卸減耗損**、**賃借料**、**水道光熱費**、**修繕費**、**旅費交通費**、**福利厚生費**[*02]などがあります。経費は当期の実際発生額が当期消費額となります。

なお、各勘定科目において、販売費及び一般管理費に該当するものと経費に該当するものを一括して計上している場合には、決算において両者を区別する必要があります[*03]。

当期の経費消費額は『**製造**』に振り替えます。

*01)「製造経費」という場合もあります。

*02)法律で支出が規定されている『法定福利費』は労務費になります。混同注意！

*03)労務費の給料と同じです。

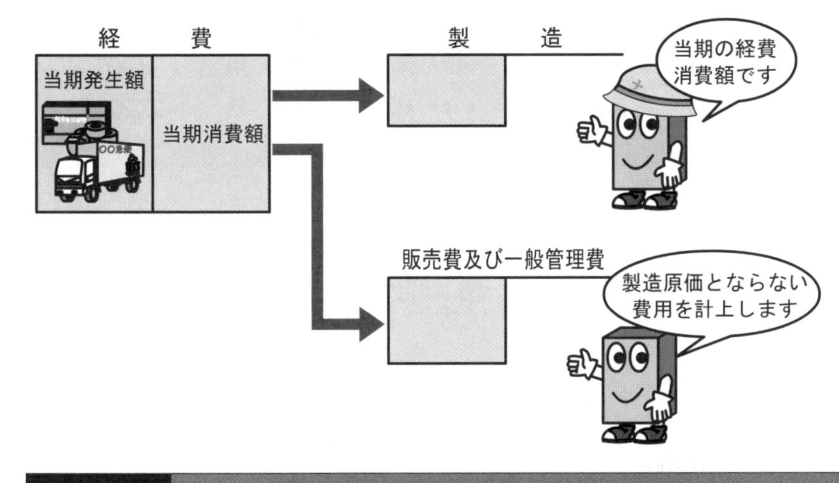

設例 2-6　経費の処理1

次の資料にもとづいて、決算整理仕訳を示しなさい。

【資　料】

期首に建物を取得した。当該建物の詳細は次のとおりである。

1　取得原価：500,000円
2　耐用年数：15年
3　償却方法：定額法(残存価額は取得原価の10%、間接法により記帳)
4　減価償却費のうち75%は製造経費、残額は販売費及び一般管理費に該当する。

解答

(借)	減価償却費	30,000	(貸)	建物減価償却累計額	30,000
(借)	製造	22,500	(貸)	減価償却費	22,500

解説

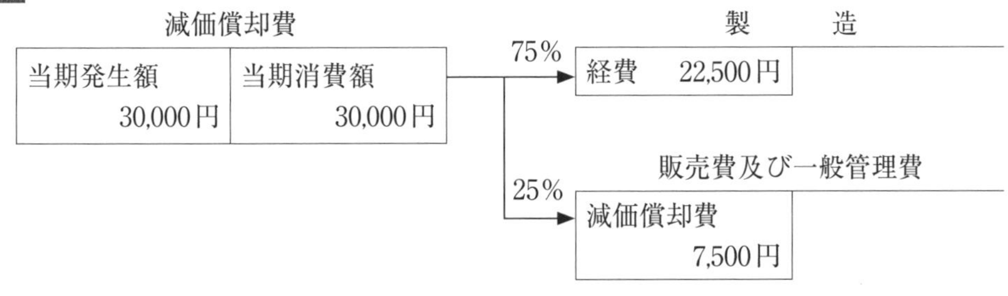

経費(減価償却費)：500,000円 × 0.9 ÷ 15年 × 0.75 = 22,500円

設例2-7　経費の処理2

次の各取引の仕訳を示しなさい。なお、(3)は(1)・(2)の取引も考慮すること。

(1)　前期末に未払賃借料6,000円を計上したため、期首に再振替仕訳を行った。

(2)　期中に賃借料60,000円を現金で支払った。

(3)　決算日現在の未払賃借料は8,000円である。なお、賃借料のうち、60%は製造経費、残額は販売費及び一般管理費に該当する。

(1)	(借) 未払費用	6,000	(貸) 賃借料	6,000
(2)	(借) 賃借料	60,000	(貸) 現金預金	60,000
(3)	(借) 賃借料	8,000	(貸) 未払費用	8,000
	(借) 製造	37,200	(貸) 賃借料	37,200

解説

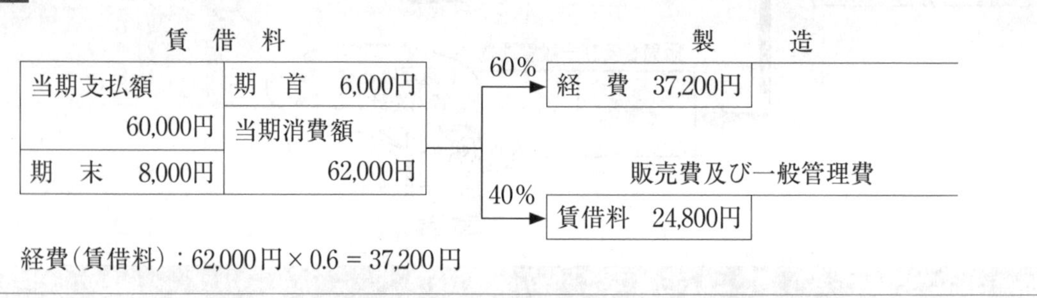

経費(賃借料)：62,000円 × 0.6 = 37,200円

Section 3 当期製品製造原価の計算

当期にいくらかかったか(当期総製造費用)を計算したら、次は完成品にいくらかかったか(当期製品製造原価)の計算を行います。

製作の現場では、材料仕入から加工を経て、製品が完成するいちばん嬉しいタイミングかと思いますが、会計上は期末仕掛品の評価と完成品の評価を按分計算によって求めるため、少々面倒です。

このSectionでは、当期製品製造原価の計算方法について学習します。内容は難しくないので安心してください。

1 当期製品製造原価・期末仕掛品原価の算定 

▶▶簿問題集：問題3

1．期末仕掛品原価と当期製品製造原価の計算

期末において、すべてが完成していれば、当期総製造費用はすべて完成品原価、つまり当期製品製造原価となります。しかし、一部が未完成である場合は、当期総製造費用を完成品原価と期末仕掛品原価とに按分する必要があります。

通常、この按分はまず期末仕掛品原価を計算し、その計算結果にもとづいて差額で当期製品製造原価(完成品原価)を計算します。

期首仕掛品原価 ＋ 当期総製造費用 － 期末仕掛品原価 ＝ 当期製品製造原価

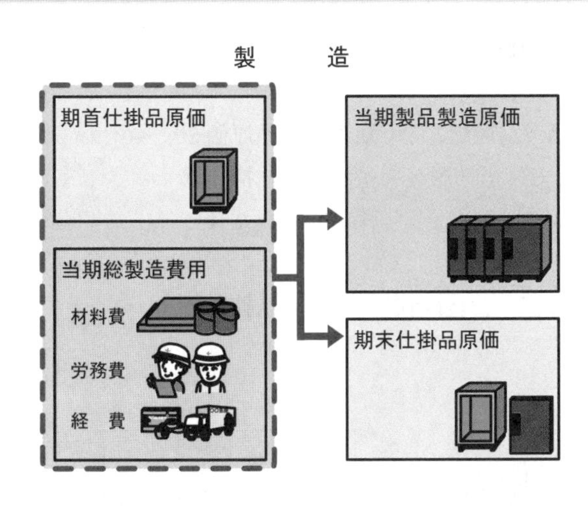

2．期末仕掛品の評価方法

期末仕掛品の評価*01)方法としては、完成度換算法が一般的で、また期首仕掛品が存在する場合は、平均法または先入先出法により計算します。

*01) 金額を決めることです。

(1) 完成度換算法

完成度換算法とは、期末仕掛品の評価を、完成度(加工進捗度)にもとづいて行う方法です。

具体的には、加工費(労務費、経費)を完成品換算量にもとづいて当期製品製造原価と期末仕掛品原価に按分します*02)。

*02) 材料を工程を通じて平均投入する場合は、材料費も加工進捗度にもとづいて按分します。

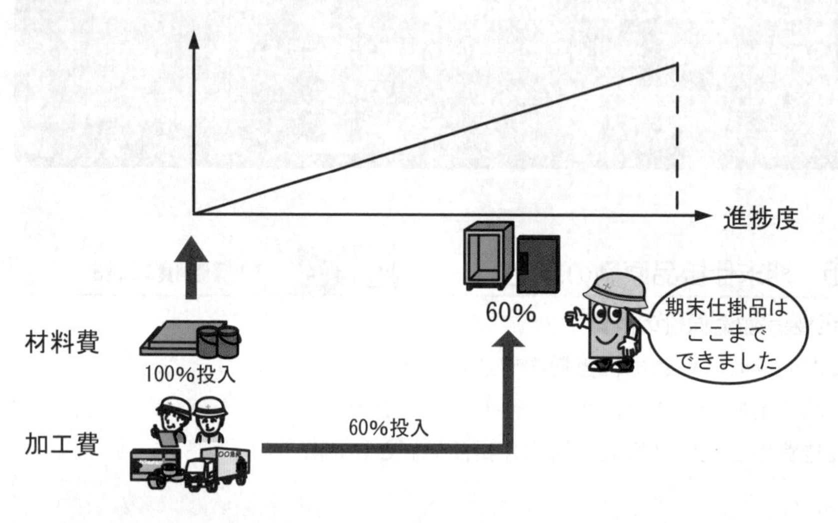

(2) 製造原価の按分方法

製造原価の按分方法には、「平均法」と「先入先出法」があります。ただし、計算方法は一般商品売買における払出単価の計算と同じです。

3．決算整理仕訳

当期総製造費用*03)および期末仕掛品原価を計算したら、次は当期完成品にかかる原価(**当期製品製造原価**)を計算します。

*03) 当期の材料費、労務費、経費の合計額、つまり当期製造費用の合計額のことです。

決算時に期首仕掛品原価を**『仕掛品』**から**『製造』**に、期末仕掛品原価を**『製造』**から**『仕掛品』**に振り替えることで、当期製品製造原価を一括で算定します*04)。さらに、当期製品製造原価は**『製造』**から**『製品』**に振り替えます。

*04) 商業簿記における繰越商品の処理、
(借)仕　　入 (貸)繰越商品
(借)繰越商品 (貸)仕　　入
と同じ要領です。

なお、仕掛品の期末残高は、貸借対照表上、**『仕掛品』**として流動資産に計上します。

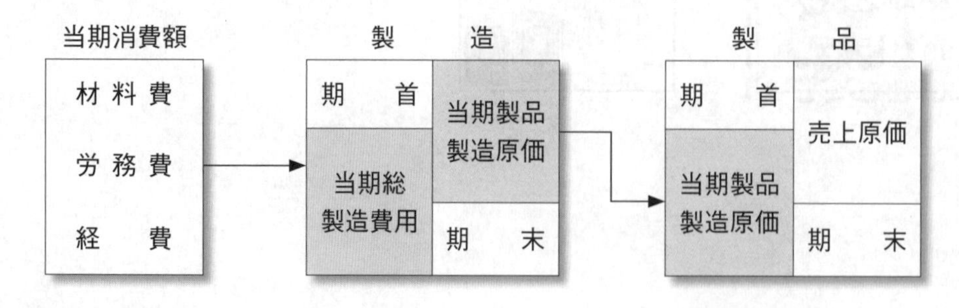

設例 3-1　　当期製品製造原価の計算

次の資料にもとづいて、仕掛品および当期製品製造原価にかかる決算整理仕訳を示しなさい。

【資　料】

1　生産データ

期首仕掛品	140 個	(加工進捗度75%)
当期投入	1,000	
合　計	1,140 個	
期末仕掛品	160	(加工進捗度50%)
当期完成品	980 個	

2　原価データ

	材料費	加工費	合　計
期首仕掛品	12,560円	42,500円	55,060円
当期製造費用	106,000円	360,300円	466,300円

3　材料はすべて工程始点で投入している。

4　期末仕掛品は平均法により評価すること。

解答

(借) 製　造	*55,060*	(貸) 仕　掛　品	*55,060*
(借) 仕　掛　品	*47,040*	(貸) 製　造	*47,040*
(借) 製　品	*474,320*	(貸) 製　造	*474,320*

解説

期末仕掛品の金額：

材料費：(12,560円 + 106,000円) × $\frac{160個}{980個 + 160個}$ = 16,640円

加工費：(42,500円 + 360,300円) × $\frac{80個}{980個 + 80個}$ = 30,400円

} 47,040円

当期製品製造原価： 期首仕掛品 ＋ 当期総製造費用 － 期末仕掛品

= 55,060円 ＋ 466,300円 － 47,040円 = 474,320円

生 産 データ

		借方		貸方			
55,060円	12,560円 (42,500円)	期首仕掛品	140個 (105個)	当期製品 製造原価	980個	474,320円 (貸借差額)	
466,300円	106,000円 (360,300円)	当期 総製造費用	1,000個 (955個)	期末仕掛品	160個 (80個)	16,640円 (30,400円)	47,040円
@104円 (@380円)	118,560円 (402,800円)	合　計	1,140個 (1,060個)	合　計	1,140個 (1,060個)		

※(　　)内は加工進捗度を加味した換算量および加工費の金額を示しています。

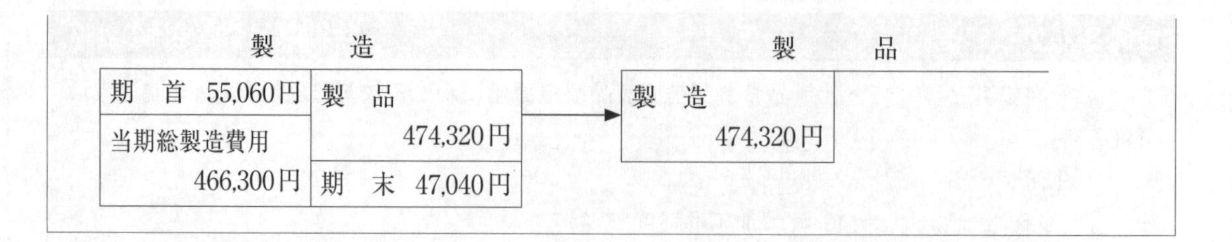

2 仕損と減損

簿B　財計C　▶▶簿問題集：問題1

仕損とは、加工作業に失敗して、検査の結果、生産物が不合格となることをいいます。また、減損とは、原材料が加工中に蒸発したり飛び散ったりして消失することをいいます。

この仕損や減損により生じる費用を仕損費、減損費といいます。仕損費や減損費は良品[*01]に負担[*02]させて、期末仕掛品や当期製品製造原価を計算します。このとき、良品への負担額は度外視法によって計算します。度外視法とは、仕損費・減損費は独立して計算せず、あえて無視して良品の原価を計算する方法です。

なお、仕損費・減損費は、仕損・減損の発生点に達した良品が負担することになります。つまり、完成品は必ず負担しますが、期末仕掛品が負担するかどうかは加工進捗度が仕損・減損の発生点に達しているかどうかで判断します。

＊01）仕損や減損にならなかった完成品や仕掛品を指します。

＊02）仕損費と減損費のうち、不可避的に生じるものを正常仕損費、正常減損費といい、これらは良品の原価に加えます。また、良品の原価に加えることを「負担させる」といいます。

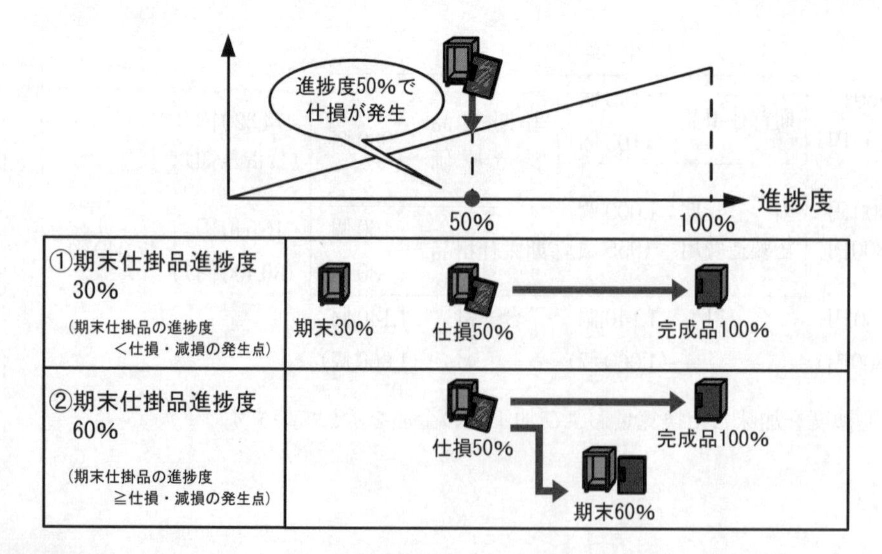

設例 3-2 仕損の処理 1

次の資料にもとづいて、仕掛品および当期製品製造原価にかかる決算整理仕訳を示しなさい。

【資　料】

1　生産データ

期首仕掛品	140 個	（加工進捗度75％）
当期投入	1,000	
合　計	1,140 個	
仕　損	20	（加工進捗度80％）
期末仕掛品	160	（加工進捗度50％）
当期完成品	960 個	

2　原価データ

	材料費	加工費	合　計
期首仕掛品	13,200円	28,350円	41,550円
当期製造費用	106,500円	262,050円	368,550円

3　材料はすべて工程始点で投入している。

4　期末仕掛品は平均法により評価すること。

5　仕損の処理は度外視法によること。

解答

（借）製　造	*41,550*	（貸）仕掛品	*41,550*
（借）仕掛品	*38,800*	（貸）製　造	*38,800*
（借）製　品	*371,300*	（貸）製　造	*371,300*

解説

期末仕掛品の進捗度50％＜仕損の発生点80％　⇒　完成品のみが仕損費を負担

期末仕掛品の金額：

材料費：（13,200円＋106,500円）× $\frac{160個}{960個+20個+160個}$ ＝16,800円

加工費：（28,350円＋262,050円）× $\frac{80個}{960個+16個+80個}$ ＝22,000円

（合計）38,800円

当期製品製造原価：期首仕掛品　＋　当期総製造費用　－　期末仕掛品

＝　41,550円　＋　368,550円　－　38,800円　＝371,300円

生産データ

	借方		貸方	
41,550円（13,200円／(28,350円)）	期首仕掛品	140個 (105個)	当期製品製造原価 960個 仕　損 20個 (16個)	371,300円（貸借差額）
368,550円（106,500円／(262,050円)）	当期総製造費用	1,000個 (951個)	期末仕掛品 160個 (80個)	16,800円 (22,000円) → 38,800円

※（　）内は加工進捗度を加味した換算量および加工費の金額を示しています。

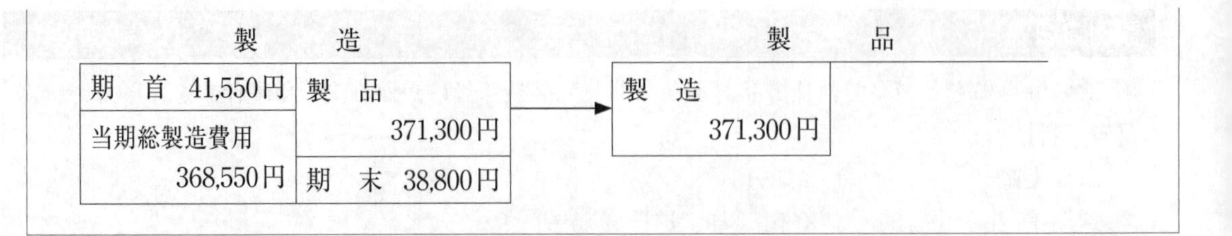

設例 3-3　仕損の処理２

次の資料にもとづいて、仕掛品および当期製品製造原価にかかる決算整理仕訳を示しなさい。

【資　料】

1　生産データ

期首仕掛品	140 個	（加工進捗度75%）
当期投入	1,000	
合　計	1,140 個	
仕　損	20	（加工進捗度20%）
期末仕掛品	160	（加工進捗度50%）
当期完成品	960 個	

2　原価データ

	材料費	加工費	合　計
期首仕掛品	13,200円	28,350円	41,550円
当期製造費用	110,000円	262,850円	372,850円

3　材料はすべて工程始点で投入している。

4　期末仕掛品は平均法により評価すること。

5　仕損の処理は度外視法によること。

解答

（借）製　　造	*41,550*	（貸）仕　掛　品	*41,550*
（借）仕　掛　品	*40,000*	（貸）製　　造	*40,000*
（借）製　　品	*374,400*	（貸）製　　造	*374,400*

解説

期末仕掛品の進捗度50%≧仕損の発生点20%　⇒　完成品・期末仕掛品の両者が仕損費を負担

期末仕掛品の金額：

材料費：(13,200円＋110,000円)×$\frac{160個}{960個+160個}$＝17,600円

加工費：(28,350円＋262,850円)×$\frac{80個}{960個+80個}$＝22,400円

（材料費＋加工費）40,000円

当期製品製造原価：期首仕掛品　＋　当期総製造費用　−　期末仕掛品

＝　41,550円　＋　372,850円　−　40,000円　＝374,400円

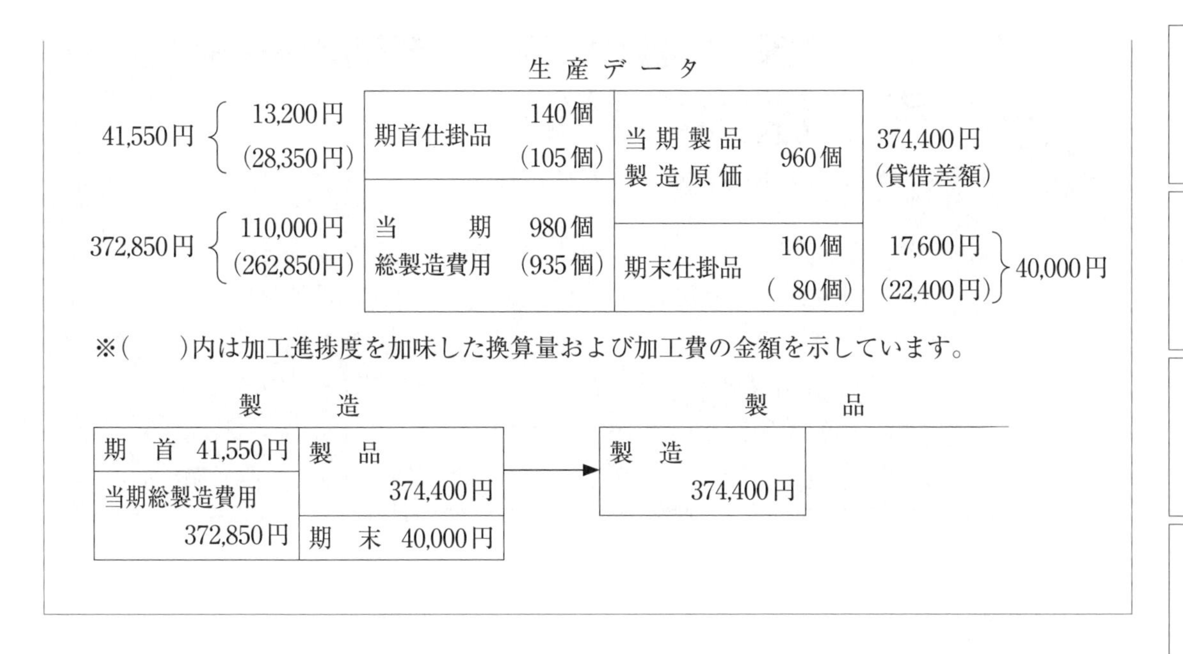
生産データ
41,550円
13,200円
(28,350円)
期首仕掛品
140個
(105個)
当期製品製造原価
960個
374,400円
(貸借差額)
372,850円
110,000円
(262,850円)
当期総製造費用
980個
(935個)
期末仕掛品
160個
(80個)
17,600円
(22,400円)
40,000円
※(　　)内は加工進捗度を加味した換算量および加工費の金額を示しています。
製造
期首 41,550円
当期総製造費用 372,850円
製品 374,400円
期末 40,000円
製品
製造 374,400円

Section 4

売上原価の計算

当期製品製造原価を計算したら、次は売上原価の計算を行います。

ここまで随分と多くの計算をしてきて混乱しそうですが、要は商業簿記で学んできた売上原価の計算「(借)仕入(貸)繰越商品」「(借)繰越商品(貸)仕入」と似たことを何度か行っているだけです。

このSectionでは、日商2級の工業簿記の復習というイメージで、売上原価の計算について学習します！

1 売上原価の計算

製品の売上原価の計算は、決算時に売上原価を『**製品**』から『**売上原価**』に振り替えることで、計算します。

なお、製品の期末残高は、貸借対照表上、『**製品**』として流動資産に計上します。

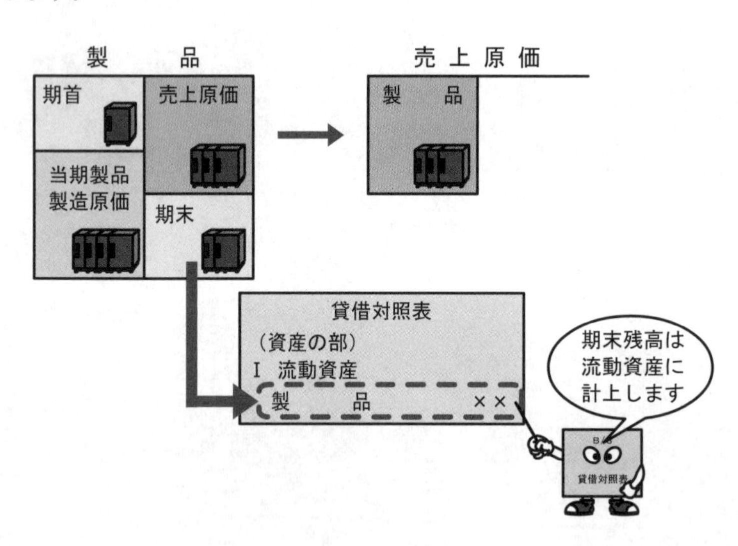

設例 4-1 売上原価の算定

次の資料にもとづいて、決算時の売上原価の算定に必要な仕訳を示しなさい。

【資　料】

1　在庫データ

期首製品	110 個
当期完成品	980
合　計	1,090
期末製品	140
当期売上	950 個

2　原価データ

期首製品：54,330円
当期製品製造原価：474,320円

3　期末製品は平均法により評価すること。

解答

・決算時に必要な仕訳

(借)		(貸)	
売上原価	*460,750*	製品	*460,750*

解説

$$期末製品：(54,330円 + 474,320円) \times \frac{140個}{950個 + 140個} = 67,900円$$

売上原価：期首製品 ＋ 当期製品製造原価 － 期末製品
＝ 54,330円 ＋ 474,320円 － 67,900円 ＝ 460,750円

製品

	借方		貸方		
54,330円	期首製品	110個	売上原価	950個	460,750円（貸借差額）
474,320円	当期製品製造原価	980個	期末製品	140個	67,900円

2 期末製品の評価(減耗・評価損の取扱い)　簿B 財計B

1. 減耗の取扱い

期末製品の評価により、棚卸減耗損が生じる場合、原価性の有無により、次のように表示します*01)。

*01) 製品も、材料と同様の処理・表示を行います。

	原価性あり	原価性なし
製品棚卸減耗損	P/L売上原価の内訳項目	P/L営業外費用

2．評価損の取扱い

期末製品の評価により評価損が生じる場合、通常の収益性の低下によるものか、臨時的なものかにより、次のように表示します。

	通常の収益性の低下	臨時かつ多額の損失
製品評価損	P/L売上原価の内訳項目	P/L特別損失

3 勘定連絡図

▶▶簿問題集：問題2

当期総製造費用の計算から売上原価の計算までの仕訳の流れを理解するうえで、次のような勘定連絡図が役に立ちます[*01)]。また、本試験で問題を解くさいにも、下書きとして勘定連絡図を用いると、解きやすいです。

＊01）勘定連絡図の例はSection 2～4の設例の数値を用いています。

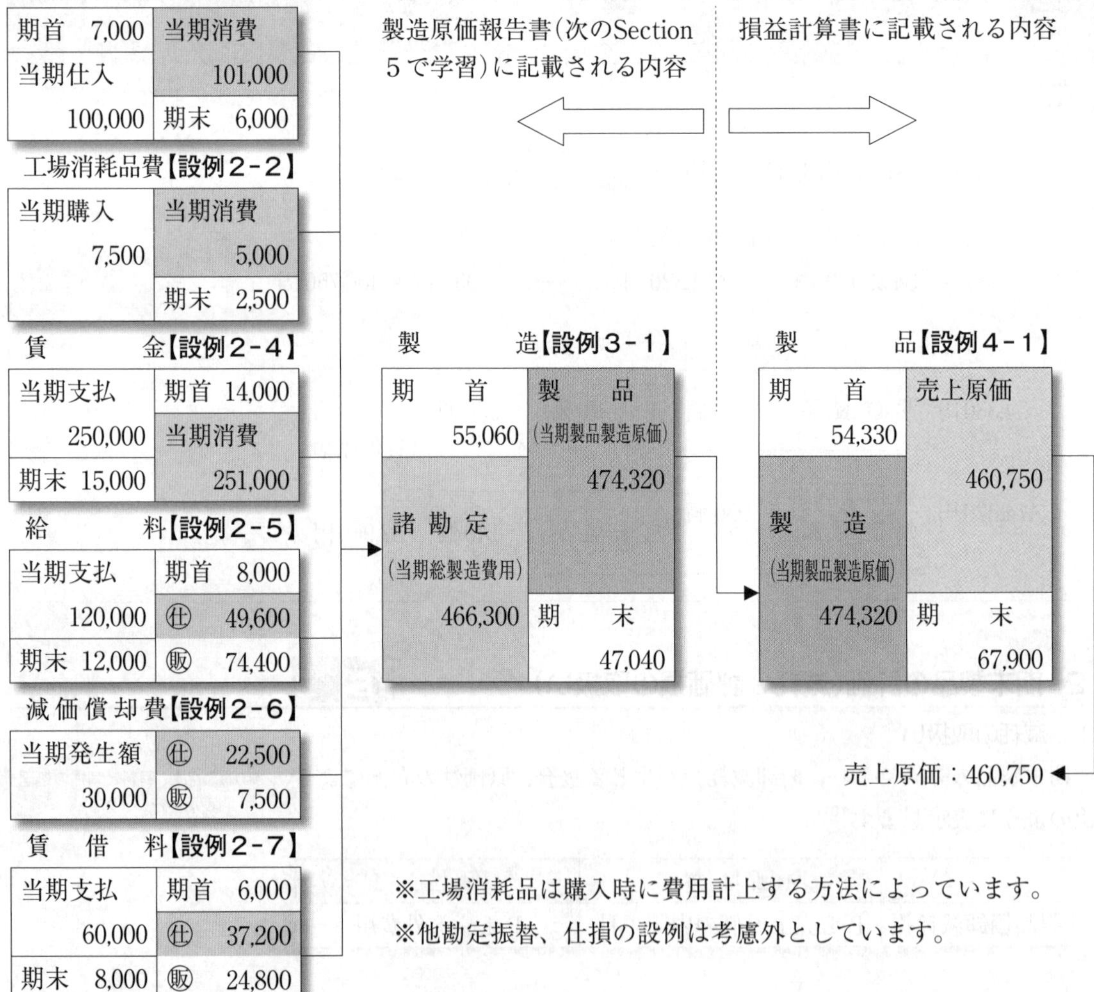

Section 5

製造原価報告書・注記

商的工業簿記では、最後に製造原価報告書を作成します。あまり馴染みのない報告書かもしれませんが、税理士試験(特に財務諸表論)では、決して無視できない内容です。ただし、フォームは損益計算書に似ているので、すぐに慣れるのでご安心を！　なお、原価の報告書なので、費用項目を集計していきます(収益項目の計上はありません)。

1 製造原価報告書

簿B　財計A

▶▶簿問題集：問題5
▶▶財問題集：問題6,7,8

製造原価報告書(C／R[*01])とは、当期に完成した製品の原価(当期製品製造原価)を計算し、その内訳を表示する報告書です。

*01)Cost Reportの略です。

＜製造原価報告書のひな型[*02]＞

製造原価報告書　(単位：円)

Ⅰ 材　料　費[*03]		
1 期首材料棚卸高	7,000	
2 当期材料仕入高	105,000	
合　計	112,000	
3 期末材料棚卸高	6,000	
当期材料費		106,000
Ⅱ 労　務　費[*04]		
1 賃　金	251,000	
2 給　料	49,600	
当期労務費		300,600
Ⅲ 経　費[*05]		
1 減価償却費	22,500	
2 賃借料	37,200	
当期経費		59,700
当期総製造費用		466,300
期首仕掛品棚卸高		55,060
合　計		521,360
期末仕掛品棚卸高		47,040
当期製品製造原価[*06]		474,320

損益計算書　(単位：円)

Ⅰ 売　上　高		×××
Ⅱ 売上原価		
1 期首製品棚卸高	54,330	
2 当期製品製造原価	474,320	
合　計	528,650	
3 期末製品棚卸高	67,900	460,750

*02)各金額は、Section4の勘定連絡図のものを用いています。

*03)P/Lの売上原価の記載方法と同様です。

*04)ひな型の科目のほかに、次のような科目も記載されます。
・退職給付費用
・賞与
・法定福利費など

*05)ひな型の科目のほかに、次のような科目も記載されます。
・水道光熱費
・棚卸減耗損
・修繕費など

*06)P/Lの売上原価の内訳に『当期製品製造原価』として記載されます。

2 注記事項

「棚卸資産の評価基準及び評価方法」について、重要な会計方針に係る事項に関する注記が必要となります。

【注記例】

＜重要な会計方針に係る事項に関する注記＞

2．棚卸資産の評価基準及び評価方法

材料、製品…平均法による原価法（貸借対照表価額は収益性の低下を反映させる簿価切下げの方法により算定）

仕　掛　品…完成品換算量に基づく平均法

このChapterでの表示と注記

貸借対照表

（資産の部）		（負債の部）	
Ⅰ　流動資産		Ⅰ　流動負債	
製　品	×××	未払費用	×××
仕掛品	×××	⋮	
材　料	×××	（純資産の部）	
貯蔵品	×××	⋮	
⋮			

損益計算書

Ⅰ　売上高		×××
Ⅱ　売上原価		
期首製品棚卸高	×××	
当期製品製造原価	×××	
合　計	×××	
期末製品棚卸高	×××	×××
売上総利益		×××
Ⅲ　販売費及び一般管理費		
⋮		

【注記例】（一部）

〈重要な会計方針に係る事項に関する注記〉

2．棚卸資産の評価基準及び評価方法

材料、製品…先入先出法による原価法（貸借対照表価額は収益性の低下に基づく簿価切下げの方法により算定）

仕　掛　品…完成品換算量に基づく平均法

Chapter 7

本社工場会計

本社工場会計は、本支店会計と商的工業簿記をミックスした形態の論点です。当期製品製造原価の計算を行う工場の帳簿を、本支店会計の支店のように本社から独立させます。本社と工場の間では、材料や製品のやり取りに限らず、さまざまな取引が行われます。本支店会計よりも取引の複雑さや種類は増しますが、本支店会計の基礎がしっかりしていれば、あまり心配する必要はありません。

このChapterでは、本社と工場がそれぞれ営業活動と製造活動を分担している場合の会計処理について学習します。

Section 1

本社工場会計の基礎知識

皆さんはChapter 5で「本支店会計」、Chapter 6で「商的工業簿記」を学習してきました。Chapter 7では、これらをミックスさせた「本社工場会計」を学習していきます。

本支店会計と商的工業簿記をしっかり学習していればおそれるに足らずの論点ですが、問題のボリュームは膨らみやすいところです。下書きと数字の把握がポイントになります。

1 本社工場会計とは

本社工場会計とは、本社と工場においてそれぞれ会計帳簿を備え、工場を独立の会計単位とした会計制度をいいます*01)。工場においては製造活動の記帳を行い、本社においては販売活動の記帳を行います。

*01) 工場独立会計制度といいます。本支店会計における支店を工場に置き換えた場合をイメージしてください。

本社工場会計の基本的な勘定連絡図を示すと、以下のとおりです。

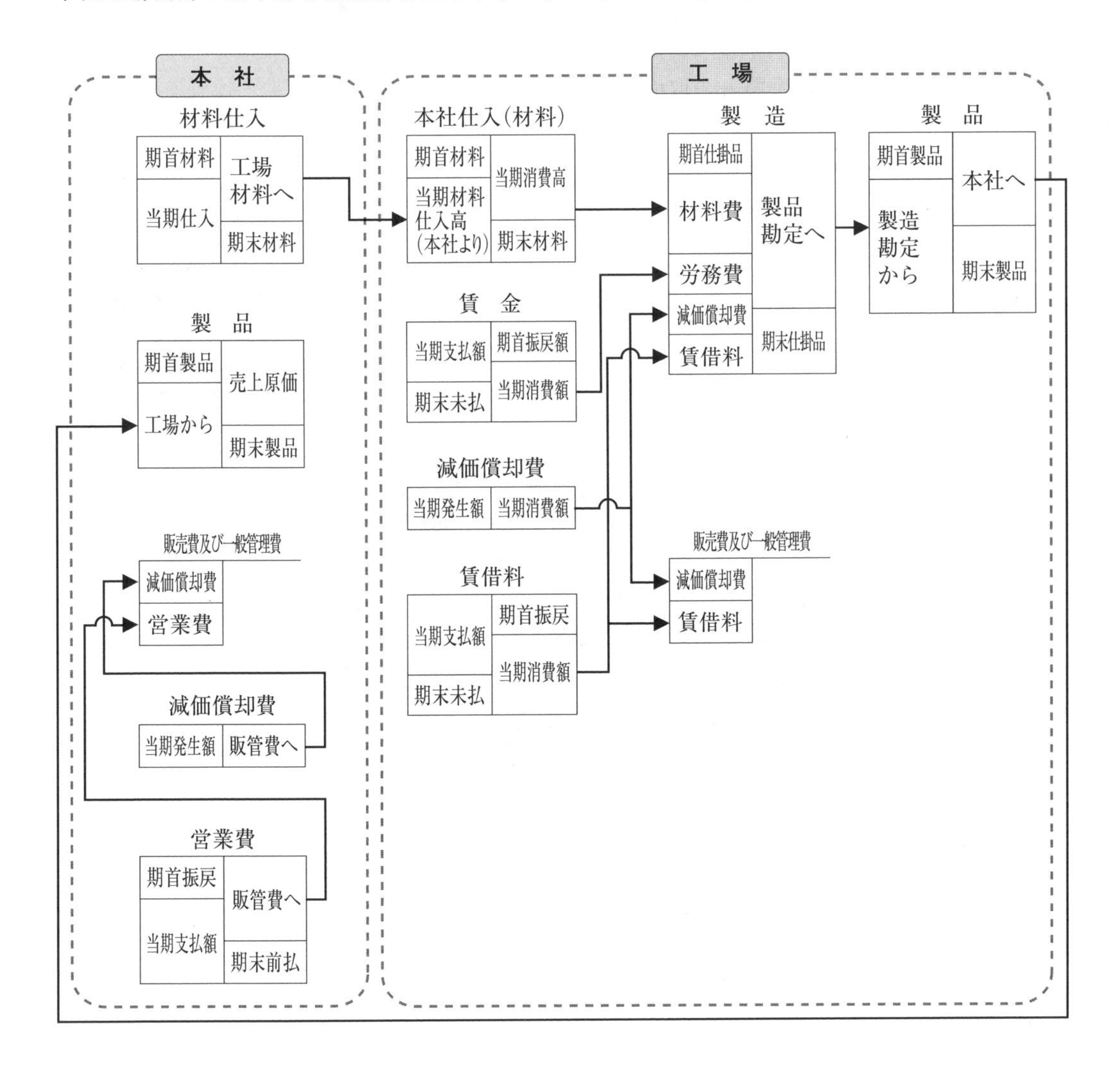

本社工場会計は、本支店会計の考え方を基礎として、商的工業簿記の要素を加味したものと考えることができます。したがって、本社工場会計では、工場における当期製品製造原価の算定、内部取引の会計処理、内部利益の調整などが重要になります。

商的工業簿記のポイント
・営業費用、製造費用の按分 ・棚卸資産の評価 ・製造原価報告書の作成

これらをミックス！

本支店会計のポイント
・照合勘定 ・内部利益の調整 ・合併財務諸表の作成

2 本社勘定と工場勘定

工場が独自の帳簿を設けて独立した会計処理を行う場合、本社・工場間の取引(内部取引)と、外部企業との取引(外部取引)を区別する必要があります。

そこで、本社工場会計は、本支店会計における本支店間取引の会計処理と同様に、本社・工場間取引について、本社に『**工場**』*01)を、工場に『**本社**』*02)を設けて会計処理します*03)。この2つの勘定は照合勘定と呼ばれ、同じ金額で貸借反対に記入され、残額は通常一致します*04)。

*01)本社が工場に対する債権・債務を処理する勘定です。

*02)工場が本社に対する債権・債務を処理する勘定です。

*03)本支店会計における『支店』・『本店』に相当します。

*04)ただし、未達取引がある場合は前T/B上一致しません。

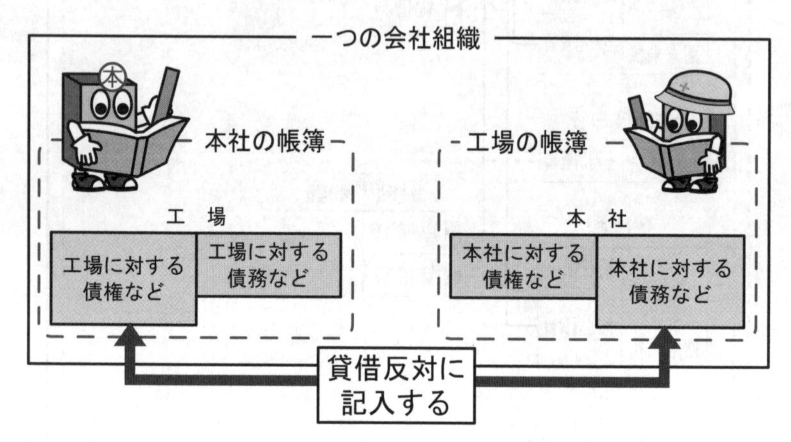

※工場の残高と本社の残高は一致します。

Section 2

期中取引の会計処理

本社工場会計でも、本支店会計の『本店』や『支店』のように『本社』と『工場』という照合勘定を設けます。したがって、本社工場の期中取引は本支店会計がマスターできていれば、理解しやすいでしょう。

このSectionでは、期中の本社工場間取引の会計処理について学習します。

1 本社工場間の期中取引

簿B 財計C

▶▶簿問題集：問題1
▶▶財問題集：問題7

工場独立会計制度では、本社と工場は別会計とみなします。そこで、通常は本社工場間の期中取引について、本社が外部から仕入れた材料に利益[*01)]を付加して工場に送付[*02)]し、工場がこの材料をもとに製造した製品に利益を付加して本社に送付[*03)]するという流れを想定します[*04)]。そしてこの流れに従って会計処理をするために、本社の帳簿には『**工場売上**』(材料の売上)と『**工場仕入**』(製品の仕入)が、工場には『**本社仕入**』(材料の仕入)と『**本社売上**』(製品の売上)という照合勘定を設けます。

*01)内部利益といいます。内部利益については、Section 3で詳しく学習します。

*02)本社が材料を工場に掛けで売却したとみなします。そして工場では、材料を本社から掛けで仕入れたとみなします。

*03)工場が製品を本社に掛けで売却したとみなします。そして本社では、製品を工場から掛けで仕入れたとみなします。

*04)本社が一括して外部から材料を購入せず、工場が直接外部から材料を仕入れる場合もあります。

＜本社及び工場の帳簿に設ける照合勘定＞

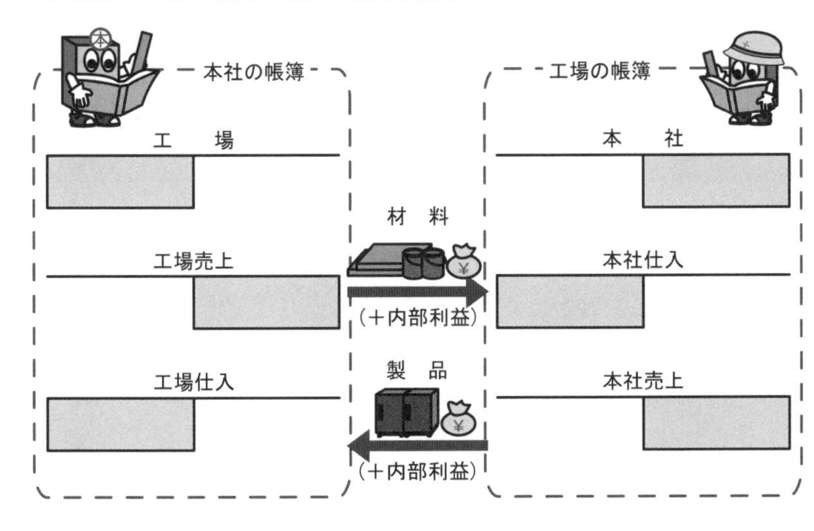

設例2-1　材料費の処理

次の各取引の仕訳を示しなさい。

(1)　本社は材料5,000円を掛けで購入した。

(2)　上記の材料に原価の10%の内部利益を付加して工場に送付した。

			借方科目	金額		貸方科目	金額
(1)	本社	(借)	材料仕入	5,000	(貸)	買掛金	5,000
(2)	本社	(借)	工場	5,500	(貸)	工場売上	5,500
	工場	(借)	本社仕入	5,500	(貸)	本社	5,500

設例2-2　労務費・経費の処理

次の取引の仕訳を示しなさい。

本社は、工場従業員の賃金1,500円および当月の製造経費2,500円を現金で支払った。

		借方科目	金額		貸方科目	金額
本社	(借)	工場	4,000	(貸)	現金預金	4,000
工場	(借)	賃金	1,500	(貸)	本社	4,000
		製造経費	2,500			

設例2-3　本社売上の処理

次の取引の仕訳を示しなさい。

工場は本社に製品を引き渡した。振替価格は13,200円である。

		借方科目	金額		貸方科目	金額
本社	(借)	工場仕入	13,200	(貸)	工場	13,200
工場	(借)	本社	13,200	(貸)	本社売上	13,200

解説

工場では期末に一括して製品の製造原価を計算するため、期中販売分については製造原価がわかりません。したがって、本社に製品を引き渡すときには、あらかじめ設定した価格(振替価格)を用います。

Section 3 本社工場合併財務諸表の作成

工場独立会計制度を採っている場合には、本社にも工場にも帳簿が存在することになります。しかし、外部から見れば、本社も工場も一つの会社を構成しているものにすぎません。つまり、財務諸表作成の手続きは、本社工場会計も本支店会計も同じとなります。

ただし、本社工場会計のほうが内部利益の計算が少しだけ面倒です…。

このSectionでは、本社工場合併財務諸表の作成手続について学習します。

1 本社工場合併財務諸表とは

工場独立会計制度を採用している場合、本社と工場とで独立した会計帳簿が備えられています。しかし、本社も工場も外部から見れば一つの企業を構成しているものなので、その企業全体としての財務諸表を作成しなければなりません。

この財務諸表を「**本社工場合併財務諸表**[*01)]」といい、本社と工場をあわせた企業全体の財政状態や経営成績を表すために作成されます。

なお、本支店合併財務諸表と同様に外部に公表する財務諸表には、『**本社**』や『**工場**』といった照合勘定(内部取引勘定)は記載されません。

*01) 次の財務諸表をいいます。
・合併貸借対照表
・合併損益計算書
その他に製造原価報告書も作成します。

2 本社工場合併財務諸表の作成手順

▶▶簿問題集：問題2,4
▶▶財問題集：問題8

本社工場合併財務諸表は次の手順で作成します。なお、これらの手続きはすべて精算表上で行います。

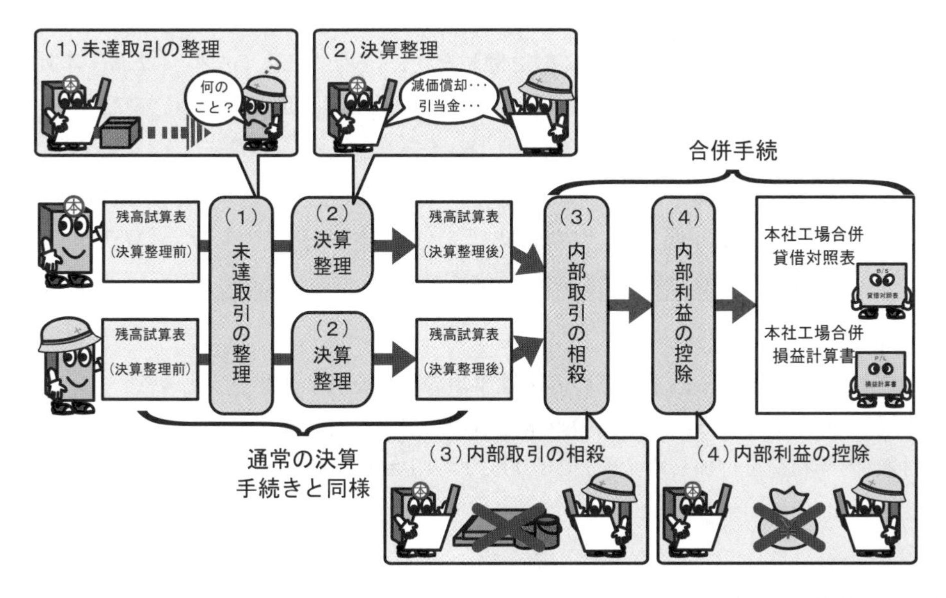

1. 未達取引の整理

本社と工場との間に未達の取引があると、照合勘定である本社の『**工場**』と工場の『**本社**』が一致しないため、未処理側で未達取引についての処理を行います[*01]。未達取引を処理することにより、すべての照合勘定の残高は一致します。

*01) 本支店会計と同様のイメージです。

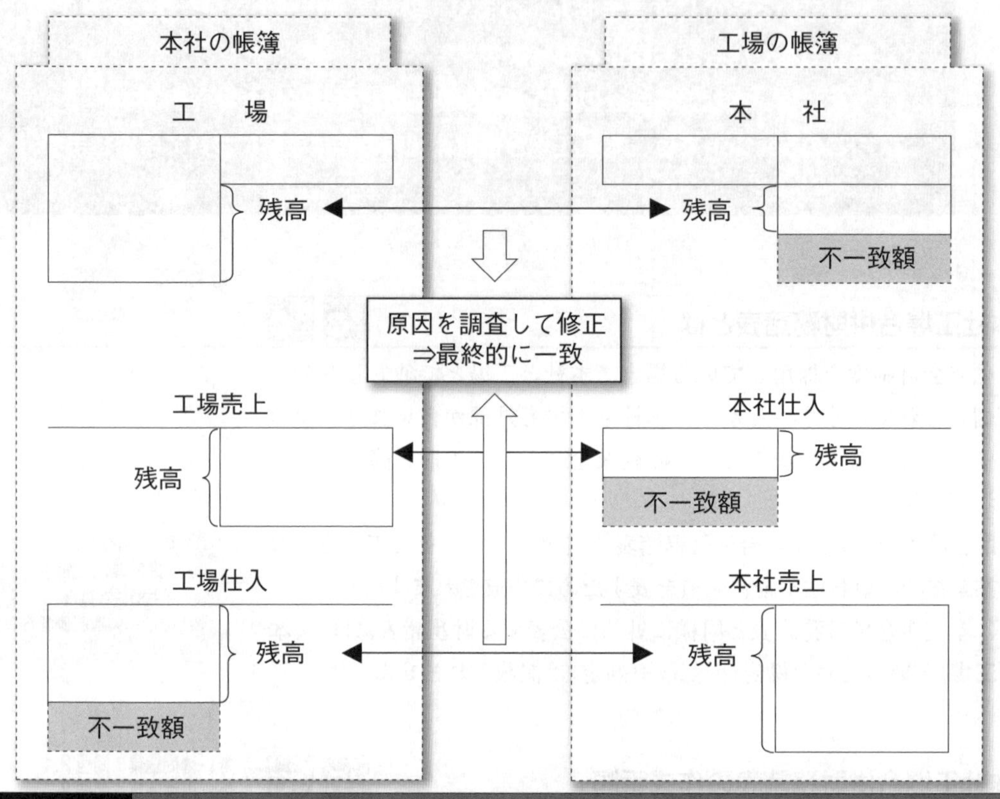

設例3-1　　未達取引の整理

次の各取引の仕訳を示しなさい。

(1)　工場は本社の営業費5,000円を立替払いしたが、本社に未達である。

(2)　本社は工場へ仕入原価10,000円の材料を送付したが、工場に未達である。なお、本社は材料を工場に送付するさい、仕入原価に対して10%の利益を付加している。

解答

(1)	本社	(借) 営　業　費	5,000	(貸) 工　　場	5,000
(2)	工場	(借) 本 社 仕 入	11,000	(貸) 本　　社	11,000

解説

(1) 「本社に未達」とあることから、本社側のみ未達事項の整理を行います。

(2) 「工場に未達」とあることから、工場側のみ未達事項の整理を行います。

材料送付額(内部利益を付加した金額)：10,000円 × 1.1 = 11,000円

2．決算整理

本社工場合併財務諸表の作成においても、有価証券の評価や貸倒引当金の設定、固定資産の減価償却といった決算整理を行います。この手続きは通常の財務諸表作成手続(いままで学習してきた決算整理)と同じです[*02]。

＊02)本支店会計と同様のイメージです。

3．内部取引の相殺消去

(1)『工場』と『本社』の相殺消去

『工場』と『本社』は、企業内部における投資額と被投資額を示すものです。したがって、外部利害関係者への報告にさいして相殺消去します[*03]。

＊03)未達取引を含めて正確に処理されていれば、『工場』と『本社』の残高は一致します。

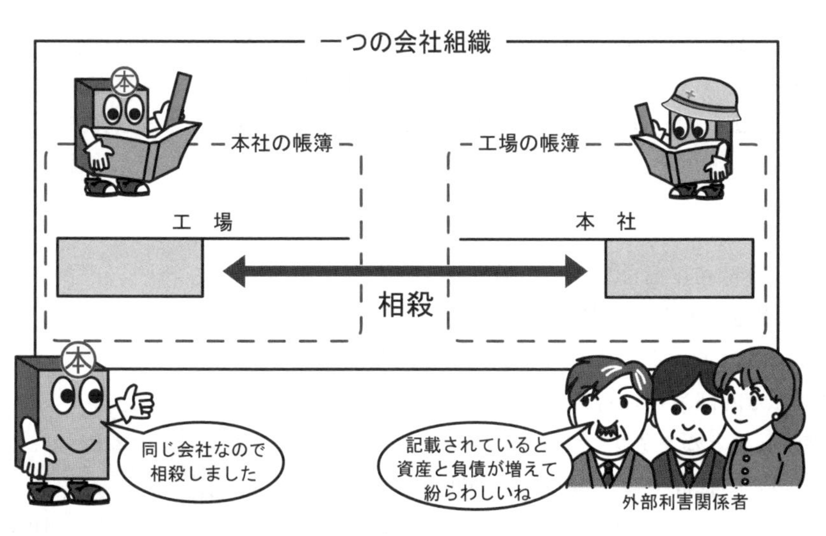

(2)内部取引の相殺消去

『工場売上』と『本社仕入』、『工場仕入』と『本社売上』などは内部取引を示す勘定であり、対外的には企業内部での材料や製品の移動です。したがって、外部利害関係者への経営成績の報告にさいして相殺消去します[*04]。

＊04)未達取引を含めて正確に処理されていれば、『工場売上』と『本社仕入』などの内部取引を示す勘定の残高は一致します。

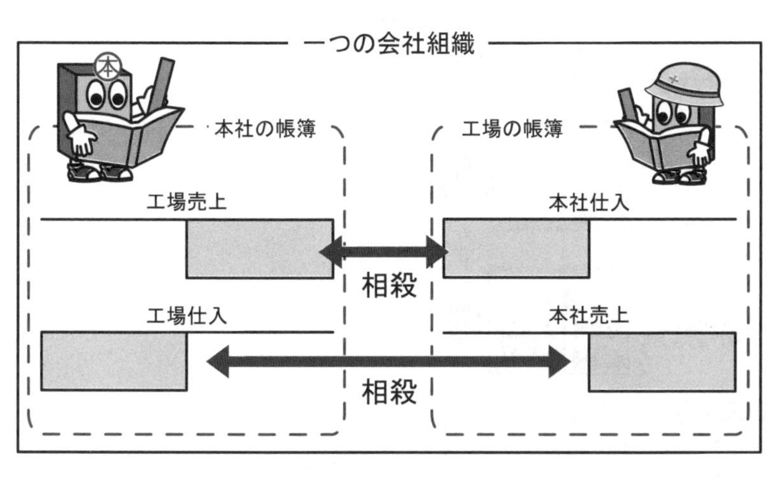

設例3-2　内部取引の相殺消去

次の資料にもとづいて、本社工場合併精算表上で行われる内部取引の相殺消去に関する仕訳を示しなさい。

【資　料】 本社・工場の決算整理前残高試算表(一部)

決算整理前残高試算表

(単位：円)

借方科目	本　社	工　場	貸方科目	本　社	工　場
工　場	400,000	—	本　社	—	400,000
本社仕入	—	205,000	工場売上	205,000	—
工場仕入	528,000	—	本社売上	—	528,000

解答

(借) **本　社** *400,000*　(貸) **工　場** *400,000*
(借) **工場売上** *205,000*　(貸) **本社仕入** *205,000*
(借) **本社売上** *528,000*　(貸) **工場仕入** *528,000*

4．内部利益の処理

本社が外部から仕入れた材料に利益を付加して工場に送付したり、工場がこの材料をもとに作った製品に利益を付加して本社に送付する場合、本社や工場の、期末棚卸資産に含まれる本社や工場が付加した利益相当分を内部利益といいます。この内部利益は対外的には未実現の利益であるため、決算にあたり調整が必要となります*05)。

なお、本社工場合併財務諸表の作成では、棚卸資産の期首および期末に含まれる内部利益は、次の項目について直接控除します。

合併貸借対照表 …… 材料・仕掛品・製品*06)
製造原価報告書 …… 材料・仕掛品
合併損益計算書 …… 製品

*05) 内部利益は本社で一括して管理する方法と内部利益を付加した側で各々管理する方法があります。内部利益の管理については、前T/Bから判断できます。

*06) 本社の期末製品には、本社の材料売上による内部利益と、工場の製品売上による内部利益の両方が含まれている場合がある点に注意しましょう。

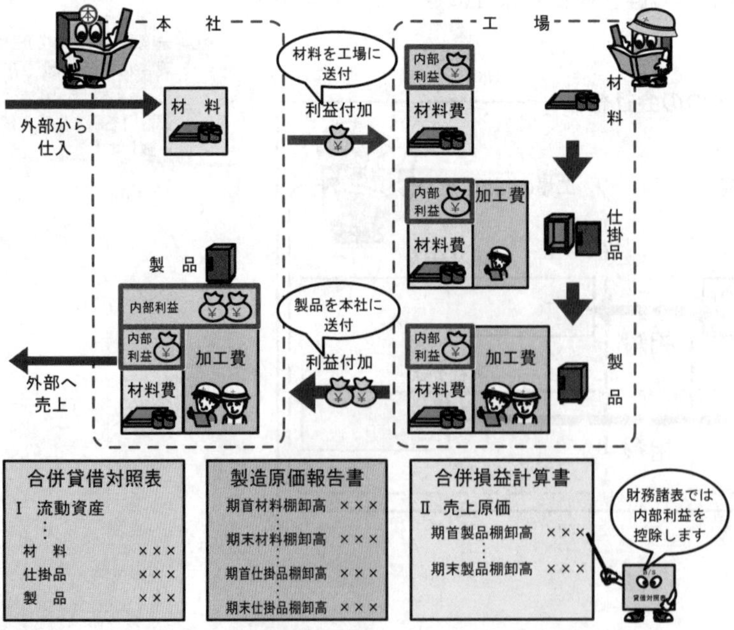

本　社
工　場
外部から仕入
材　料
材料を工場に送付
利益付加
内部利益
材料費
加工費
仕掛品
製　品
製品を本社に送付
外部へ売上

合併貸借対照表
Ⅰ 流動資産
材　料 ×××
仕掛品 ×××
製　品 ×××

製造原価報告書
期首材料棚卸高 ×××
期末材料棚卸高 ×××
期首仕掛品棚卸高 ×××
期末仕掛品棚卸高 ×××

合併損益計算書
Ⅱ 売上原価
期首製品棚卸高 ×××
期末製品棚卸高 ×××

財務諸表では内部利益を控除します

設例 3-3　　内部利益の計算 1

次の資料にもとづいて、工場の期末材料に含まれる内部利益の金額を求めなさい。

【資　料】

期末において、工場では材料16,500円の在庫があった。なお、本社は、工場に材料を送付するさいに、仕入原価に対して10%の利益を付加している。

工場の期末材料に含まれる内部利益　　*1,500*　円

解説

内部利益：16,500円 × $\frac{0.1}{1.1}$ = 1,500円

設例 3-4　　内部利益の計算 2

次の資料にもとづいて、工場の期末仕掛品・製品に含まれる内部利益の金額をそれぞれ求めなさい。

【資　料】

工場では、先に本社から送付された材料（本社は送付のさいに仕入原価に10%の利益を付加している）を加工して製品を製造している。期末において工場に仕掛品7,700円および製品8,800円の在庫があった。なお、仕掛品に含まれる材料費の割合は80%、完成品に含まれる材料費の割合は60%である。

工場の期末仕掛品に含まれる内部利益　　*560*　円

工場の期末製品に含まれる内部利益　　*480*　円

解説

期末仕掛品および期末製品（完成品）に含まれている内部利益を算定します。

なお、仕掛品と製品とでは、材料費の占める割合が異なるのが通常です。材料を始点で投入する場合などは、仕掛品が完成品になるまでの間に加工費のみが増加するためです。

期末仕掛品の内部利益：7,700円 × 0.8 × $\frac{0.1}{1.1}$ = 560円

期末製品の内部利益：8,800円 × 0.6 × $\frac{0.1}{1.1}$ = 480円

内部利益合計：1,040円

<参考図>

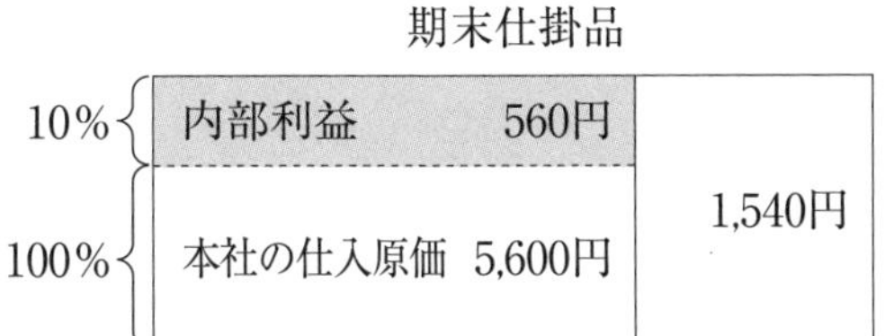

期末製品（完成品）

10%	内部利益　480円	3,520円
100%	本社の仕入原価 4,800円	
	材料費 60%	加工費 40%

設例 3-5　　内部利益の計算３

　次の資料にもとづいて、本社の期末製品に含まれる内部利益の金額を求めなさい。

【資　料】

　工場では、先に本社から送付された材料(本社は送付のさいに仕入原価に10%の利益を付加している)を加工して製品を製造しており、製品１個当たり13,200円で本社に送付している(完成品に含まれる材料費の割合は60%である)。期末において本社に製品１個が在庫として残っていた。工場における製品の製造原価は、製品１個当たり11,000円であった。

本社の期末製品に含まれる内部利益　*2,800*　円

解説

　この場合、２段階に分けて内部利益の計算を行います。まず、①工場が製品に付加した利益(工場における製品の製造原価と振替価格の差額)を求めます。次に、②本社が材料に付加した利益(仕入原価の10%)を求めます。

①工場が製品に付加した利益

　13,200円 − 11,000円 = 2,200円

②本社が材料に付加した利益

　11,000円 × 0.6 × $\frac{0.1}{1.1}$ = 600円

内部利益合計：2,800円

<参考図>

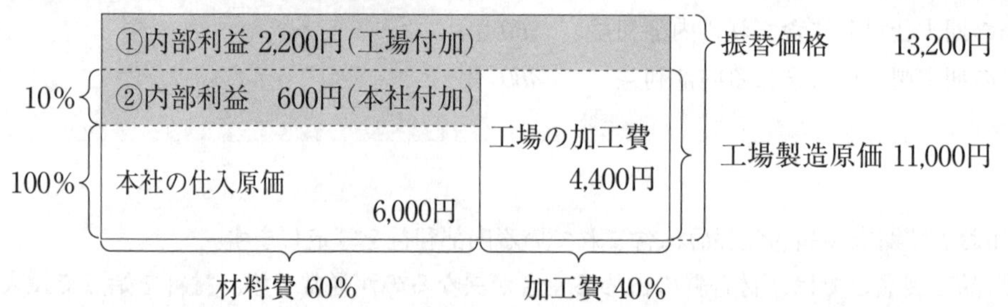

　工場における製品の製造原価と振替価格の差額が工場が付加した内部利益となります。また、工場における製品の製造原価11,000円には、本社が材料を送付した際に付加した内部利益が含まれている点に注意しましょう。

3 合併財務諸表の作成

簿B 財計C

▶▶簿問題集：問題 5,6
▶▶財問題集：問題 9

未達取引を整理し、内部取引を相殺消去した後に本社工場の(1)製造原価報告書(2)合併損益計算書(3)合併貸借対照表を作成します[*01]。

なお、内部利益を直接控除する項目に注意します。

*01)各項目の合算は、本支店会計と同様です。

(1)製造原価報告書

製造原価報告書

Ⅰ 材料費			
1. 期首材料棚卸高	×××		←内部利益を控除(期首分)
2. 当期材料仕入高	×××		←内部取引は含まない
合計	×××		
3. 期末材料棚卸高	×××		←内部利益を控除(期末分)
当期材料費		×××	
Ⅱ 労務費		×××	
Ⅲ 経費		×××	
当期総製造費用		×××	
期首仕掛品棚卸高		×××	←内部利益を控除(期首分)
合計		×××	
期末仕掛品棚卸高		×××	←内部利益を控除(期末分)
当期製品製造原価		×××	

(2)合併損益計算書

合併損益計算書

Ⅰ 売上高		×××	←内部取引は含まない
Ⅱ 売上原価			
1. 期首製品棚卸高	×××		←内部利益を控除(期首分)
2. 当期製品製造原価	×××		←内部取引は含まない
合計	×××		
3. 期末製品棚卸高	×××	×××	←内部利益を控除(期末分)
売上総利益		×××	

(3)合併貸借対照表

期末の材料、仕掛品、製品など本社工場間で内部利益を付加して送付している項目については、内部利益を控除します。

設例3-6 合併財務諸表の作成

次の資料にもとづいて、製造原価報告書および合併損益計算書を作成しなさい。

【資　料】

1　材料は本社が仕入れ、原価に10%の利益(毎期一定)を付加して工場に送付している。

2　工場に関する事項は次のとおりである。

(1)材　料

期首有高　9,900円

当期仕入高　？円

期末有高　16,500円

(2)仕掛品

期首有高　12,500円(うち材料費9,900円)

期末有高　7,700円(うち材料費6,160円)

(3)製　品

期首有高　14,300円(うち材料費8,580円)

期末有高　8,800円(うち材料費5,280円)

(4)当期の製造費用(材料費を除く)

労務費　15,000円

製造経費　25,300円

3　本社に関する事項は次のとおりである。

(1)材　料

期首有高　4,000円

当期仕入高　61,000円

期末有高　5,000円

(2)製　品

期首有高　19,800円(うち材料費9,900円、工場からの付加利益3,300円)

期末有高　13,200円(うち材料費6,600円、工場からの付加利益2,200円)

(3)外部売上高 200,000円

(4)営　業　費 38,260円

解答

製造原価報告書　(単位：円)

Ⅰ 材料費		
1．期首材料棚卸高	(13,000)	
2．当期材料仕入高	(61,000)	
合計	(74,000)	
3．期末材料棚卸高	(20,000)	
当期材料費		(54,000)
Ⅱ 労務費		(15,000)
Ⅲ 経費		(25,300)
当期総製造費用		(94,300)
期首仕掛品棚卸高		(11,600)
合計		(105,900)
期末仕掛品棚卸高		(7,140)
当期製品製造原価		(98,760)

合併損益計算書			(単位：円)
Ⅰ　売上高			(200,000)
Ⅱ　売上原価			
1．期首製品棚卸高	(29,120)		
2．当期製品製造原価	(98,760)		
合計	(127,880)		
3．期末製品棚卸高	(18,720)	(109,160)	
売上総利益		(90,840)	
Ⅲ　販売費及び一般管理費			
1．営業費		(38,260)	
当期純利益		(52,580)	

解説

1．期首材料棚卸高(C/R)

$4{,}000$円(本社)$+9{,}900$円(工場)$-9{,}900$円$\times\frac{0.1}{1.1}$(内部利益)$=13{,}000$円

2．期末材料棚卸高(C/R)

$5{,}000$円(本社)$+16{,}500$円(工場)$-16{,}500$円$\times\frac{0.1}{1.1}$(内部利益)$=20{,}000$円

3．期首仕掛品(C/R)

$12{,}500$円$-9{,}900$円$\times\frac{0.1}{1.1}$(内部利益)$=11{,}600$円

4．期末仕掛品(C/R)

$7{,}700$円$-6{,}160$円$\times\frac{0.1}{1.1}$(内部利益)$=7{,}140$円

5．期首製品棚卸高(P/L)

14,300円(工場) − 780円*02)(内部利益) ＝ 13,520円
19,800円(本社) − 4,200円*03)(内部利益) ＝ 15,600円
29,120円

6．期末製品棚卸高(P/L)

8,800円(工場) − 480円*04)(内部利益) ＝ 8,320円
13,200円(本社) − 2,800円*05)(内部利益) ＝ 10,400円
18,720円

*02) $8{,}580$円$\times\frac{0.1}{1.1}=780$円

*03) $9{,}900$円$\times\frac{0.1}{1.1}+3{,}300$円$=4{,}200$円

*04) $5{,}280$円$\times\frac{0.1}{1.1}=480$円

*05) $6{,}600$円$\times\frac{0.1}{1.1}+2{,}200$円$=2{,}800$円

Section 4

本社工場の帳簿の締切り

Section 3では本社工場合併財務諸表の作成手続を学習しましたが、帳簿上ではどのような処理が行われるのでしょう？　本社工場会計の簿記一巡の流れは、本支店会計と同様です。「どの時点で、どの帳簿で、何をするか」がポイントとなります。

このSectionでは本社・工場の帳簿上の処理について学習します。

1 決算手続と帳簿の締切り

帳簿の締切りは、帳簿上で会社全体の利益を把握するために行います*01)。

本社および工場の決算手続と帳簿の締切りまでの流れを示すと、次のようになります。

なお、決算整理後残高試算表の作成までは、Section 3で学習した本社工場合併財務諸表の作成と同様の手続きとなります*02)。

*01)財務諸表の作成と混同しないように注意しましょう！

*02)未達取引については、Section 3で確認してください。

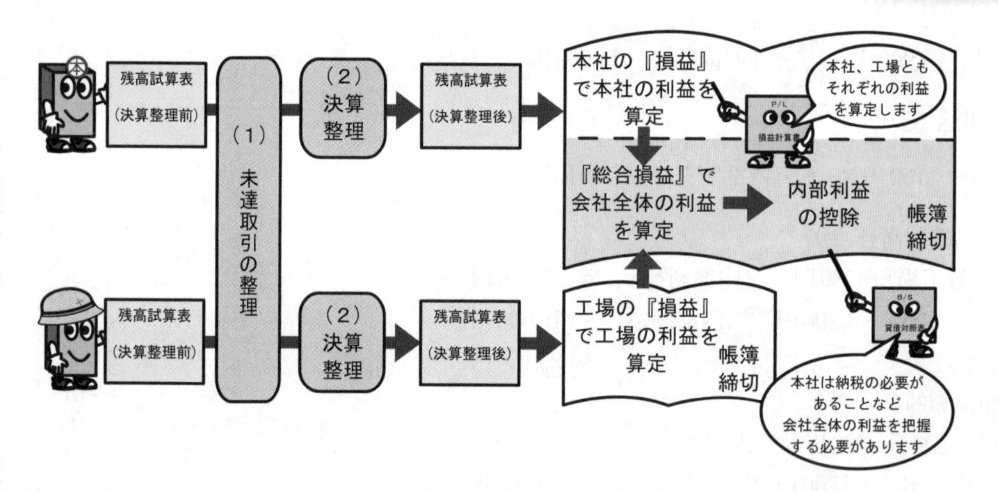

2 決算整理

本社・工場それぞれで決算整理*01)を行い、それぞれで純損益を計算します。この時点では、まだ本社・工場を合算しない点に注意してください。

*01)工場における決算整理は、商的工業簿記の決算整理をイメージしてください。

設例4-1 決算整理仕訳(工場)

次の資料にもとづいて、工場における決算整理仕訳を示しなさい。

【資　料】

決算整理前残高試算表(工場)　(単位：円)

借方科目	金額	貸方科目	金額
繰越材料	9,900	本社売上	132,000
仕掛品	12,500		
製品	14,300		
本社仕入	66,000		
賃金	15,000		
製造経費	25,300		

1　工場は本社から材料を仕入れ(本社仕入勘定で処理)、製造した製品を本社に売り上げている(本社売上勘定で処理)。

2　繰越材料、仕掛品および製品は期首棚卸資産にかかるものである。
期末棚卸資産は以下のとおりである。
期末材料　16,500円、期末仕掛品　7,700円、期末製品　8,800円

3　当期製造費用は製造勘定で計算すること。

解答

(1)当期材料費の計算

		借方科目	金額		貸方科目	金額
工場	(借)	本社仕入	9,900	(貸)	繰越材料	9,900
	(借)	繰越材料	16,500	(貸)	本社仕入	16,500

(2)当期総製造費用の計算

		借方科目	金額		貸方科目	金額
工場	(借)	製造	99,700	(貸)	本社仕入	59,400
					賃金	15,000
					製造経費	25,300

(3)当期製品製造原価の計算

		借方科目	金額		貸方科目	金額
工場	(借)	製造	12,500	(貸)	仕掛品	12,500
	(借)	仕掛品	7,700	(貸)	製造	7,700
	(借)	製品	104,500	(貸)	製造	104,500

(4)売上原価の計算

		借方科目	金額		貸方科目	金額
工場	(借)	売上原価	110,000	(貸)	製品	110,000

(5)損益勘定への振替え

		借方科目	金額		貸方科目	金額
工場	(借)	損益	110,000	(貸)	売上原価	110,000
	(借)	本社売上	132,000	(貸)	損益	132,000

解説

最終的に工場の売上原価および損益を求める問題です。当期材料費、当期製品製造原価などを求める必要がありますが、これらはボックス図を用いると解きやすくなります。

・各金額の計算

① 当期材料費(本社仕入):9,900円+66,000円−16,500円=59,400円

② 当期製品製造原価:12,500円+99,700円−7,700円=104,500円

③ 売上原価:14,300円+104,500円−8,800円=110,000円

<勘定連絡図>

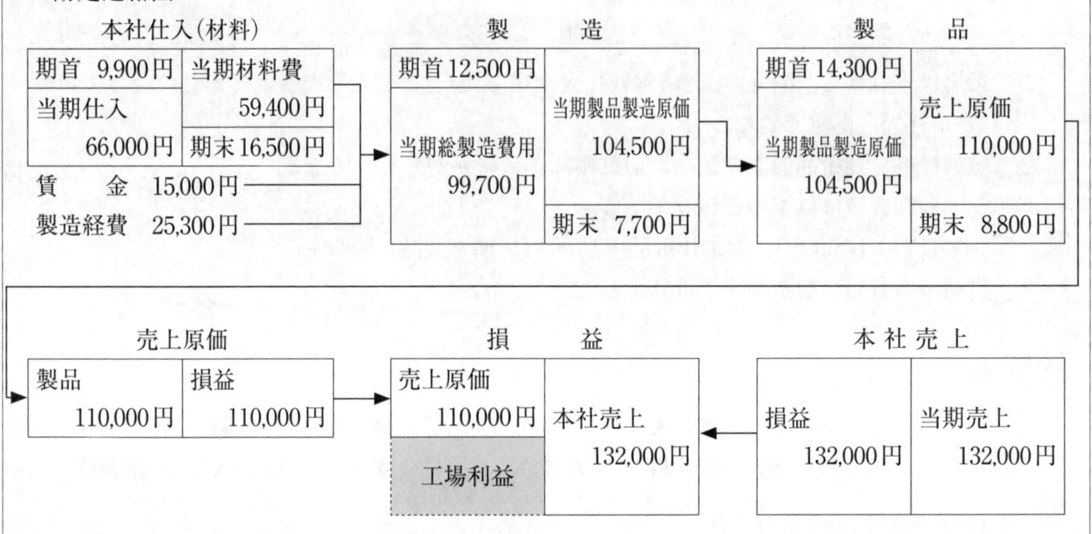

3 純損益の振替え(決算振替)

▶▶簿問題集:問題3

本社および工場では、それぞれ独自に決算を行うので、本社の純損益は本社の『**損益**』で、工場の純損益は工場の『**損益**』で計算されます。しかし、会社は本社・工場を含めた全体の純損益も計算しなければなりません。そこで、本社において『**総合損益**』を設けて、次のように会社全体の純損益を計算します。

(1)本社の純損益

本社において純損益を『**損益**』から『**総合損益**』に振り替えます。

(2)工場の純損益

工場において純損益を『**損益**』から『**本社**』に振り替えるとともに、本社において『**工場**』から『**総合損益**』に振り替えます。

設例4-2　決算振替仕訳

次の取引について、必要な決算振替仕訳を示しなさい。
(1)　本社の純利益30,000円を総合損益勘定に振り替えた。
(2)　工場の純利益22,000円を総合損益勘定に振り替えた。

(1)	本社	(借) 損　　益	*30,000*	(貸) 総合損益	*30,000*
(2)	工場	(借) 損　　益	*22,000*	(貸) 本　　社	*22,000*
	本社	(借) 工　　場	*22,000*	(貸) 総合損益	*22,000*

解説

この仕訳によって、工場の純損益が『本社』および『工場』を経由して『総合損益』に振り替えられることになります。なお、勘定連絡図を描くと、次のようになります。

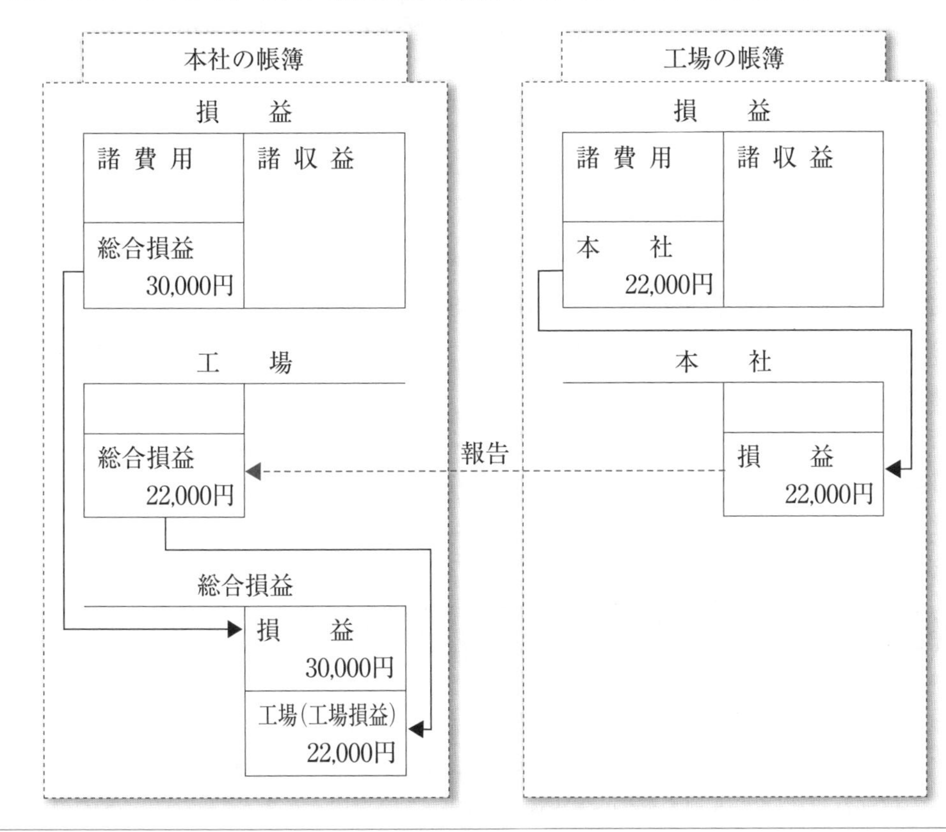

4 内部利益の処理

1．期末の棚卸資産に含まれる内部利益の処理

期末に保有する材料や仕掛品および製品(棚卸資産)に内部利益が含まれている場合、貸方に計上する『**繰延内部利益**』で未実現の利益を次期に繰り延べるとともに、借方に計上する『**繰延内部利益控除**』で当期の利益からこの未実現利益額を控除します*01)。

*01) 内部利益については、Section 3の図解で確認してください。

設例4-3 内部利益の控除

次の資料にもとづいて、内部利益の調整に関する決算時の仕訳を示しなさい。

【資　料】

本社・工場における期末棚卸資産と、それに含まれる内部利益(カッコ内の金額)は次のとおりであった。内部利益はすべて本社で管理している。

本社：製　品　13,200円(2,800円)

工場：材　料　16,500円(1,560円)、仕掛品　7,700円(560円)、製　品　8,800円(680円)

解答

本社（借）**繰延内部利益控除**　*5,600*　（貸）**繰延内部利益**　*5,600*

解説

本社および工場の期末棚卸資産に含まれている内部利益を控除します。

繰延内部利益控除：2,800円 + 1,560円 + 560円 + 680円 = 5,600円

2．期首の棚卸資産に含まれる内部利益の処理

期首に保有する材料や仕掛品および製品(棚卸資産)に含まれている内部利益は、前期から『**繰延内部利益**』として繰り延べられています。この内部利益は資産の払出しによって当期に実現したと考え、貸方に『**繰延内部利益戻入**』を計上することで、当期の利益に加算します。

設例4-4 内部利益の戻入

次の資料にもとづいて、内部利益の調整に関する決算時の仕訳を示しなさい。

【資　料】

本社・工場における期首棚卸資産と、それに含まれる内部利益(カッコ内の金額)は次のとおりであった。内部利益はすべて本社で管理している。

本社：製　品　19,800円(4,200円)

工場：材　料　13,200円(1,200円)、仕掛品　3,850円(280円)、製　品　4,400円(340円)

解答

本社（借）**繰延内部利益**　*6,020*　（貸）**繰延内部利益戻入**　*6,020*

解説

本社および工場の期首棚卸資産に含まれている内部利益を戻し入れます。

繰延内部利益戻入：4,200円 + 1,200円 + 280円 + 340円 = 6,020円

3．内部利益の振替え

『**繰延内部利益戻入**』と『**繰延内部利益控除**』は、最終的に『**総合損益**』に振り替えます。『**総合損益**』には、すでに本社と工場でそれぞれ計算された利益が計上されているので、『**総合損益**』に繰延内部利益戻入と繰延内部利益控除を振り替えることによって、(内部利益調整後の)外部に公表すべき企業全体の純損益を計算することになります。

そして、全体の純利益を計算したあとに、その純利益を『**繰越利益剰余金**』に振り替えます。

設例4-5 内部利益の振替え

内部利益の総合損益勘定への振替仕訳を示しなさい。
本社・工場の期首棚卸資産に含まれる内部利益：6,020円
本社・工場の期末棚卸資産に含まれる内部利益：5,600円

解答

本社	(借)	**繰延内部利益戻入**	*6,020*	(貸) **総合損益**	*6,020*
本社	(借)	**総合損益**	*5,600*	(貸) **繰延内部利益控除**	*5,600*

解説

設例4-1～**設例4-4**をもとに勘定連絡図を描くと、次のようになります。これらのステップを踏むことで、会社全体の税引前当期純利益を求めることができます。

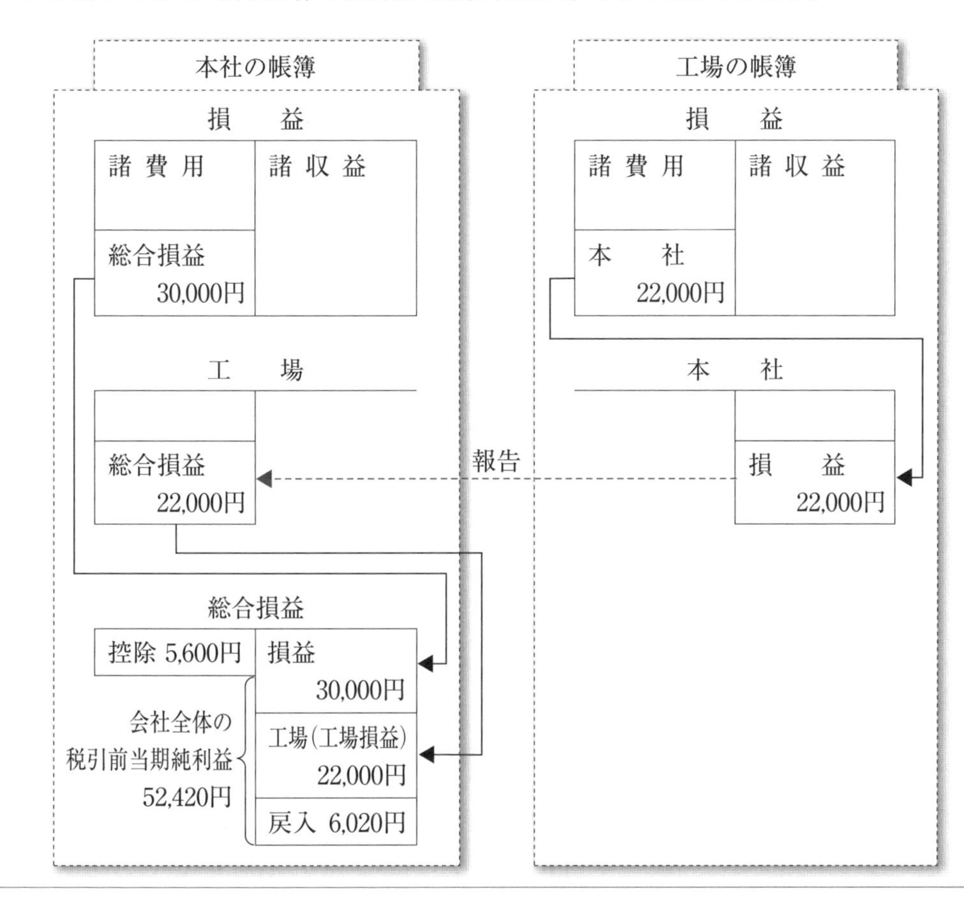

設例4-6　繰越利益剰余金への振替え

次の取引の仕訳を示しなさい。
当期純利益52,420円を繰越利益剰余金勘定に振り替えた。

本社（借）総合損益 *52,420*　（貸）繰越利益剰余金 *52,420*

Chapter 8

建設業会計

高層ビルや巨大なダム、立派な橋などを建設するには、長い工事期間と莫大な資金が必要です。これまで学習した商品売買業と同じように収益・費用を認識するのは、適当ではないかもしれません。建設業の特殊性を考えて、建設業に合った収益・費用の認識をするべきではないでしょうか。

このChapterでは、建設業を営む場合の収益・費用の認識を中心に学習します。

Section 1

建設業会計における認識基準

建設業会計では、顧客との契約にもとづいて工事を受注する請負工事が前提となります。受注してすぐ建てて、すぐ引き渡すことができる建物ならいいのですが、完成までに数年という長期間が必要な建物もあります。

完成に長期間かかるような請負工事についても、仕入から販売までが短期間の商品販売と同じように販売時点で収益を認識するのでしょうか？

このSectionでは、建設業会計の認識基準について学習します。

1 建設業会計と工事契約

1．建設業会計とは

建設業会計とは、土木建築等を行う企業における会計処理や財務諸表の作成などをいいます。

建設業では、発注者から工事を請け負い、建築材料を仕入れ、あらかじめ準備した建設用機械設備などを用い、現場作業員を雇用して工事を行います。そして、完成した建築物を発注者に引き渡すことで、工事代金を受け取ります。

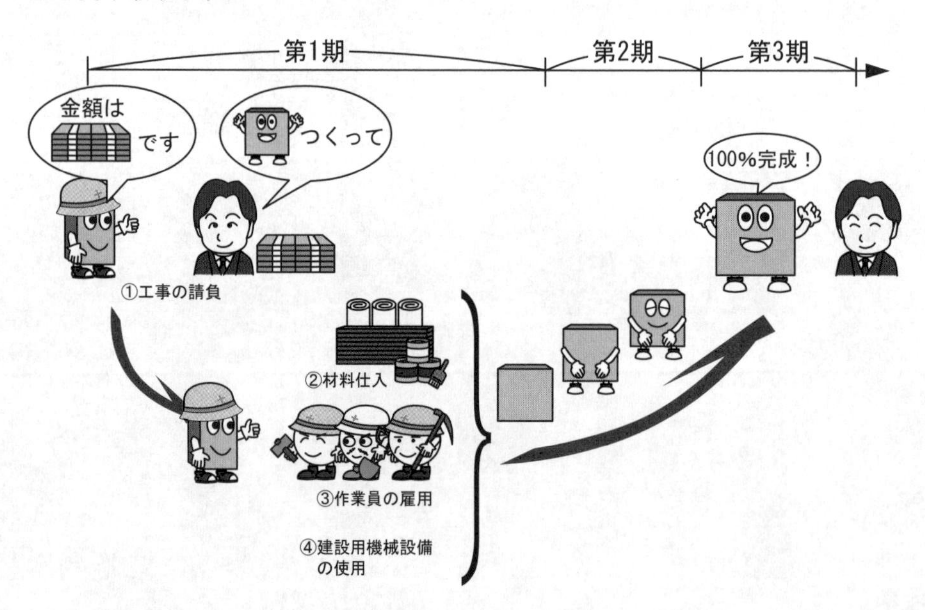

2．工事契約とは

工事契約[*01]とは、仕事の完成に対して対価が支払われる請負契約のうち、土木、建築、造船や一定の機械装置の製造等、基本的な仕様や作業内容を顧客の指図にもとづいて行うものをいいます。

＊01）工事契約における認識の単位は、実質的な取引の単位とされています。労働サービスの提供のみを目的とするような契約や、交渉中のものは含まれません。

2 工事契約に係る収益の認識　簿B 財計B

1．会計基準の適用

工事収益についても「収益認識に関する会計基準」が適用されます。工事契約については基本的に一定期間にわたり履行義務を充足します。一定期間にわたり充足される履行義務については、履行義務の充足[*01)]に係る進捗度を見積もり、その進捗度にもとづき収益を認識します。

*01) 履行義務とは、工事を完成させ相手方に引き渡すことです。

2．収益認識の基準

工事契約については、**履行義務の充足に係る進捗度を合理的に見積もることができる場合**にのみ**一定の期間にわたり収益を認識**します。

一方、進捗度を合理的に見積もることができないが、履行義務を充足するさいに**発生する費用を回収することが見込まれる場合**には、進捗度を合理的に見積もることができるまで**原価回収基準により処理**します。

*02) 工事の開始時から引渡し時までの期間がごく短い場合には、一定の期間にわたり収益を認識せず、引き渡した時点で収益を認識することができます。

*03) 工事開始当初は工事原価総額を見積もれないことがあるからです。

工事の進捗度
- 合理的に見積もることができる ──→ 進捗度にもとづき収益を認識[*02)]
- 合理的に見積もることができないが[*03)]発生する費用を回収できる ──→ 原価回収基準により収益を認識

工事の開始段階では工事の進捗度を合理的に見積もることができずに原価回収基準を適用した場合でも、その後、工事の進捗度を合理的に見積もることができるようになった場合には、**その期から一定期間にわたり収益を認識する方法に変更**します。

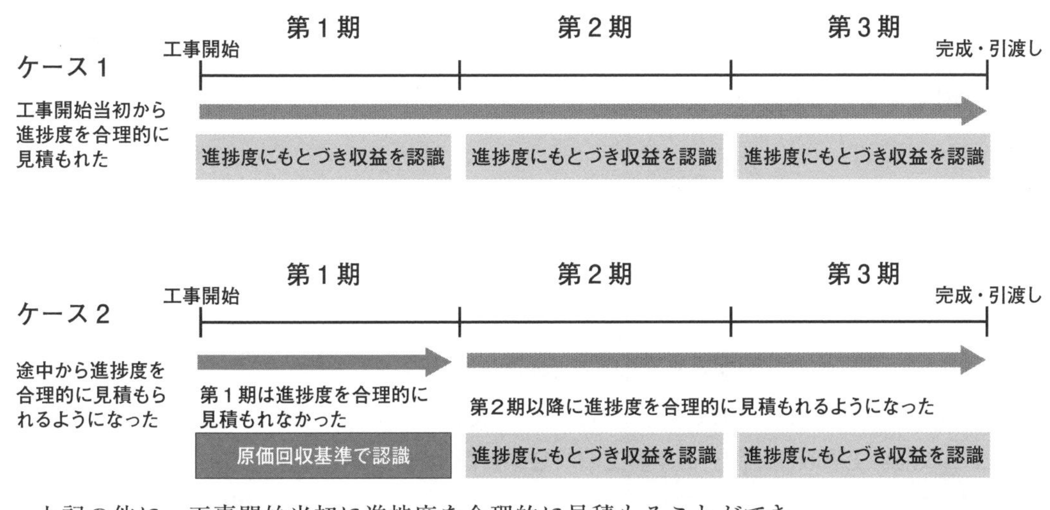

上記の他に、工事開始当初に進捗度を合理的に見積もることができないときに、工事の初期段階では収益認識をせずに、進捗度を合理的に見積もることができるようになった時点から収益を認識する方法もあります[*04)]。

*04) 本試験での重要性が低いと考えられるため、本書では割愛します。

3 進捗度にもとづき収益を認識する方法

進捗度にもとづき収益を認識する場合には、工事期間の決算日ごとに、**工事収益総額**[*01]、**工事原価総額**[*02]および**工事進捗度**[*03]を合理的に見積り、工事収益総額のうち工事進捗度に応じて工事収益を認識します。

ここでは、工事進捗度の見積方法として、**原価比例法**[*04]を適用した場合についてみていきます。

*01) 工事収益総額とは、完成建築物の引渡価額で、契約によって決定されているものです。請負価額ともいいます。

*02) 工事原価総額には、すべての原価が含まれます。完成に必要な原価だけではなく、引渡しの作業に要する原価も含まれます。

*03) 工事の完成度合いをいいます。

*04) 合理的に工事進捗度を見積もることができれば他の方法も認められますが、本試験では原価比例法が問われる可能性が高いです。

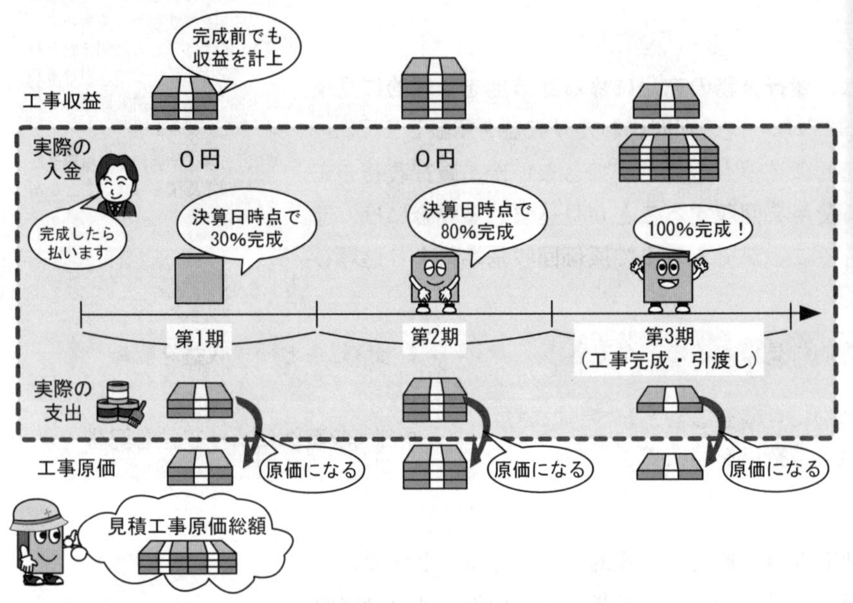

1. 原価比例法による工事収益の計算

原価比例法とは、決算日における工事進捗度を見積もる方法のうち、決算日までに実施した工事に関して発生した工事原価[*05]が工事原価総額に占める割合をもって決算日における工事進捗度とする方法をいいます。

原価比例法による工事収益は、次の算式により求めます。

*05) つまり、当期末までに発生した実際工事原価（当期実際発生原価＋前期末までの実際発生原価）です。

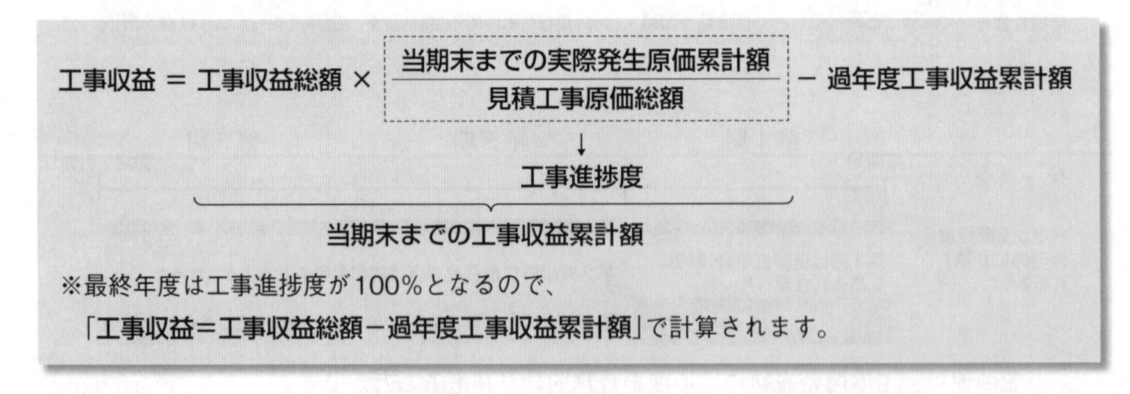

$$\text{工事収益} = \text{工事収益総額} \times \frac{\text{当期末までの実際発生原価累計額}}{\text{見積工事原価総額}} - \text{過年度工事収益累計額}$$

※最終年度は工事進捗度が100%となるので、

「**工事収益＝工事収益総額－過年度工事収益累計額**」で計算されます。

なお、決算日における当期実際発生原価は、全額が各期の完成工事原価（売上原価）となるので、『**未成工事支出金**[*06]』（仕掛品）として、次期に繰り越されることはありません。

*06) 本ChapterのSection2で学習します。

＜各期の工事収益と工事進捗度の関係のイメージ＞

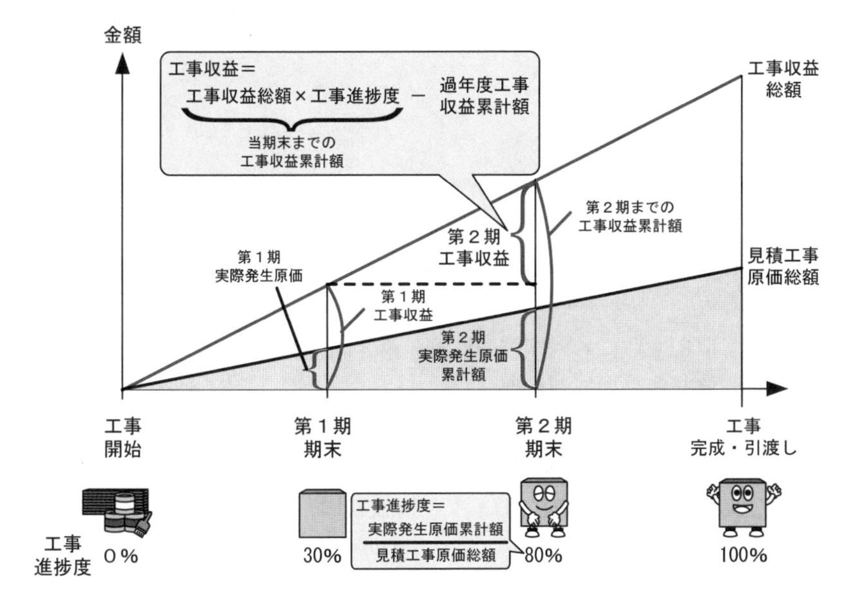

設例 1-1　　進捗度にもとづき収益を認識する方法（見積変更なし）

次の資料にもとづいて、各期の(1)工事収益、(2)工事原価および(3)工事利益の金額を答えなさい。

【資　料】

1　工事収益総額18,000円

2　請負時の見積工事原価総額12,000円

この工事について、一定期間にわたり充足される履行義務と判断し、進捗度を合理的に見積ることができるため、一定期間にわたり収益を認識する。進捗度の見積方法は原価比例法による。

3　工事原価実際発生額　第１期3,500円　第２期5,500円　第３期3,000円

なお、工事の完成・引渡しは第３期末に行われた。

解答

	第１期	第２期	第３期
(1)工事収益	*5,250* 円	*8,250* 円	*4,500* 円
(2)工事原価	*3,500* 円	*5,500* 円	*3,000* 円
(3)工事利益	*1,750* 円	*2,750* 円	*1,500* 円

解説

各期の工事利益は、工事収益と各期の工事原価実際発生額の差額で求めます。

第１期

工事収益：$18,000\text{円} \times \dfrac{3,500\text{円}}{12,000\text{円}} = 5,250\text{円}$

工事利益：5,250円－3,500円＝1,750円

第２期

工事収益：$18,000\text{円} \times \dfrac{3,500\text{円} + 5,500\text{円}}{12,000\text{円}} - 5,250\text{円} = 8,250\text{円}$

工事利益：8,250円－5,500円＝2,750円

第３期

工事収益：18,000円－(5,250円＋8,250円)＝4,500円

工事利益：4,500円－3,000円＝1,500円

2．工事収益総額や見積工事原価を修正した場合

一定期間にわたり収益を認識する場合において、工事収益総額、工事原価総額または決算日における工事進捗度の見積りが変更されたとき*07)には、**その見積りの変更が行われた期**に影響額を損益として処理をします*08)。

この場合、その修正を収益計算にも適切に反映する必要があるため、修正後の各金額を使用して工事収益を計算します。

*07)請負工事の中には、工事の長期化や材料価格の変動などにより、工事収益総額と見積工事原価総額が修正されるものがあります。

*08)これは、見積りの変更は事前の見積りと実績とを対比した結果として求められることが多く、こうした場合には修正の原因は当期に起因することが多いと考えられることや、実務上の事務負担を考慮しています。

$$工事収益 = 修正後工事収益総額 \times \frac{当期末までの実際発生原価累計額}{修正後見積工事原価総額} - 過年度工事収益累計額$$

（$\frac{当期末までの実際発生原価累計額}{修正後見積工事原価総額}$ → 工事進捗度）

（修正後工事収益総額 × 工事進捗度 ＝ 当期末までの修正後工事収益累計額）

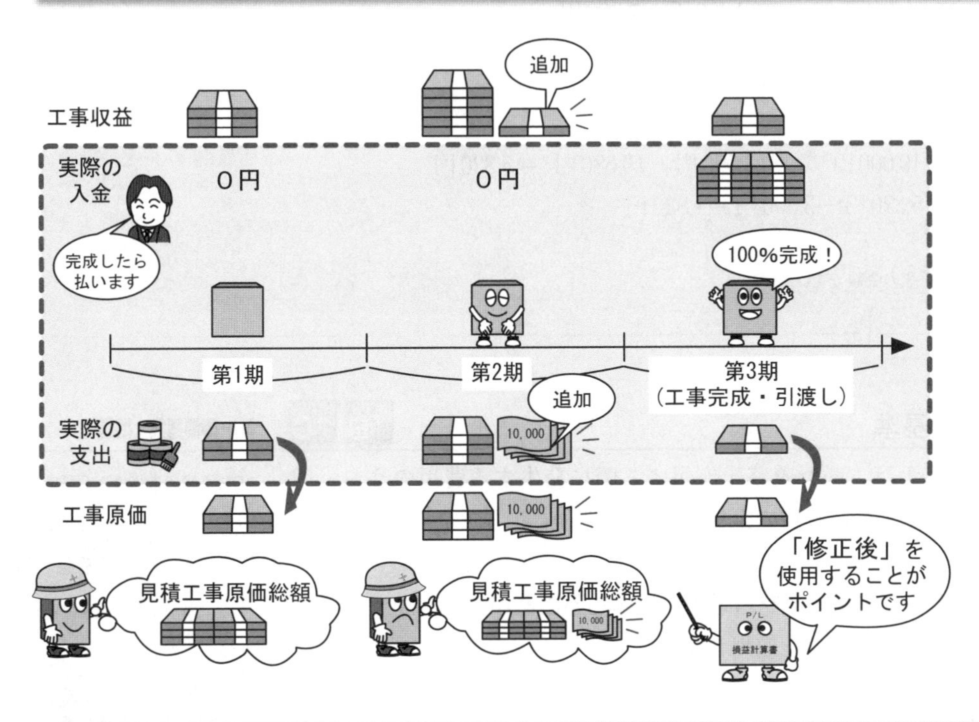

設例 1-2　　**進捗度にもとづき収益を認識する方法(見積変更あり)**

次の資料にもとづいて、各期の(1)工事収益、(2)工事原価および(3)工事利益の金額を答えなさい。

【資　料】

1　工事収益総額18,000円

2　請負時の見積工事原価総額12,000円

この工事について、一定期間にわたり充足される履行義務と判断し、進捗度を合理的に見積ることができるため、一定期間にわたり収益を認識する。進捗度の見積方法は原価比例法による。

3　工事原価実際発生額　第１期2,000円　第２期7,000円　第３期3,500円

4　第２期末に契約を追加し、工事収益総額19,000円、見積工事原価総額を12,500円に修正した。なお、工事の完成・引渡しは第３期末に行われた。

解答

	第１期	第２期	第３期
(1)工事収益	*3,000* 円	*10,680* 円	*5,320* 円
(2)工事原価	*2,000* 円	*7,000* 円	*3,500* 円
(3)工事利益	*1,000* 円	*3,680* 円	*1,820* 円

解説

第1期

工事収益：$18,000円 \times \dfrac{2,000円}{12,000円} = 3,000円$

工事利益：3,000円 − 2,000円 = 1,000円

第2期

工事収益：$19,000円^{*09)} \times \dfrac{2,000円 + 7,000円}{12,500円^{*09)}} - 3,000円 = 10,680円$

工事利益：10,680円 − 7,000円 = 3,680円

第3期

工事収益：19,000円*09) −（3,000円 + 10,680円）= 5,320円

工事利益：5,320円 − 3,500円 = 1,820円

*09) 修正後の金額です。

4 原価回収基準

▶▶簿問題集：問題1,2

原価回収基準とは、履行義務を充足する際に発生する費用のうち、回収することが見込まれる費用の金額で収益を認識する方法をいいます*01)。

*01) 工事の進捗度を合理的に見積ることができない場合でも、顧客の都合で工事契約がキャンセルされたときは、顧客に対して発生したコスト分の金額を損害賠償で請求できると考えられます。このことから発生した原価と同額の収益を認識するのが原価回収基準です。

1．完成時まで工事の進捗度を合理的に見積もることができなかった場合

完成時まで原価回収基準を適用します。

設例 1-3　原価回収基準 1

次の資料にもとづいて、各期の(1)工事収益、(2)工事原価および(3)工事利益の金額を答えなさい。

【資　料】

1　工事収益総額 18,000円

2　この工事について、一定期間にわたり充足される履行義務と判断したが、進捗度を合理的に見積もることができないため、原価回収基準により収益を認識する。

3　工事原価実際発生額　第1期2,000円　第2期7,000円　第3期3,000円

工事は第3期に完成し、顧客に引き渡した。

解答

	第1期	第2期	第3期
(1)工事収益	*2,000* 円	*7,000* 円	*9,000* 円
(2)工事原価	*2,000* 円	*7,000* 円	*3,000* 円
(3)工事利益	*0* 円	*0* 円	*6,000* 円

解説

第１期・第２期

工事原価と同額の工事収益が計上されます。

第３期

工事を完成・引渡した期に残りの工事収益を計上します。

工事収益：18,000円－(2,000円＋7,000円)＝9,000円

工事収益の金額は各期に配分されますが、工事利益は工事を完成・引渡した期に全額計上されます。

2．工事の途中で進捗度を合理的に見積もることができるようになった場合

進捗度を合理的に見積ることができなかった期までは原価回収基準を適用しますが、進捗度を合理的に見積ることができるようになった期から、一定期間にわたり収益を認識する方法を適用します。

設例 1-4　原価回収基準2

次の資料にもとづいて、各期の(1)工事収益、(2)工事原価および(3)工事利益の金額を答えなさい。

【資　料】

1　工事収益総額 18,000円

2　この工事について、一定期間にわたり充足される履行義務と判断したが、第１期については工事の進捗度を合理的に見積もることができなかったため、原価回収基準を適用する。

　第２期より見積工事原価総額12,000円が判明し、進捗度を合理的に見積ることができるようになったため、原価比例法により収益を認識する

3　工事原価実際発生額　第１期2,000円　第２期7,000円　第３期3,000円

解答

	第１期	第２期	第３期
(1)工事収益	*2,000* 円	*11,500* 円	*4,500* 円
(2)工事原価	*2,000* 円	*7,000* 円	*3,000* 円
(3)工事利益	*0* 円	*4,500* 円	*1,500* 円

解説

第１期

工事原価と同額の工事収益を計上します。

第２期

原価比例法を用いて工事収益を計上します。

$$18{,}000\text{円} \times \frac{2{,}000\text{円} + 7{,}000\text{円}}{12{,}000\text{円}} - 2{,}000\text{円} = 11{,}500\text{円}$$

第３期

残りの工事収益を計上します。

工事収益：18,000円－(2,000円＋11,500円)＝4,500円

5 完全に履行義務を充足した時点で収益を認識する方法 簿B 財計C

▶▶簿問題集：問題3
▶▶財問題集：問題6

工事契約について、工事の開始時から引渡し時までの期間がごく短い場合には、一定の期間にわたり収益を認識せず、完全に履行義務を充足した時点で収益を認識することができます*01)。したがって、各期に発生した工事原価は、完成・引渡し時まで『**未成工事支出金**』(仕掛品)として繰り越されることになります。

*01) つまり、完成して引き渡すまで収益も費用も計上しません。

工事利益 ＝ 工事収益総額 － 完成・引渡しまでの実際発生原価累計額

設例 1-5　完全に履行義務を充足した時点で収益を認識する方法

次の資料にもとづいて、完全に履行義務を充足した時点で収益を認識する方法による各期の(1)工事収益、(2)工事原価および(3)工事利益の金額を答えなさい。なお、工事の完成・引渡しは第２期に行われた。

【資　料】

1　工事収益総額18,000円

2　請負時の見積工事原価総額12,000円

3　工事原価実際発生額　第１期5,500円　第２期7,000円

解答

	第１期	第２期
(1)工事収益	*0* 円	*18,000* 円
(2)工事原価	*0* 円	*12,500* 円
(3)工事利益	*0* 円	*5,500* 円

解説

工事収益も工事原価(実際発生額)も、完成・引渡し時(第２期)にまとめて計上します。

Section 2 建設業会計の処理

いままで学習してきた簿記は、卸売業や小売業などの商業を前提とした簿記でした。これに対して建設業会計では、商品売買とは異なる勘定科目を使う場合があります。

このSectionでは、建設業会計の処理について学習します。建設業特有の勘定科目はしっかり覚えましょう。

1 使用する勘定科目

簿A 財計B

建設業会計では、次の勘定科目を使って会計処理を行います。ただし、勘定科目名が異なるだけで、意味や使い方は通常の製造業*01)と同じです。

通常の製造業		建設業	
『売上』	⇔	『完成工事高』*02)	(収益)
『売上原価』	⇔	『完成工事原価』*02)	(費用)
『仕掛品』	⇔	『未成工事支出金』*03)	(資産)
『売掛金』	⇔	『完成工事未収入金』*04)	(資産)
『買掛金』	⇔	『工事未払金』*05)	(負債)
『前受金』	⇔	『未成工事受入金』*06)	(負債)

*01) 日商2級で学習した工業簿記と比べてみるとわかりやすいですよ。

*02) 『売上』が『完成工事高』に、『売上原価』が『完成工事原価』に変わったと考えましょう。

*03) まだ完成していない(未成)工事に対する支出金(原価分)です。

*04) 完成した工事において、支払われていない分(未収入金)です。貸倒引当金の対象になります。

*05) 工事にかかる未払金です。

*06) まだ完成していない(未成)工事に対する受入金(前受金)です。

〈完成工事未収入金と未成工事受入金について〉

これまで建設業会計で使用されていた勘定科目のうち、完成工事未収入金と未成工事受入金については「収益認識に関する会計基準」の適用にともない、以下のような勘定科目を使用することが考えられます。なお、本書ではこれまでどおり完成工事未収入金勘定および未成工事受入金勘定を用いて説明することとしていますが、本試験で科目指示等があればそれに従うようにしてください。

	収益認識に関する会計基準	
完成工事未収入金	完成・引渡し前の未収額(法的な請求権なし)	→ 契約資産
	完成・引渡し後の未収額(法的な請求権あり)	→ 完成工事未収入金(顧客との契約から生じた債権)
未成工事受入金	——	→ 契約負債

2 進捗度にもとづき収益を認識する方法

▶▶簿問題集：問題5

各期に発生した材料費などの費用を、決算時にいったん**『未成工事支出金』**(仕掛品)に計上しますが、その全額を**『完成工事原価』**(売上原価)に振り替えます*01)。また、発生した完成工事原価に対応する工事収益を計算し、それを**『完成工事高』**として計上します。完成工事高と完成工事原価の差額が工事利益となります。

*01) 原価回収基準を適用する場合にも、処理の流れは同じとなります。

<決算時における会計処理>

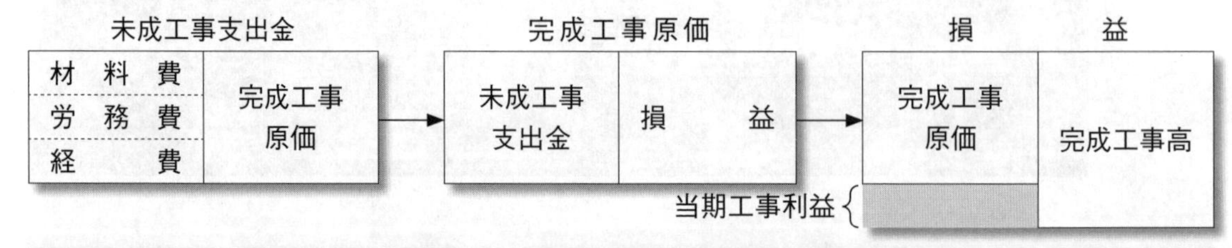

設例2-1　前受金の処理

次の取引の仕訳を示しなさい。

ＮＳ建設株式会社は、×1年6月1日にビルの建設を100,000円で請け負い、契約時に手付金として50,000円を現金で受け取った。工事の完成予定は×2年8月31日である。なお、この工事について、一定期間にわたり充足される履行義務と判断し、進捗度を合理的に見積ることができるため、一定期間にわたり収益を認識する。進捗度の見積方法は原価比例法による。

(**設例2-1**から**設例2-3**までは一連の取引として答えること)

解答

(借)	現金預金	*50,000*	(貸) 未成工事受入金*02)	*50,000*

*02) または契約負債(以下同様)

設例2-2　決算時の処理

決算時の仕訳を示しなさい。

ＮＳ建設株式会社は、×2年3月31日に決算をむかえた。当期中に発生した費用は、材料費30,000円、労務費10,000円、経費5,000円である。なお、見積工事原価総額は80,000円である。

解答

(借)	未成工事支出金	*45,000*	(貸)	材料費	*30,000*
				労務費	*10,000*
				経費	*5,000*
(借)	完成工事原価	*45,000*	(貸)	未成工事支出金	*45,000*
(借)	未成工事受入金*02)	*50,000*	(貸)	完成工事高	*56,250*
	完成工事未収入金*03)	*6,250*			

*03) または契約資産(以下同様)

解説

完成工事高：$100{,}000\text{円} \times \dfrac{45{,}000\text{円}}{80{,}000\text{円}} = 56{,}250\text{円}$

なお、未成工事受入金(前受金に相当するもの)がある場合には、まずそれを充当します。

設例2-3 完成・引渡しの処理

次の取引の仕訳を示しなさい。

ＮＳ建設株式会社は、×2年８月10日にビルの完成・引渡しが完了し、引渡し時に契約金の残額50,000円を現金で受け取った。なお、この工事にかかった当期の費用は、材料費20,000円、労務費10,000円、経費5,000円であった。

解答

	借方科目	金額		貸方科目	金額
(借)	未成工事支出金	35,000	(貸)	材料費	20,000
				労務費	10,000
				経費	5,000
(借)	完成工事原価	35,000	(貸)	未成工事支出金	35,000
(借)	現金預金	50,000	(貸)	完成工事高	43,750
				完成工事未収入金*03)	6,250

解説

完成工事高：100,000円－56,250円＝43,750円

3 完全に履行義務を充足した時点で収益を認識する方法 簿B 財計C

各期に発生した費用を『**未成工事支出金**』(仕掛品)として繰り越し、完成・引渡しの時点で『**完成工事原価**』(売上原価)に振り替えます。また、契約金額(請負価額)が『完成工事高』となります。

<各決算時における会計処理>

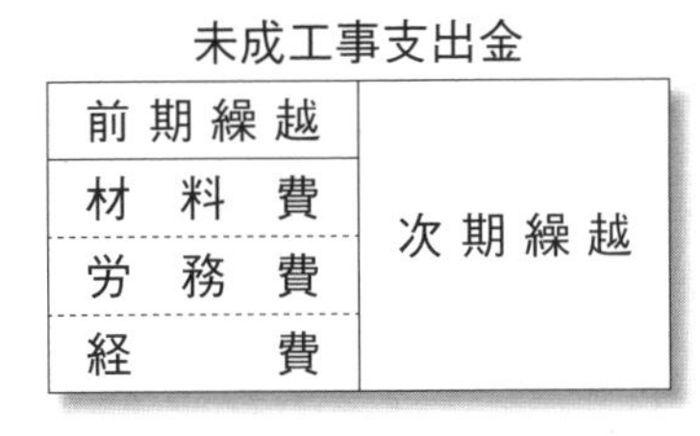

<完成・引渡時における会計処理>

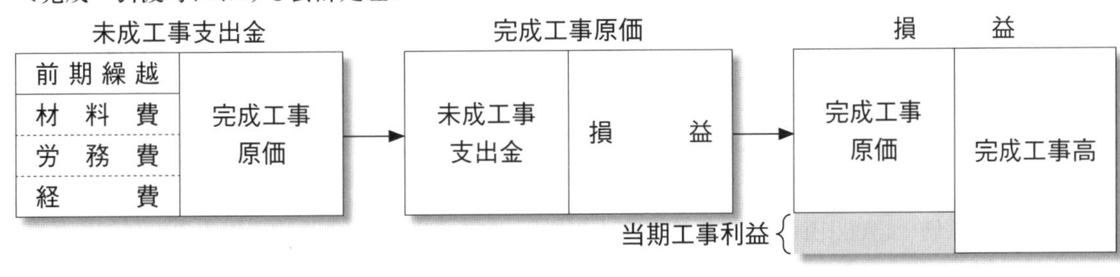

設例2-4　前受金の処理

次の取引の仕訳を示しなさい。

ＮＳ建設株式会社は、×2年２月１日にビルの建設を100,000円で請け負い、契約時に手付金として50,000円を現金で受け取った。工事の完成予定は×2年５月31日である。なお、この工事は期間がごく短いため、完全に履行義務を充足した時点で収益を認識する。

（**設例２-４**から**設例２-６**までは一連の取引として答えること）

（借）	現金預金	*50,000*	（貸） 未成工事受入金*01)	*50,000*

*01）または契約負債（以下同様）

設例2-5　決算時の処理

次の文章により決算時の仕訳を示しなさい。

ＮＳ建設株式会社は、×2年３月31日に決算をむかえた。当期中に発生した費用は、材料費30,000円、労務費10,000円、経費5,000円である。なお、見積工事原価総額は80,000円である。

（借）	未成工事支出金	*45,000*	（貸）	材料費	*30,000*
				労務費	*10,000*
				経費	*5,000*

設例2-6　完成・引渡しの処理

次の取引の仕訳を示しなさい。

ＮＳ建設株式会社は、×2年５月25日にビルの完成・引渡しが完了し、引渡し時に契約金の残額50,000円を現金で受け取った。なお、この工事にかかった当期の費用は、材料費20,000円、労務費10,000円、経費5,000円であった。

（借）	未成工事支出金	*35,000*	（貸）	材料費	*20,000*
				労務費	*10,000*
				経費	*5,000*
（借）	完成工事原価	*80,000*	（貸）	未成工事支出金	*80,000*
（借）	現金預金	*50,000*	（貸）	完成工事高	*100,000*
	未成工事受入金*01)	*50,000*			

解説

完成工事原価：45,000円（前期の未成工事支出金）＋35,000円（当期の未成工事支出金）
＝80,000円

4 工事損失引当金 簿B 財計C

1. 工事損失引当金とは

工事損失引当金とは、工事契約について工事原価総額等*01)が工事収益総額を超過する可能性が高く、かつ、その金額を合理的に見積もることができる場合に、その工事契約に関する将来の損失見込額を当期の損失として処理したときに計上される引当金です。

*01) 工事原価総額のほか、販売直接経費の見積額も含みます。

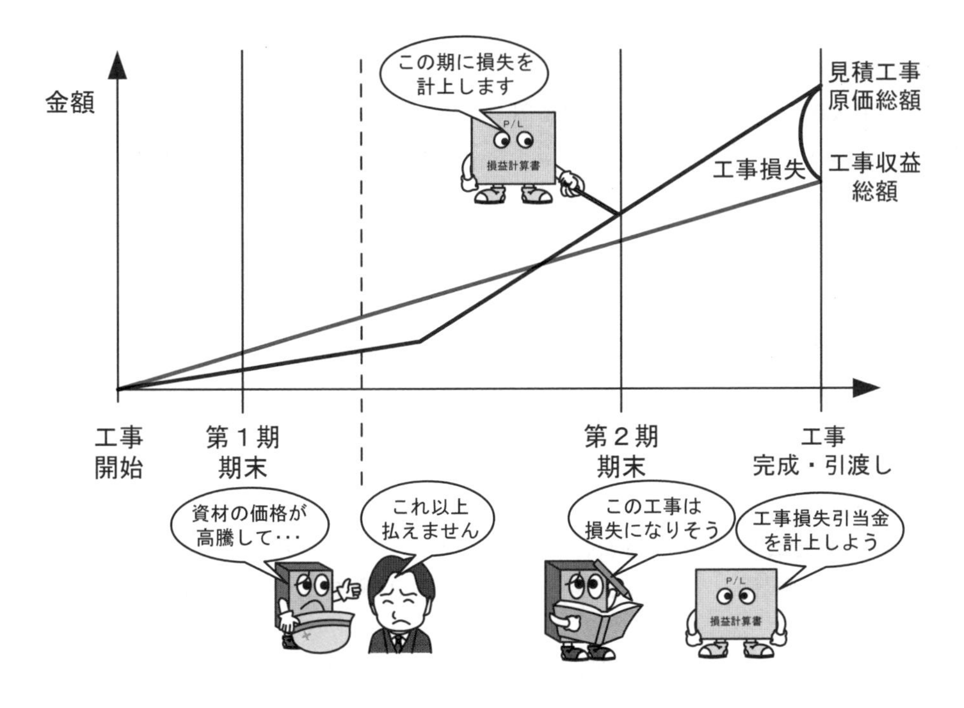

5 工事損失引当金の処理 簿B 財計C

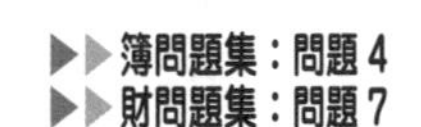

工事損失引当金繰入額は、**見積総工事損失額***01)から、**当期末までに計上された工事損失**を差し引いて算定します。

*01)「工事収益総額－見積工事原価総額」で計算します。

> **工事損失引当金繰入額 ＝ 見積総工事損失額 － 当期末までに計上された工事損失**
> **(※当期末までに計上された工事損失＝当期計上損失－過年度計上利益)**

計上した工事損失引当金は、完成・引渡しなどにより工事損失が確定した場合には取崩しを行います。損益計算書の表示上は『完成工事原価』の調整項目となります。

設例2-7　工事損失引当金の処理

次の資料にもとづいて、解答欄に示した各年度で必要な仕訳を示しなさい。なお、この工事について、一定期間にわたり充足される履行義務と判断し、進捗度を合理的に見積ることができるため、一定期間にわたり収益を認識する。進捗度の見積方法は原価比例法による。各期にかかった費用の勘定科目は「諸費用」を用いること。

【資　料】

1　工事期間３年（×１年度期首～×３年度期末）

2　工事収益総額200,000円（×３年度末現在、全額が未回収である）

3　工事原価総額の見積額

×１年度期首190,000円　×１年度期末192,000円　×２年度期末210,000円

4　工事原価実際発生額　×１年度48,000円　×２年度109,500円　×３年度52,500円

解答

(1) ×1年度

①　工事原価の計上

(借) 未成工事支出金	48,000	(貸) 諸費用[*02]	48,000
(借) 完成工事原価	48,000	(貸) 未成工事支出金	48,000

②　工事収益の計上

(借) 完成工事未収入金[*03]	50,000	(貸) 完成工事高	50,000[*04]

(2) ×2年度

①　工事原価の計上

(借) 未成工事支出金	109,500	(貸) 諸費用	109,500
(借) 完成工事原価	109,500	(貸) 未成工事支出金	109,500

②　工事収益の計上

(借) 完成工事未収入金[*03]	100,000	(貸) 完成工事高	100,000[*05]

③　工事損失引当金の計上

(借) 完成工事原価	2,500	(貸) 工事損失引当金	2,500

(3) ×3年度

①　工事原価の計上

(借) 未成工事支出金	52,500	(貸) 諸費用	52,500
(借) 完成工事原価	52,500	(貸) 未成工事支出金	52,500

②　工事収益の計上

(借) 完成工事未収入金	50,000	(貸) 完成工事高	50,000[*06]

③　工事損失引当金の取崩し

(借) 工事損失引当金	2,500	(貸) 完成工事原価	2,500

＊02) 問題文の指示より。一般的には、材料費・労務費・経費が該当します。

＊03) または契約資産

＊04) $200{,}000\text{円} \times \dfrac{48{,}000\text{円}}{192{,}000\text{円}} = 50{,}000\text{円}$

＊05) $200{,}000\text{円} \times \dfrac{48{,}000\text{円} + 109{,}500\text{円}}{210{,}000\text{円}} - 50{,}000\text{円} = 100{,}000\text{円}$

＊06) 200,000円－(50,000円＋100,000円)＝50,000円

なお、契約資産勘定を用いて処理していた場合には、工事完成・引渡しにともない法的な請求権が発生するため、契約資産の残高(150,000円)を完成工事未収入金に振り替える必要があります。この場合の仕訳は以下のとおりです。

(借) 完成工事未収入金	200,000	(貸) 完成工事高	50,000
		契約資産	150,000

解説

・×2年度の工事損失引当金の計算

見積総工事損失額	△10,000円	全期間を通しての損失	△10,000円	(＝200,000円(工事収益総額)－210,000円(工事原価総額))
当期末までに計上された工事損失(減算)	△ 7,500円	当期計上損失	△9,500円	(=100,000円(×2年度完成工事高)－109,500円(×2年度完成工事原価))
		過年度計上利益	＋2,000円	(＝50,000円(×1年度完成工事高)－48,000円(×1年度完成工事原価))
		差　額	△7,500円	
工事損失引当金繰入額(差　額)	△ 2,500円	**将来において計上が見込まれる損失**		

※全期間をとおしての損失が10,000円です。当期9,500円の損失が発生しましたが、前期において利益が2,000円計上されているので、当期末までに計上された工事損失は差額の7,500円になります。したがって、将来において計上が見込まれる損失は2,500円になります。

以上より、×2年度の工事損益を計算すると、次のようになります。

×2年度の完成工事高	100,000円	
完成工事原価	112,000円	＝109,500円＋2,500円(工事損失引当金繰入分)
×2年度の工事損失額	△12,000円	

<参考図>

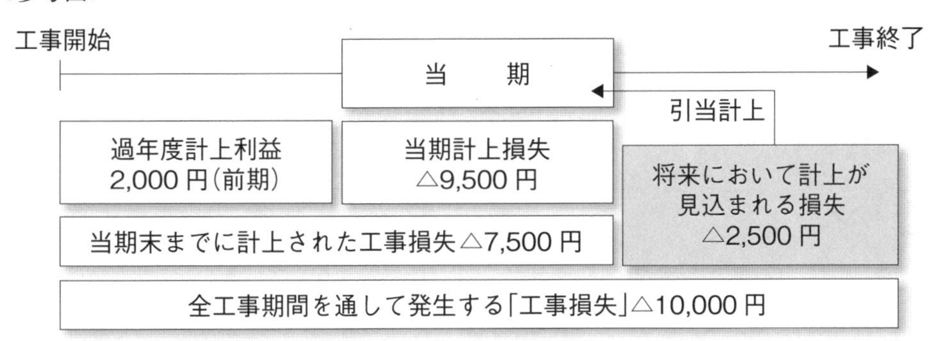

・×3年度の工事損益の計算(参考)

50,000円 －(52,500円 － 2,500円)＝0円
完成工事高　完成工事原価　工事損失引当金取崩分

(×2年度に引当金として将来の損失2,500円を計上済みなので、×3年度に損失は計上されません)

〈建設業における収益認識の方法〉

建設業における収益認識について、従来は「工事契約に関する会計基準」が適用されていましたが、「収益認識に関する会計基準」が適用されることにともない、「工事契約に関する会計基準」は廃止されました。ここでは、変更前と変更後で収益認識の方法がどう変わったかについて、参考としてみておきます。

	変更前		変更後
会計基準	「工事契約に関する会計基準」		「収益認識に関する会計基準」
収益認識の方法	工事進行基準	⇨	一定期間にわたり収益を認識する方法
	工事完成基準	⇨	ー
	ー	⇨	原価回収基準

変更前の工事進行基準では、原価比例法などにより工事の進捗に応じて工事収益を計上していました。変更後の一定期間にわたり収益を認識する方法でも、原価比例法により工事の進捗に応じて工事収益を計上する方法が認められています。「収益認識に関する会計基準」では「工事進行基準」という用語はありませんが、大きく変わるところはありません。

一方、「工事契約に関する会計基準」にあった、工事が完成し目的物の引渡しを行った時点で工事収益を認識する「工事完成基準」は、「収益認識に関する会計基準」では期間が短い場合を除き、認められていません。

また、「工事契約に関する会計基準」では無かった「原価回収基準」が「収益認識に関する会計基準」では認められることになりました。進捗度を合理的に把握できなくても、履行義務の充足において進捗しているという事実を反映するために少なくとも何らかの金額の収益を認識すべきであり、そうした場合、発生したコストの範囲でのみ収益を認識すべきであるという考え方から認められました。

このChapterでの表示と注記

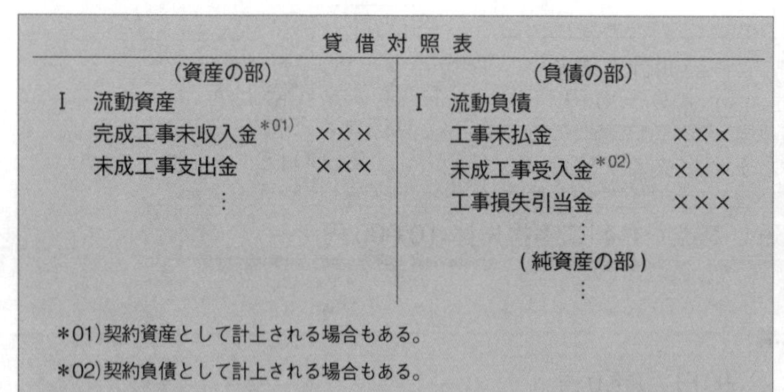

貸借対照表

(資産の部)		(負債の部)	
Ⅰ　流動資産		Ⅰ　流動負債	
完成工事未収入金*01)	×××	工事未払金	×××
未成工事支出金	×××	未成工事受入金*02)	×××
⋮		工事損失引当金	×××
		⋮	
		(純資産の部)	
		⋮	

*01)契約資産として計上される場合もある。

*02)契約負債として計上される場合もある。

損益計算書

Ⅰ　売上高	
完成工事高	×××
Ⅱ　売上原価	
完成工事原価	×××
⋮	

【注記例】(一部)
〈損益計算書に関する注記〉
完成工事原価に含まれる工事損失引当金繰入額は×××千円である。
〈貸借対照表に関する注記〉
損失の発生が見込まれる工事契約に係る未成工事支出金と工事損失引当金は、相殺せずに両建てで表示している。
損失の発生が見込まれる工事契約に係る未成工事支出金のうち、工事損失引当金に対応する額は×××千円である。

Chapter 9

無形固定資産Ⅱ

ソフトウェアに関する会計処理のうち、「自社利用のソフトウェア」についてはすでに教科書Ⅰ基礎導入編で学習しました。ただし、学習上重要となるソフトウェアはその他にも「市場販売目的のソフトウェア」などがあります。また、ここでの学習上、合わせて理解しておかなければならないのが「研究開発費」の取扱いについてです。研究開発費は資産計上することができないとされています。

このChapterでは、研究開発費と市場販売目的のソフトウェアの会計処理について学習します。

Section 1

研究開発費の会計処理

技術の進歩が著しい現在、その進歩を支えている企業では多額の資金を投入して日々研究開発を行っています。しかし、研究開発が成功する可能性は数%だとか…。

できるかどうかわからないもの（収益に結びつくかどうかわからないもの）に対する投資、会計ではどのように扱うのでしょうか。

このSectionでは、研究開発費の処理について学習します。

1 研究開発費とは

研究開発費とは、「新技術に関する調査や研究」や「新製品やサービス等の計画または現製品の著しい改良」のために支出した費用をいい、以下のものが該当します。

(1) 研究開発のための人件費等
(2) 他の目的に転用できない固定資産の取得原価*01)
(3) その他研究開発のためのあらゆる費用

*01) 機械装置などの有形固定資産だけでなく、特許権などの無形固定資産も含みます。

<研究とは>

<開発とは>

2 会計処理

薄B 財計B ▶▶薄問題集：問題1

1．研究開発費の会計処理

発生時に『研究開発費』として、そのすべてを**費用処理**します。

なお、一般に研究開発費は、原価性(製造原価とすべき性格)がないと考えられるので、一般管理費として処理されます。しかし、製造現場での研究開発活動に関する費用は、当期製造費用に算入することが認められています＊01)。

＊01)研究開発費の計上区分は、P/Lの販売費及び一般管理費、またはC/Rの製造経費となります。

研究開発費は、発生時にそのすべてを費用処理します。

設例 1-1 研究開発費

次の取引の仕訳を示しなさい。

(1)　備品10,000円を現金で購入した。なお、この備品は研究開発以外の用途には使用できないものであり、使用後の価値はゼロになる。

(2)　備品70,000円を現金で購入した。なお、この備品は研究開発で使用したあとに他の用途に転用する予定である。

(3)　給料25,000円を現金で支払った。なお、このうちの20％は研究開発部門専属の従業員に対するものである。

解答

(1)	(借)	研究開発費＊02)	10,000	(貸)	現金預金	10,000
(2)	(借)	備品＊03)	70,000	(貸)	現金預金	70,000
(3)	(借)	研究開発費＊04)	5,000	(貸)	現金預金	25,000
		給料	20,000			

＊02)研究開発にしか使えないものを購入した場合には、たとえそれが固定資産(本問では備品)であっても、購入時(発生時)に『研究開発費』として費用処理を行います。

＊03)研究開発以外にも転用可能なものを購入した場合には、通常と同様の方法で処理します。なお、研究開発中に発生した減価償却費は『研究開発費』として計上します。

＊04)研究開発のための費用は、発生時に『研究開発費』として費用処理を行います。

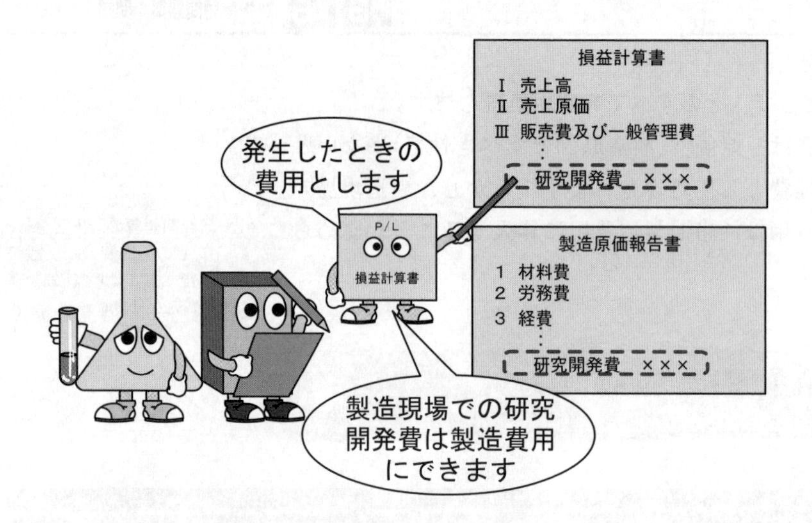

2．発生時に費用処理する根拠

発生時に費用処理する根拠として、「研究開発費等に係る会計基準」では、次のように説明しています。

(1) 研究開発費は、発生時には将来の収益を獲得できるか否か不明であり、また、研究開発計画が進行し、**将来の収益の獲得期待が高まったとしても、依然としてその獲得が確実であるとはいえません。**

(2) 仮に一定の要件を満たすものについて資産計上を強制する処理を採用する場合には、資産計上の要件を定める必要があります。しかし、実務上客観的に判断可能な要件を規定することは困難であり、**抽象的な要件のもとで資産計上を求めることとした場合、企業間の比較可能性が損なわれるおそれがある**と考えられます。

これらの理由により、研究開発費は資産として貸借対照表に計上することは適当でないと判断されており、発生時に費用として処理することとされています。

3 注記事項

一般管理費および当期製造費用に含まれている研究開発費については、その総額[*01)]を注記しなければなりません。

*01）本ChapterのSection 2で学習するソフトウェアに関する研究開発費も含みます。

【注記例】

〈研究開発費の総額に関する注記〉
・一般管理費および当期製造費用に研究開発費10,000千円が含まれている。

Section 2

ソフトウェアの会計処理2

ソフトウェアに分類されるものは、教科書Ⅰ基礎導入編で取り上げた自社利用のソフトウェアのほかにもいろいろありますが、その中でも特に市場販売目的のソフトウェアは重要です。ポイントとなるのはその制作に要した費用の分類と無形固定資産に計上されたソフトウェアの減価償却方法です。この点についてしっかり理解できるようにしましょう。

1 研究開発目的のソフトウェア

研究開発を目的として制作されたソフトウェアの制作費[*01]は、『研究開発費』として**発生時に費用処理**します。

*01）人件費やコンピュータ等の備品の減価償却費も含まれます。

設例 2-1 研究開発目的のソフトウェア

次の研究開発目的のソフトウェア制作原価に関する資料にもとづいて「研究開発費として計上される金額」と「ソフトウェアとして計上される金額」を求めなさい。

	制作原価
給　　　料	80,000円
備品減価償却費	20,000円
その他の経費	30,000円

解答

研究開発費の計上金額： *130,000*[*02] 円	ソフトウェアの計上金額： *0* 円

*02）研究開発目的のソフトウェア制作費は、発生時にその全額が研究開発費として費用処理されます。
研究開発費：80,000円＋20,000円＋30,000円＝130,000円

2 市場販売目的のソフトウェア

薄B 財計C

▶▶薄問題集：問題2
▶▶財問題集：問題3

1．取得時の処理

市場販売目的のソフトウェアは、製品マスター（複写可能な完成品）の制作について支出した額のうち、機能維持のための費用や研究開発費に該当する部分を除き、『ソフトウェア』（無形固定資産）として計上します。

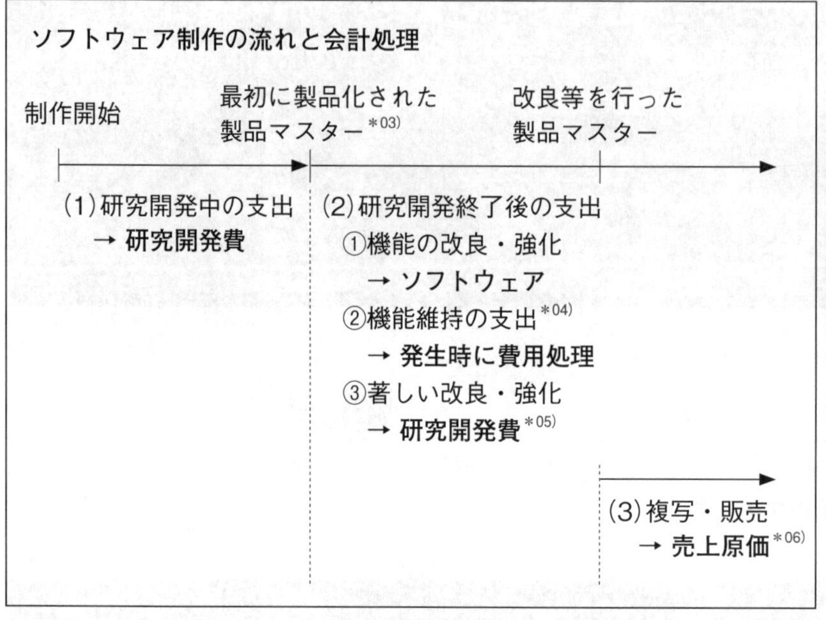

＊03)試作品をイメージしてみてください。なお、この完成が、研究開発の終了時点となります。

＊04)具体的にはバグ取り等プログラムの修正にかかる費用で、『修繕費』などで処理します。

＊05)製品開発や著しい改良は、将来収益に結びつくかどうかが不確実なため、『研究開発費』とします。

＊06)ソフトウェアの複写、包装費用などが該当し、いったん『仕掛品』や『製品』とした後に『売上原価』となります。

設例 2-2　市場販売目的のソフトウェア

次の市場販売目的のソフトウェア制作原価に関する資料にもとづいて、「研究開発費として計上される金額」と「ソフトウェアとして計上される金額」を求めなさい。

	制作原価	研究開発費に該当する割合
給　　　料	80,000円	80%
備品減価償却費	20,000円	30%
その他の経費	30,000円	60%

なお、上記費用のうち、研究開発費に該当しないものについては、すべて無形固定資産として計上できるものである。

解答

研究開発費の計上金額：　*88,000*＊07) 円	ソフトウェアの計上金額：　*42,000*＊08) 円

＊07)研究開発費：80,000円×0.8＋20,000円×0.3＋30,000円×0.6＝88,000円

＊08)ソフトウェア：130,000円（制作原価の合計）－88,000円＝42,000円
（個別に研究開発費に該当しない割合を乗じて合計しても、同じ結果となります）

2．決算時の処理（減価償却）

市場販売目的のソフトウェアの償却額は、次の方法により計算します。なお、**市場販売目的のソフトウェアの有効期間は、原則として3年以内**です。

① **見込販売数量または見込販売収益にもとづく償却額**
② **残存有効期間にもとづく均等償却額**

いずれか **大きい額**

ソフトウェア償却（市場販売目的）

①見込販売数量または見込販売収益にもとづく償却額

$$\text{償却額} = \text{未償却残高} \times \frac{\text{当期の実績販売数量（収益）}}{\text{当期首の見込販売数量（収益）}}$$

②残存有効期間にもとづく均等償却額

$$\text{償却額} = \frac{\text{未償却残高}}{\text{残存有効期間}}$$

⇒①・②のうち、いずれか大きい額が当期償却額となります。

市場販売目的のソフトウェアの償却額を計算するときは、残存有効期間にもとづく均等償却額を考慮する点に注意しましょう。

設例 2-3　市場販売目的ソフトウェアの償却（販売数量）

次の市場販売目的のソフトウェアに関する資料にもとづいて、各年度に計上されるソフトウェア償却の金額を求めなさい。なお、見込販売数量にもとづいて償却を行うものとする。

【資　料】

1　×1年度期首に無形固定資産として計上したソフトウェア制作費は360,000円である。

2　販売開始時における見込販売数量は次のとおりである。

	見込販売数量
×1年度	700個
×2年度	500個
×3年度	600個
合　計	1,800個

3　各年度の実際販売数量は、当初の見込みどおりであった。

解答

×1年度：　*140,000*円	×2年度：　*110,000*円	×3年度：　*110,000*円

解説

(1) ×1年度

①見込販売数量にもとづく償却額：360,000円×$\frac{700個}{700個+500個+600個}$＝140,000円

②残存有効期間にもとづく均等償却額：360,000円÷3年＝120,000円

①＞②　∴140,000円

③未償却残高：360,000円－140,000円＝220,000円

(2) ×2年度

①見込販売数量にもとづく償却額：220,000円×$\frac{500個}{500個+600個}$＝100,000円

②残存有効期間にもとづく均等償却額：220,000円÷2年＝110,000円

①＜②　∴110,000円

③未償却残高：220,000円－110,000円＝110,000円

(3) ×3年度

110,000円（未償却残高のすべてを計上します）

設例 2-4　市場販売目的ソフトウェアの償却（販売収益）

次の市場販売目的のソフトウェアに関する資料にもとづいて、各年度に計上されるソフトウェア償却の金額を求めなさい。なお、見込販売収益にもとづいて償却を行うものとする。

【資　料】

1　×1年度期首に無形固定資産として計上したソフトウェア制作費は360,000円である。

2　販売開始時における見込販売収益は次のとおりである。

	見込販売収益
×1年度	560,000円
×2年度	224,000円
×3年度	216,000円
合　計	1,000,000円

3　各年度の実際販売収益は、当初の見込みどおりであった。

解答

×1年度：　*201,600* 円	×2年度：　*80,640* 円	×3年度：　*77,760* 円

解説

(1) ×1年度

①見込販売収益にもとづく償却額：$360{,}000円 \times \dfrac{560{,}000円}{560{,}000円 + 224{,}000円 + 216{,}000円} = 201{,}600円$

②残存有効期間にもとづく均等償却額：360,000円÷3年＝120,000円

① ＞ ②　∴201,600円

③未償却残高：360,000円－201,600円＝158,400円

(2) ×2年度

①見込販売収益にもとづく償却額：$158{,}400円 \times \dfrac{224{,}000円}{224{,}000円 + 216{,}000円} = 80{,}640円$

②残存有効期間にもとづく均等償却額：158,400円÷2年＝79,200円

① ＞ ②　∴80,640円

③未償却残高：158,400円－80,640円＝77,760円

(3) ×3年度

77,760円（未償却残高のすべてを計上します）

3 表示区分のまとめ

B/S科目	B/S表示箇所	償却・廃棄	P/L科目	P/L表示箇所
ソフトウェア	無形固定資産	定額法	ソフトウェア償却	販売費及び一般管理費（または製造経費）
		廃棄時	ソフトウェア廃棄損	特別損失（問題文の指示に従うこと）

※残存価額をゼロとして減価償却を行う。

4 注記事項

無形固定資産の償却期間および償却方法については、重要な会計方針としての注記が必要です*01)。

*01) 他の無形固定資産と同様です。

また、ソフトウェアに係る研究開発費については、研究開発費の総額に含めて財務諸表に注記します。

【注記例】

〈重要な会計方針に係る事項に関する注記〉

・自社利用のソフトウェアは利用可能期間（5年間）にもとづく定額法により償却している。

5 会計処理のまとめ

(1) 自社利用のソフトウェア制作費

将来の収益獲得または費用削減が	会計処理
確実である	無形固定資産として計上
確実でない	発生時に費用処理

(2) 市場販売目的のソフトウェア制作費

最初に製品化された製品マスター完成以前	研究開発費として計上	
最初に製品化された製品マスター完成後複写可能な完成品の完成までに相当する部分	バグ取りなどの機能維持	発生時の費用（※研究開発費ではない）
	ソフトウェアの改良	無形固定資産として計上
	ソフトウェアの著しい改良	研究開発費として計上

(3) 受注制作のソフトウェア制作費

工事契約の会計処理に準じた会計処理

この Chapter での表示と注記

貸借対照表			
（資産の部）		（負債の部）	
⋮		⋮	
Ⅱ 固定資産			
⋮		（純資産の部）	
2 無形固定資産		⋮	
ソフトウェア	×××		
3 投資その他の資産			
⋮			

損益計算書	
⋮	
Ⅲ 販売費及び一般管理費	
研究開発費	×××
ソフトウェア償却	×××
⋮	
Ⅶ 特別損失	
ソフトウェア廃棄損	×××

【注記例】（一部）

〈重要な会計方針に係る事項に関する注記〉

・自社利用のソフトウェアは利用可能期間（5年間）に基づく定額法により償却している。

〈研究開発費の総額に関する注記〉

・一般管理費及び当期製造費用に研究開発費×××千円が含まれている。

Chapter 10

過年度遡及会計

教科書Ⅰ基礎導入編 有形固定資産のChapterで「会計上の見積りの変更」などについて学習しましたが、そのときには過年度にさかのぼって修正をするような処理は行いませんでした。ところが今回取り上げる「会計方針の変更」や「過去の誤謬」があった場合には、過年度にさかのぼって処理をする（これを遡及処理といいます。）必要が出てきます。

このChapterでは、過年度遡及が必要となる「会計方針の変更」、「表示方法の変更」、「過去の誤謬の訂正」があった場合の会計処理について学習します。

Section 1

会計上の変更・誤謬の訂正

棚卸資産の評価方法を総平均法から先入先出法に変更したとします。これは会計方針の変更に該当するのですが、このような場合、当期の財務諸表だけでなく、過年度の財務諸表の数値についても考慮する必要が出てきます。

このSectionでは、会計方針の変更、表示方法の変更、そして過去の誤謬の訂正があった場合の会計処理を学習します。

1 会計方針の変更（棚卸資産の評価方法の変更）

▶▶財問題集：問題1

いったん採用した棚卸資産の評価方法は、継続性の原則の要請内容から、みだりに変更することはできません。しかし、正当な理由がある場合には、その処理の方法を変更することがあります。

たとえば、棚卸資産の評価方法を総平均法から先入先出法に変更することは会計方針の変更に該当するため、新たな会計方針である先入先出法を遡及適用[*01)]することになります。

*01)上場企業が公表する有価証券報告書には、当期の財務諸表に対する比較情報として、前期の財務諸表も記載します。会計方針の変更にともなう遡及修正は、前期の財務諸表に反映されます。

設例 1-1 総平均法から先入先出法への変更

当期は×3年度である。

問1．次の資料を参照して、会計方針の変更にともなう遡及修正を反映した当期の有価証券報告書における貸借対照表、損益計算書、株主資本等変動計算書(繰越利益剰余金のみ)を示しなさい。(税効果会計を適用しない)

問2．次の資料を参照して、会計方針の変更にともなう遡及修正を反映した当期の有価証券報告書における貸借対照表、損益計算書、株主資本等変動計算書(繰越利益剰余金のみ)を示しなさい。(実効税率30％で税効果会計を適用する)

【資　料】

(1)　当社は当期(×3年度)より、通常の販売目的で保有する棚卸資産の評価方法を総平均法から先入先出法に変更した。なお、先入先出法を過去の会計年度から遡及適用することは可能である。

(2)　前期(×2年度)の商品の増減について、従来の方法である総平均法の場合の金額と、先入先出法を遡及適用した場合の金額、および前期の財務諸表は以下に示すとおりである。

（単位：円）

	前　期 期首残高	前　期 仕入高	前　期 売上原価	前　期 期末残高
総平均法	1,000	3,800	4,200	600
先入先出法を遡及適用した場合	800	3,800	4,100	500

貸借対照表（単位：円）

	×1年度	×2年度
資産の部		
商品	1,000	600
純資産の部		
繰越利益剰余金	10,000	10,700

損益計算書（単位：円）

	×1年度	×2年度
売上高	××	6,000
売上原価	××	4,200
販売費及び一般管理費	××	800
税引前当期純利益	××	1,000
法人税等	××	300
当期純利益	××	700

株主資本等変動計算書（繰越利益剰余金のみ）（単位：円）

	×1年度	×2年度
株主資本		
繰越利益剰余金		
当期首残高	××	10,000
当期変動額		
当期純利益	××	700
当期末残高	10,000	10,700

解答

問1

貸借対照表（単位：円）

	×2年度	×3年度
資産の部		
商品	*500*	××
純資産の部		
繰越利益剰余金	*10,600*	××

損益計算書（単位：円）

	×2年度	×3年度
売上高	*6,000*	××
売上原価	*4,100*	××
販売費及び一般管理費	*800*	××
税引前当期純利益	*1,100*	××
法人税等	*300*	××
当期純利益	*800*	××

株主資本等変動計算書（繰越利益剰余金のみ）（単位：円）

	×2年度	×3年度
株主資本		
繰越利益剰余金		
当期首残高	*10,000*	*10,600*
会計方針の変更による累積的影響額	*△200*	―
遡及処理後当期首残高	*9,800*	*10,600*
当期変動額		
当期純利益	*800*	××
当期末残高	*10,600*	××

解説

×1年度

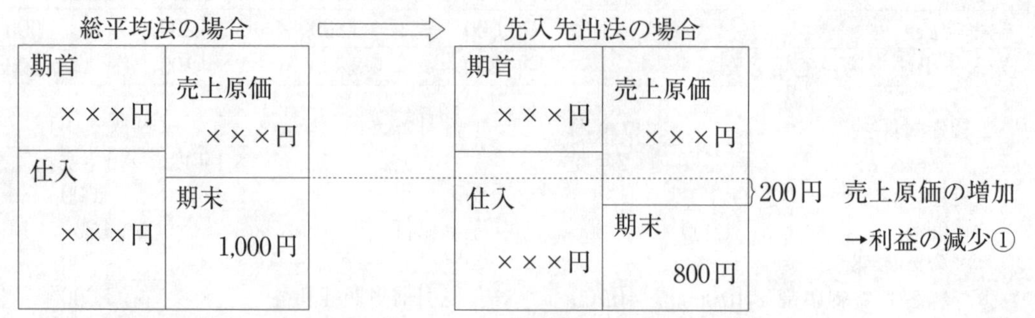

×2年度

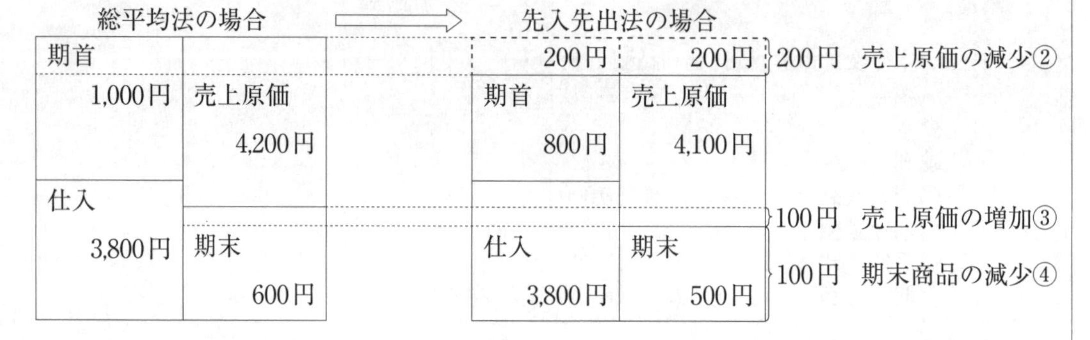

前期（×２年度）首の商品

（借）	繰越利益剰余金 会計方針の変更による累積的影響額	200 ①	（貸）	売　上　原　価	200 ②

前期（×２年度）末の商品

（借）	売　上　原　価	100 ③	（貸）	商　　　　品	100 ④

なお、上記の財務諸表修正の仕訳は、前期の帳簿が締め切られているため、精算表上で行います。

解答

問２

貸借対照表　(単位：円)

	×2年度	×3年度
資産の部		
商品	500	××
繰延税金資産	30	××
純資産の部		
繰越利益剰余金	10,630	××

損益計算書　(単位：円)

	×2年度	×3年度
売上高	6,000	××
売上原価	4,100	××
販売費及び一般管理費	800	××
税引前当期純利益	1,100	××
法人税等	300	××
法人税等調整額	30	××
当期純利益	770	××

株主資本等変動計算書(繰越利益剰余金のみ)　(単位：円)

	×2年度	×3年度
株主資本		
繰越利益剰余金		
当期首残高	10,000	10,630
会計方針の変更による累積的影響額	△140	—
遡及処理後当期首残高	9,860	10,630
当期変動額		
当期純利益	770	××
当期末残高	10,630	××

解説

前期(×2年度)首の商品[*02)]

(借)	繰越利益剰余金 会計方針の変更による累積的影響額	200	(貸)	売上原価	200
(借)	法人税等調整額	60	(貸)	繰越利益剰余金 会計方針の変更による累積的影響額	60

＊02)仕訳を２つに分けて考えると以下のようになります。

(借)	繰越利益剰余金 ×1年度売上原価	200	(貸)	商品	200
(借)	商品	200	(貸)	売上原価	200
(借)	繰延税金資産	60	(貸)	繰越利益剰余金 ×1年度法人税等調整額	60
(借)	法人税等調整額	60	(貸)	繰延税金資産	60

前期(×2年度)末の商品

(借)	売上原価	100	(貸)	商品	100
(借)	繰延税金資産	30	(貸)	法人税等調整額	30

2 表示方法の変更

1．表示方法の変更とは

「表示方法の変更」とは、従来採用していた一般に公正妥当と認められた表示方法から、ほかの一般に公正妥当と認められた表示方法に変更することをいいます。

2．表示方法の取扱い

(1) 表示方法の変更に関する原則的な取扱い

表示方法は次のいずれかの場合を除き、毎期継続して適用します。

① 表示方法を定めた会計基準または法令等の改正により表示方法の変更を行う場合

② 会計事象等を財務諸表により適切に反映するために表示方法の変更を行う場合

(2) 表示方法を変更した場合の取扱い

財務諸表の表示方法を変更した場合には、原則として表示する過去の財務諸表について、新たな表示方法に従い、財務諸表の組替えを行います。

設例 1-2　表示方法の変更

当期(×8年度)より、固定負債の「その他の負債」に含めていた「長期借入金」の金額的重要性が増した。そのため、これを独立掲記する表示方法の変更を行う。

次の【資料】にもとづき、当期の有価証券報告書における貸借対照表(一部)を作成しなさい。

【資　料】

1．前期末の貸借対照表(一部)　(単位：千円)

	×7年度
固定負債	
その他の負債	9,180

2．その他の負債に含まれる長期借入金の額は3,000千円である。

解答

貸借対照表(一部)　(単位：千円)

	×7年度	×8年度
固定負債		
長期借入金	*3,000*	×××
その他の負債	*6,180*＊01)	×××

＊01) 9,180千円－3,000千円＝6,180千円
　　その他の負債　長期借入金

解説

財務諸表の表示方法の変更をした場合は、原則として表示する過去の財務諸表について、新たな表示方法に従い、財務諸表の組替えを行います。よって×7年度については、新たな表示方法に従うことになります。

(借) その他の負債	3,000	(貸) 長期借入金	3,000

3 過去の誤謬の訂正

▶▶財問題集：問題2

1．誤謬とは

誤謬とは、原因となる行為が意図的であるか否かにかかわらず、財務諸表作成時に入手可能な情報を使用しなかったことによる、またはこれを誤用したことによる、次のような誤りをいいます。

① 財務諸表の基礎となるデータの収集または処理上の誤り

② 事実の見落としや誤解から生じる会計上の見積りの誤り

③ 会計方針の適用の誤りまたは表示上の誤り

2．過去の誤謬の取扱い

過去の財務諸表で誤謬が発見された場合は、「修正再表示」を行います[＊01)]。

修正再表示とは、過去の財務諸表の誤謬の訂正を財務諸表に反映することをいい、以下の二つの方法により行われます。

① 表示期間より前の期間に関する修正再表示による累積的影響額は、表示する財務諸表のうち、最も古い期間の期首の資産、負債および純資産の額に反映する。

② 表示する過去の各期間の財務諸表には、当該各期間の影響額を反映する。

＊01）重要性の判断にもとづき修正再表示を行わない場合には、損益計算書の営業外損益として認識する処理が考えられます。

設例 1-3 過去の誤謬の訂正

次の資料に基づいて、当期の有価証券報告書における財務諸表(一部)を作成しなさい。

当社は、当年度の財務諸表を作成する過程において、前会計年度の財務諸表についての、誤謬を発見した。

当該誤謬の内容は以下のとおりである。

前期首に取得した機械装置(取得原価200,000円、耐用年数5年、残存価額ゼロ)について、定額法により減価償却を行っている。しかし、前期財務諸表の当該機械装置に係る減価償却費は36,000円と計上されていることから、当該金額について、修正再表示を行うものとする。

なお、税効果会計については考慮しないものとする。

【資　料】

前期の財務諸表

(単位：円)

損益計算書	前々期	前期
⋮		
減価償却費	×××	36,000
当期純利益	×××	50,000

(単位：円)

貸借対照表	前々期	前期		前々期	前期
資産の部			負債の部		
⋮			⋮		
機械装置	×××	200,000	純資産の部		
減価償却累計額	×××	36,000	⋮		
			繰越利益剰余金	14,000	64,000

(単位：円)

株主資本等変動計算書	前々期	前期
繰越利益剰余金		
当期首残高	×××	14,000
当期変動額		
当期純利益	×××	50,000
当期末残高	×××	64,000

解答

前期財務諸表の修正

前期には以下の仕訳が行われる必要があったことから、以下の仕訳にもとづき前期の財務諸表の修正再表示を行います。

(借) **減価償却費** *4,000* (貸) **減価償却累計額** *4,000*

当期の減価償却費

(借) **減価償却費** *40,000* (貸) **減価償却累計額** *40,000*

当期の財務諸表

(単位:円)

損益計算書	前期	当期
⋮		
減価償却費	40,000	40,000
当期純利益	46,000	×××

(単位:円)

貸借対照表	前期	当期		前期	当期
資産の部			負債の部		
⋮			⋮		
機械装置	200,000	200,000	純資産の部		
減価償却累計額	40,000	80,000	⋮		
			繰越利益剰余金	60,000	×××

(単位:円)

株主資本等変動計算書	前期	当期
繰越利益剰余金		
当期首残高	14,000	60,000
当期変動額		
当期純利益	46,000	×××
当期末残高	60,000	×××

解説

前期の固定資産の減価償却計算に誤りがあることから、修正再表示を行います。そのため、当期の財務諸表の一部として開示される前期の財務諸表の金額を適切に修正した金額で表示する必要があります。

前期の適正な減価償却費:200,000円 $\times \frac{1\text{年}}{5\text{年}}$ = 40,000円

前期の財務諸表の修正額:40,000円 − 36,000円 = 4,000円

当期の減価償却費:200,000円 $\times \frac{1\text{年}}{5\text{年}}$ = 40,000円

Memorandum Sheet

Chapter 11

組織再編

企業再編の中で代表的なものが「合併」です。これまで、有価証券を買ったり、土地付き建物を買ったりとさまざまな取引を学習してきましたが、合併では会社を丸ごと買ってくるのと同じようなものだと考えます。会社を丸ごと買うということは、その会社の持っている資産・負債はもちろんすべて、さらにはその会社のブランドや評判なども自分の会社に取り入れることになります。このような場合には、どのような会計処理が行われるのでしょうか。

このChapterでは、企業結合と事業分離の会計処理について学習します。

Section 1

企業結合の基本的な処理

企業結合は、企業と企業(または事業)が他の企業と一緒になるという一大事ですが、突き詰めて考えてみると、ある企業が持っていた資産(および負債)を他の企業に受け渡しているだけとも言え、そう考えると普段行っている資産の売買の規模を単に大きくしただけとも言えます。企業結合の会計処理を考えるには、その性質を理論的に考える必要があります。

「企業結合」の基本的な処理について、このSectionで学習していきます。

1 企業結合の分類

企業結合とは、**「ある企業またはある企業を構成する事業と他の企業または他の企業を構成する事業とが1つの報告単位に統合されること」**をいいます。

上記の定義の「1つの報告単位に統合される」という観点から、1つの企業となって「1つの個別財務諸表」に統合する**合併**の他、1つの企業グループを形成して「1つの連結財務諸表」に統合する**株式交換**や**株式移転**も企業結合に該当することになります[*01)]。

また、複数の「企業または企業を構成する事業」が1つの報告単位となるということから、ある企業の特定の事業だけを結合する**事業譲受**なども企業結合に該当することになります。

*01) 連結財務諸表に関する規定は「連結財務諸表に関する会計基準」に定められています。詳しくはChapter14連結会計を参照してください。

2 企業結合の会計処理

対価として交付する現金および株式等の時価(公正価値)を、被結合企業から**受け入れる資産および負債の取得原価とする**パーチェス法のポイントは、以下の4つになります。

1. 取得企業の決定方法

パーチェス法を適用するためには、取得企業を決定しなければなりません。

「取得」は**「支配を獲得すること」**と置き換えることができ、この支配という概念は連結会計における支配の概念[*01)]と整合するため、原則として**「連結財務諸表に関する会計基準」の考え方に従って取得企業を決定する**こととされています。

しかし、その考え方で取得企業を明確に決定できない場合には、「企業結合に関する会計基準」の規定により取得企業を決定します。

*01) 連結会計における支配の概念については、Chapter14連結会計を参照してください。

2．被取得企業の取得原価の算定および取得企業の払込資本の算定

取得とされた企業結合での取得原価の算定は、**一般の交換取引（取得取引）での取得原価を算定する考え方によることが整合的**です。つまり企業結合上、被取得企業はモノと考えられ、取得企業はそれを買ったと考えます＊02)。

一般的な交換取引では「支払った財の時価＝受け入れた資産の時価」と考えられています。この考え方を企業結合にも当てはめ、**取得原価**は、対価の支払い形態とは関係なく、**支払いにあてた財（支払対価）の企業結合日における時価**で決まります。

支払対価が現金の場合には**現金支出額**で測定されます。ただし、支払対価が株式の場合には「交付株式の時価」と「受取資産の時価」のうち、より高い信頼性をもって測定可能な時価で測定されます＊03)。

	支払対価：現金	支払対価：株式
被取得企業の取得原価	現金支出額	交付株式の時価

なお、対価のうち株式を交付した部分（払込資本）については、資本金、資本準備金、その他資本剰余金＊04)となります。これらの金額の内訳は、契約にもとづいて決定されます。

＊02)「取得」は「何かを買うこと」と考えることもできます。その「何か」が土地の場合であっても、企業の場合であっても、一貫した理屈があるべきだと考えます。

＊03)交付株式に時価があれば、通常、その時価で測定されます。

＊04)企業結合の場合はその他資本剰余金も増加させることが可能ですので、問題文の指示に従ってください。

3．被取得企業の資産・負債の評価

取得企業は、被取得企業の資産＊05)や負債＊05)を企業結合日時点における時価（公正価値）で受け入れることになります。

＊05)企業結合の会計基準では、受け入れる資産のことを**識別可能資産**、負債のことを**識別可能負債**といいます。

4．のれん・負ののれんの処理

企業結合により、のれんまたは負ののれんが生じることがあります。

被取得企業の取得原価が、受け入れた資産や負債の時価（公正価値）の純額を上回る場合には、その超過額を**「のれん」**といい、反対に下回る場合にはその不足額を**「負ののれん」**といい、それぞれ会計処理が異なります。

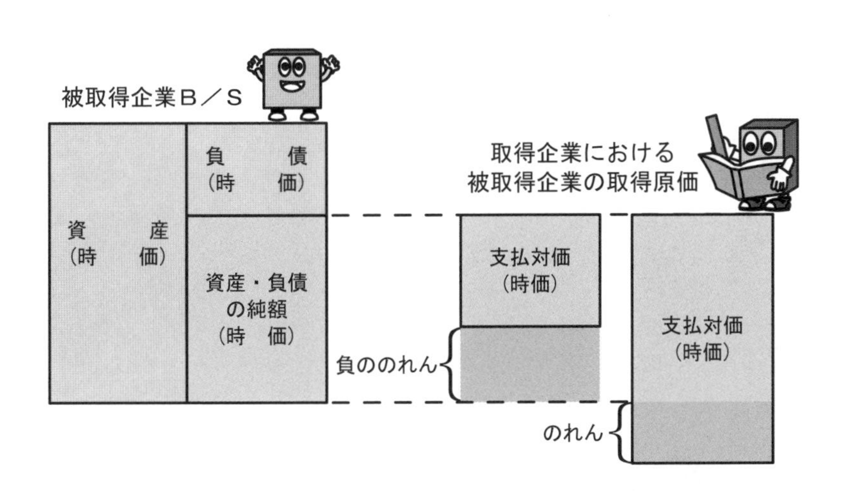

取得原価 > 資産・負債の純額(時価)→『のれん』(資産)を計上
取得原価 < 資産・負債の純額(時価)→『負ののれん発生益』(収益)を計上

(1) のれんが生じる場合の会計処理

企業結合によりのれんが生じた場合には、『**のれん**』として無形固定資産に計上します。

なお、のれんは**20年以内**で**定額法**などにより規則的に償却します。ただし、のれんの金額の重要性が乏しい場合には、資産とせずに発生した期の費用として処理することもできます。

(2) 負ののれんが生じる場合の会計処理

負ののれんについては、その性質にいくつかの考え方があり、それに応じて会計処理も異なります。

現行制度では、負ののれんが生じた場合には以下の処理を求めています。

① すべての認識可能資産・負債が把握されているか、また、それらに対する取得原価の配分が適切に行われているかを見直す。

② ①の見直しを行っても、なお、負ののれんが生じる場合には、当該**負ののれんが生じた事業年度の利益として処理**する。

Section 2

合　併

合併は、企業単位で直接的に「結合」する方法です。合併には吸収合併と新設合併とがありますが、ここでは、吸収合併を中心に学習します。

では合併の意義から見ていきましょう。

1 合併の意義

合併とは、2つ以上の企業が合体して1つの企業になることをいいます。合併により消滅会社の財産は、包括的に存続会社のものとなります。また、消滅会社の株主は、存続会社の株主となります。

2 合併の分類

1．吸収合併

吸収合併とは、合併当事会社のうち一方が解散して消滅し、他方が存続する合併です。この場合、存続する会社を**存続会社**(合併会社)、消滅する会社を**消滅会社**(被合併会社)といいます。

吸収合併

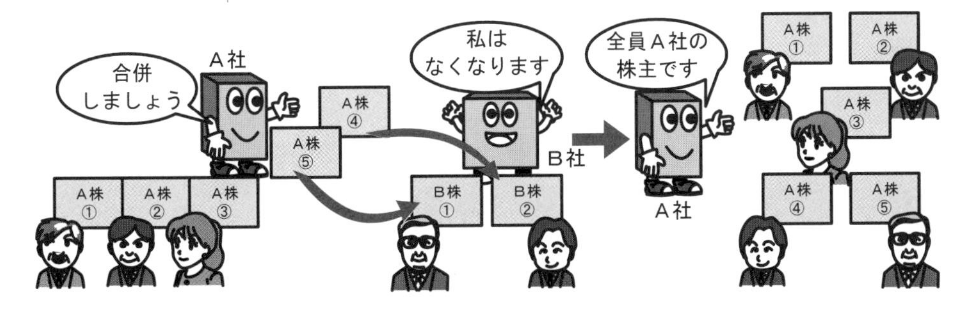

2．新設合併

新設合併とは、合併当事会社がいずれも消滅して、新しい会社を設立する合併です。この場合、新たに設立される会社を**新設会社**(合併会社)、消滅する会社を**消滅会社**(被合併会社)といいます。

新設合併

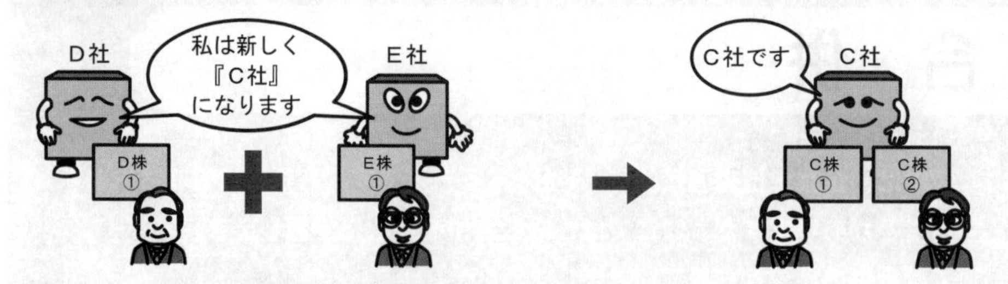

新設合併は吸収合併に比べ手続きが煩雑なため、実務上行われている合併のほとんどは吸収合併です。また、消滅会社の仕訳は必要ありません。そのため、本書では吸収合併における存続会社の仕訳を説明していきます。

3 合併手続の流れ

合併手続は、次の手順で行われます。そのうち、ここでは「合併仕訳」と「合併後貸借対照表の作成」について、学習します*01)。

*01)残りの部分については、Section 4で学習します。

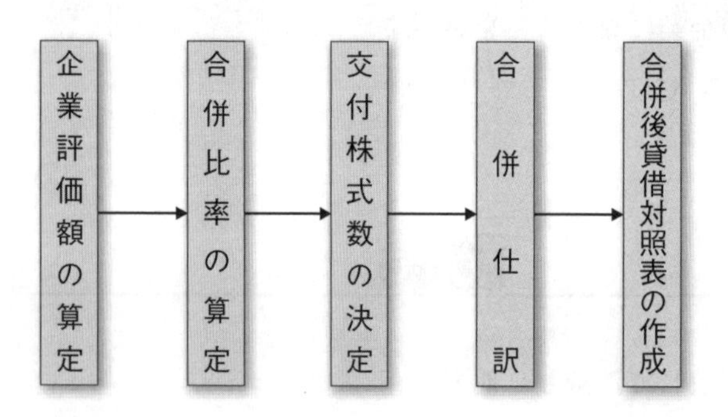

4 吸収合併の会計処理

簿A 財計B

▶▶簿問題集：問題1
▶▶財問題集：問題11

1．合併仕訳

合併にさいして、存続会社(A社とする)はパーチェス法にもとづき、消滅会社(B社とする)の資産・負債を受入処理すると同時に、B社株主に対してA社株式を交付(増資処理)します(**合併仕訳**)。

合併仕訳(A社)

(借) B社諸資産	×××	(貸) B社諸負債	×××
		資本金など	×××

パーチェス法の処理は、①取得原価の算定、②受入資産・負債の評価、③のれんの算定の順に行います。なお、**通常は「取得企業＝存続会社、被取得企業＝消滅会社」**となるため、それを前提に説明していきます。

設例2-1　合併仕訳

A社は×2年3月31日にB社を吸収合併し、B社株主に対してA社株式3,000株を交付した。当該合併における取得企業はA社である。A社株式の×2年3月31日における時価は、1株50円である。払込資本のうち100,000円を資本金とし、残りはその他資本剰余金とする。

以下の資料により、合併仕訳を示しなさい。

貸借対照表

B社　×2年3月31日　(単位：円)

諸資産	200,000	諸負債	70,000
		資本金	130,000
	200,000		200,000

(注)諸資産の時価は210,000円、諸負債の時価は70,000円である。

(借)		(貸)	
諸資産	*210,000*	諸負債	*70,000*
のれん	*10,000*	資本金	*100,000*
		その他資本剰余金	*50,000*

解説

①取得原価の算定

取得原価：@50円×3,000株＝150,000円(払込資本)

資 本 金：100,000円

その他資本剰余金：150,000円(払込資本)－100,000円(資本金)＝50,000円

②受入資産・負債の評価

諸資産：210,000円(時価)

諸負債：　70,000円(時価)

③のれんの算定

150,000円(取得原価)－(210,000円－70,000円)(資産・負債の純額(時価))＝10,000円(のれん)

設例2-2　のれんの償却

次の仕訳を示しなさい。

吸収合併により計上したのれん10,000円を、20年の定額法で償却する。

(借)のれん償却額	500[*01]	(貸)の　れ　ん	500

*01) 10,000円÷20年＝500円

2．合併相殺仕訳

合併仕訳に加え、合併当事会社間において債権債務(売掛金と買掛金、貸付金と借入金など)がある場合、相殺消去します(**合併相殺仕訳**)。

設例2-3　合併相殺仕訳

次の資料にもとづき、合併後貸借対照表を完成させなさい。

A社はB社を吸収合併し、A社株式2,800株(時価@50円)を交付した。当該合併における取得企業はA社である。なお、払込資本は全額を資本金とすること。また、A社の諸資産の中にはB社に対する貸付金5,000円が含まれている。

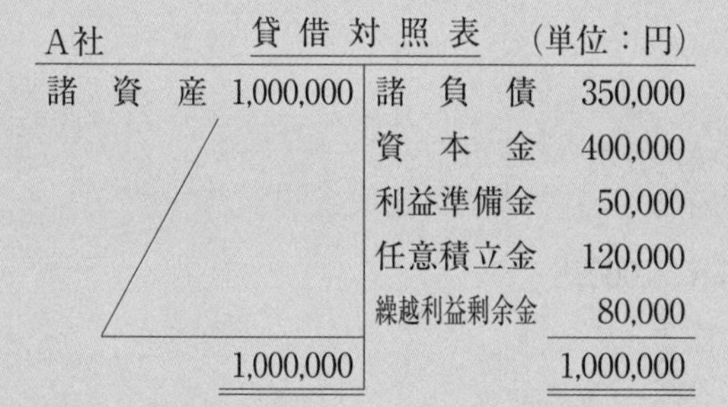

A社　貸借対照表　(単位：円)

諸資産	1,000,000	諸負債	350,000
		資本金	400,000
		利益準備金	50,000
		任意積立金	120,000
		繰越利益剰余金	80,000
	1,000,000		1,000,000

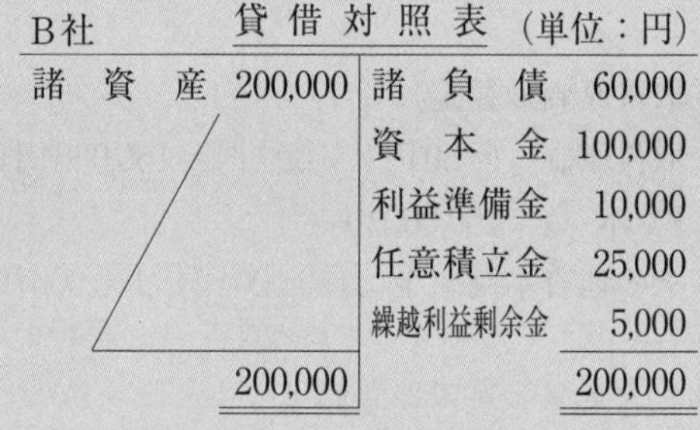

B社　貸借対照表　(単位：円)

諸資産	200,000	諸負債	60,000
		資本金	100,000
		利益準備金	10,000
		任意積立金	25,000
		繰越利益剰余金	5,000
	200,000		200,000

(注)諸資産と諸負債の時価は帳簿価額と一致している。

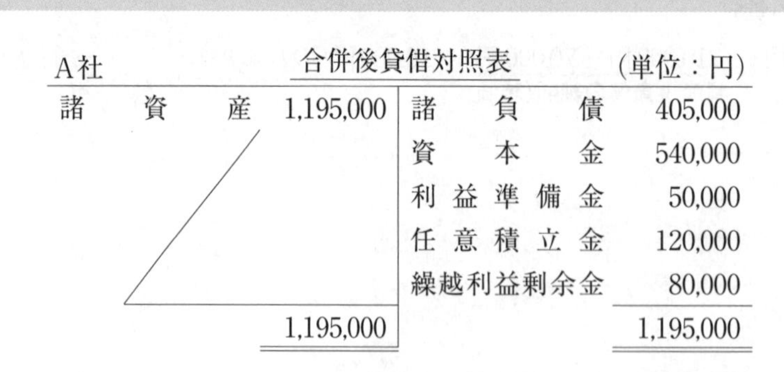

A社　合併後貸借対照表　(単位：円)

諸資産	1,195,000	諸負債	405,000
		資本金	540,000
		利益準備金	50,000
		任意積立金	120,000
		繰越利益剰余金	80,000
	1,195,000		1,195,000

解説

①合併仕訳

(借)	諸資産	200,000	(貸) 諸負債	60,000
			資本金	140,000 *02)

②合併相殺仕訳

(借)	諸負債(借入金)	5,000	(貸) 諸資産(貸付金)	5,000

*02) @50円×2,800株=140,000円

5 自己株式の処分をともなう場合

▶▶簿問題集：問題2

合併にあたり、存続会社は消滅会社株主に対して、新株発行と同時に自己株式を交付することがあります。

このときパーチェス法により、交付株式の時価から自己株式の簿価を控除した額を払込資本とします。また、消滅会社の取得原価は交付する株式(自己株式を含む)の時価なので、交付株式の時価から資産・負債の純額(時価)を引いて、のれんを算定します。

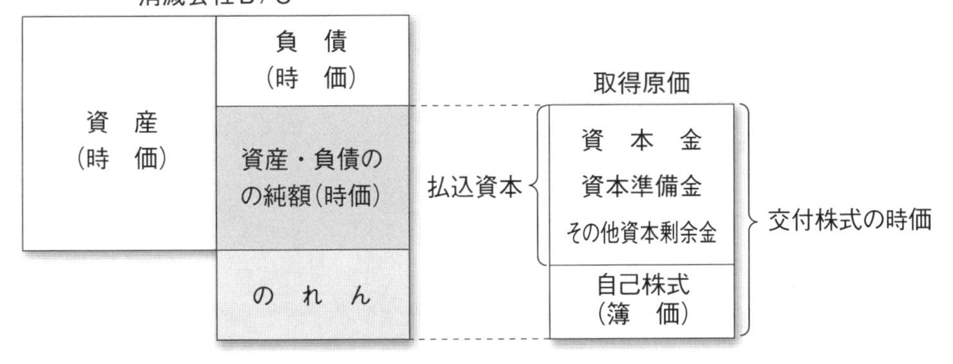

設例2-4 **自己株式の処分**

A社は、以下の財政状態にあるB社を吸収合併することとなった。当該合併における取得企業はA社である。

B社株主に対しA社株式3,000株を交付したが、そのうち100株は自己株式(帳簿価額10,000円)を処分し、残りは新株を発行した。

なお、A社株式の吸収合併日の時価は@50円であり、増加する払込資本のうち50%を資本金とし、残りを資本準備金としている。このときの仕訳を示しなさい。

貸借対照表

B社　×2年3月31日　(単位：円)

諸資産	190,000	諸負債	60,000
		資本金	130,000
	190,000		190,000

(注)諸資産の時価は200,000円、諸負債の時価は60,000円である。

(借)諸資産	200,000	(貸)諸負債	60,000
のれん	10,000	資本金	70,000
		資本準備金	70,000
		自己株式	10,000

解説

①取得原価の算定

取得原価：@50円×3,000株＝150,000円

払込資本：150,000円－10,000円(自己株式)＝140,000円

資本金(資本準備金)：140,000円×0.5＝70,000円

②受入資産・負債の評価

諸資産：200,000円(時価)

諸負債：　60,000円(時価)

③のれんの算定

150,000円(取得原価)－(200,000円－60,000円)(資産・負債の純額(時価))＝10,000円(のれん)

6 抱合株式を保有していた場合(個別財務諸表上の処理)

▶▶簿問題集：問題3

抱合株式とは、合併する以前に存続会社が保有する消滅会社の株式をいいます。

通常、抱合株式には、存続会社の株式を割り当てることができません。したがって、たとえば、A社がB社の発行する株式100株のうち20株を保有していた場合、割り当てられる株式は80株分となります。

個別財務諸表上の処理

存続会社が保有する消滅会社株式の簿価を減少させます。また、存続会社が交付する株式の時価と、存続会社が保有する消滅会社株式(抱合株式)の簿価の合計額を、消滅会社の取得原価とします。

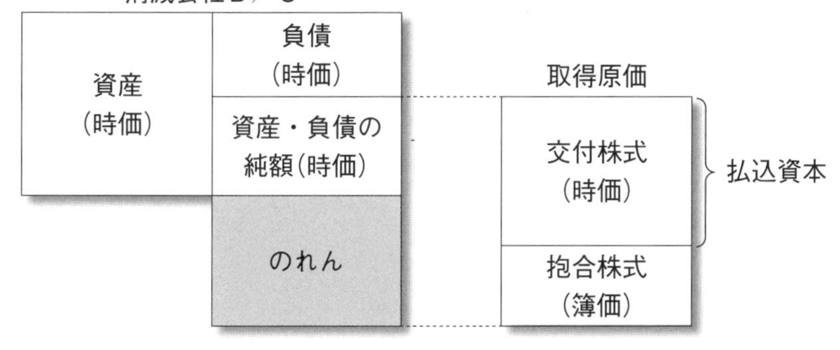

設例2-5　抱合株式の処理

次の資料にもとづいて、合併仕訳を示しなさい。

A社は、以下の財政状態にあるB社を吸収合併することとなった。当該合併における取得企業はA社である。A社はB社株式1,000株を投資有価証券(帳簿価額10,000円)として保有しており、A社を除くB社株主に対してA社株式2,900株を交付した。なお、A社株式の時価は@50円であり、払込資本のうち50%を資本金とし、残額を資本準備金とする。

貸借対照表

B社　×2年3月31日　(単位：円)

諸資産	190,000	諸負債	60,000
		資本金	130,000
	190,000		190,000

(注)諸資産の時価は200,000円、諸負債の時価は60,000円である。

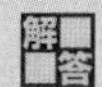

(借)諸資産	200,000	(貸)諸負債	60,000
のれん	15,000	資本金	72,500
		資本準備金	72,500
		投資有価証券	10,000

解説

①取得原価の算定

取得原価：@50円×2,900株＋10,000円＝155,000円

払込資本：@50円×2,900株＝145,000円

資本金(資本準備金)：145,000円×0.5＝72,500円

②受入資産・負債の評価

諸資産：200,000円(時価)

諸負債：　60,000円(時価)

③のれんの算定

155,000円－(200,000円－60,000円)＝15,000円(のれん)

取得原価　　資産・負債の純額(時価)

Section 3

事業分離

いままで事業の"拡大"となる企業結合を学習してきました。しかし、"拡大"するばかりが組織再編ではありません。不採算事業を売却するなど、事業の一部を切り放す「事業分離」も組織再編です。

本Sectionではこのような事業の"縮小"となる事業分離について学習します。

1 事業分離

事業分離とは、ある**企業を構成する事業を他の企業に移転する**ことで、具体的には、事業譲渡や会社分割等が該当します。事業分離も企業が行う組織再編行為の一種ですから、同じ組織再編行為である企業結合の会計処理と同じ考え方にそった会計処理が望ましいと考えられます。

事業の成果をとらえるさい、「投資の継続」または「投資の清算」という見方でみることができ*01)、「事業分離等に関する会計基準」ではこの概念にもとづいて事業分離を考えることとしています。

*01) 事業を継続して儲けるか、事業を売却して儲けるかというイメージです。

2 会社分割

会社分割とは、会社の事業の全部または一部を、他の会社に移転させる手続きのことです。このとき、事業を移転させる会社を**分割会社**(分離元企業)といい、移転された事業を受け入れる会社を**承継会社**(分離先企業)といいます。

会社分割は、以下の2つの基準によって分類されます。

(1)承継会社が既存か新設かによる分類

移転先である承継会社が既存の会社である場合を「**吸収分割**」、新設された会社である場合を「**新設分割**」といいます。

吸収分割

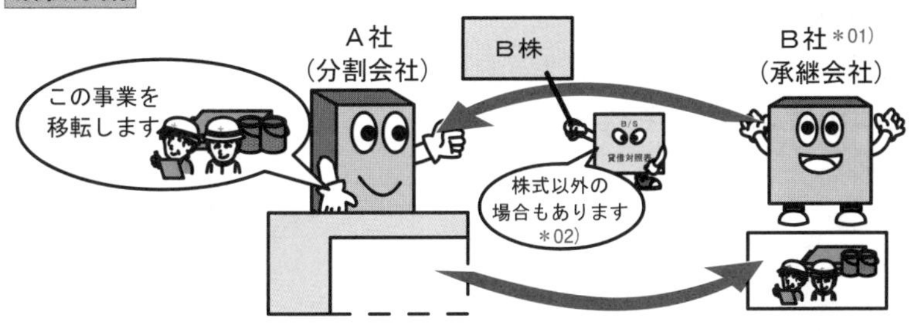

*01) A社(分割会社)にとっては事業分離ですが、B社(承継会社)にとっては企業結合でもある点に注目しましょう。

*02) 吸収分割の対価には、承継会社の株式以外に、現金等の財産となる場合があります。詳しくはこのあと説明していきます。

新設分割

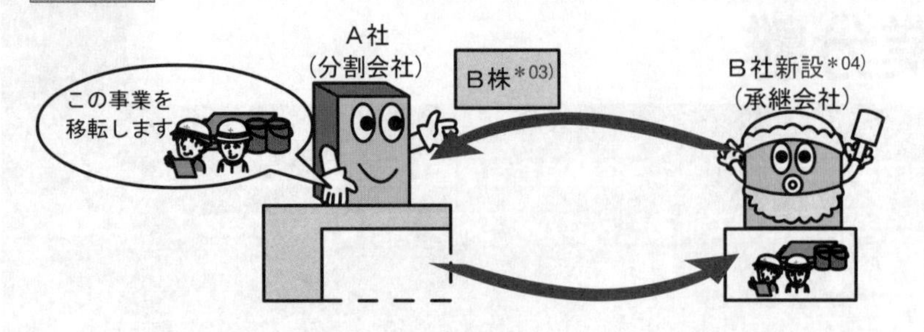

*03)新設会社では資金が乏しいため、新設分割の対価として、基本的には株式が交付されます。

*04)新設分割には、分割した事業の単独で新設する場合と、他の企業から分割された事業と共同して新設される場合があります。

(2)承継会社の交付株式の割当てによる分類

承継会社が交付する株式を、**分割会社**に割り当てる場合を「**分社型分割**」、**分割会社の株主**に割り当てる場合を「**分割型分割**」[*05)]といいます。

*05)以前は、分社型と分割型の両方を会社分割として認めていましたが、会社法においては、分社型のみを会社分割として定めています。

これらのうち、本書では「**分社型吸収分割**」の処理について説明します。

3 分割会社(分離元企業)側の会計処理

▶▶簿問題集:問題7

分離元企業では、事業分離によって、移転する事業にかかる資産・負債が減少するとともに、分離先企業から対価を受け取ります。移転により減少する資産・負債の減少額は、移転直前の**簿価**ですが、**対価として受け取る資産の取得原価をいくらにするか**という問題が生じます。

事業分離の対価として受け取る資産の取得原価は、分離元企業にとって移転した事業に対する投資が継続しているとみるのか、それとも清算されたとみるのかによって異なります。

この投資の継続・清算は、**事業分離の対価として受け取る資産にもとづき、事業分離後も移転した事業に対して継続的に関与するか否かで判断します**[*01)]。

*01)事業分離については、さまざまなパターンが考えられ、それをすべて網羅しようとすると大変なので、本書では基本的な考え方に的を絞って解説していきます。

1. 投資の清算

(1)投資の清算がなされたと考える場合

分離元企業が対価として受け取る資産が現金など、**移転した事業と明らかに異なる資産を受け取った場合**、従来から企業がその事業に負っていた成果の変動性から免れることになるため、**投資の清算がなされた**[*02)]と考えます。また、対価が株式であっても、分離先企業に影響力等を行使できない場合(分離先企業が子会社にも関連会社にもならないケース)も**投資の清算がなされた**とみなされます[*03)]。

いったん投資が清算されたと考えるため、移転により対価として受け取る(新たに取得する)資産は**時価**で計上します。

*02)自己所有の有価証券を固定資産と交換した場合と考え方が同じなので、会計処理も同じ考え方になります。

*03)したがって、たとえ株式を対価として受け取っても、支配力も影響力も行使できない「その他有価証券」になる場合、投資が清算されたと考えます。

(2) 会計処理

現金等の対価の額と、移転した事業にかかる**株主資本相当額**[*04]との差額を、『**事業移転損益**』(特別損益)として処理します。

*04) 移転した事業にかかる資産および負債の移転直前の適正な帳簿価額による差額から、移転した事業にかかる評価・換算差額等および新株予約権を控除した額をいいます。

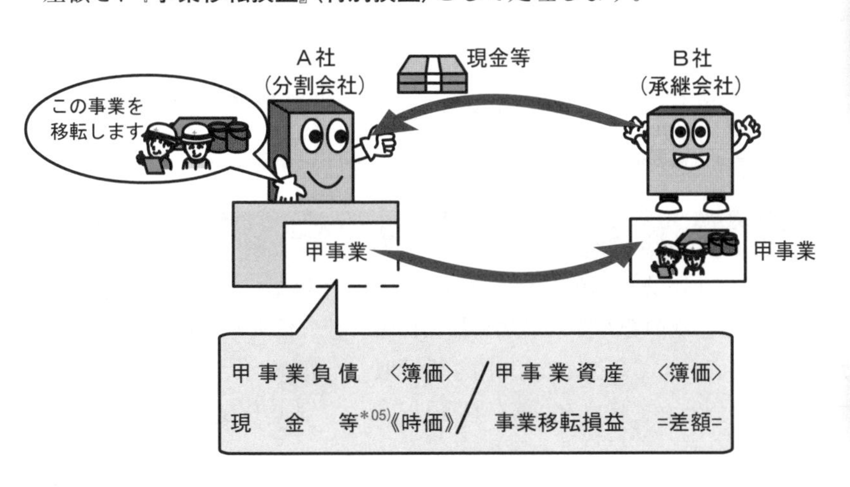

*05) 受け取った現金等の財産は、原則として「時価」で計上します。

2．投資の継続

(1) 投資の継続がされていると考える場合

分離元企業が対価として受け取る資産が**子会社株式や関連会社株式である場合**には、その株式を通じて移転した事業と引き続き関係を有することになるため、**投資の継続がされている**[*06]とみなされます。**対価が株式で、かつ、分離先企業が子会社や関連会社であるケース**がこれに該当します。

*06) 同一種類かつ同一用途の固定資産同士の交換取引と考え方が同じなので、会計処理も同じ考え方になります。

(2) 会計処理

対価として取得する株式(子会社株式または関連会社株式)の取得原価は移転した事業にかかる株主資本相当額とし、**事業移転損益は計上しません**。

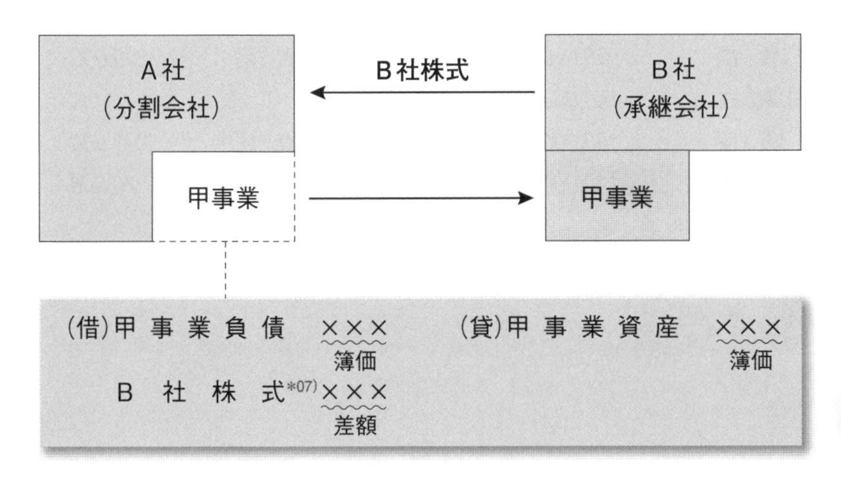

*07) 移転した事業の株主資本相当額で計上します。

●まとめ

移転した事業の対価	承継会社	投資の清算・継続	会計処理
現金・その他有価証券等 (時価で計上)	子会社・関連会社にならない	投資の清算	事業移転損益を計上する
子会社・関連会社株式 (移転事業の株主資本相当額で計上)	子会社・関連会社になる	投資の継続	事業移転損益を計上しない

設例3-1　分割会社の会計処理

A社は×1年3月31日にB社に甲事業を移転した。A社における甲事業の帳簿価額は以下のA社の貸借対照表のとおりである。次のそれぞれの場合におけるA社の仕訳を示しなさい。

(1)　A社が移転した事業の対価として現金170,000円を受け取った場合

(2)　A社が移転した事業の対価として株式500株を取得し、これによりB社が子会社となった場合

(3)　A社が移転した事業の対価として株式500株を取得したが、これによりB社が子会社または関連会社にならない場合

A社貸借対照表　(単位：円)

甲事業資産	200,000	甲事業負債	50,000
その他の資産	500,000	その他の負債	100,000
		資本金	550,000
	700,000		700,000

(注)甲事業資産の時価は210,000円であり、甲事業負債の時価は帳簿価額と一致している。
また、B社株式の時価は1株あたり340円とする。

(1)	(借)甲事業負債	50,000	(貸)甲事業資産	200,000
	現金預金	170,000	事業移転損益	20,000*08)
(2)	(借)甲事業負債	50,000	(貸)甲事業資産	200,000
	関係会社株式	150,000*09)		
(3)	(借)甲事業負債	50,000	(貸)甲事業資産	200,000
	投資有価証券	170,000*10)	事業移転損益	20,000

*08) 170,000円−(200,000円−50,000円)=20,000円

*09) 貸借差額

*10) @340円×500株=170,000円

4 承継会社（分離先企業）側の会計処理

簿B 財計C ▶▶簿問題集：問題8

承継会社(分離先企業)側から見れば、企業結合の一形態であり、通常は合併と同じく**パーチェス法**により処理します。

設例3-2 承継会社の会計処理

A社は×1年3月31日にB社に甲事業を移転し、B社株式500株を取得した。A社における甲事業の帳簿価額は以下のA社の貸借対照表のとおりである。この取引はB社が取得企業とされた。

以下の資料によりB社の仕訳を示しなさい。なお、増加する払込資本のうち50%を資本金とし、残額を資本準備金とする。

A社貸借対照表 (単位：円)

借方	金額	貸方	金額
甲事業資産	200,000	甲事業負債	50,000
その他の資産	500,000	その他の負債	100,000
		資本金	550,000
	700,000		700,000

(注)甲事業資産の時価は210,000円であり、甲事業負債の時価は帳簿価額と一致している。また、B社株式の時価は1株あたり340円とする。

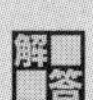

(借)	金額	(貸)	金額
甲事業資産	210,000	甲事業負債	50,000
のれん	10,000 *02)	資本金	85,000 *01)
		資本準備金	85,000

*01) @340円×500株×0.5=85,000円

*02) @340円×500株−(210,000円−50,000円)=10,000円

Section 4

交付株式数の決定

企業が株式を発行しているといっても、１株あたりの価値は発行する会社によってまったく異なります。合併を行うにあたり、そのときの状況によって「いったい何株交付すればよいのか？」を決定することになります。

それでは交付株式数の決定について見ていきましょう。

1 交付株式数決定の手順

ここでは、合併を中心に見ていきます。

合併では、存続会社が消滅会社の株主に対して株式等を交付します。この交付する株式数は以下の手順により決定します。

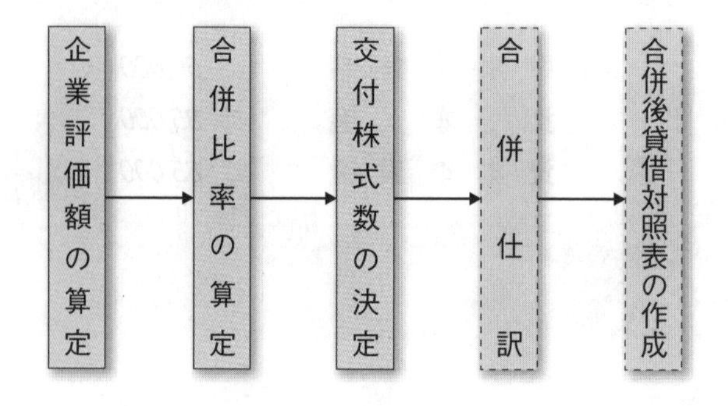

2 企業評価額

▶▶簿問題集：問題５

企業評価額とは、企業の**全体としての経済価値を示すもの**で、その測定には純財産を基礎にしたものから、収益力にもとづいたものなどさまざまな方法があります。

(1) 純資産額法
(2) 純財産額法
(3) 収益還元価値法
(4) 株式市価法
(5) 折衷法（せっちゅうほう）

1．純資産額法(帳簿価額法)

純資産額法とは、簿価を基礎とした純資産額で企業を評価する方法です。

企業評価額 ＝ 総資産(簿価) － 総負債(簿価)
純資産

貸借対照表

資産（簿価）	負債（簿価）
	純資産（企業評価額）

設例4-1 純資産額法

A・B両社の合併直前の貸借対照表にもとづいて、企業評価額を「純資産額法」によって計算しなさい。

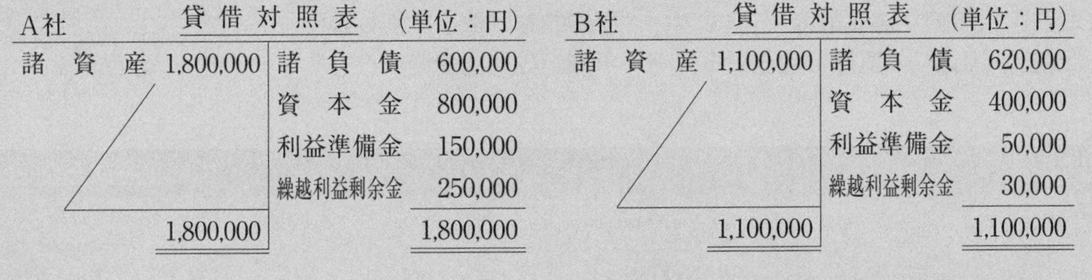

A社 貸借対照表 (単位：円)

諸資産	1,800,000	諸負債	600,000
		資本金	800,000
		利益準備金	150,000
		繰越利益剰余金	250,000
	1,800,000		1,800,000

B社 貸借対照表 (単位：円)

諸資産	1,100,000	諸負債	620,000
		資本金	400,000
		利益準備金	50,000
		繰越利益剰余金	30,000
	1,100,000		1,100,000

解答 A社 *1,200,000* 円*01) B社 *480,000* 円*02)

*01) 1,800,000円 － 600,000円＝1,200,000円
*02) 1,100,000円－ 620,000円＝480,000円

2．純財産額法(時価純資産法)

純財産額法とは、合併当事会社の資産および負債を**時価(再調達原価)に評価替え**を行い、正味の財産額(純財産額)で企業を評価する方法です。

企業評価額 ＝ 総資産(時価) － 総負債(時価)
純財産

貸借対照表

資産（時価）	負債（時価）
	純財産（企業評価額）

3．収益還元価値法

収益還元価値法とは、過去数年間の平均利益を資本還元率で割った金額(収益還元価値)で企業を評価する方法です。

①自己資本利益率を用いる方法

企業評価額 ＝（自己資本[*03)]× 自己資本利益率）÷ 資本還元率[*04)]
（自己資本×自己資本利益率＝平均利益）

*03) 自己資本＝株主資本＋評価・換算差額等

*04) 同種企業において自己資本(純資産額)1円あたりどれだけの利益をあげているかを表したものであり、次の計算式で求めます。
資本還元率＝$\frac{\text{同種企業の平均利益}}{\text{同種企業の平均自己資本}}$
ただし、その数値は通常、問題で与えられます。

②総資本利益率を用いる方法

企業評価額 ＝（総資本[*05)]× 総資本利益率）÷ 資本還元率
（総資本×総資本利益率＝平均利益）

*05) 総資本額を計算するときは、貸倒引当金、減価償却累計額を控除することに注意しましょう。
受取手形は、割引手形や裏書手形の未決済額を控除した金額を用います。

収益還元価値とは、同種企業が平均利益を獲得するために必要とする自己資本の額を表します。つまり、平均利益から逆算して、あるべき自己資本の額を算定することになります。

収益還元価値 > 実際の自己資本 → 平均的な同種企業より優良
収益還元価値 < 実際の自己資本 → 平均的な同種企業より劣る

設例4-2　収益還元価値法

A・B両社の企業評価額を「収益還元価値法」によって計算しなさい。

	A社	B社
自己資本額	1,200,000円	480,000円
自己資本利益率	15%	12%
資本還元率	10%	10%

解答

A社　*1,800,000* 円[*06)]　B社　*576,000* 円[*07)]

*06) 1,200,000円×0.15÷0.1＝1,800,000円
*07) 480,000円×0.12÷0.1＝576,000円

4．株式市価法

株式市価法とは、株式市場における平均株価で企業を評価する方法です。

企業評価額（株式市価）＝ 平均株価 × 発行済株式総数

5．折衷法(平均法)

折衷法は上記のいずれかの方法によって算定した企業評価額のうち、2つの企業評価額の平均値[*08)]で企業を評価する方法です。

*08) どの方法の折衷によるかは問題文で指示されます。

$$企業評価額 = \frac{2つの方法による企業評価額の合計}{2}$$

設例4-3　折衷法

A・B両社の合併直前の貸借対照表にもとづいて、企業評価額を「折衷法」によって計算しなさい。

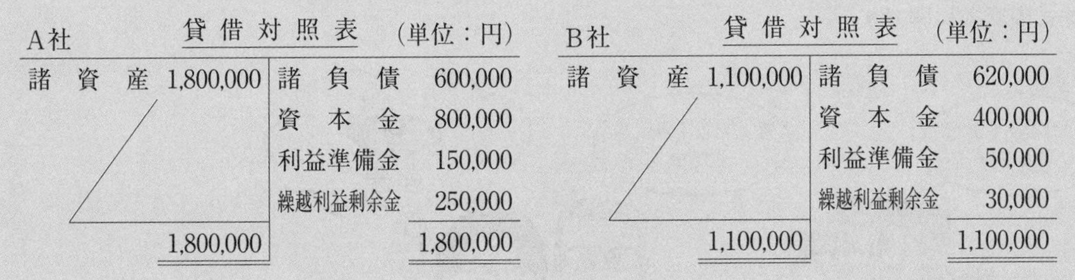

A社　貸借対照表　(単位：円)

借方	金額	貸方	金額
諸資産	1,800,000	諸負債	600,000
		資本金	800,000
		利益準備金	150,000
		繰越利益剰余金	250,000
	1,800,000		1,800,000

B社　貸借対照表　(単位：円)

借方	金額	貸方	金額
諸資産	1,100,000	諸負債	620,000
		資本金	400,000
		利益準備金	50,000
		繰越利益剰余金	30,000
	1,100,000		1,100,000

1　折衷法は純資産額法と収益還元価値法の平均による。

2　自己資本利益率はA社が15%、B社が12%である。

3　資本還元率は両社ともに10%である。

A社　*1,500,000* 円　　B社　*528,000* 円

解説

純資産額法による企業評価額

A社　1,800,000円 − 600,000円 = 1,200,000円

B社　1,100,000円 − 620,000円 = 480,000円

収益還元価値法による企業評価額

A社　(1,800,000円 − 600,000円) × 0.15 ÷ 0.1 = 1,800,000円

B社　(1,100,000円 − 620,000円) × 0.12 ÷ 0.1 = 576,000円

折衷法による企業評価額：上記で求めた数値を平均する。

A社　(1,200,000円 + 1,800,000円) ÷ 2 = 1,500,000円

B社　(480,000円 + 576,000円) ÷ 2 = 528,000円

3 合併比率の決定

合併比率とは、消滅会社の株式１株に対して存続会社の株式を何株交付すべきかという割当比率をいいます。つまり、**消滅会社株式と存続会社株式の交換比率**です。

合併比率は合併当事会社の、１株あたり企業評価額の割合として算定します。

$$\text{合併比率}=\frac{\left(\text{消滅会社の企業評価額}\right)\div\left(\text{消滅会社の発行済株式総数}\right)}{\left(\text{存続会社の企業評価額}\right)\div\left(\text{存続会社の発行済株式総数}\right)}=\frac{\left(\text{消滅会社の1株当たりの企業評価額}\right)}{\left(\text{存続会社の1株当たりの企業評価額}\right)}=\frac{X}{1}$$

設例4-4 合併比率の計算

Ａ社はＢ社を吸収合併することになった。以下の資料にもとづいて、合併比率を求めなさい。

	企業評価額	発行済株式総数
Ａ社	1,050,000円	800株
Ｂ社	378,000円	400株

解答

Ａ社：Ｂ社＝ *1：0.72* ＊01)

＊01) $\text{合併比率}=\frac{378{,}000\text{円}\div400\text{株}}{1{,}050{,}000\text{円}\div800\text{株}}=0.72$

4 交付株式数の決定

簿C 財計C

▶▶簿問題集：問題 4,6

消滅会社の株主に交付する株式の数は、消滅会社の発行済株式総数に合併比率を掛けて計算します。

交付株式数*01) ＝ 消滅会社の発行済株式総数 × 合併比率

*01) 交付株式数に端数が出た場合には、通常、株式は発行せず、合併交付金として現金等を支払って処理します。

設例4-5 交付株式数の決定

設例4-4により、交付株式数を求めなさい。

288 株*02)

*02) 400株×0.72＝288株

Section 5

株式交換

近年、企業規模の拡大や競争力強化を目指して、企業買収の動きが活発化しています。しかし、企業買収には、次のような問題点があります。

①多額の資金を必要とする。

②被買収会社の株主が必ずしも買収に応じるとは限らない。

上記の問題点を解消し、容易に100％子会社をつくる手法として、株式交換や株式移転がありますが、このSectionでは株式交換について取り上げていきます。

1 株式交換

簿B 財計B ▶▶簿問題集：問題9,10

1．株式交換の意義

株式交換とは、**既存の株式会社同士が完全親会社**（A社とする）[*01]**と完全子会社**（B社とする）[*02]**となるための手法**です。株式交換によって「株式交換の効力発生日」にA社が、B社株主が保有するB社株式と交換にA社株式を引き渡すことにより、A社はB社の発行済株式を100％持つこととなり、B社を完全子会社にすることができます。なお、旧B社株主は、新たにA社株主となります。

＊01）完全親会社とは、他の会社の発行済株式（議決権のない株式を含む）100％を保有する会社のことです。

＊02）完全子会社とは、他の会社に発行済株式（議決権のない株式を含む）100％を保有されている会社のことです。

STEP 1 A社は、B社を完全子会社にしたい（B社も了承）と思っています。

STEP 2 B社株主が保有しているB社株式が「株式交換の効力発生日」にA社に移り、旧B社株主はA社から、新たにA社株式の引渡しを受けます。

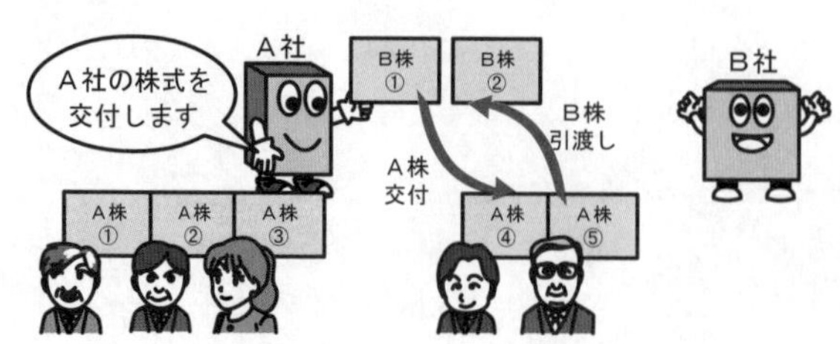

STEP 3　旧B社株主は新A社株主となり、B社はA社の完全子会社となります。

2．株式交換の会計処理

株式交換にさいして、完全親会社（A社とする）は完全子会社（B社とする）の株式を「取得」*03) し、B社株主に対してA社株式を交付（増資処理）するため、パーチェス法にもとづき処理します。パーチェス法によるため、B社株式の取得原価は、支払対価として交付するA社株式の時価となります。

一方、増加する払込資本は、資本金、資本準備金、その他資本剰余金となり、株式交換契約にもとづいて決定されます。

株式交換仕訳（A社*04)）

（借）関係会社株式 B社株式	×××	（貸）資本金など	×××

子会社株式の取得原価*05) ＝完全親会社株式の時価 × 交付株式数
（払込資本）

*03) なお、通常は「取得企業＝完全親会社、被取得企業＝完全子会社」となるため、このことを前提に説明していきます。

*04) 株式交換において直接的に取引するのはA社と旧B社株主です。したがって、A社の会計処理のみが問題となり、B社の会計処理は必要ありません。

*05) 合併と異なり、株式交換の会計処理は、実質的に①取得原価（払込資本）の算定のみです。これにもとづき②受入資産（子会社株式）が評価されるため、差額としての③のれんは生じません。

設例5-1　　株式交換

次の資料にもとづいて、株式交換時の仕訳を示しなさい。

A社は×2年3月31日にB社と株式交換を行い、B社株主に対してA社株式を3,000株交付した。当該株式交換における取得企業はA社である。A社株式の時価は@50円である。なお、払込資本の全額を資本金とすること。

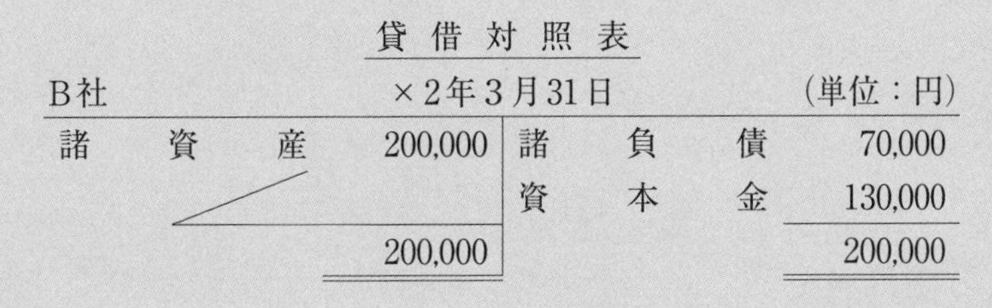

貸借対照表

B社　　×2年3月31日　　（単位：円）

諸資産	200,000	諸負債	70,000
		資本金	130,000
	200,000		200,000

解答

（借）関係会社株式	*150,000**06)	（貸）資本金	*150,000*

*06) @50円×3,000株＝150,000円

〈自己株式の処分〉

パーチェス法では、子会社株式の取得原価(交付する株式の時価)から自己株式の帳簿価額を控除した額を払込資本(資本金、資本準備金、その他資本剰余金)とします。

払込資本 ＝ 子会社株式の取得原価 － 自己株式（簿価）

例　　株式交換（自己株式の処分）

次の資料にもとづいて、株式交換時の仕訳を示しなさい。

A社は×2年3月31日にB社と株式交換を行い、B社株主に対しA社株式を5,000株交付した。当該株式交換における取得企業はA社である。A社株式の時価は@50円であり、交付した5,000株のうち1,000株は自己株式(簿価20,000円)の処分により行われる。なお、払込資本の全額を資本金とすること。

貸借対照表

B社　　×2年3月31日　　(単位：円)

借方	金額	貸方	金額
諸資産	200,000	諸負債	70,000
		資本金	130,000
	200,000		200,000

(借)	**関係会社株式**	*250,000*	(貸) **資本金**	*230,000*
			自己株式	*20,000*

解説

①取得原価：@50円×5,000株＝250,000円

②払込資本：250,000円－20,000円(自己株式)＝230,000円

Section 6

のれんの減損処理

無形固定資産であるのれんについては、減損が生じていれば減損会計の適用対象となります。その処理方法は教科書Ⅱ基礎完成編のChapter 5「減損会計」の所で学習した共用資産の減損処理と基本的には同様となります。

このSectionでは、のれんの減損処理について学習します。

1 のれんがある場合の処理

貸借対照表にのれんがある場合は、のれんについても減損が生じているかを検討し、減損会計を適用しなければなりません。

のれんの減損処理は、それ自体は独立したキャッシュ・フローを生まないことから、基本的に共用資産の減損処理と同じです[*01]。ただ、のれんが複数の事業にまたがって生じた場合には、(1)のれんの帳簿価額を事業部ごとに分けてから、(2)減損の処理を行います。

なお、のれんの帳簿価額の分割は、のれんが認識された取引において取得された事業の取得時における時価の比率にもとづいて行う方法、その他合理的な方法によります。

＊01)のれんに減損損失を配分した場合、のれんの帳簿価額はゼロまで切り下げることができます。これに対し、共用資産の帳簿価額は正味売却価額までしか切り下げることができません。
ここが、減損処理におけるのれんと共用資産の大きく異なる点です。

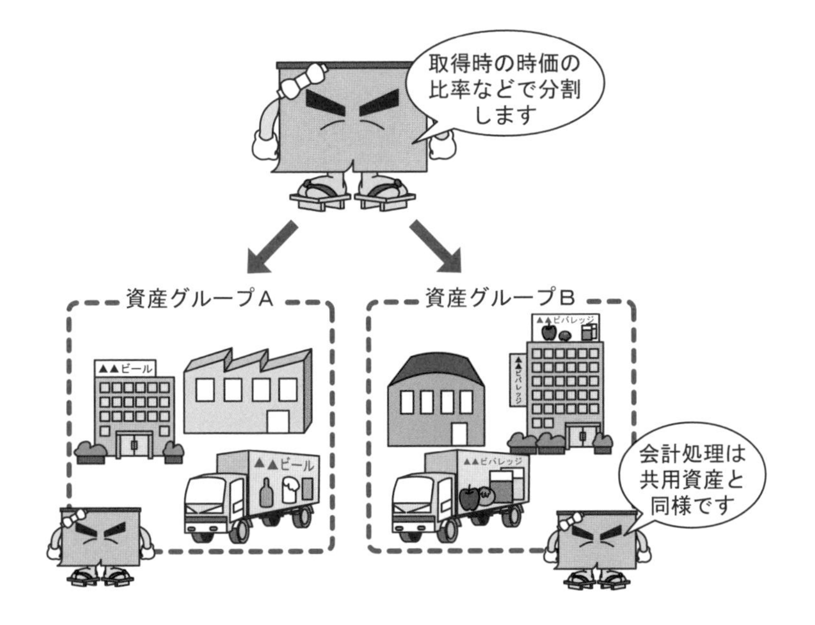

2 のれんの帳簿価額の分割

のれんの帳簿価額を各事業部の時価などを基準にして分けます。

設例6-1 減損会計・のれん帳簿価額の分割

次の資料にもとづき、A事業資産に帰属するのれんの金額を算定しなさい。なお、当社では各事業資産の時価を基準にのれんを分割しており、のれんの未償却残高が125円ある。また、A事業資産の時価は8,000円、B事業資産の時価は2,000円である。

A事業資産に帰属するのれんの金額 *100*＊01) 円

＊01) $125円\times\frac{8,000円}{8,000円+2,000円}=100円$

3 のれんを含む場合の減損の処理

▶▶簿問題集：問題12

のれんを含む場合の減損の処理は原則として、まず、①**のれんを含まない場合**について STEP 1 減損の兆候の把握、STEP 2 減損損失の認識の判定、STEP 3 減損損失の測定を行い、次に②**のれんを含む「より大きな単位」**について STEP 1 ～ STEP 3 を行います。

そして、のれんを含むことによって増加した減損損失は、原則としてのれんに配分します＊01)。

なお、のれんについても共用資産同様、帳簿価額を各資産に配分する方法も認められています。

＊01) 優先的に配分し、のれんの減損額として処理することをいいます。

のれんを含む「より大きな単位」の減損の会計処理

① のれんを含まずに、STEP 1 ～ STEP 3 を行う
② のれんを含む「より大きな単位」で STEP 1 ～ STEP 3 を行う
③ 増加した減損損失は原則としてのれんに配分する
④ のれんに配分しきれなかった減損損失は各資産または資産グループに配分する

設例 6-2　減損会計・のれん

次の資料にもとづき、必要な仕訳を示しなさい。

当社では期中に買収したA事業に関連して取得した次の資産について減損の兆候が存在する。減損処理は、のれんを含む「より大きな単位」で行うこととする。

	土　地	建　物	のれん	合　計
帳簿価額	1,500円	500円	100円	2,100円
減損の兆候	あり	なし	あり	あり
割引前将来キャッシュ・フロー	1,470円	不明	不明	2,050円
回収可能価額	1,450円	不明	不明	1,950円

解答

(借)	減損損失	150	(貸) 土地	50
			のれん	100

解説

		土　地	建　物	のれん	「より大きな単位」での合計
	帳簿価額	1,500円	500円	100円	2,100円
STEP 1	減損の兆候	あり	なし	あり	あり
	割引前将来キャッシュ・フロー	1,470円	不明	不明	2,050円
STEP 2	減損損失の認識の判定	する	—	—	する
	回収可能価額	1,450円	不明	不明	1,950円
STEP 3	減損損失の測定	50円			150円
	増加した減損損失				100円
	増加した減損損失配分額			100円	

※数字を算定する手順は赤矢印の順序です。

このChapterでの表示と注記

貸借対照表			
（資産の部）		（負債の部）	
⋮		⋮	
Ⅱ　固定資産			
⋮		（純資産の部）	
2　無形固定資産			
の　れ　ん	××*01)	⋮	

＊01）減損損失と償却額を直接控除

損益計算書	
⋮	
Ⅵ　特別利益	
負ののれん発生益	××
事業移転利益	××
Ⅶ　特別損失	
減損損失	××
事業移転損失	××

Chapter 12

リース会計Ⅱ

リース会計は主に教科書Ⅱ基礎完成編で取り上げましたが、まだ取り上げていなかった重要な取引として「セール・アンド・リースバック取引」というものがあります。所有していた固定資産をいったん売却し、その資産を借りるという意味なのですが、固定資産はそのまま手許に残るので、そのまま使用し続けることができます。

このChapterでは、セール・アンド・リースバック取引の会計処理について学習します。

Section 1

セール・アンド・リースバック取引

まとまったお金が必要になったとき、持っているもの（資産）を売ってお金を手に入れるという方法があります。ただ、もしも売れる資産が営業にどうしても必要な資産しかなかったら…。でも、売った資産をリースで借りてしまえば、まとまったお金も手に入って、資産は手許に残るので営業に使い続けることもできます。これが、セール・アンド・リースバック取引です。企業の意図は、「固定資産を売ること」よりも、「お金を手に入れること」にあるのがポイントです。

1 セール・アンド・リースバック取引とは

1. セール・アンド・リースバック取引の概要

セール・アンド・リースバック取引とは、所有する固定資産を売却すると同時に、リース契約を締結し、売り手が買い手にリース料を支払って、その固定資産を借りるという取引をいいます。

2. セール・アンド・リースバック取引の特徴

セール・アンド・リースバック取引により、借手は固定資産を使い続けながら(金銭の移動のみで、実際は物件の移動をともないません)、固定資産の売却により資金調達が可能となります。

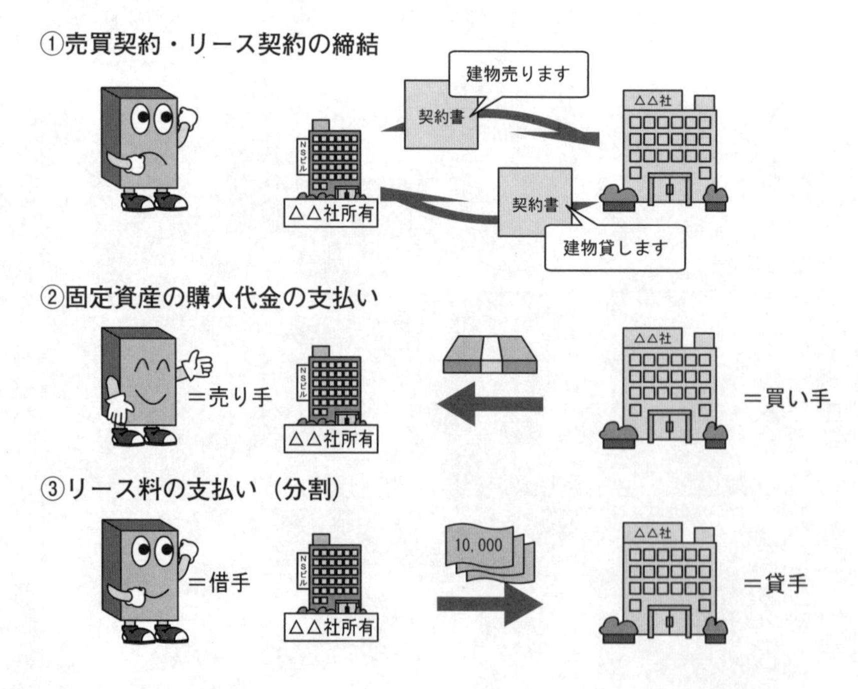

2 セール・アンド・リースバック取引の会計処理（借手側）  ▶▶簿問題集：問題1

1．固定資産売却時の仕訳

セール・アンド・リースバック取引がファイナンス・リース取引に該当する場合、固定資産の売却により生じる固定資産売却損益はただちに損益計上せず、『長期前受収益』または『長期前払費用』として、一時的に繰延べ処理します。

(1)売却益が生じる場合

(借)		(貸)	
減価償却累計額	×××	建物など	×××
現金預金	×××	長期前受収益*01)	×××

(2)売却損が生じる場合

(借)		(貸)	
減価償却累計額	×××	建物など	×××
現金預金	×××		
長期前払費用*01)	×××		

*01)経過勘定のうち、前払費用のみ一年基準の適用を受けることはすでに学習しています。しかし、ここで登場する長期前受収益や長期前払費用は純粋な経過勘定ではなく、一時的な仮の勘定と考えてください。

2．リースバック時の仕訳

(借)		(貸)	
リース資産	×××	リース債務	×××

なお、リース資産とリース債務の計上額は、次のように決定します*02)。

	リース資産とリース債務の計上額
所有権移転ファイナンス・リース取引	貸手の購入価額*03) （借手の実際売却価額）
所有権移転外ファイナンス・リース取引	・貸手の購入価額（借手の実際売却価額） ・リース料総額の割引現在価値 いずれか**低い額**

*02)オペレーティング・リース取引の場合の出題可能性は低いので、ここでは省略します。

*03)貸手の購入価額は、借手の実際売却価額のことなので、必ず貸手の購入価額は判明します。

3．リース料支払時の仕訳

各期のリース料支払額を、利息相当額(利息分)とリース債務の返済額とに区別して処理します*04)。

(借)		(貸)	
リース債務	×××	現金預金	×××
支払利息	×××		

*04)通常のファイナンス・リース取引と同様です。

4．決算時の仕訳

通常のファイナンス・リース取引と同様に、減価償却を行います。

ただし、リース資産の残存価額は、固定資産売却前と同じ金額として計算します。さらに、減価償却費の計上額は、長期前受収益または長期前払費用をリース資産の減価償却費の割合で配分した額を加減して計上します。

なお、損益計算書の表示は、長期前受収益償却（長期前払費用償却）と減価償却費を相殺します[*05]。

＊05）長期前受収益償却（長期前払費用償却）と減価償却費の相殺は、問題の指示により後T/Bなどでも行うことがあります。

(1) 売却益が生じた場合

長期前受収益の配分額を減価償却費から減算します。

（借）	減価償却費	×××	（貸）	リース資産減価償却累計額	×××
（借）	長期前受収益	×××	（貸）	長期前受収益償却	×××

(2) 売却損が生じた場合

長期前払費用の配分額を減価償却費に加算します。

（借）	減価償却費	×××	（貸）	リース資産減価償却累計額	×××
（借）	長期前払費用償却	×××	（貸）	長期前払費用	×××

このChapterでの表示と注記

貸借対照表

（資産の部）			（負債の部）	
⋮			Ⅰ 流動負債	
Ⅱ 固定資産			リース債務	××
1 有形固定資産			Ⅱ 固定負債	
リース資産	××		長期リース債務	××
減価償却累計額	××	××	（純資産の部）	
			⋮	

損益計算書

⋮	
Ⅲ 販売費及び一般管理費	
減価償却費	××
支払リース料	××
⋮	
Ⅴ 営業外費用	
支払利息	××

【注記例】（一部）

〈リースにより使用する固定資産に関する注記〉

	1年以内	1年超	合計
未経過リース料	××	××	××

〈重要な会計方針に係る事項に関する注記〉

リース資産の減価償却方法は、リース期間を耐用年数とし、残存価額をゼロとした定額法によっている（所有権移転外の場合）。

自己所有の固定資産に適用する減価償却方法と同一の方法を適用する（所有権移転の場合）。

Chapter 13

純資産会計Ⅱ

「純資産会計」は教科書Ⅱ基礎完成編で学習しましたが、そこで出てきた新株予約権は今回取り上げるストック・オプションとして利用される場合があります。

また、会社は株主に対し配当などを行いますが、その配当は無制限に行うことができるのでしょうか。財源がなければ配当を行うことはできないはずです。

このChapterでは、「ストック・オプション」、「株式の無償交付」の会計処理と、「分配可能額」の計算方法について学習します。

Section 1

ストック・オプション

労働の対価は、何もお金だけに限った話ではありません。仮に、会社からあなたに対して新株予約権で支払われたらどうなるでしょうか？　新株予約権は一定の額でその会社の株式を買える権利ですから、株価が高ければ高いほど得をします。会社の業績が良ければ株価は上がる → 会社の業績はあなたのがんばり次第…よくできた報酬のあり方です。

このSectionでは、ストック・オプションの会計処理について学習します。

1 ストック・オプションとは

ストック・オプション[*01)]とは、会社が**従業員等**[*02)]**に対する報酬（労働の対価）**として、自社の新株予約権を与えることをいいます。

新株予約権を行使すると、従業員等は一定の金額で株式を購入できます。もし、会社の業績が上がり株式の時価が高くなれば、低い金額で株式を購入し、市場で高く売ることができます。この株式の購入金額と売却額の差益が従業員等にとって報酬となるため、ストック・オプションは、従業員等のモチベーションを上げる手段として用いられます。

＊01）ストックは株という意味、オプションは権利（選択権）という意味です。

＊02）従業員のほか、役員等も含まれます。

2 ストック・オプションに関する用語 簿B 財計B

ストック・オプションに関する用語を説明します。

付　与　日：従業員等にストック・オプションが付与される日をいいます。付与された時点では、まだストック・オプションを行使する権利はありません[*01)]。

権利確定日：「一定期間以上会社に勤める（勤務条件）」や「会社の業績が一定のレベルに達する（業績条件）」などの条件を満たすことで、**ストック・オプションを行使する権利が確定する日**をいいます。

対象勤務期間：付与日から権利確定日までの期間をいいます。

＊01）権利確定日よりも前に退職した場合、ストック・オプションは無効になります。

<ストック・オプションの用語と期間>

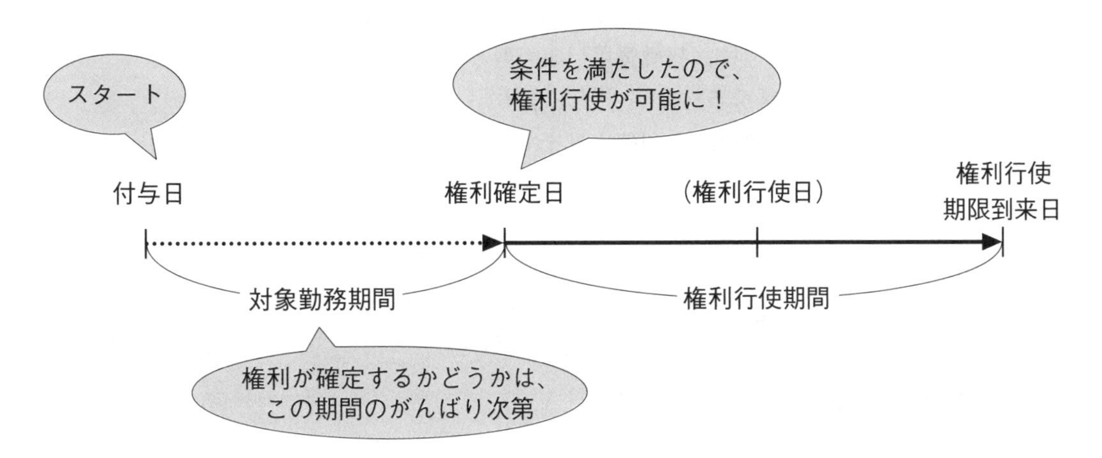

3 会計処理

簿B 財計B ▶▶簿問題集：問題1 ▶▶財問題集：問題2,3

ストック・オプションにかかる費用は、対象勤務期間にわたって配分します。つまり、**権利確定日以前の会計処理が問題**になります。なお、権利確定日後の権利行使時や権利行使期限到来時の会計処理は通常の新株予約権の処理と同様です。

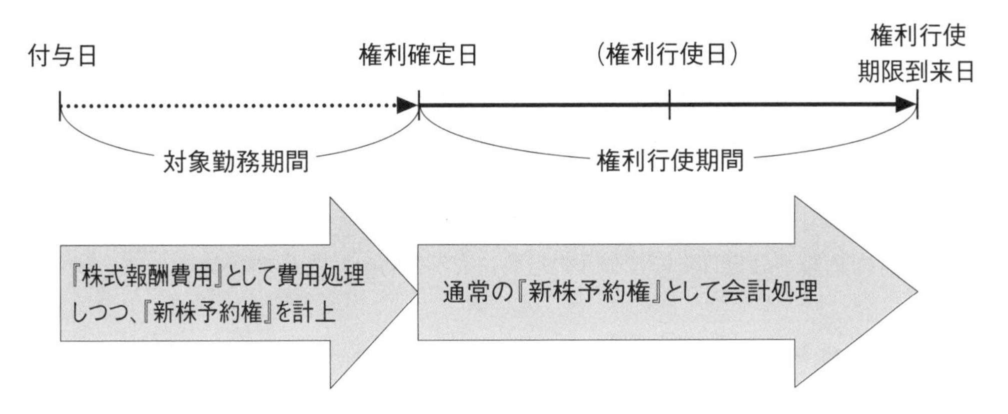

1．付与日の会計処理

付与日の処理は、特にありません。

2．権利確定日以前の会計処理(決算時１回目)

ストック・オプションは、従業員等の労働に対する報酬の意味があります。したがって、決算時には**『株式報酬費用』**(販売費及び一般管理費)として費用計上するとともに**『新株予約権』**を計上します。

なお、ストック・オプション数は、権利確定日までの見積失効数(退職などによる権利失効見積数)を除いて計算します。

費用計上額の計算式

株式報酬費用 ＝ 公正な評価額 × $\dfrac{\text{付与日から当期末までの期間(月数)}}{\text{対象勤務期間(月数)}}$

公正な評価額 ＝ 公正な評価単価×ストック・オプション数＊01)

＊01)「(対象人数－見積退職者数等)×１人あたりのストック・オプション数」で計算します。

設例 1-1　　株式報酬費用の算定１

次の資料にもとづいて、決算日におけるストック・オプションにかかる仕訳を示しなさい。なお、当期は×2年３月31日を決算日とする１年間である。

【資　料】

1　当社は従業員50人に対して、ストック・オプションを付与することを決議し、×1年７月１日に付与した。
2　ストック・オプション数は従業員１人あたり10個(合計500個)である。なお、付与日における公正な評価単価は20円である。
3　権利行使により与えられる株式数は、ストック・オプション１個につき１株である。
4　ストック・オプションの権利確定日は×3年６月30日、権利行使期間は×3年７月１日から×5年６月30日までである。
5　ストック・オプションの権利行使価額は１株あたり200円である。
6　付与日において、権利確定日までに３人の退職による失効を見込んでいる。

解答

(借) 株式報酬費用	3,525	(貸) 新株予約権	3,525

解説

退職等による失効見込も考慮して計算をします。

株式報酬費用：{@20円×(50人－３人)×10個} × $\dfrac{9\text{カ月}}{24\text{カ月}}$ ＝ 3,525円

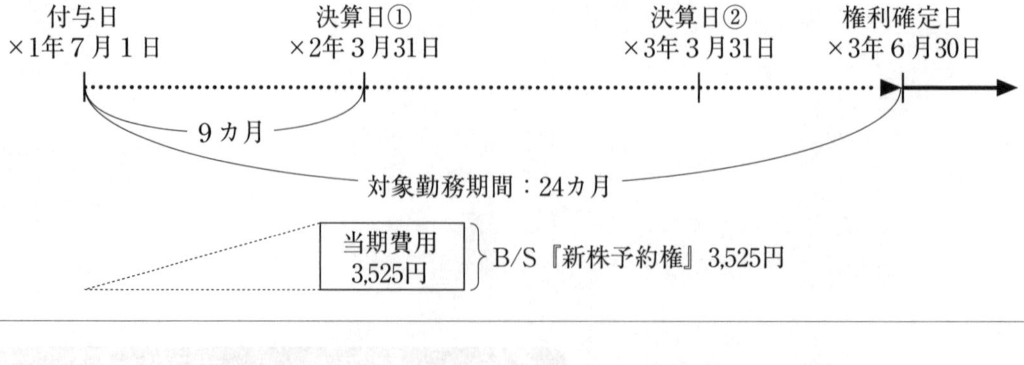

付与日 ×1年７月１日
決算日① ×2年３月31日
決算日② ×3年３月31日
権利確定日 ×3年６月30日

9カ月
対象勤務期間：24カ月

当期費用 3,525円 ｝B/S『新株予約権』3,525円

3．権利確定日以前の会計処理(決算時2回目以降)

2回目以降の費用計上額は、①付与日から当期末までの株式報酬費用をいったん計算し、その金額から②前期までに計上した株式報酬費用を差し引いて計算します。なお、権利確定日までに退職者数の見積りが変更するなど、ストック・オプション数が変わることがあります[*02]。この場合は、変更後のストック・オプション数によって、株式報酬費用を計上します。

*02) ストック・オプション数が変化すれば、公正な評価額も変化します。

費用計上額の計算式

株式報酬費用 ＝

$$\text{公正な評価額} \times \frac{\text{付与日から当期末までの期間(月数)}}{\text{対象勤務期間(月数)}} - \text{過年度計上額}$$

設例 1-2　株式報酬費用の算定2

設例1-1の資料にもとづいて、×3年3月31日の決算日におけるストック・オプションにかかる仕訳を示しなさい。なお、当期において権利確定日までの退職による失効見込に変更はない(前期末までの株式報酬費用も**設例1-1**により考慮すること)。

解答

(借)	株式報酬費用	4,700	(貸)	新株予約権	4,700

解説

付与日から当期末までの株式報酬費用を計算し、その後に既計上額を控除します。

株式報酬費用：$\{@20円 \times (50人 - 3人) \times 10個\} \times \frac{21カ月}{24カ月} - 3,525円 = 4,700円$

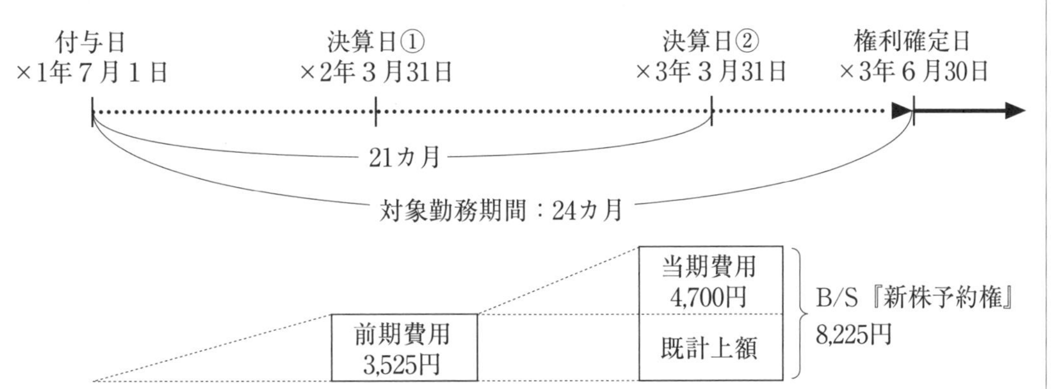

4．権利確定日の会計処理

権利確定時に実際の失効人数が判明するため、実際失効人数にもとづくストック・オプション数によって株式報酬費用を算定します*03)。

*03) 実際の発生額から、既計上額を控除したものが、権利確定日に計上される株式報酬費用となります。
なお、権利確定日の処理は、当該日が帰属する決算で処理することもあります。

設例 1-3　株式報酬費用の算定３

設例 1-1 の資料にもとづいて、×３年６月30日の権利確定日におけるストック・オプションにかかる仕訳を示しなさい。なお、退職等による実際の失効人数は４人であった（前期末までの株式報酬費用も**設例 1-1、1-2** により考慮すること）。

（借）株式報酬費用	*975*	（貸）新株予約権	*975*

解説

権利確定日における実際の人数にあわせて計算を行い、そのあとに既計上額を控除します。

株式報酬費用：{@20円×（50人－４人）×10個}－（3,525円＋4,700円）＝975円

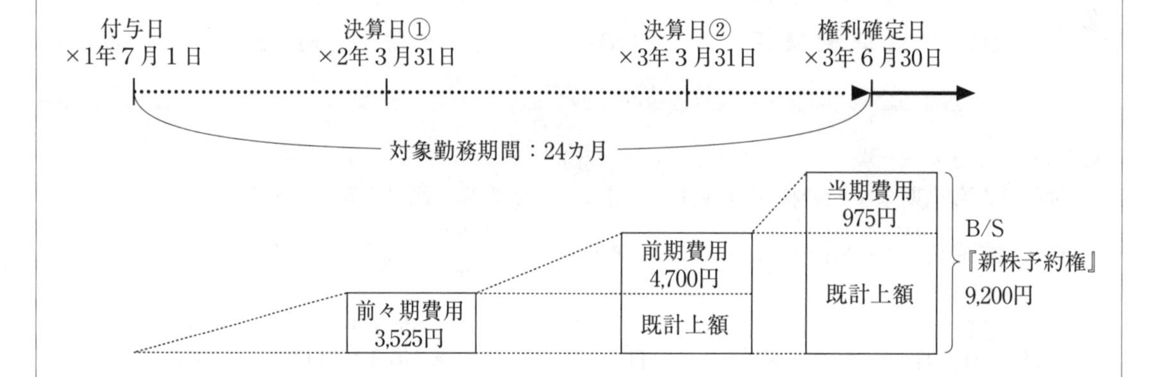

5．権利確定日後の会計処理

権利確定日後は、通常の新株予約権の権利行使と同様の処理をします。

設例 1-4　　権利確定日後の処理

設例 1-1 から **設例 1-3** にもとづいて、次の取引の仕訳を示しなさい。

(1)　×4年4月1日、従業員等40人が権利行使（1人あたり10個）し、当社は現金による払込みを受けた。なお、権利行使により発行する株式については、全額を資本金に計上する。

(2)　×5年6月30日、従業員等6人につき、権利行使しないまま権利行使期限が到来した。

解答

(1)	(借) 現金預金	80,000	(貸) 資本金	88,000
	新株予約権	8,000		
(2)	(借) 新株予約権	1,200	(貸) 新株予約権戻入益	1,200

解説

権利確定日後における処理は、通常の新株予約権と同様の処理を行います。

(1) 権利行使された時

権利行使による払込金額：@200円×40人×10個＝80,000円
新株予約権振替額：@20円×40人×10個＝8,000円
} 新株の払込金額：88,000円

(2) 権利行使期限到来時

新株予約権戻入益：@20円×6人×10個＝1,200円

Section 2

株式の無償交付（株式引受権）

2019年の会社法改正により、証券取引所に上場している会社の取締役等に対する報酬として、金銭の払込みがなく（無償で）株式を交付（新株の発行または自己株式の処分）する取引が認められるようになりました。

株式の無償交付には、権利が確定する前に株式を交付する「事前交付型」と、権利が確定した後に株式を交付する「事後交付型」がありますが、本書では「事後交付型」について学習します。「事後交付型」の場合の会計処理は、Section 1で取り上げたストック・オプションに類似した内容となります。

1 株式の無償交付

「取締役の報酬等として株式を無償交付する取引」とは、会社法第202条の2に基づいて、取締役等の報酬等として金銭の払込み等を要しないで株式の発行等をする取引をいいます。

2 事前交付型と事後交付型

株式の無償交付には、権利が確定する前に株式を交付する**事前交付型**と、権利が確定した後に株式を交付する**事後交付型**があります。

1．事前交付型

「事前交付型」とは、取締役の報酬等として株式を無償交付する取引のうち、対象勤務期間の開始後速やかに、契約上の譲渡制限が付された株式の発行等*01)が行われ、権利確定条件が達成された場合には譲渡制限が解除されるが、権利確定条件が達成されない場合には企業が無償で株式を取得*02)する取引をいいます。

*01) よって、取締役等はこの時点ではまだ株式の譲渡はできません。

*02) この場合、企業が無償で株式を取得することを「没収」といいます。

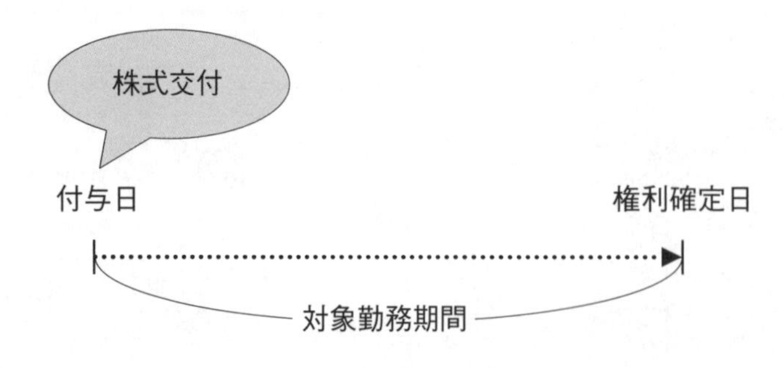

2．事後交付型

「事後交付型」とは、取締役の報酬等として株式を無償交付する取引のうち、契約上、株式の発行等について権利確定条件が付されており、権利確定条件が達成された場合に株式の発行等が行われる取引[*03)]をいいます。

＊03) ストック・オプションとは異なり、権利が確定すれば(権利行使を受けるまでもなく)株式を割り当てることになります。

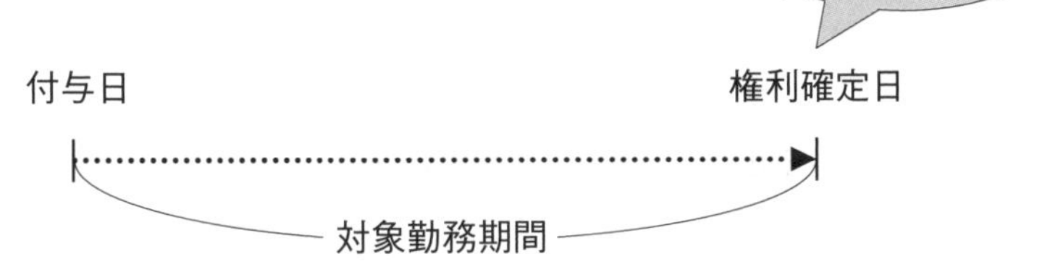

3 事後交付型の会計処理

▶▶簿問題集：問題4

事後交付型の会計処理のうち、権利確定日以前の会計処理についてはストック・オプションの会計処理とほぼ同様です。

1．付与日の会計処理

付与日の処理は、特にありません。

2．権利確定日以前の会計処理

ストック・オプションと同様、決算時に『**報酬費用**[*01)]』(販売費及び一般管理費)として費用計上します。なお、貸借対照表には『**株式引受権**』として計上されます。

＊01) ストック・オプションと同様に「株式報酬費用」とすることも考えられます。

(1) 決算時1回目

費用計上額の計算式

$$\text{報酬費用} = \boxed{\text{公正な評価額}} \times \frac{\text{付与日から当期末までの期間(月数)}}{\text{対象勤務期間(月数)}}$$

↑

公正な評価単価×株式数[*02)]

＊02) 「(対象人数－見積退任者数等)×1人あたりの株式数」で計算します。

(2) 決算時2回目以降

費用計上額の計算式

$$\text{報酬費用} = \text{公正な評価額} \times \frac{\text{付与日から当期末までの期間(月数)}}{\text{対象勤務期間(月数)}} - \text{過年度計上額}$$

11 組織再編
12 リース会計Ⅱ
13 純資産会計Ⅱ
14 連結会計
15 キャッシュ・フロー会計
16 デリバティブ
17 帳簿組織
18 伝票会計

3．権利確定日の会計処理

ストック・オプションと同様、権利確定時に実際の失効人数が判明するため、実際失効人数にもとづく株式数によって報酬費用を算定します。

4．株式割当日の会計処理

(1) 新株を発行した場合

株式引受権として計上した額を資本金または資本準備金に振り替えます。

(2) 自己株式を処分した場合

自己株式の帳簿価額と株式引受権の帳簿価額との差額（自己株式処分差額）をその他資本剰余金とします。

設例 2-1　　**事後交付型の会計処理**

次の資料にもとづいて、(1)～(5)の日付のそれぞれの仕訳を示しなさい。なお、決算日は年1回3月末日とする。

【資　料】

(1)　×1年7月1日（付与日）

当社は取締役10人に対して、一定の条件を達成した場合に報酬として株式を無償交付することを決議し、×1年7月1日に取締役との間で条件について合意した契約を締結した。その条件等は次のとおりである。

① 割り当てる株数は、取締役1人あたり10株（合計100株）である。なお、付与日における株式の公正な評価単価は、1株あたり200円である。

② 割り当ての条件は、×1年7月1日から×3年6月30日まで（2年間）取締役として業務を行うこととする。

③ 付与時点において、×3年6月30日までに取締役1人の退任による失効を見込んでいる。

(2)　×2年3月31日（決算日）

×2年3月期中に1人の自己都合による退任が発生した。×3年6月30日までの退任による失効見込み数に変更はないものとする。

(3)　×3年3月31日（決算日）

×3年3月期中に1人の自己都合による退任が発生した。これにともない、×3年6月30日までの退任による失効見込み数を1人から2人に変更することとした。

(4)　×3年6月30日（権利確定日）

×3年4月1日から6月30日までの間に退任者はなく、累計での退任者数は2人となった。

(5)　×3年7月1日（株式割当日）

権利確定した株式について、新株を発行した。新株の発行にともなって増加する払込資本は、全額を資本金に計上する。

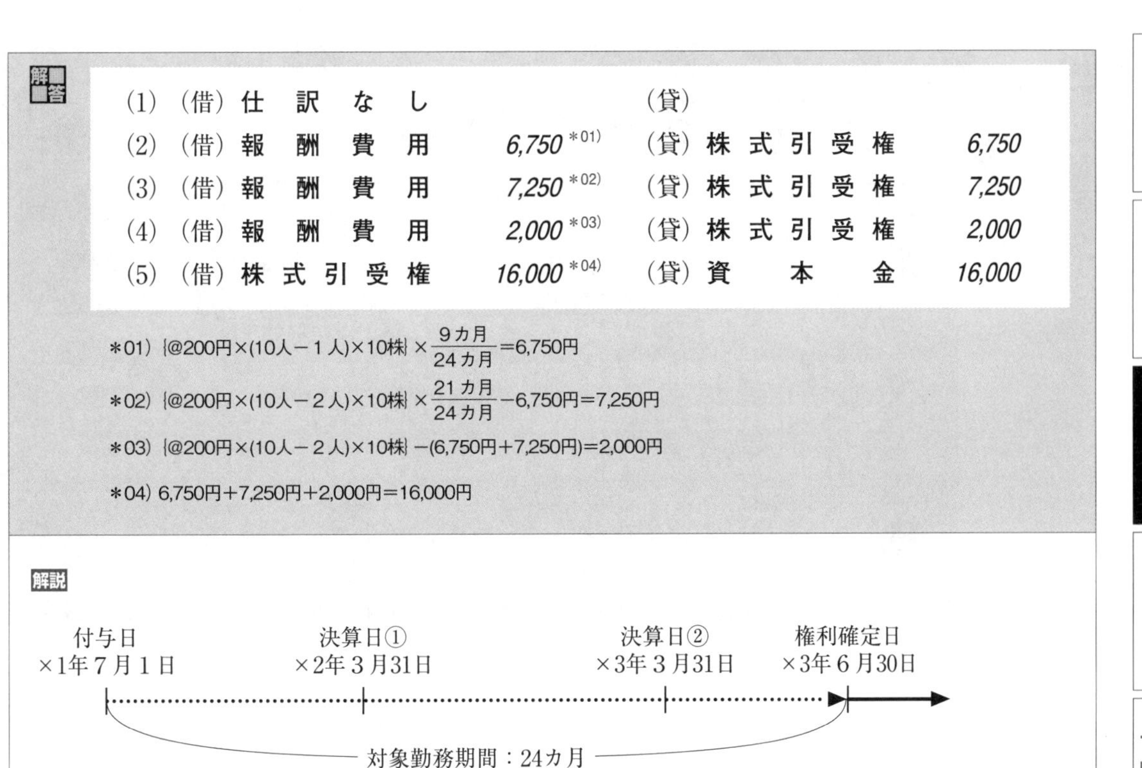

解答

(1)	(借) 仕　訳　な　し		(貸)		
(2)	(借) 報　酬　費　用	6,750 *01)	(貸) 株式引受権	6,750	
(3)	(借) 報　酬　費　用	7,250 *02)	(貸) 株式引受権	7,250	
(4)	(借) 報　酬　費　用	2,000 *03)	(貸) 株式引受権	2,000	
(5)	(借) 株式引受権	16,000 *04)	(貸) 資　本　金	16,000	

*01) $\{@200円×(10人−1人)×10株\}×\frac{9カ月}{24カ月}$=6,750円

*02) $\{@200円×(10人−2人)×10株\}×\frac{21カ月}{24カ月}$−6,750円=7,250円

*03) {@200円×(10人−2人)×10株}−(6,750円+7,250円)=2,000円

*04) 6,750円+7,250円+2,000円=16,000円

解説

4 株式引受権の表示

株式引受権は貸借対照表上、純資産の部の「Ⅱ 評価・換算差額等」と「Ⅳ 新株予約権」の間に「**Ⅲ 株式引受権**」として表示します。

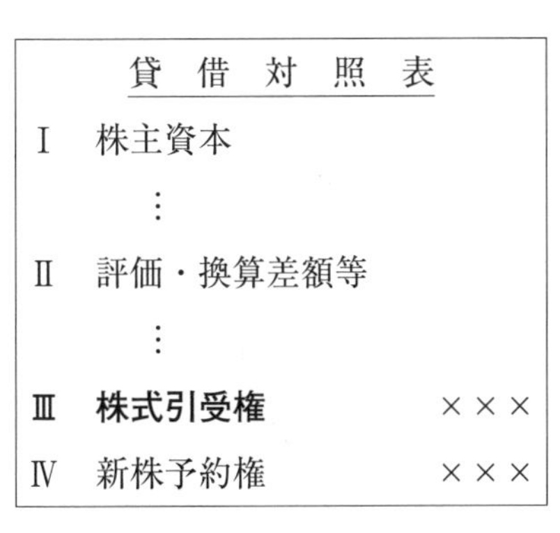

貸借対照表

Ⅰ	株主資本	
	⋮	
Ⅱ	評価・換算差額等	
	⋮	
Ⅲ	**株式引受権**	×××
Ⅳ	新株予約権	×××

Section 3

分配可能額の計算

たとえば、B / Sが「資産(現金)1,000万円、繰延資産1,000万円、負債1,000万円、純資産1,000万円」の会社が、1,000万円を現金配当するとどうなるでしょうか？　残るのは繰延資産と負債のみ…この会社はすぐに倒産し、債権者は1,000万円の債権を回収できずに大混乱に陥ります。株主も、配当のときは一瞬喜びますが、後の倒産により株式は紙くず同然に…もう大変です！

このような状況を防止するために、会社法では資本金や準備金などは配当不能にしているのです。

このSectionでは、分配可能額の計算について学習します。

1 分配可能額とは

株式会社では、**株主の有限責任制**が採用されています。そのため、債権者の権利は会社の純財産によってのみ保証されることになります。したがって、**会社の財産が配当により無制限に社外に流出してしまえば、債権者の権利が著しく害される**ことになります。そこで、会社法は**債権者の保護と株主と債権者の利害の調整**の観点により、剰余金の配当[*01]が可能な上限額を分配可能額として制定し、分配可能額を超える配当を禁止しています。

*01) ここでは、「その他資本剰余金」と「その他利益剰余金」の合計額を指します。

この分配可能額は、「前期末の剰余金の額」*02)を基礎として、次のプロセスにより計算します。

*02)「最終事業年度末日の剰余金の額」などとも表記されます。

STEP 1	効力発生日の剰余金の額の計算
STEP 2	分配可能額の計算

2 効力発生日の剰余金の額の計算 STEP 1

簿C 財計B

分配の効力発生日(分配時)の剰余金は、「前期末の剰余金の額」に「前期末から効力発生日までの剰余金の変動要因を反映」*01)して計算します*02)。

なお、前期末の剰余金の額とは、前期末の貸借対照表における**「その他資本剰余金＋その他利益剰余金」**となります*03)。

*01)期中取引のうち資本取引に注目します。

*02)臨時決算を行った場合は、その臨時計算書類をもとに剰余金を計算することができます。

*03)会社法上は、もっとややこしい言回しをしていますが、この計算方法を覚えておけば十分です。

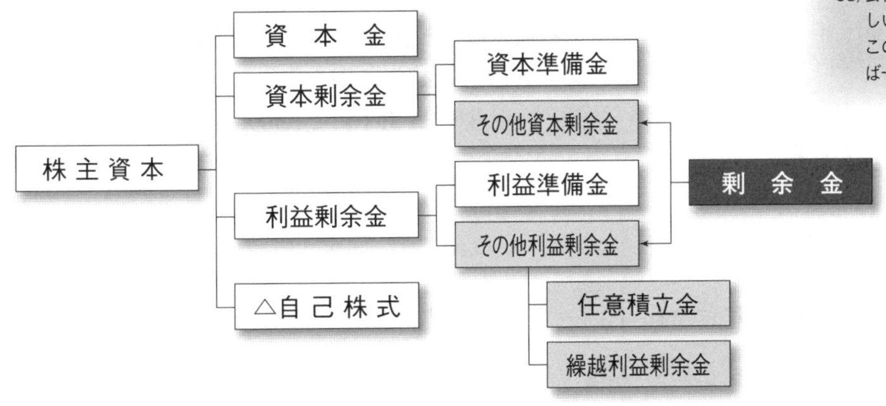

効力発生日の剰余金の額の計算

効力発生日の剰余金の額
＝ 前期末の剰余金の額 ± 前期末から効力発生日までの剰余金の増減
＝ 効力発生日の「その他資本剰余金＋その他利益剰余金」

設例 3-1　剰余金の額の計算

次の資料にもとづいて、各問いに答えなさい。なお、決算日は毎年３月31日である。

問１　前期末(×１年３月31日)の剰余金の額を計算しなさい。

問２　問１をもとに×１年９月30日(効力発生日)の剰余金の額を計算しなさい。

【資　料】

1　前期末貸借対照表

貸借対照表(一部)

×1年３月31日　(単位：千円)

Ⅰ 株主資本	
資本金	52,000
資本準備金	5,000
その他資本剰余金	4,500
利益準備金	7,400
別途積立金	5,000
繰越利益剰余金	9,000
自己株式	△ 1,000
株主資本合計	81,900

2　×1年９月30日までの株主資本の計数変動

(1)　株主総会決議にもとづき、繰越利益剰余金を財源とする配当2,000千円を行った(配当に伴う準備金の積立てもあわせて行った)。

(2)　株主総会決議にもとづき、資本準備金1,000千円をその他資本剰余金に、利益準備金2,400千円を繰越利益剰余金にそれぞれ振り替えた。

(3)　株主総会決議にもとづき、別途積立金3,000千円を取り崩すとともに、4,000千円を新たに積み立てた。

(4)　自己株式2,600千円を取得した。

(5)　自己株式2,100千円を2,400千円で処分した。

解答

前期末の剰余金の額	*18,500*	千円
×１年９月30日の剰余金の額	*20,000*	千円

解説

問１　前期末の「その他資本剰余金＋その他利益剰余金」により求めます。

前期末の剰余金の額：4,500千円＋(5,000千円＋9,000千円)＝18,500千円

問２　その他資本剰余金、その他利益剰余金の変動に注目します。

(1)	(借) 繰越利益剰余金	2,200	(貸) 現金預金	2,000
			利益準備金	200 *04)
(2)	(借) 資本準備金	1,000	(貸) その他資本剰余金	1,000
	(借) 利益準備金	2,400	(貸) 繰越利益剰余金	2,400
(3)	(借) 別途積立金	3,000	(貸) 繰越利益剰余金	3,000
	(借) 繰越利益剰余金	4,000	(貸) 別途積立金	4,000

※その他利益剰余金内の振替えのため、剰余金の額には影響しません。

(4)	(借) 自己株式	2,600	(貸) 現金預金	2,600
(5)	(借) 現金預金	2,400	(貸) 自己株式	2,100
			その他資本剰余金	300

∴効力発生日の剰余金の額：
18,500千円(前期末)＋当期変動額(△2,200千円＋1,000千円＋2,400千円＋300千円)
＝20,000千円

※または上記の仕訳をもとに残高試算表を作成して、剰余金の額を求めることもできます。

残高試算表(一部)　(単位：千円)

借方科目	金額	貸方科目	金額
自己株式	1,500	資本金	52,000
		資本準備金	4,000
		その他資本剰余金	5,800
		利益準備金	5,200
		別途積立金	6,000
		繰越利益剰余金	8,200

∴効力発生日の剰余金の額：その他資本剰余金＋その他利益剰余金
＝5,800千円＋(6,000千円＋8,200千円)＝20,000千円

＊04) 52,000千円×$\frac{1}{4}$－(5,000千円＋7,400千円)＝600千円 ＞ 2,000千円×$\frac{1}{10}$＝200千円　より200千円

3 分配可能額の計算 STEP 2

▶▶財問題集：問題5,6

STEP 1で計算した剰余金の額から、(1)自己株式による分配制限、(2)のれん等調整額による分配制限、(3)その他有価証券評価差額金による分配制限を控除して分配可能額を求めます[＊01]。

＊01) ほかに純資産の額が300万円を下回るような配当はできないという規制もあります。

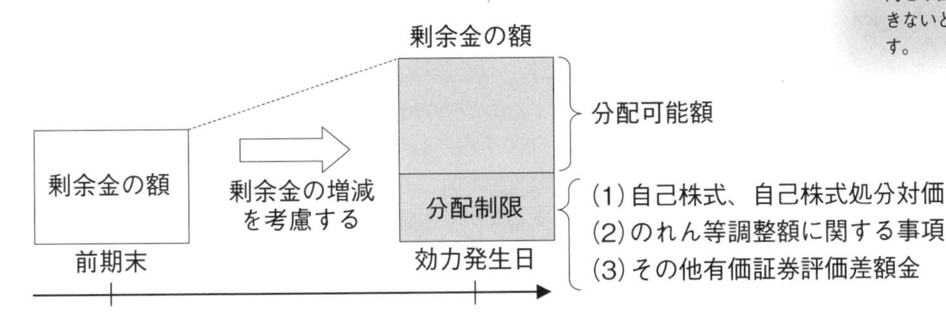

(1)自己株式による分配制限

分配可能額の計算にあたり、次の項目を剰余金の額から控除します。

① 効力発生日における自己株式の帳簿価額
② 前期末から効力発生日までに自己株式を処分した場合の自己株式処分対価

設例 3-2　自己株式と分配制限

設例3-1の資料にもとづいて、×1年9月30日における分配可能額を計算しなさい。なお、当該日付の剰余金の額は20,000千円であり、自己株式以外の控除については考慮しなくてよい。

×1年9月30日の分配可能額　*16,100*　千円

解説

×1年9月30日の剰余金の額から次の項目を控除します。

(1)　×1年9月30日における自己株式の帳簿価額　1,500千円

(2)　前期末から効力発生日までに自己株式を処分した場合の自己株式処分対価　2,400千円

〈自己株式の取扱いについて〉

(1) 自己株式を剰余金から控除する理由

自己株式は、会社から見ると株主への会社財産の払戻額を意味します。そのため、分配可能額の計算上、剰余金から控除します。

(2) 自己株式の処分対価を控除する効果

たとえば、前期末の剰余金の額が5,000千円、前期末の自己株式が1,000千円という状況を考えます。

①効力発生日までに株主資本項目に変動がなかった場合

分配可能額：5,000千円－1,000千円(自己株式)＝4,000千円

②効力発生日までに自己株式1,000千円の全部を2,000千円で処分した場合

自己株式処分時の仕訳は次のとおりとなります。

(借)	現金預金	2,000	(貸)	自己株式	1,000
				その他資本剰余金	1,000

会社法では、分配時までに生じた処分対価を控除することになっています。

これにより分配可能額は5,000千円＋1,000千円－2,000千円＝4,000千円

上記①の変動がなかった場合と同額になります。

これは、処分による処分差益を分配可能額に加えることができないことを意味します。

(2)のれん等調整額による分配制限

のれん等調整額とは、資産の部に計上した**「のれんの額の2分の1」**と**「繰延資産に計上した額」**の合計額をいいます。のれんと繰延資産はそれ自体には換金可能性はなく、株主に対して会社財産の払戻しを認めるのは適当ではないため、分配可能額の算定にあたって控除されます。

のれん等調整額*02)が前期末貸借対照表における資本等金額*03)(資本金、資本準備金および利益準備金の合計額)を超過している場合には、分配可能額を計算するうえで、その超過額または一定額を剰余金から控除します。

具体的には、次の公式により計算しますが、図解によりイメージして計算することもできます*04)。

*02)繰延資産が費用の繰延べでしかない反面、のれんは、将来の収益可能性を否定できません。そこで、控除額にあたっては、のれんは「のれんの額を2で割った額」としました。

*03)効力発生日の金額ではありません。前期末貸借対照表の金額である点に注意!

*04)図解に慣れると確実性が増します。

●公式により計算する方法

分配制限額の計算	分配制限額
(ⅰ)のれん等調整額≦資本等金額	→ ゼロ
(ⅱ)資本等金額<のれん等調整額≦資本等金額+その他資本剰余金	→ のれん等調整額−資本等金額
(ⅲ)のれん等調整額>資本等金額+その他資本剰余金	
(a)のれん÷2≦資本等金額+その他資本剰余金	→ のれん等調整額−資本等金額
(b)のれん÷2>資本等金額+その他資本剰余金	→ その他資本剰余金+繰延資産

●図解により計算する方法

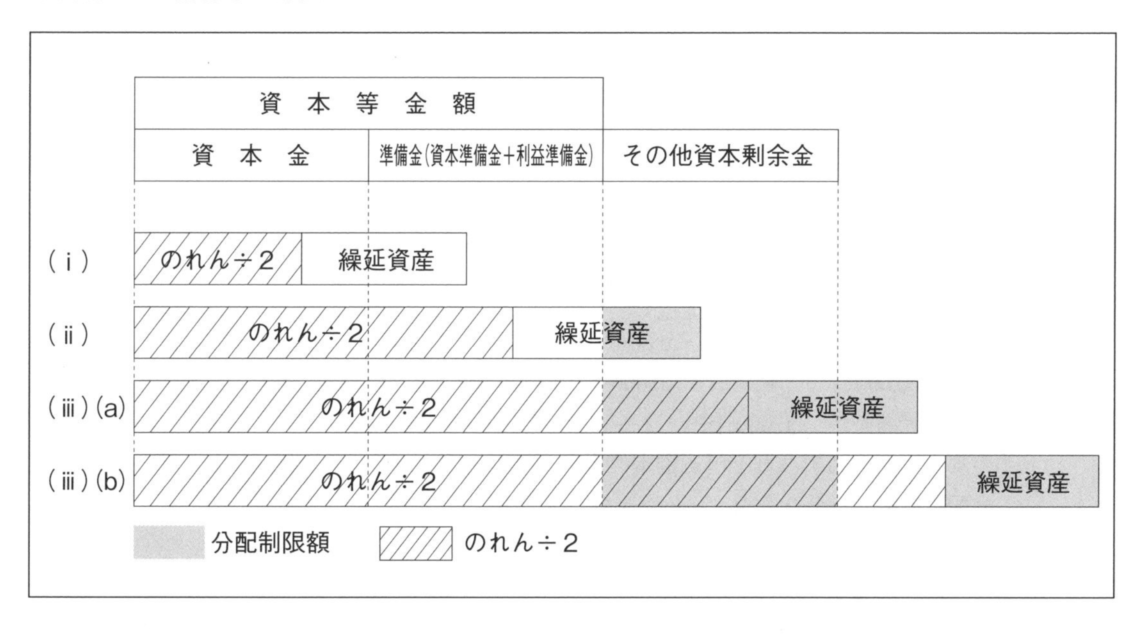

設例 3-3　のれん等調整額と分配制限

次の資料にもとづいて、問いに答えなさい。なお、前期末から効力発生日までの間に株主資本項目に変動はなかった。

【資　料】 前期末貸借対照表

貸借対照表(一部)

×1年3月31日　(単位：千円)

Ⅰ 株　主　資　本	
資　　本　　金	52,000
資 本 準 備 金	5,000
その他資本剰余金	4,500
利 益 準 備 金	7,400
別 途 積 立 金	5,000
繰越利益剰余金	9,000
株主資本合計	82,900

問　前期末の貸借対照表に計上された各項目の金額が以下の場合における分配可能額を計算しなさい。

(1) のれん 50,000千円　繰延資産10,000千円

(2) のれん100,000千円　繰延資産10,000千円

(3) のれん110,000千円　繰延資産10,000千円

(4) のれん130,000千円　繰延資産15,000千円

(5) のれん140,000千円　繰延資産10,000千円

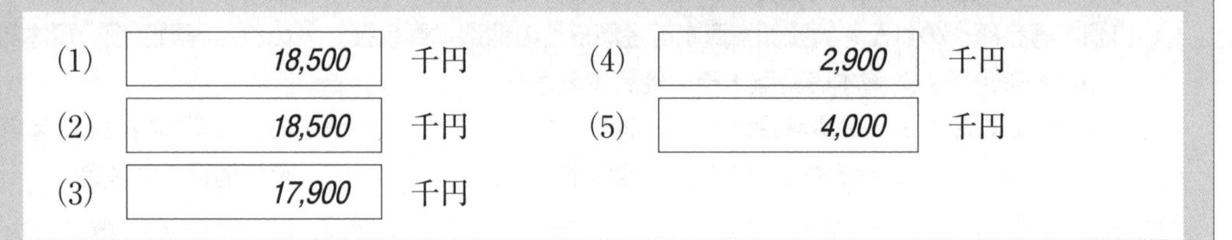

(1)	*18,500*	千円	(4)	*2,900*	千円
(2)	*18,500*	千円	(5)	*4,000*	千円
(3)	*17,900*	千円			

解説

1　効力発生日の剰余金の計算

剰余金：4,500千円＋(5,000千円＋9,000千円)＝18,500千円

2　資本等金額などの計算

資本等金額：資本金＋資本準備金＋利益準備金

＝52,000千円＋5,000千円＋7,400千円＝64,400千円

資本等金額＋その他資本剰余金＝68,900千円

3　のれん等調整額と分配制限額・分配可能額の計算

(1)　のれん50,000千円・繰延資産10,000千円の場合

①のれん等調整額：50,000千円÷2＋10,000千円＝35,000千円

②のれん等調整額35,000千円＜資本等金額64,400千円　⇒　分配制限額：0千円

∴分配可能額：18,500千円－0千円＝**18,500千円**

(2)　のれん100,000千円・繰延資産10,000千円の場合

①のれん等調整額：100,000千円÷2＋10,000千円＝60,000千円

②のれん等調整額60,000千円＜資本等金額64,400千円　⇒　分配制限額：0千円

∴分配可能額：18,500千円－0千円＝**18,500千円**

(3)　のれん110,000千円・繰延資産10,000千円の場合

①のれん等調整額：110,000千円 ÷ 2 + 10,000千円 = 65,000千円

②資本等金額64,400千円＜のれん等調整額65,000千円＜(資本等 + その他) 68,900千円

⇒　分配制限額：65,000千円 − 64,400千円 = 600千円

∴**分配可能額**：18,500千円 − 600千円 = **17,900千円**

(4)　のれん130,000千円・繰延資産15,000千円の場合

①のれん等調整額：130,000千円 ÷ 2 + 15,000千円 = 80,000千円

②(資本等 + その他) 68,900千円＜のれん等調整額80,000千円

③のれん ÷ 2: 130,000千円 ÷ 2 = 65,000千円＜(資本等 + その他) 68,900千円

⇒　分配制限額：80,000千円 − 64,400千円 = 15,600千円

∴**分配可能額**：18,500千円 − 15,600千円 = **2,900千円**

(5)　のれん140,000千円・繰延資産10,000千円の場合

①のれん等調整額：140,000千円 ÷ 2 + 10,000千円 = 80,000千円

②(資本等 + その他) 68,900千円＜のれん等調整額80,000千円

③のれん ÷ 2: 140,000千円 ÷ 2 = 70,000千円＞(資本等 + その他) 68,900千円

⇒　分配制限額：4,500千円(その他資本剰余金) + 10,000千円(繰延資産) = 14,500千円

∴**分配可能額**：18,500千円 − 14,500千円 = **4,000千円**

＜図解によった場合の分配制限額＞(単位：千円)

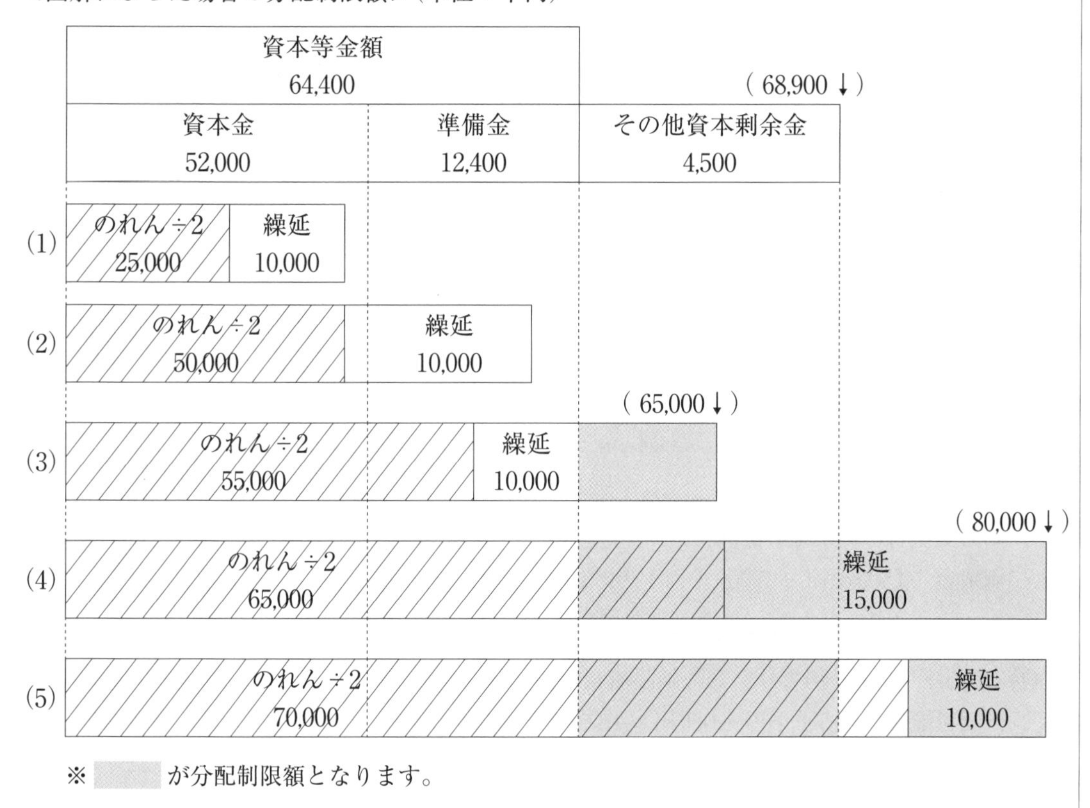

※ 　　　 が分配制限額となります。

(3)その他有価証券評価差額金による分配制限

前期末貸借対照表に、その他有価証券評価差額金が計上されている場合、その金額は剰余金には含まれません。しかし、その他有価証券評価差額金がマイナスの場合には、その分の会社財産の社外流出を防ぐ必要があり分配可能額の計算上、控除します*05)。

*05)マイナスは一種の損失と考え、保守主義の観点から控除します。

その他有価証券評価差額金の取扱い

		分配制限額
(1)その他有価証券評価差額金 ≧ 0	→	ゼロ
(2)その他有価証券評価差額金 ＜ 0	→	マイナスの金額

設例 3-4　その他有価証券評価差額金と分配制限

次の資料にもとづいて、問いに答えなさい。なお、前期末から効力発生日までの間に株主資本項目に変動はなかった。

【資　料】 前期末貸借対照表

貸借対照表(一部)

×1年３月31日　(単位：千円)

Ⅰ 株主資本	
資本金	52,000
資本準備金	5,000
その他資本剰余金	4,500
利益準備金	7,400
別途積立金	5,000
繰越利益剰余金	9,000
株主資本合計	82,900

問　前期末の貸借対照表に計上されたその他有価証券評価差額金が(1)、(2)それぞれの場合における分配可能額を計算しなさい。

(1)　500千円

(2)　△500千円

解答

(1) *18,500* 千円　(2) *18,000* 千円

解説

1．効力発生日の剰余金の計算

剰余金：4,500千円＋(5,000千円＋9,000千円)＝18,500千円

2．その他有価証券評価差額金による分配制限

(1)　500千円≧0千円より、分配制限額＝0千円

∴**分配可能額**：18,500千円－0千円＝**18,500千円**

(2)△500千円＜0千円より、分配制限額＝500千円

∴**分配可能額**：18,500千円－500千円＝**18,000千円**

Chapter 14

連結会計

企業の規模が大きくなると、子会社を設立して、子会社と一緒に事業を行っていくケースがよくあります。子会社と一緒に事業を行っているのであれば、その事業の成果を表す財務諸表も子会社と一緒のものを作ったほうが、より適切に実態を表すと思いませんか？

そこで、子会社も含めた企業グループとしての財務諸表である連結財務諸表を作成します。

このChapterでは、連結財務諸表の作成を中心に学習します。

Section 1

連結会計の基礎知識

世の中には企業グループがたくさんあります。企業グループが、グループとして力をあわせて活動しているのであれば「グループとしての決算書」を見たいと考えるのは当然です。そこでこれまでと異なり、視点を広くとらえ、個々の企業ではなく「活動単位としての企業グループ」に焦点をあわせていくのが連結会計です。

長丁場になりますが、しっかりと知識も連結していきましょう。

1 連結財務諸表の意義・必要性

簿B 財計B

1．連結財務諸表の意義

連結財務諸表とは、**支配従属関係**（しはいじゅうぞくかんけい）にある２つ以上の会社からなる**企業集団を単一の組織体とみなして**、企業集団の財政状態、経営成績、キャッシュ・フローの状況を総合的に報告するために**親会社が作成する**財務諸表です。

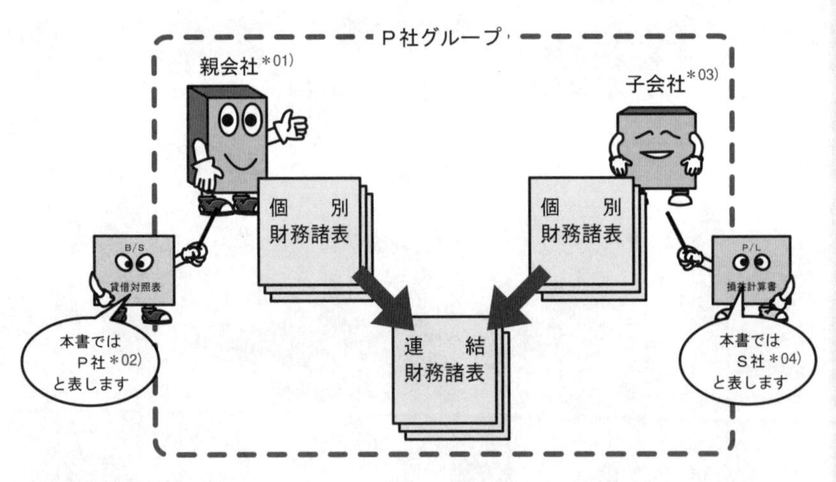

*01)親会社とは、他の会社を支配している会社（支配会社）をいいます。

*02)親会社を示すさいにParent：親の頭文字をとってP社と表すこともあります。

*03)子会社とは他の会社に支配されている会社（被支配会社）をいいます。なお、連結会計上は、子会社の子会社（いわゆる孫会社）も、被支配会社として子会社と同様に扱います。

*04)子会社を示すさいにSubsidiaries：子会社の頭文字をとってS社と表すこともあります。

２．連結財務諸表の必要性

連結財務諸表を作成することで、親会社を中心とした企業集団全体の財政状態や経営成績を開示することができ、より的確で実質にもとづいた情報を投資者に提供することができるようになります。

たとえば、決算時に1,000円の損失を計上すべき親会社が、子会社に3,000円(原価)の土地を5,000円(売価)で売却しました。このときの子会社の利益は０円であったとします。

〈個別財務諸表の状態〉

個別財務諸表上、親会社は赤字から黒字に転換しています。しかし、親会社と子会社を**一つの企業集団と考える**と、土地売買取引は**企業集団内の内部取引**となるため、2,000円の利益は内部取引から生じた**未実現の利益として消去**されます＊05)。

＊05) 本支店会計の未実現利益の消去と同じ考え方です。

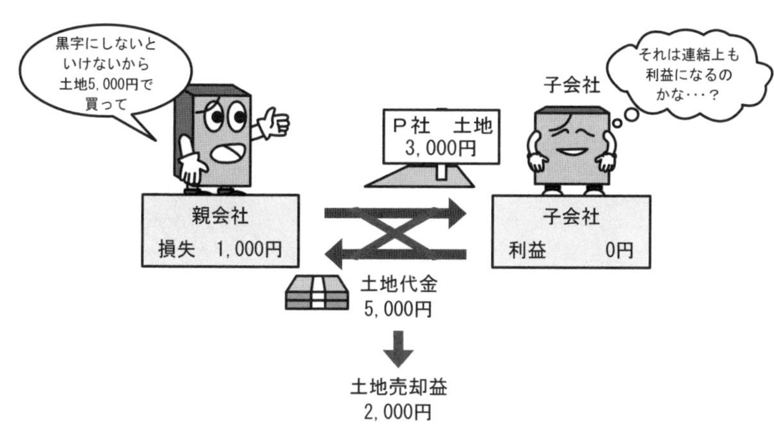

連結財務諸表上は、企業集団としての利益(損失)が計上されます。したがって、子会社を利用した「見せかけ」の利益は消去されるため、企業集団(経済的実体)の実態を明らかにすることができるのです＊06)。

＊06) 連結財務諸表が必要とされる理由には、①企業グループ全体の適切な財務情報の提供と、②利益操作の排除があげられます。

2 連結会計のイメージ

連結会計は連結財務諸表の作成を最終目的とするものです。連結会計の処理は、次の手順で考えます。(単位：円)

(1)親会社・子会社が、個別会計上行った仕訳を考えます。

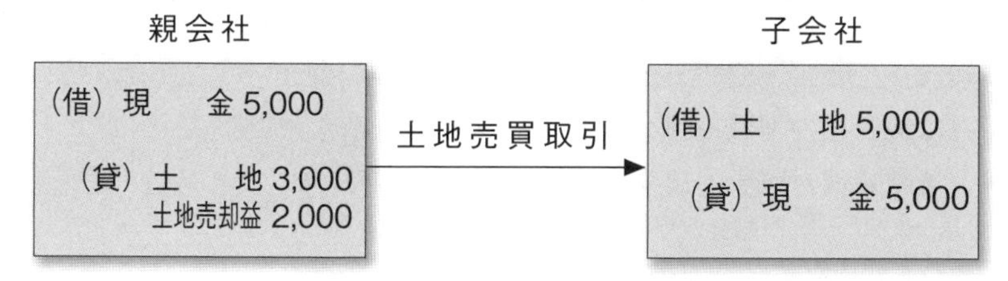

(2)親会社・子会社を一つの企業集団として見た場合の仕訳を考えます。

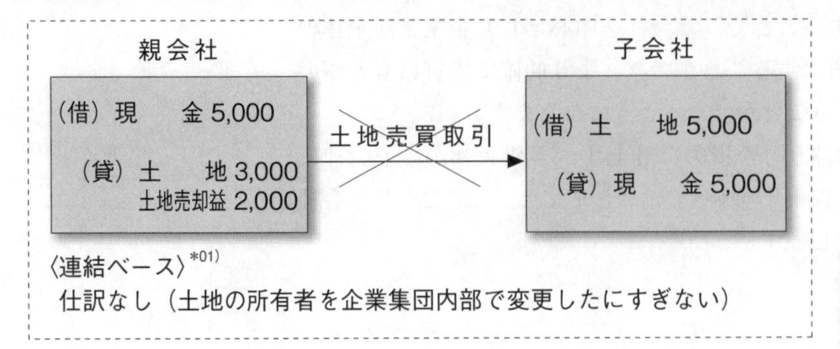

〈連結ベース〉*01)
仕訳なし（土地の所有者を企業集団内部で変更したにすぎない）

*01) 企業集団としてみた状態を表すものを〈連結ベース〉と呼んでいます。

(3)(1)の個別会計上の仕訳を(2)の〈連結ベース〉の仕訳に修正する仕訳*02)を行います。

*02) この仕訳が、連結会計で行う連結修正仕訳です。

この場合、仕訳なしの状態にあわせるため、土地売却益 2,000円と土地の増額分 2,000円とを相殺することになります。

〈連結修正仕訳〉

(借) 土地売却益	2,000	(貸) 土　　　地	2,000

3 連結財務諸表

薄B 財計B

連結財務諸表は主に次の５つから構成されています。

(1) 連結損益計算書（連結P/L）
(2) 連結株主資本等変動計算書（連結S/S）*01)
(3) 連結貸借対照表（連結B/S）
(4) 連結キャッシュ・フロー計算書（連結C/F）
(5) 連結包括利益計算書*02)

*01) 株主資本等変動計算書（Statements of Shareholders' Equity）はS／Sと省略されます。
*02) 包括利益についてはSection10で学習します。

連結財務諸表は、①連結損益計算書で計算された親会社株主に帰属する当期純利益を連結株主資本等変動計算書に移し、②連結株主資本等変動計算書で算定された利益剰余金当期末残高を連結貸借対照表に移すという流れ(つながり)を持っています。

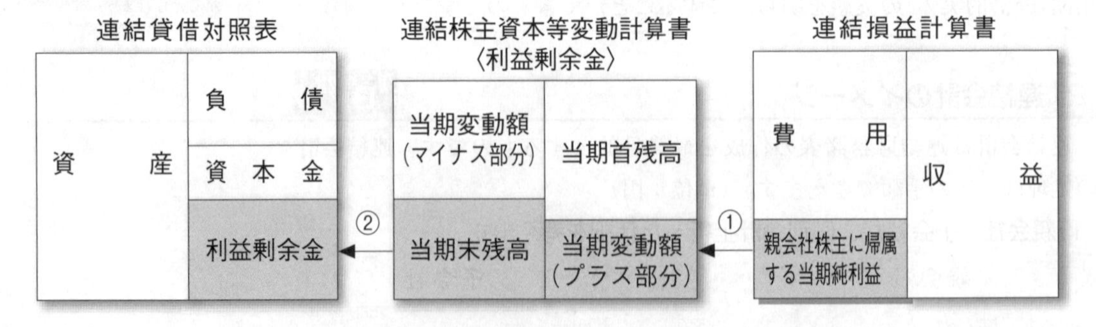

連結株主資本等変動計算書は純資産の増減(変動)を示す計算書であるとともに、連結損益計算書と連結貸借対照表とをつなぐ連結環(れんけつかん)としての役割を持っています。

4 連結財務諸表の様式

簿B 財計C

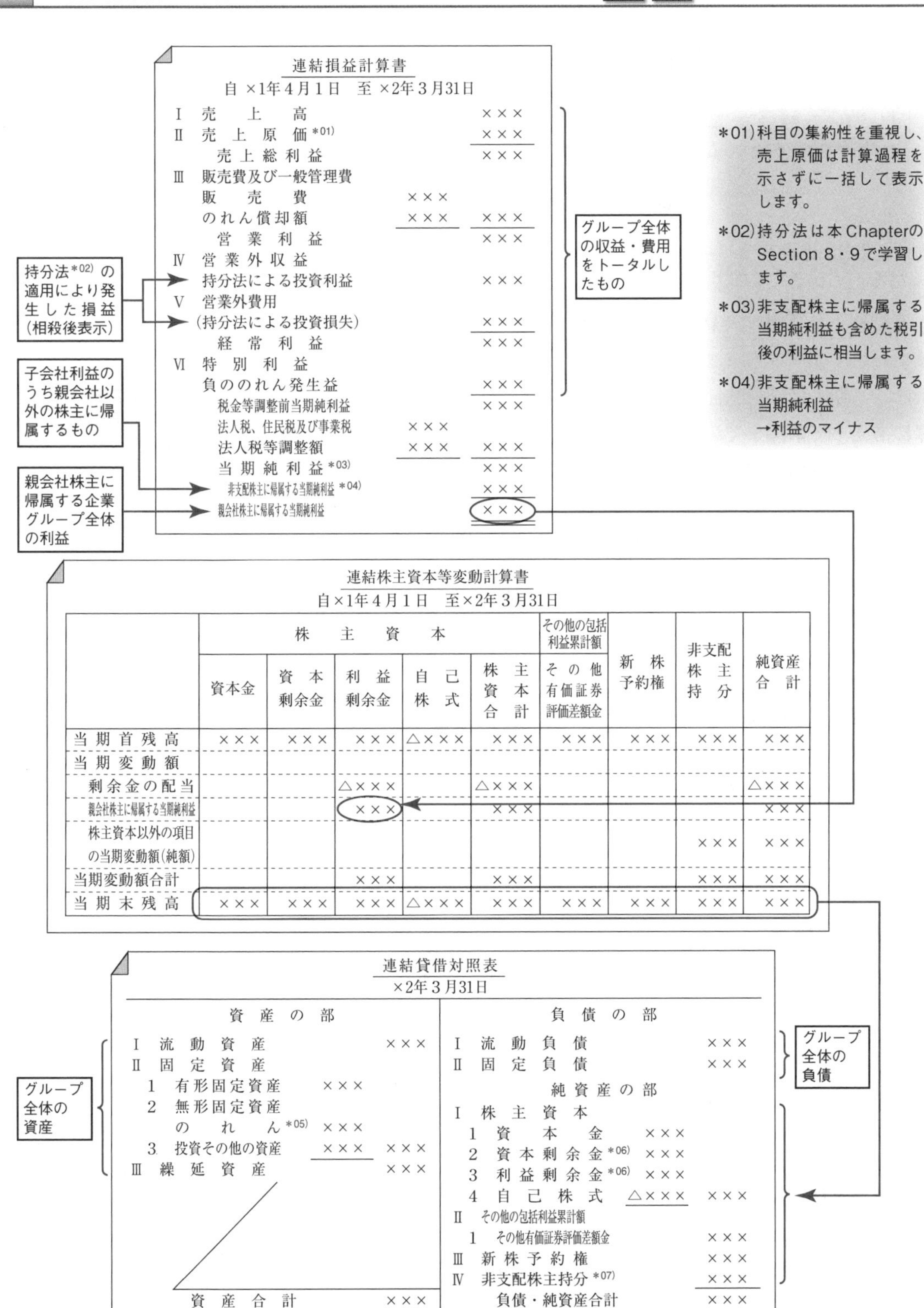

連結損益計算書

自 ×1年4月1日　至 ×2年3月31日

Ⅰ 売上高		×××
Ⅱ 売上原価 *01)		×××
売上総利益		×××
Ⅲ 販売費及び一般管理費		
販売費	×××	
のれん償却額	×××	×××
営業利益		×××
Ⅳ 営業外収益		
持分法による投資利益		×××
Ⅴ 営業外費用		
(持分法による投資損失)		×××
経常利益		×××
Ⅵ 特別利益		
負ののれん発生益		×××
税金等調整前当期純利益		×××
法人税、住民税及び事業税	×××	
法人税等調整額	×××	×××
当期純利益 *03)		×××
非支配株主に帰属する当期純利益 *04)		×××
親会社株主に帰属する当期純利益		×××

＊01)科目の集約性を重視し、売上原価は計算過程を示さずに一括して表示します。

＊02)持分法は本ChapterのSection 8・9で学習します。

＊03)非支配株主に帰属する当期純利益も含めた税引後の利益に相当します。

＊04)非支配株主に帰属する当期純利益
→利益のマイナス

連結株主資本等変動計算書

自×1年4月1日　至×2年3月31日

	株主資本					その他の包括利益累計額	新株予約権	非支配株主持分	純資産合計
	資本金	資本剰余金	利益剰余金	自己株式	株主資本合計	その他有価証券評価差額金			
当期首残高	×××	×××	×××	△×××	×××	×××	×××	×××	×××
当期変動額									
剰余金の配当			△×××		△×××				△×××
親会社株主に帰属する当期純利益			×××		×××				×××
株主資本以外の項目の当期変動額(純額)								×××	×××
当期変動額合計			×××		×××			×××	×××
当期末残高	×××	×××	×××	△×××	×××	×××	×××	×××	×××

連結貸借対照表

×2年3月31日

資産の部			負債の部		
Ⅰ 流動資産		×××	Ⅰ 流動負債		×××
Ⅱ 固定資産			Ⅱ 固定負債		×××
1 有形固定資産	×××		純資産の部		
2 無形固定資産			Ⅰ 株主資本		
のれん *05)	×××		1 資本金	×××	
3 投資その他の資産	×××	×××	2 資本剰余金 *06)	×××	
Ⅲ 繰延資産		×××	3 利益剰余金 *06)	×××	
			4 自己株式	△×××	×××
			Ⅱ その他の包括利益累計額		
			1 その他有価証券評価差額金		×××
			Ⅲ 新株予約権		×××
			Ⅳ 非支配株主持分 *07)		×××
資産合計		×××	負債・純資産合計		×××

＊05)親会社の投資と子会社の資本を相殺したときの差額です。

＊06)内訳を表示せずにまとめて示します。

＊07)純資産の部の内訳項目として表示します。

5 連結財務諸表の作成手順

連結財務諸表は、親会社と子会社の個別財務諸表を合算し、それに連結修正仕訳を加えて作成します。

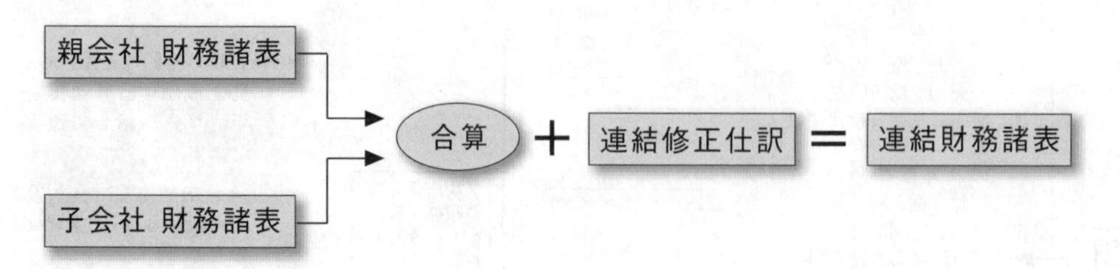

連結修正仕訳は、連結精算表上で行うもので個別会計における帳簿にはまったく影響を与えません。したがって前期までに行った連結修正仕訳は、当期の個別財務諸表には反映されていない*01)ため、**当期の連結決算にあたって前期までの仕訳を再び行う必要があります。この仕訳を(連結)開始仕訳といいます。**

*01)連結修正仕訳が行われる前の「期末の帳簿」が繰り越されているためです。

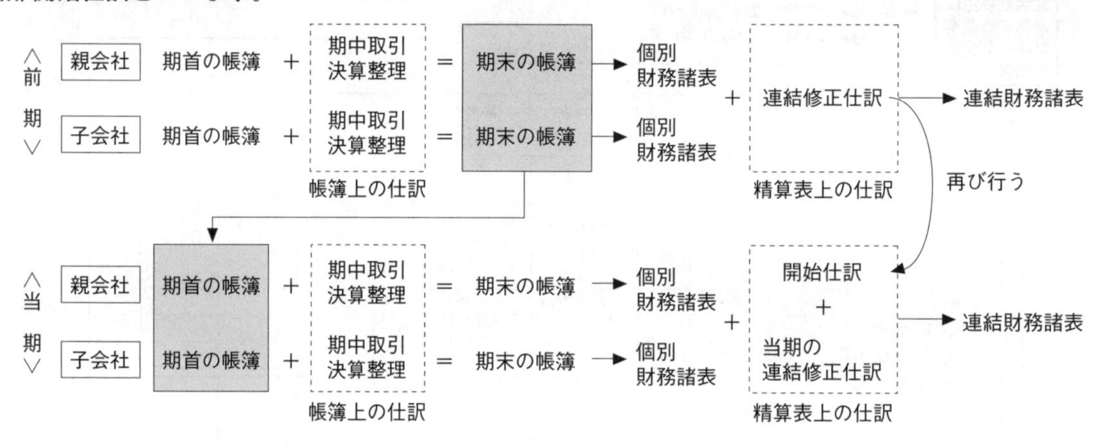

6 連結決算日

連結財務諸表作成にあたっての会計期間は1年であり、親会社の決算日を連結決算日*01)とします。親会社と子会社の決算日が異なるときは次の処理を行います。

*01)連結財務諸表作成上の決算日のことです。

原則：仮決算

子会社は連結決算日に正規の決算に準ずる合理的な手続きにより決算を行います。

容認：みなし決算

親会社と子会社の決算日の差異が3カ月以内の場合は、子会社の正規の決算を連結決算日における決算とみなすことができます。

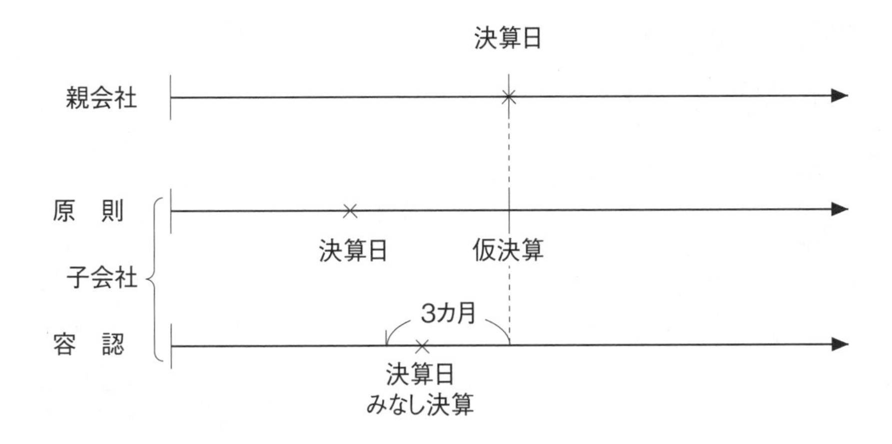
決算日
親会社
原　則
決算日
仮決算
子会社
3カ月
容　認
決算日
みなし決算

Section 2

資本連結の基本的処理

親会社の子会社への投資と、子会社の資本とを相殺することを資本連結といいます。この資本連結を考えるにあたって以下の仮定を設け、その仮定を徐々に少なくしていくことによって現実の状況に近づけていきます(ただし、本Chapterでは税効果会計は考慮しません)。このSectionでは、その基礎として株式取得時の処理を学びましょう。

〈仮　定〉	〈現　実〉
A. のれんはない	→ のれんがある → Section 3
B. 100%(完全)子会社である	→100%未満(部分)所有子会社である → Section 4
C. 子会社株式を当期に取得した	→ 前期以前に取得した → Section 5
D. 剰余金の配当はない	→ 剰余金の配当は行われる → Section 5
E. 親子会社間の内部取引はない	→ 内部取引は行われる → Section 6・7

1 資本連結

簿B 財計C

資本連結とは「親会社の投資」と「子会社の資本*01)」の相殺消去を行う処理をいい、連結修正仕訳の一つです。親会社から子会社への投資は連結ベースで見ると、企業グループ内部の資金移動にすぎません。そこで親会社の投資と子会社の資本を相殺するという連結修正仕訳を行います。

*01)「子会社の"資本"」は、「株主資本に評価・換算差額等と評価差額を加えたもの」であり、純資産とは近似するものの異なるので注意が必要です。

たとえば親会社が現金100円を出資して子会社を設立したとしましょう。

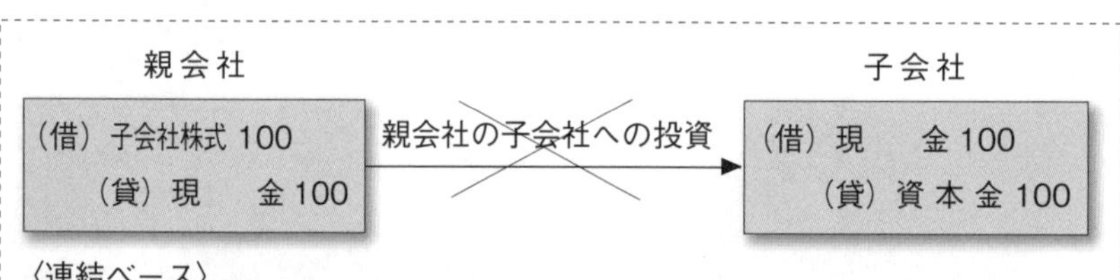

〈連結ベース〉
仕訳なし(企業グループ内部での資金の移動にすぎない)

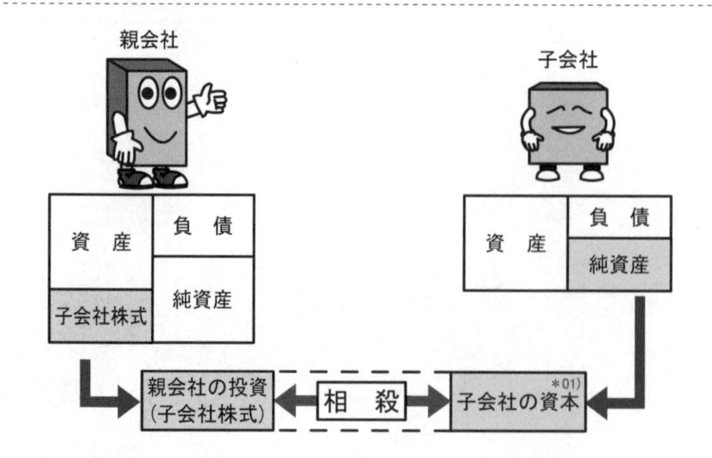

連結修正仕訳

(借) 資　本　金	100	(貸) 子会社株式	100

親会社が個別会計上で計上している子会社株式 100円と、子会社が個別会計上で計上している資本金 100円は、連結ベースで見ると内部取引により計上された資産と資本です。

したがって、これを**連結ベースの「仕訳なし」の状態に戻すために**、子会社株式 100円と、資本金 100円を相殺消去します*02)。

親会社と子会社の貸借対照表を合算し、連結修正仕訳である資本連結の仕訳を行うことによって、企業グループ全体としての財政状態を把握することができます。

*02) 現金は、親会社が計上していても、子会社が計上していても、連結財務諸表の作成上合算されるので、同じ結果になります。したがって修正する必要がないので、連結修正仕訳には現れません。

【例】（単位：円）

●個別財務諸表の状態●

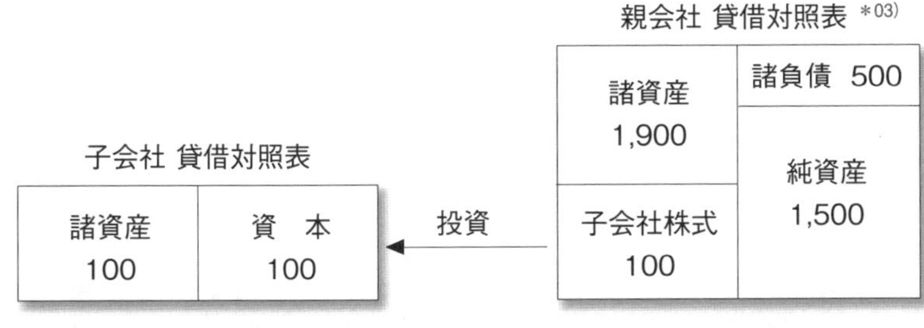

*03)『子会社株式』も、親会社の資本の運用形態の1つではありますが、子会社内でどのように運用されているかはわからない状態にあります。

●連結財務諸表の状態●

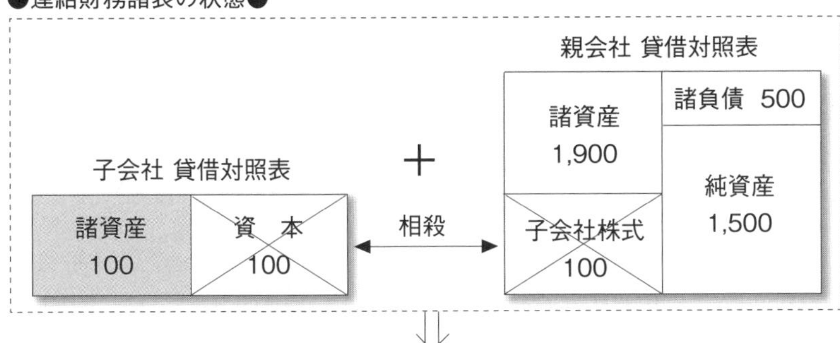

⇩

連結貸借対照表 *04)

借方	貸方
諸資産（親）1,900	諸負債 500
諸資産（子）100	純資産 1,500

*04) 合算して消去することにより、B/Sの借方は（子会社株式ではなく）すべて具体的な運用項目になります。これを置換え効果といいます。

2 支配獲得日の処理

▶▶簿問題集：問題1,2

　ある会社が他の会社の議決権株式の過半数を取得するなどして、その会社を子会社として支配を始めた日を、**支配獲得日**といいます。この**支配獲得日には連結貸借対照表を作成しなければなりません**[*01]。このとき必要なのが資本連結であり、以下の手順で行います。

*01）支配獲得日が子会社の決算日と異なる場合は、直近の子会社のB/Sを用いることができます。

*02）支配獲得後に子会社が得た利益のみが、連結上の利益に含められます。
したがって、支配獲得時にはB/Sのみが連結されます。そして、支配獲得日の翌年度以後の親会社決算時には、連結B/Sのほか、連結P/L、連結S/S、連結C/Fも作成します。

1．支配獲得日における連結貸借対照表の作成手順[*02]

①**子会社の資産・負債を時価に評価替えする。**
②親会社と評価替後の子会社の個別貸借対照表を合算する。
③「親会社の投資」と「子会社の資本」を相殺消去する（資本連結）。
④**連結貸借対照表を作成する。**

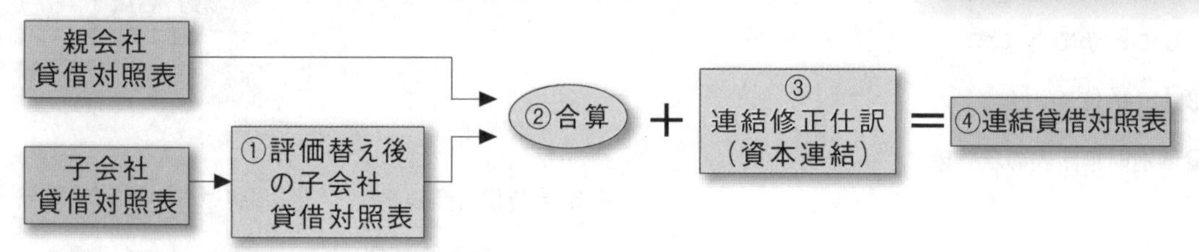

2．支配獲得日の資本連結

　連結貸借対照表を作成するうえで、親会社の投資と子会社の資本の相殺消去が必要になります。

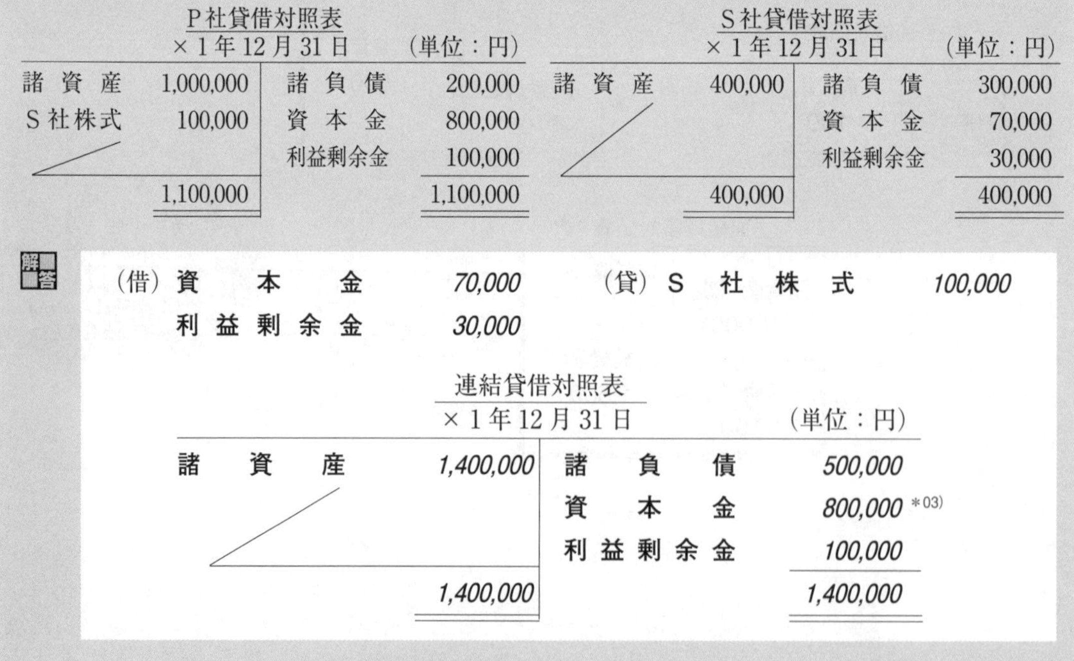

設例 2-1　　資本連結…差額なし

　P社は×1年12月31日にS社発行済株式の全部を100,000円で取得し実質的に支配した。P社・S社とも会計期間は1月1日から12月31日までである。このときの連結修正仕訳および連結貸借対照表を示しなさい。なお、S社の諸資産および諸負債の時価は帳簿価額に等しいものとする。

P社貸借対照表
×1年12月31日　（単位：円）

諸資産	1,000,000	諸負債	200,000
S社株式	100,000	資本金	800,000
		利益剰余金	100,000
	1,100,000		1,100,000

S社貸借対照表
×1年12月31日　（単位：円）

諸資産	400,000	諸負債	300,000
		資本金	70,000
		利益剰余金	30,000
	400,000		400,000

解答

（借）	資本金	70,000	（貸）S社株式	100,000
	利益剰余金	30,000		

連結貸借対照表
×1年12月31日　（単位：円）

諸資産	1,400,000	諸負債	500,000
		資本金	800,000[*03]
		利益剰余金	100,000
	1,400,000		1,400,000

*03）(800,000円＋70,000円)－70,000円＝800,000円（または、P社の資本金）

3．評価替えを要する場合の処理

子会社の貸借対照表に表示されている**資産および負債の帳簿価額が時価と異なる場合**には、**時価にあわせて修正(評価替え)**を行う必要があります[*04)]。この差額は**評価差額**として**子会社の資本に加える**こととなります。

＊04)個別財務諸表の修正です。連結上の処理である資本連結そのものではありません。

設例2-2 評価替えのための仕訳

P社は×1年12月31日にS社発行済株式の全部を取得し、実質的に支配した。これにさいしてS社の資産および負債を時価で評価したところ、以下の事実が判明した。評価替えのための仕訳を示しなさい。

	簿　価	時　価
土　　地	12,000円	15,000円

(借)	土　　地	*3,000*	(貸)	評　価　差　額[*05)]	*3,000*

＊05)子会社の資産・負債を評価替えしたあとに、資本連結を行います。なお、この評価差額は、資本連結の仕訳ですぐに消去されるため、連結財務諸表に記載されることはありません。

なお、この評価差額(帳簿価額と時価との差額)は連結上の一時差異に該当します。これについて税効果会計を適用した場合の連結仕訳は以下のとおりです(法定実効税率30%の場合)。その他有価証券評価差額金の税効果と同様、法人税等調整額は計上されません。

(借)	土　　地	3,000	(貸)	繰延税金負債	900
				評　価　差　額	2,100

税効果会計を適用した場合の評価差額は2,100円となります。

Section 3

のれんの処理

Section 2では、「親会社の投資」と「子会社の資本」の金額が一致すると仮定していました。

しかし、現実には子会社の資本の金額と同額で子会社の株式を取得することは稀（まれ）であり、差額が生じます。むしろ子会社に魅力があるからこそ、その株式を取得するわけですから、魅力があるということは子会社の資本の金額より高い値段で株式を取得することにつながるわけです。

このSectionでは仮定A（のれんはない）を外し、のれんが発生した場合の処理を学びます。

1 投資消去差額の処理

「親会社の投資」と株式取得日の「子会社の資本」(時価に評価替えしたあとの資本)の金額が一致しない場合、**両者の差額を投資消去差額**といい、『**のれん**』または『**負ののれん発生益**』として処理します。

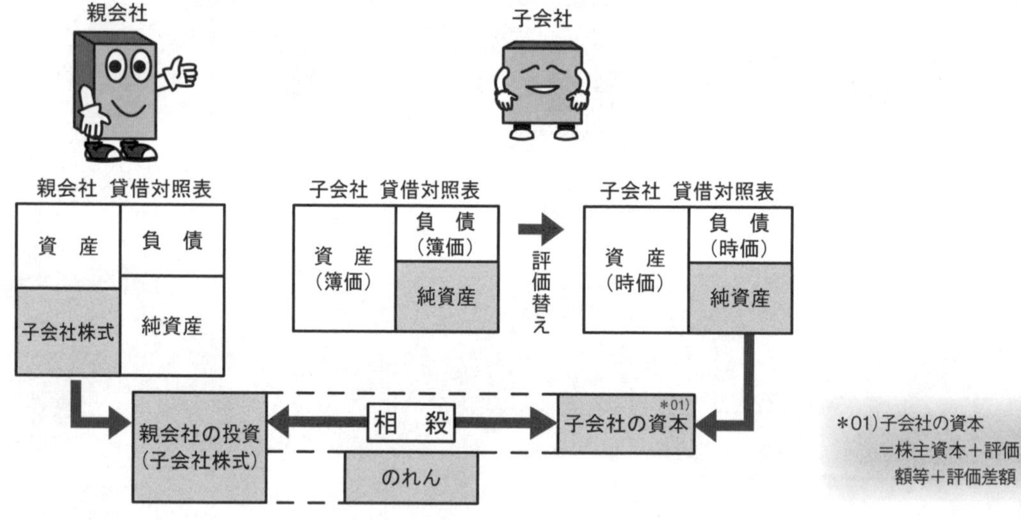

*01) 子会社の資本
=株主資本+評価・換算差額等+評価差額

2 のれんの処理

簿B 財計B ▶▶簿問題集：問題3

資本連結において、**借方**に投資消去差額が生じる場合[*01]は『**のれん**』に計上します。『のれん』は連結貸借対照表上、**無形固定資産**に計上します。具体的には以下のような仕訳を行います。

*01)親会社の投資>子会社の資本の場合を指します。

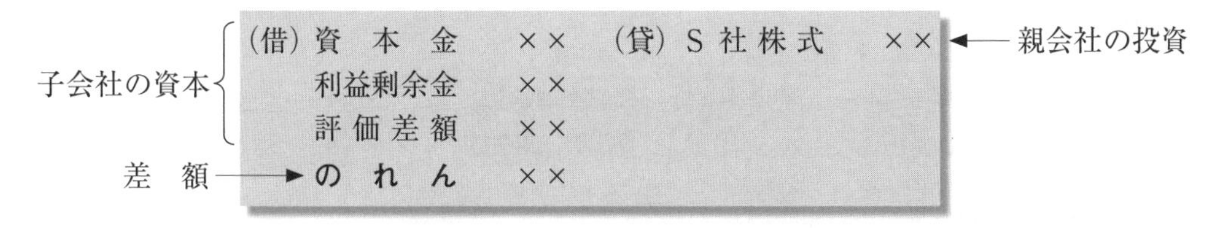

設例3-1 のれんの処理

P社は×1年3月31日にS社発行済株式のすべてを25,000円で取得し支配した。×1年3月31日のS社の貸借対照表は次のとおりであり、P社とS社の決算日は同じである。なお、S社の資産を時価で評価したところ、土地が13,000円(簿価10,000円)と評価された。①評価替えの仕訳および②資本連結にかかる連結修正仕訳を示しなさい。

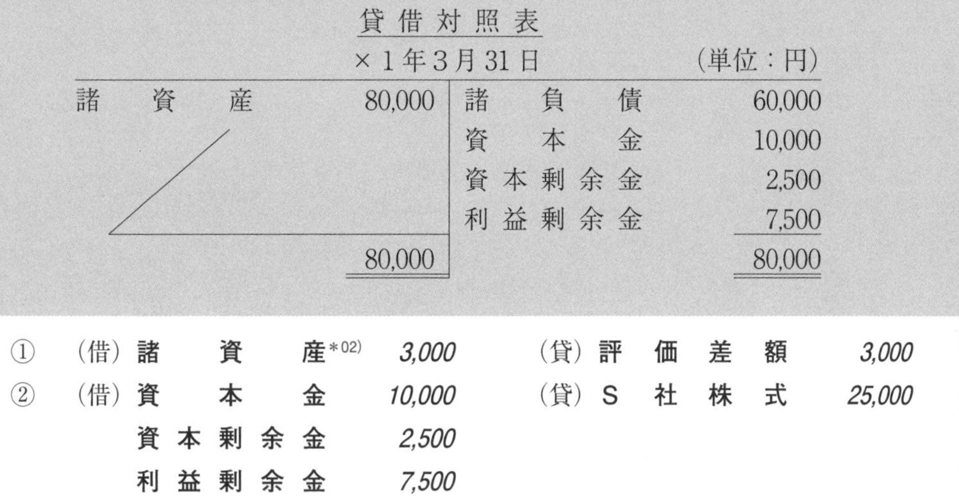

貸借対照表

×1年3月31日 (単位：円)

諸 資 産	80,000	諸 負 債	60,000
		資 本 金	10,000
		資本剰余金	2,500
		利益剰余金	7,500
	80,000		80,000

解答

①	(借) 諸 資 産[*02]	3,000	(貸) 評 価 差 額	3,000
②	(借) 資 本 金	10,000	(貸) S 社 株 式	25,000
	資本剰余金	2,500		
	利益剰余金	7,500		
	評 価 差 額	3,000		
	の れ ん	2,000[*03]		

*02)諸資産の中に土地が含まれています。

*03) 25,000円(S社株式)−23,000円(S社資本)=2,000円(借方)

また、『のれん』は、その計上後**20年以内**に定額法などにより償却し、『のれん償却額』は連結損益計算書の**販売費及び一般管理費**に表示します[*04]。

*04)解答作成上、償却期間などは問題の指示に従ってください。ただし、「最長期間で償却する」とある場合には、20年で償却します。

(借) **のれん償却額** ××× (貸) の れ ん ×××

3 負ののれんの処理

資本連結において、貸方に投資消去差額が生じる場合は**「負ののれん」**を認識します。「負ののれん」は発生時に全額を利益として計上するため、連結修正仕訳上は**『負ののれん発生益』**[*01]として処理します。具体的には以下のような仕訳を行います。

*01)『利益剰余金』として処理する場合もあります。

子会社の資本

(借)	資本金	××	(貸)	S社株式	×× ← 親会社の投資
	利益剰余金	××		負ののれん発生益	×× ← 差額
	評価差額	××			

設例3-2 負ののれんの処理

P社は×1年3月31日にS社発行済株式のすべてを18,000円で取得し支配した。×1年3月31日のS社の貸借対照表は次のとおりであり、P社とS社の決算日は同じである。なお、S社の資産を時価で評価したところ、土地が13,000円(簿価10,000円)と評価された。①評価替えの仕訳および②資本連結にかかる連結修正仕訳を示しなさい。

貸借対照表
×1年3月31日 (単位:円)

諸資産	80,000	諸負債	60,000
		資本金	10,000
		資本剰余金	2,500
		利益剰余金	7,500
	80,000		80,000

解答

①	(借)	諸資産	3,000	(貸)	評価差額	3,000
②	(借)	資本金	10,000	(貸)	S社株式	18,000
		資本剰余金	2,500		負ののれん発生益 利益剰余金	5,000 [*02]
		利益剰余金	7,500			
		評価差額	3,000			

*02) 18,000円－23,000円＝△5,000円(貸方)
S社株式 S社資本

〈負ののれん発生益と利益剰余金〉

「負ののれん発生益」は連結P/Lに特別利益として計上されます。

ところが、連結初年度(支配獲得日を含む会計期間)は連結P/Lを作成しません(連結B/Sのみが作成されます)。そのため、連結P/Lに計上されるはずの『負ののれん発生益』はどこにも計上できなくなります。

そこで、連結P/Lを作成しない場合は、負ののれん発生益は『利益剰余金』として連結B/Sに直接計上することになります。

Section 4 部分所有子会社の処理

Section 3までは子会社の株式のすべてを親会社が所有するという100%子会社といわれる状況を想定していました。しかし、現実には 100%でなくても子会社となります。このSectionでは、仮定B(100%子会社である)を外して、親会社以外にも株主が存在する部分所有子会社の場合の処理を学びます。

1 部分所有子会社の基礎知識

部分所有子会社とは、親会社以外の株主(**非支配株主**)[*01] が存在する子会社をいいます。

部分所有子会社における資本連結では、子会社の資本を「**親会社持分**」と「**非支配株主持分**」とに分けて考えます。このうち、「**親会社の投資(子会社株式)」との相殺消去の対象となるのは親会社持分**です。また、**非支配株主持分は『非支配株主持分』に振り替え**、連結財務諸表の**純資産の部**に表示します。

*01)反対に、親会社は子会社を支配しているため支配株主といわれます。

2 部分所有子会社の資本連結

親会社以外の株主(非支配株主)が存在する子会社(部分所有の子会社)を資本連結[*01]する場合、子会社の資産・負債を**時価評価した後**、その資本の勘定を**親会社の持分と非支配株主の持分**[*02]**とに分けて**考えます。

部分所有子会社の資本連結は以下の手順で行います。

① **子会社の貸借対照表の資産と負債を時価で評価する。**

② 子会社の資本を株式の持分比率により、**親会社の持分と非支配株主の持分とに分ける**。

③ 親会社の持分→**親会社の投資と相殺する**。

④ 非支配株主の持分→**『非支配株主持分』**[*03] **に振り替える**。

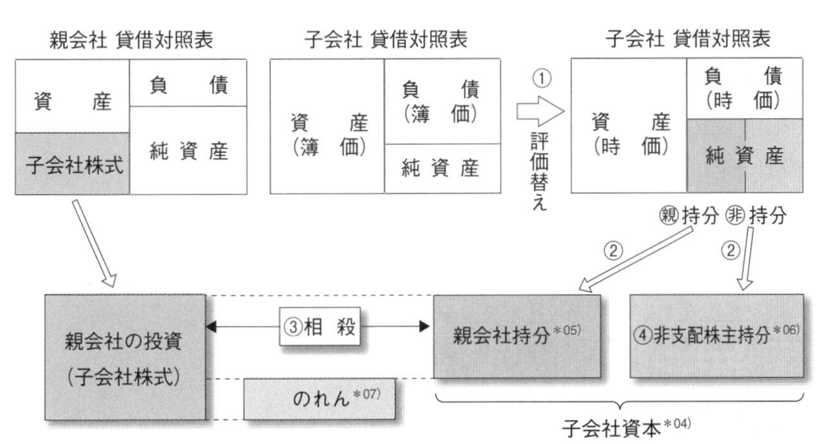

*01)親会社の投資勘定と、それに対応する子会社の資本を相殺することです。

*02)「持分の合計＝子会社の資本」と考えるとよいでしょう。

*03)非支配株主持分は純資産の部に表示します。
⇒14-5ページの連結財務諸表の様式(連結B/S)を参照してください。

*04)子会社の資本(持分合計)
＝親会社持分＋非支配株主持分

*05)親会社持分
＝子会社の資本
×親会社持分割合

*06)非支配株主持分
＝子会社の資本
×非支配株主持分割合

*07)のれんは、親会社の投資勘定と、それに対応する子会社の資本(親会社持分)との相殺消去差額として算定されます。

3 評価替えによる修正のない場合

子会社の諸資産、諸負債の時価が簿価に一致している場合には、評価替えによる子会社の貸借対照表の修正はありません。

この場合には、親会社の投資と、それに対応する子会社の資本(親会社持分)とを相殺し、投資消去差額をのれん(負ののれん発生益)として処理するとともに、親会社以外の株主(非支配株主)の持分に対応する子会社の資本を『非支配株主持分』に振り替えます*01)。

*01) 非支配株主の持分からは、のれん(負ののれん発生益)は計上されません。

設例4-1　部分所有の資本連結…のれんなし

P社は×1年12月31日にS社発行済株式の70%を14,000円で取得し支配した。×1年12月31日のP社およびS社の貸借対照表は次のとおりである。このときの連結修正仕訳および連結貸借対照表を示しなさい。なお、S社の諸資産、諸負債の時価は簿価に等しいものとする。

P社貸借対照表
×1年12月31日　(単位：円)

諸資産	136,000	諸負債	60,000
S社株式	14,000	資本金	50,000
		資本剰余金	7,000
		利益剰余金	33,000
	150,000		150,000

S社貸借対照表
×1年12月31日　(単位：円)

諸資産	80,000	諸負債	60,000
		資本金	10,000
		資本剰余金	3,000
		利益剰余金	7,000
	80,000		80,000

解答

(借)	**資本金**	*10,000*	(貸) **S社株式**	*14,000*
	資本剰余金	*3,000*	**非支配株主持分**	*6,000* *02)
	利益剰余金	*7,000*		

連結貸借対照表
×1年12月31日　(単位：円)

諸資産	216,000	諸負債	120,000
		資本金	50,000
		資本剰余金	7,000
		利益剰余金	33,000
		非支配株主持分	6,000
	216,000		216,000

※本問では、Section 2の「はじめに」におけるA～Eの仮定のうちBの「100%子会社である」という仮定を外しています。

*02) 20,000円(S社資本) ×(1−0.7)(非支配株主持分割合) =6,000円　親会社持分：70%　非支配株主持分：30%

親会社の投資と、子会社の資本のうちの親会社持分の金額とが一致しない場合、投資消去差額が生じます。投資消去差額の処理は100%子会社の場合と同じです*03)。

*03) 100%子会社の場合の処理 ⇒Section 3を参照してください。

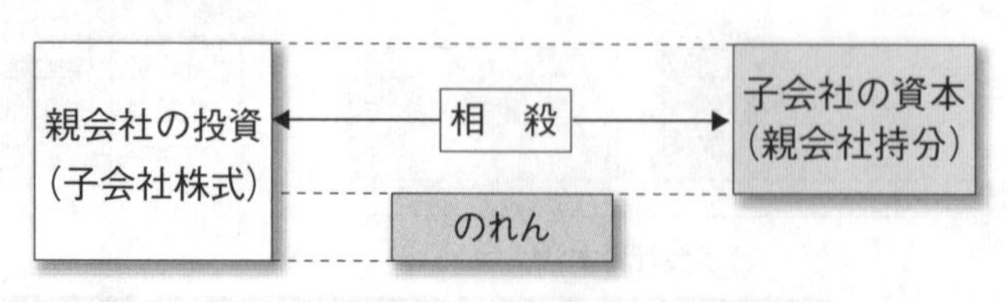

設例4-2　　部分所有の資本連結…のれんあり

P社は×1年12月31日にS社発行済株式の70％を17,000円で取得し支配した。×1年12月31日のP社およびS社の貸借対照表は次のとおりである。このときの連結修正仕訳および連結貸借対照表を示しなさい。なお、S社の諸資産、諸負債の時価は簿価に等しいものとする。

P社貸借対照表
×1年12月31日　(単位：円)

借方	金額	貸方	金額
諸資産	133,000	諸負債	60,000
S社株式	17,000	資本金	50,000
		資本剰余金	7,000
		利益剰余金	33,000
	150,000		150,000

S社貸借対照表
×1年12月31日　(単位：円)

借方	金額	貸方	金額
諸資産	80,000	諸負債	60,000
		資本金	10,000
		資本剰余金	3,000
		利益剰余金	7,000
	80,000		80,000

解答

	借方科目	金額		貸方科目	金額
(借)	資本金	10,000	(貸)	S社株式	17,000
	資本剰余金	3,000		非支配株主持分	6,000 *04)
	利益剰余金	7,000			
	のれん	3,000 *05)			

連結貸借対照表
×1年12月31日　(単位：円)

借方	金額	貸方	金額
諸資産	213,000	諸負債	120,000
のれん	3,000	資本金	50,000
		資本剰余金	7,000
		利益剰余金	33,000
		非支配株主持分	6,000
	216,000		216,000

*04) 20,000円(S社資本)×(1−0.7)(非支配株主持分割合)＝6,000円

*05) 17,000円−20,000円×0.7(P社持分)＝3,000円(借方)または貸借差額

部分所有の場合、支配を獲得した翌年度以降、子会社で計上された当期純利益のうちの非支配株主に帰属する分を『非支配株主持分』に振り替えます。このときの相手勘定は『**非支配株主に帰属する当期純利益**』となります。

①子会社が純利益を計上した場合

(借)非支配株主に帰属する当期純利益　×××　(貸)非支配株主持分　×××

②子会社が純損失を計上した場合

(借)非支配株主持分　×××　(貸)非支配株主に帰属する当期純損失　×××

4 評価替えによる修正のある場合

部分所有子会社の場合でも、子会社の資産・負債の時価が簿価と一致しない場合には、評価替えによる子会社の個別貸借対照表の修正が必要になります。

このとき、親会社の持分割合は100％未満ですが、**子会社の資産・負債の時価と簿価との差額は、全額を『評価差額』**[*01]**として子会社の資本に含めます。**

*01）差額の全額を『評価差額』として計上するので「全面時価評価法」と呼びます。これに対し、親会社持分に相当する部分だけ評価差額を計上する「部分時価評価法」という考え方もありますが、現行制度上は連結会計では認められていません。

設例4-3　全面時価評価法

P社は×1年12月31日にS社発行済株式の70％を38,000円で取得し支配した。そのときのS社の貸借対照表は次のとおりである。①評価替えのための仕訳および②連結修正仕訳を示しなさい。

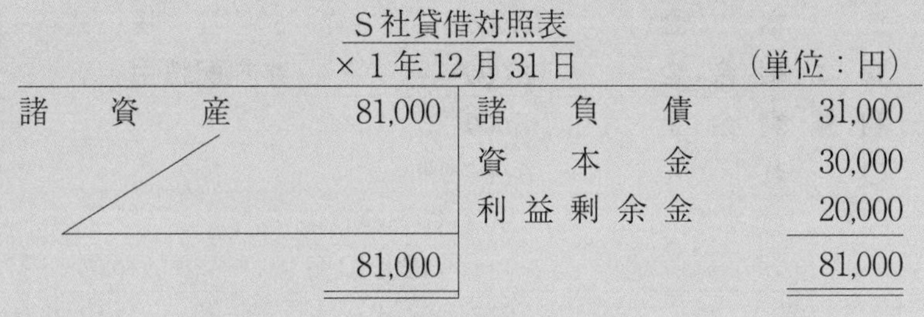

S社貸借対照表
×1年12月31日　（単位：円）

諸資産	81,000	諸負債	31,000
		資本金	30,000
		利益剰余金	20,000
	81,000		81,000

（注）S社の諸資産の時価は83,000円である。

解答

①	（借）諸資産	2,000	（貸）評価差額	2,000	
②	（借）資本金	30,000	（貸）S社株式	38,000	
	利益剰余金	20,000	非支配株主持分	15,600	*02)
	評価差額	2,000			
	のれん	1,600			

*02）（30,000円＋20,000円＋2,000円）×（1－0.7）＝15,600円
全面時価評価法によれば、評価差額 2,000円には非支配株主持分が含まれているので、非支配株主持分は評価差額を含む資本合計に非支配株主の持分（30％）を掛けて計算します。

解説

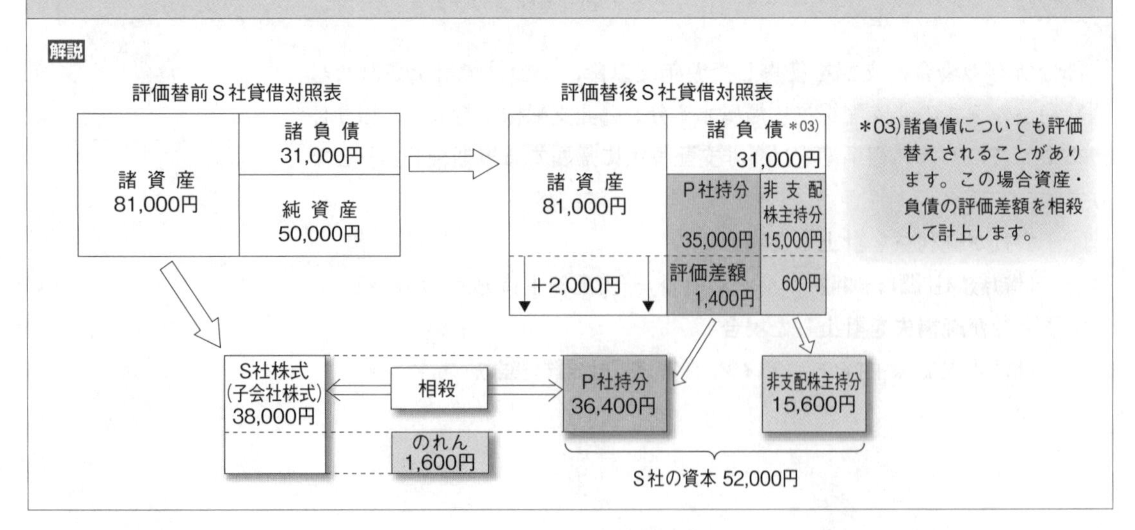

*03）諸負債についても評価替えされることがあります。この場合資産・負債の評価差額を相殺して計上します。

Section 5 支配獲得日後の処理

P社がS社の株式の70%を所有しています。当期にS社が100千円の利益を計上しました。連結会計上、この利益はどのように処理されるのでしょうか？そうです。このうち70千円が連結ベースの利益となります。つまり、30千円については“連結ベースの利益ではありませんよ”という処理が必要になるのです。このSectionでは仮定C（子会社株式を当期に取得した）を外し、前期以前に取得した場合の処理を学びます。

1 支配獲得日の資本連結

子会社の支配獲得時には連結貸借対照表のみを作成[*01]しましたが、その後の連結決算日には５つの財務諸表[*02]を作成します。そのさい、支配獲得後に子会社が計上した利益や、資本連結によって生じたのれんの償却などについては**当年度の連結修正仕訳を行います**。これに加えて、前年度までに行った資本連結をもう一度行わなければなりません。この**前年度分までの仕訳を（連結）開始仕訳**といいます。

＊01）このとき行う連結修正仕訳がSection2で学習した資本連結です。

＊02）連結貸借対照表、連結損益計算書、連結株主資本等変動計算書、連結キャッシュ・フロー計算書、連結包括利益計算書の５種類。

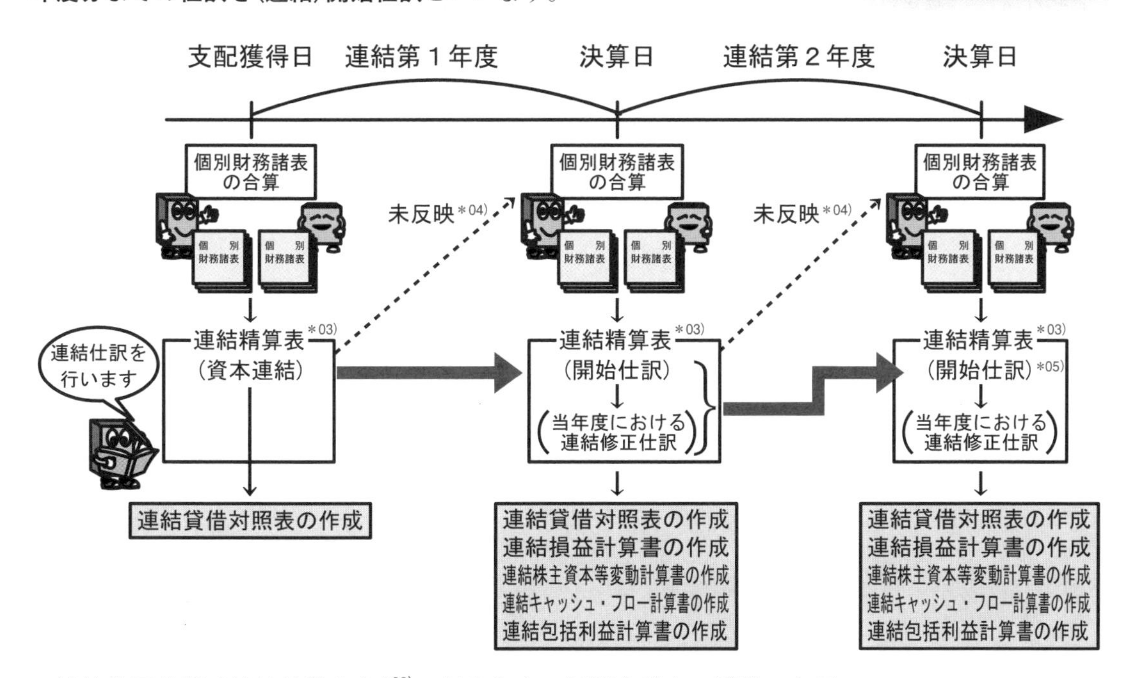

連結修正仕訳は連結精算表上[*03]で行うため、個別会計上の帳簿の金額には影響を与えません[*04]。したがって、連結第２年度では連結第１年度で行った連結修正仕訳を開始仕訳として再び行います[*05]。つまり、**開始仕訳を出発点として、いったん前年度末の状態**に戻したうえで**当期の連結修正仕訳**を行うことになります。

2 連結財務諸表の作成手順

次の手順で連結財務諸表を作成します。

(1)子会社の資産・負債の評価替え

(2)親会社・子会社の個別財務諸表の合算

(3)連結修正仕訳*01)

①**開始仕訳(3参照)**

②当期の連結修正仕訳

(i)**のれんの償却(4参照)**

(ii)**子会社当期純利益の振替え(5参照)**

(iii)**剰余金の配当(6参照)**

(4)**連結財務諸表の作成(7参照)**

*01)ほかにも成果連結に関する連結修正仕訳がありますが、それはSection6・7で学習します。

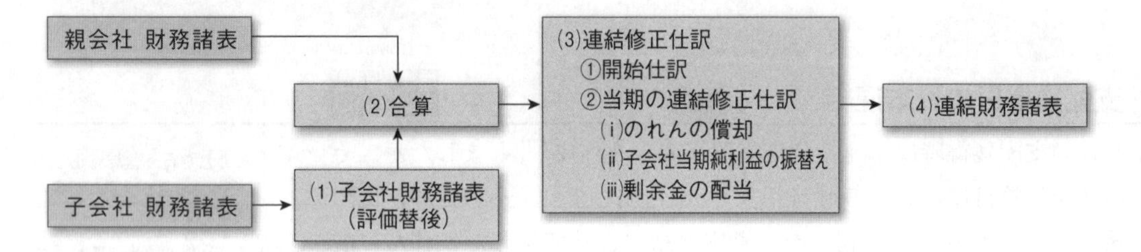

3 開始仕訳

開始仕訳は、過年度の連結修正仕訳すべてを一つにまとめたものです。

(借)	資本金	××	(貸)	S社株式	××
	利益剰余金	××		非支配株主持分	××
	評価差額	××			
	のれん	××			

設例5-1　　開始仕訳１

Ｐ社は×１年３月31日にＳ社発行済株式の70％を150,000円で取得し支配した。×１年３月31日のＳ社の貸借対照表は次のとおりであり、Ｐ社・Ｓ社とも会計期間は４月１日から３月31日までの１年である。なお、×１年３月31日におけるＳ社の諸資産に含み益3,000円がある。

×１年度(×１年４月１日～×２年３月31日)の連結財務諸表を作成するために必要な、(1)資産・負債の評価替えにかかる仕訳および(2)投資と資本の相殺消去にかかる開始仕訳を示しなさい。

貸借対照表

Ｓ社　　×１年３月31日　　(単位：円)

諸資産	400,000	諸負債	200,000
		資本金	100,000
		利益剰余金	100,000
	400,000		400,000

解答

(1)	(借) 諸資産	3,000	(貸) 評価差額	3,000
(2)	(借) 資本金	100,000	(貸) Ｓ社株式	150,000
	利益剰余金	100,000	非支配株主持分	60,900 *01)
	評価差額	3,000		
	のれん	7,900 *02)		

*01) 203,000円(Ｓ社資本)×0.3＝60,900円

*02) 150,000円(Ｓ社株式)－203,000円×0.7(Ｐ社持分)＝7,900円(借方)または貸借差額
なお、この仕訳は×2年３月31日に行う開始仕訳です。

4 のれんの償却

支配獲得時の資本連結によりのれんが生じた場合*01)、『のれん償却額』*02)として償却を行います。償却期間は問題文の指示に従ってください。

*01)負ののれんが生じた場合は、発生時に利益計上するため、それ以降の処理は不要です。

*02)『のれん償却』でも可。連結P/L上では販売費及び一般管理費に表示します。

(借) のれん償却額	×××	(貸) の れ ん	×××

設例5-2 のれんの償却

設例5-1において、×1年度(×1年4月1日～×2年3月31日)の連結財務諸表を作成するために必要なのれん7,900円の償却にかかる連結修正仕訳を示しなさい。ただし、のれんは発生年度の翌年から20年間の均等償却を行うものとする。

解答

(借) のれん償却額	395*03)	(貸) の れ ん	395

*03)7,900円÷20年＝395円

5 子会社当期純利益の振替え

▶▶簿問題集：問題4

個別財務諸表をそのまま合算すると、子会社の当期純利益(利益剰余金増加額)の全額を連結財務諸表に計上することとなります。しかし、非支配株主が存在する場合は、**当該子会社の当期純利益のうち非支配株主帰属分については『非支配株主持分』に振り替え**なければなりません。

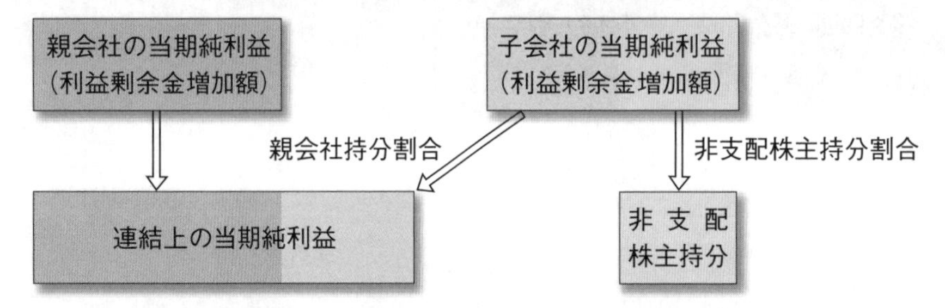

具体的には、当期純利益(損失)のうち非支配株主持分に相当する額については、**『非支配株主持分』として非支配株主持分を増加(減少)**させるとともに、相手勘定として連結損益計算書の損益項目である**『非支配株主に帰属する当期純利益』*01)に計上**します。

*01)非支配株主にとっては利益、親会社にとっては費用。

(1)子会社が当期純利益を計上した場合

(借) 非支配株主に帰属する当期純利益	××	(貸) 非支配株主持分	××

└当期純利益×非支配株主持分割合

(2)子会社が当期純損失を計上した場合

(借) 非支配株主持分	××	(貸) 非支配株主に帰属する当期純損失	××

└当期純損失×非支配株主持分割合

設例 5-3　子会社当期純利益の振替え

設例5-1において、×1年度(×1年4月1日～×2年3月31日)の連結財務諸表を作成するために必要な子会社当期純利益の振替えにかかる連結修正仕訳を示しなさい。

貸借対照表
×2年3月31日　(単位:円)

資産	P社	S社	負債・純資産	P社	S社
諸資産	550,000	430,000	諸負債	300,000	210,000
S社株式	150,000	—	資本金	200,000	100,000
			利益剰余金	200,000	120,000
	700,000	430,000		700,000	430,000

損益計算書
自×1年4月1日　至×2年3月31日 (単位:円)

科目	P社	S社
諸収益	230,000	120,000
諸費用	134,000	67,000
法人税等	26,000	13,000
当期純利益	70,000	40,000

株主資本等変動計算書
自×1年4月1日　至×2年3月31日　(単位:円)

	P社	S社		P社	S社
資本金当期末残高	200,000	100,000	資本金当期首残高	200,000	100,000
剰余金の配当	30,000	20,000	利益剰余金当期首残高	160,000	100,000
利益剰余金当期末残高	200,000	120,000	当期純利益	70,000	40,000

解答

(借) 非支配株主に帰属する当期純利益　12,000 *02)　(貸) 非支配株主持分　12,000

解説

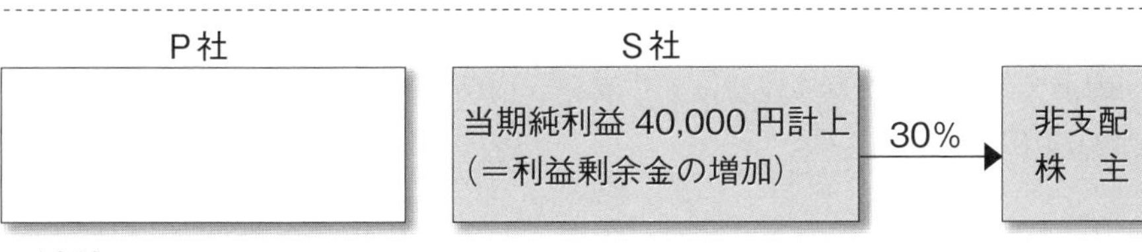

<連結ベース>

S社の当期純利益のうち連結上で利益剰余金となるのは、親会社の持分割合の70%のみです。そこで、非支配株主の持分については非支配株主持分に振り替えます *03)。

(借) 非支配株主に帰属する当期純利益 12,000　(貸) 非支配株主持分 12,000

*02) 40,000円×0.3=12,000円
　S社当期純利益

*03) 子会社の当期純利益の全額を合算したあと、30%を非支配株主に振り替えているので、結果として70%が連結上の利益として残る形になります。

6 剰余金の配当

子会社の配当金は、持分比率に応じて親会社と非支配株主に支払われます。

このうち、**親会社に支払われた分は連結会社間の内部取引**となるため、親会社の**『受取配当金』と相殺消去**します。また、**非支配株主に支払われた分は非支配株主持分の減少**となります。

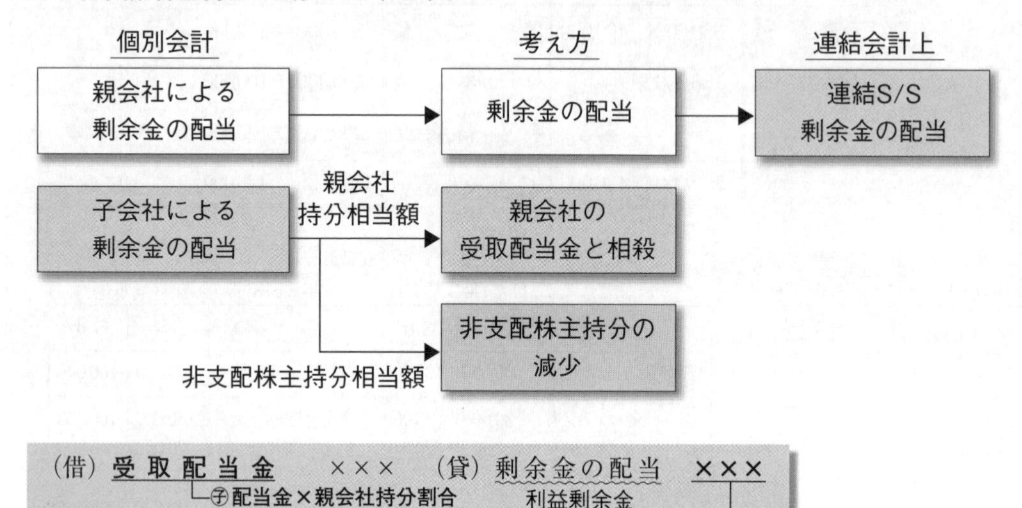

(借) **受取配当金** ×××　(貸) 剰余金の配当 ×××
　　└㋙配当金×親会社持分割合　　　利益剰余金
　　非支配株主持分 ×××　　　　㋙配当金全額
　　└㋙配当金×非支配株主持分割合

設例5-4　剰余金の配当

設例5-1において、×1年度(×1年4月1日～×2年3月31日)の連結財務諸表を作成するために必要な、剰余金の配当にかかる連結修正仕訳を示しなさい。期中の剰余金配当は、P社30,000円、S社20,000円である。

解答

(借)		(貸)	
受取配当金	14,000 *02)	剰余金の配当 利益剰余金	20,000 *01)
非支配株主持分	6,000		

*01) このように、子会社の『剰余金の配当』は全額取り消されるため、「連結S/Sの剰余金の配当額=親会社の剰余金の配当額」となります。

*02) 20,000円×0.7=14,000円

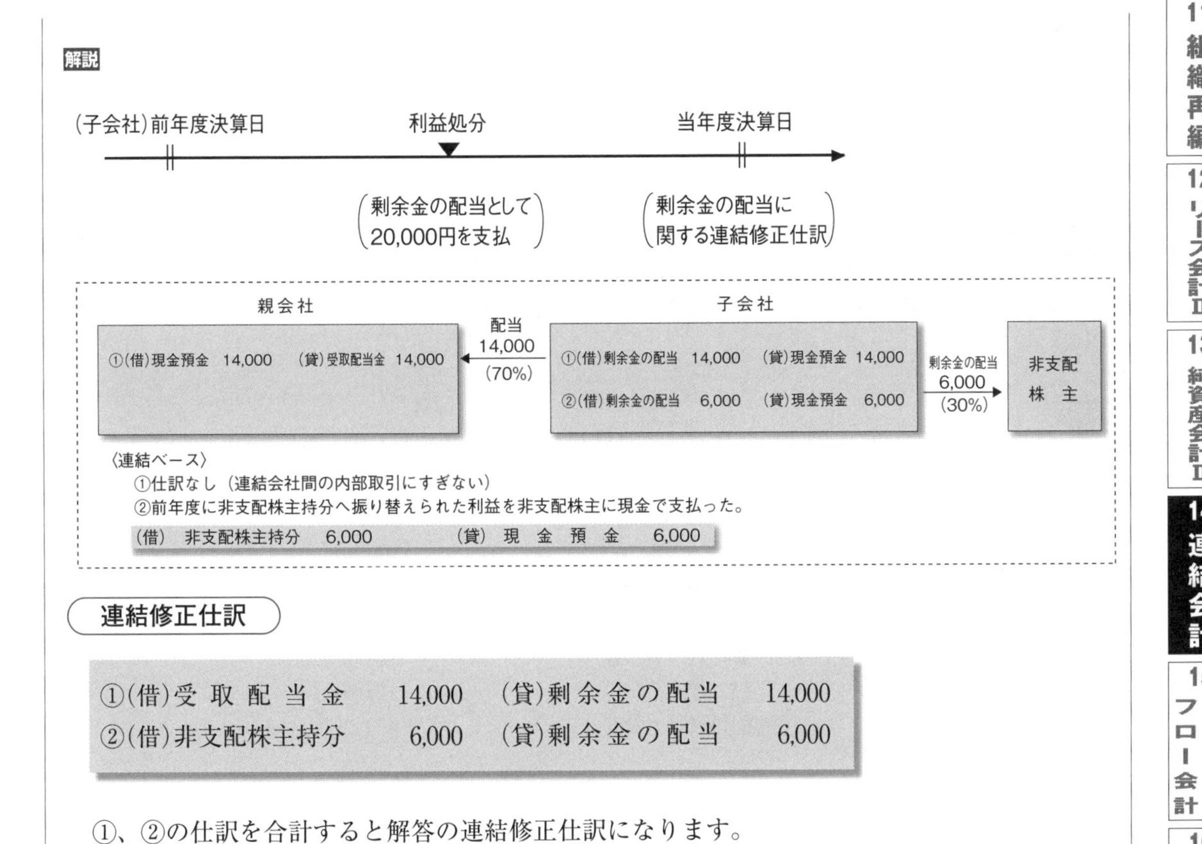

連結修正仕訳

①(借)受取配当金	14,000	(貸)剰余金の配当	14,000
②(借)非支配株主持分	6,000	(貸)剰余金の配当	6,000

①、②の仕訳を合計すると解答の連結修正仕訳になります。

7 連結財務諸表の作成

1．連結財務諸表の作成

個別財務諸表を合算し、連結修正仕訳を加味して連結財務諸表を作成します。

設例 5-5 連結財務諸表の作成

設例5-1から**設例5-4**に従って、連結財務諸表(連結キャッシュ・フロー計算書を除く)を作成しなさい。

解答

連結損益計算書

自×1年4月1日 至×2年3月31日（単位：円）

諸収益	336,000 *01)
諸費用	201,395 *02)
税金等調整前当期純利益	134,605
法人税等	39,000
当期純利益	95,605
非支配株主に帰属する当期純利益	12,000
親会社株主に帰属する当期純利益	83,605

連結株主資本等変動計算書

自×1年4月1日 至×2年3月31日　（単位：円）

資本金当期末残高	200,000	資本金当期首残高	200,000
剰余金の配当	30,000	利益剰余金当期首残高	160,000
利益剰余金当期末残高	213,605	親会社株主に帰属する当期純利益	83,605
非支配株主持分当期末残高	66,900	非支配株主持分当期首残高	60,900
		非支配株主持分当期変動額	6,000 *03)

連結貸借対照表

×2年3月31日　（単位：円）

資産	金額	負債・純資産	金額
諸資産	983,000	諸負債	510,000
のれん	7,505	資本金	200,000
		利益剰余金	213,605
		非支配株主持分	66,900
	990,505		990,505

*01) 230,000円＋120,000円－14,000円(剰余金の配当)＝336,000円

*02) 134,000円＋67,000円＋395円(のれん償却額)＝201,395円

*03) 12,000円－6,000円(剰余金の配当)＝6,000円

2．翌年度の開始仕訳

前期末までの連結修正仕訳を合計して開始仕訳とします。

設例5-6 開始仕訳2

設例5-1から**設例5-4**に従って、×2年度(×2年4月1日～×3年3月31日)の連結財務諸表を作成するために必要な開始仕訳を示しなさい。

(借)	諸資産	*3,000*	(貸)	評価差額	*3,000*
(借)	資本金	*100,000*	(貸)	S社株式	*150,000*
	利益剰余金	*106,395* *04)		非支配株主持分	*66,900* *06)
	評価差額	*3,000*			
	のれん	*7,505* *05)			

*04) 100,000円＋395円＋12,000円＋14,000円－20,000円＝106,395円

*05) 7,900円－395円＝7,505円

*06) 60,900円＋12,000円－6,000円＝66,900円
なお、この仕訳は×3年3月31日に行います。

解説

設例5-1

(借)	諸資産	3,000	(貸)	評価差額	3,000
(借)	資本金	100,000	(貸)	S社株式	150,000
	利益剰余金	100,000		非支配株主持分	60,900
	評価差額	3,000			
	のれん	7,900			

設例5-2

(借)	利益剰余金 のれん償却額	395	(貸)	のれん	395

設例5-3

(借)	利益剰余金 非支配株主に帰属する当期純利益	12,000	(貸)	非支配株主持分	12,000

設例5-4

(借)	利益剰余金 受取配当金	14,000	(貸)	利益剰余金 剰余金の配当	20,000
	非支配株主持分	6,000			

３．タイムテーブル

横軸に時間経過を、縦軸に各時点の子会社資本の内訳、株式取得割合やのれん等を記入するタイムテーブルを描くと、特に開始仕訳にかかる各数値を算定するのに有用です[*07)]。

＊07) 実際に連結会計の総合問題を解く場合、必ずタイムテーブルを使うものと思ってください。

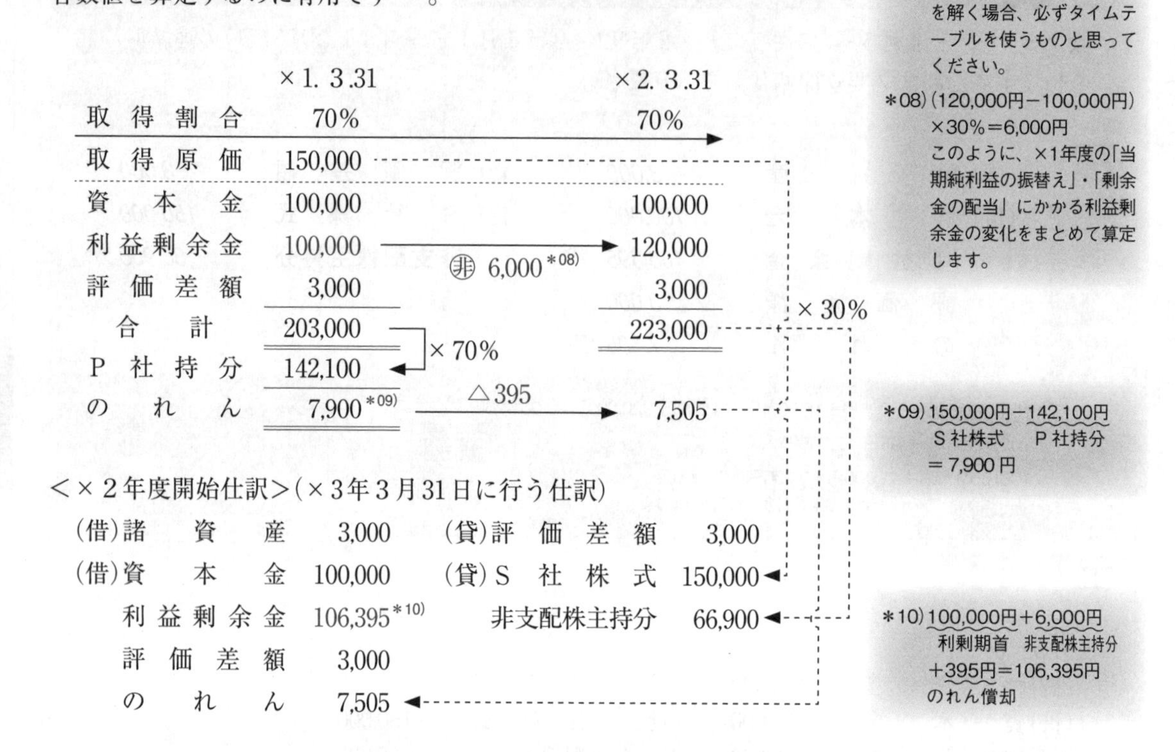

＊08) (120,000円－100,000円)×30%＝6,000円
このように、×1年度の「当期純利益の振替え」・「剰余金の配当」にかかる利益剰余金の変化をまとめて算定します。

＊09) 150,000円（S社株式）－142,100円（P社持分）＝7,900円

＊10) 100,000円（利剰期首）＋6,000円（非支配株主持分）＋395円（のれん償却）＝106,395円

Section 6 債権・債務の相殺消去

これまでのSectionでは親子会社間の内部取引はないものと仮定していました。しかし、現実には資金の貸借から商品や固定資産の売買にいたるまで、さまざまな取引が親子会社間で展開されています。仮定E(親子会社間の内部取引はない)を外し、このSectionでは、まず資金の貸借から見ていきます。

1 成果連結の意義

成果連結とは、**親子会社間の債権債務、商品売買取引等の相殺消去**のことであり、連結修正仕訳の一つです。

連結会社間の債権債務・商品売買取引等について、**連結上あるべき仕訳を考えると**、**企業グループ内における取引(内部取引)にすぎないことから、「仕訳なし」**となります。そこで、個別上の仕訳を連結上の「仕訳なし」の状態に戻すため、**連結会社間の債権債務・商品売買取引等を相殺消去する成果連結が必要**になります。

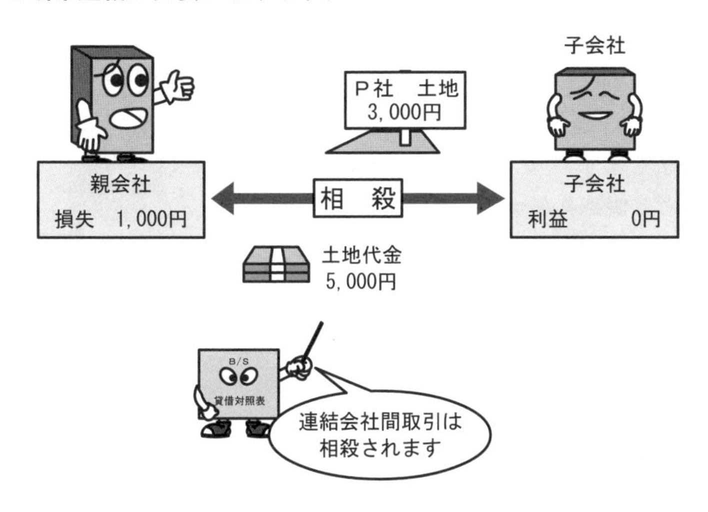

2 貸付金・借入金

▶▶簿問題集：問題5

連結会社間で資金の貸借を行い、連結決算期末に債権債務の残高がある場合、それを示す**貸付金と借入金を相殺消去**します*01)。この取引は連結ベースでは企業グループ内部での資金の移動にすぎないためです。

また、付随して発生する**利息の授受や経過勘定についても相殺消去**します。

*01) ただし、連結修正仕訳は個別財務諸表上の科目で行うので、短期貸付金(借入金)または長期貸付金(借入金)という科目を用います。

設例 6-1　会社間取引・貸付金・借入金

P社(親会社)はS社(子会社)に対する短期貸付金100,000円があり、それにより未収利息1,500円、受取利息6,000円を計上した。このときの連結修正仕訳を示しなさい。

解答

(借)	短期借入金	*100,000*	(貸)	短期貸付金	*100,000*
(借)	受取利息 *02)	*6,000*	(貸)	支払利息 *02)	*6,000*
(借)	未払費用 *03)	*1,500*	(貸)	未収収益 *03)	*1,500*

＊02) 受取利息と支払利息が対応します。

＊03) 未収収益と未払費用が対応します。

解説

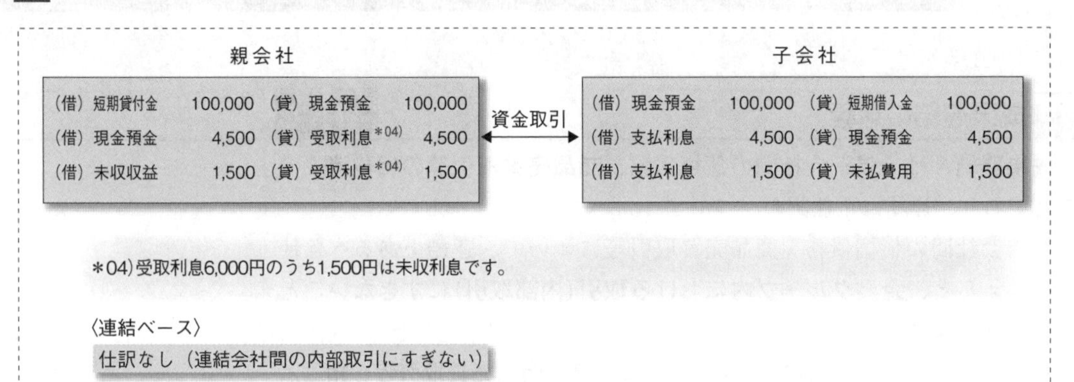

3 売掛金・買掛金

簿B　財計C　▶▶簿問題集：問題6

連結会社間で商品売買を掛けで行い、連結決算期末に**売掛金・買掛金の残高**がある場合、これを**相殺消去**します*01)。なぜなら、連結会社間の債権・債務は連結ベースでは債権者と債務者が一致してしまうからです。

また、売掛金に貸倒引当金が設定されていた場合には、**貸倒引当金とともにその繰入額も消去**します。

＊01) すべての売掛金・買掛金を相殺消去するのではなく、連結会社間の商品売買によって生じたものだけを消去します。
また、連結会社間の売掛金・買掛金でも期中に決済されたものについては、個別財務諸表上、計上されていないため、相殺する必要はありません。

設例 6-2　売掛金・買掛金 1

連結決算にあたり、P社(親会社)はS社(子会社)に対して売掛金100,000円があり、これに2％の貸倒引当金を設定している。このときの連結修正仕訳を示しなさい。

(借)	買掛金	*100,000*	(貸)	売掛金	*100,000*
(借)	貸倒引当金	*2,000*	(貸)	貸倒引当金繰入	*2,000* *02)

＊02) 100,000円×0.02＝2,000円

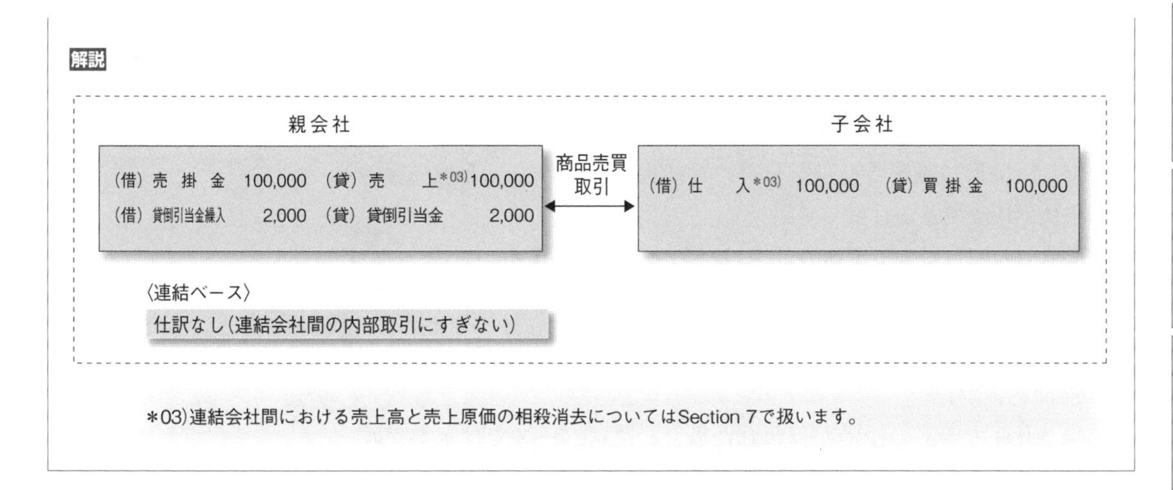

4 前期末に貸倒引当金が設定されていた場合

前期末の売掛金に貸倒引当金が設定されていた場合には、前期末の売掛金に設定した貸倒引当金を消去し、そのうえで当期に繰り入れた貸倒引当金を消去します。

設例6-3 売掛金・買掛金2

連結決算にあたり、P社(親会社)はS社(子会社)に対して売掛金150,000円があり、これに2%の貸倒引当金を差額補充法により設定している。

なお、前期末におけるS社に対する貸倒引当金は2,000円(すべて売上債権にかかる分)である。このときの連結修正仕訳を示しなさい。

(借)	買掛金	*150,000*	(貸)	売掛金	*150,000*
(借)	貸倒引当金*01)	*2,000*	(貸)	利益剰余金*02)	*2,000*
(借)	貸倒引当金*03)	*1,000*	(貸)	貸倒引当金繰入	*1,000* *04)

*01)期首残高を消去します。

*02)前期の貸倒引当金繰入の修正なので『利益剰余金当期首残高』で処理します。

*03)結局、S社に対する貸倒引当金は全額(150,000円×0.02)消去されます。

*04)当期貸倒引当金繰入

150,000円×0.02=	3,000円
期首貸倒引当金残高=	△2,000円
当期貸倒引当金繰入	1,000円

5 手形取引

簿B 財計C ▶▶簿問題集：問題7

連結会社間で手形取引を行い、連結決算期末に**未決済の場合**、それを示す受取手形と支払手形を相殺消去します。

ただし、手形は裏書きや割引を行う可能性があるので、その場合の連結修正仕訳には注意が必要です。

手形取引の内容によって次の３つのパターンがあります。

(1) 内部取引の消去

(2) 他勘定への振替え（①割引手形、②裏書手形）

(1)内部取引の消去

連結会社間で手形の授受が行われた場合、連結ベースでは企業グループ内部の取引にすぎないため、個別会計上の仕訳を消去します。

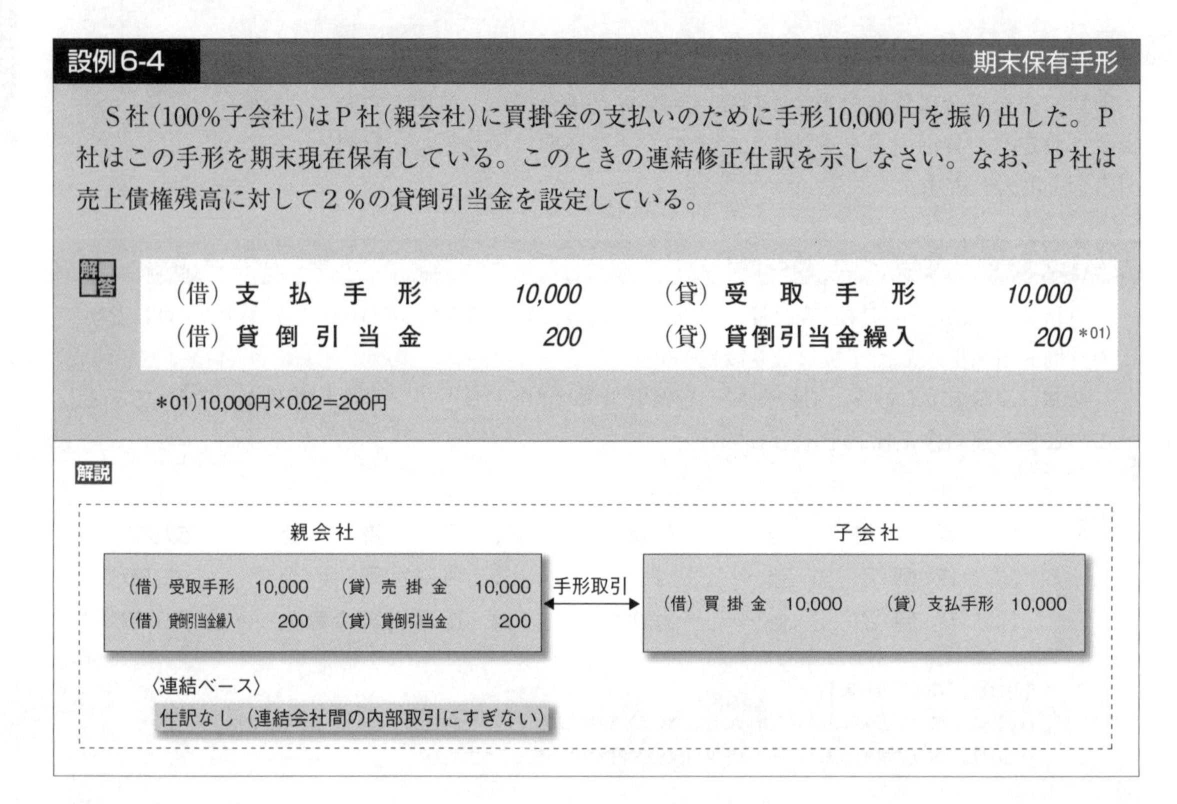

設例6-4 期末保有手形

S社（100％子会社）はP社（親会社）に買掛金の支払いのために手形10,000円を振り出した。P社はこの手形を期末現在保有している。このときの連結修正仕訳を示しなさい。なお、P社は売上債権残高に対して２％の貸倒引当金を設定している。

解答

（借）	支払手形	*10,000*	（貸）受取手形	*10,000*
（借）	貸倒引当金	*200*	（貸）貸倒引当金繰入	*200* *01)

*01) 10,000円×0.02＝200円

解説

(2)他勘定への振替え

子会社が振り出した手形を親会社が受け取り、さらに企業グループ外に割引・裏書きした場合には他勘定へ振り替えます。

①割引手形

企業グループ内で発行した手形を企業グループ外(銀行など)で割り引いた場合は、手形による資金の借入れと考え、**『短期借入金』に振り替え**ます[*02]。

さらに、手形の割引料は、手形借入にともなう「利息の前払い」と考えられますので、個別会計上、計上されている**『手形売却損』を『支払利息』に振り替え**ます。

また、振り替えた支払利息のうち次期にかかる部分を**『前払費用』に振り替え**ます。

*02)手形の振出しによる借入金で1年を超えるものは通常ありませんので、短期借入金として表示します。

設例 6-5 割引手形

S社(子会社)はP社(親会社)に買掛金の支払いのため手形10,000円を振り出した。P社はこの手形を銀行で割り引き、割引料500円(次期にかかる部分:200円)を差し引かれた。このときの連結修正仕訳を示しなさい。なお、P社は割引時に受取手形を直接減額している。

解答

(借)	支払手形[*03]	10,000	(貸) 短期借入金	10,000
(借)	支払利息	500	(貸) 手形売却損	500
(借)	前払費用	200	(貸) 支払利息	200

*03)割引時に受取手形を直接減額しているため、個別B/S上、割引分の受取手形は計上されていません。したがって、受取手形をあらためて減額する必要はありません。

解説

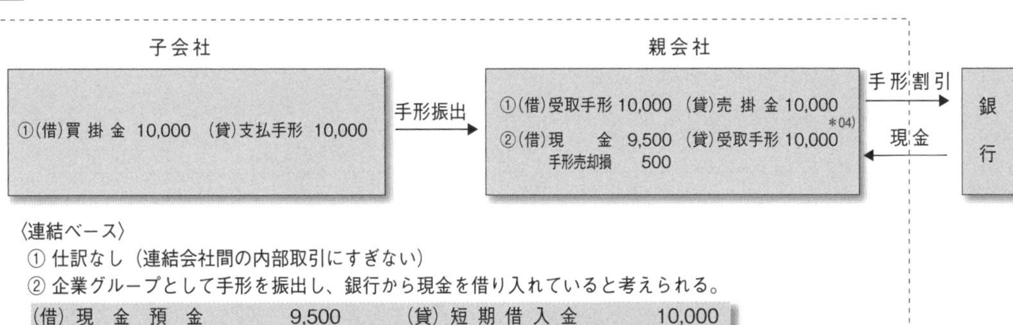

〈連結ベース〉
① 仕訳なし(連結会社間の内部取引にすぎない)
② 企業グループとして手形を振出し、銀行から現金を借り入れていると考えられる。

(借) 現金預金	9,500	(貸) 短期借入金	10,000
支払利息	500		

③支払利息のうち次期にかかる部分を繰り延べる。

(借) 前払費用	200	(貸) 支払利息	200

*04)連結B/Sで、手形割引高を注記するさい、注記の金額からも控除します。

②裏書手形

企業グループ内で振り出した手形を企業グループ外(仕入先など)へ裏書譲渡した場合は、通常の手形振出と考え、**支払手形として処理**します。

設例 6-6 裏書手形

S社(子会社)はP社(親会社)に買掛金の支払いのため手形10,000円を振り出した。また、P社はこの手形を買掛金決済のために裏書きした。このときの連結修正仕訳を示しなさい。なお、P社は裏書時に受取手形を直接減額している。

(借) 仕　訳　な　し　　　(貸)

解説

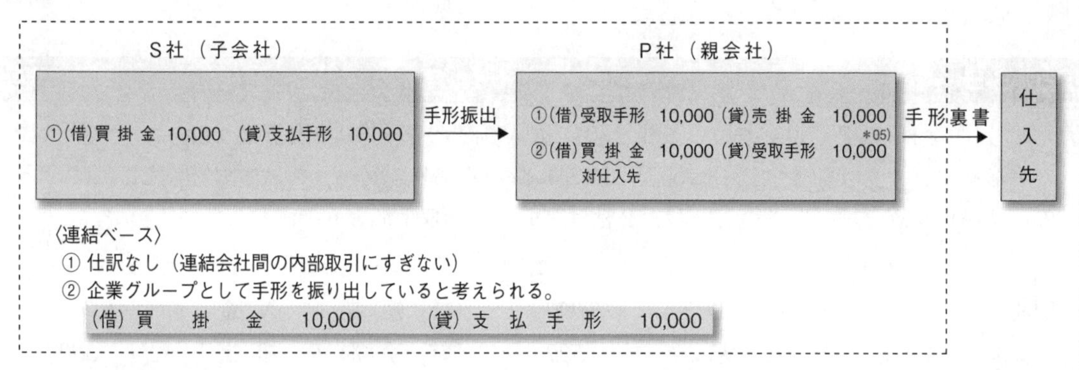

連結修正仕訳

	(借)		(貸)	
①	支払手形	10,000	受取手形	10,000
②	受取手形	10,000	支払手形	10,000

①、②の仕訳をまとめると解答の「仕訳なし」となります。

*05)連結B/Sで、手形裏書高を注記するさい、注記の金額からも控除します。

Section 7 商品売買等の相殺消去

企業グループとしての親会社と子会社であっても、それぞれが独立した一つの企業のため、商品などの売買取引では一定の利益分を加算して行います。この利益は、連結会計を行うにあたっては内部利益となり、在庫などの資産として企業内部に残っている場合には、「内部未実現利益」となります。未実現ならば、放っておくわけにはいきません。

1 未実現利益の生じるケース

連結会社間で利益を付して商品売買等を行った場合、企業グループで当該商品等を保有していることに変わりないので、当該商品等に付加された利益は**企業グループ外に販売されるまで未実現の利益**となります。このような、**未実現利益は連結上全額消去**しなければなりません。

ただし、未実現利益の生じるケースは次の２つがあり、それぞれ消去した未実現利益の負担関係が異なります。

(1)ダウン・ストリーム*01)

ダウン・ストリームとは、**親会社が販売者、子会社が購入者**となる場合をいいます。このとき、**親会社(販売者)が利益を付加**しているので、未実現利益の消去については**親会社が全額負担**します(**全額消去・親会社負担方式**)。

*01) ダウン・ストリームは下降気流という意味。上(親)から下(子)にモノが流れます。

(2)アップ・ストリーム*02)

アップ・ストリームとは、**子会社が販売者、親会社が購入者**となる場合をいいます。このとき、**子会社(販売者)が利益を付加**しているので、未実現利益の消去については、**子会社の持分比率に応じて親会社と非支配株主が負担**します(**全額消去・持分比率負担方式**)。

*02) アップ・ストリームは上昇気流という意味。下(子)から上(親)にモノが流れます。

なお、本書ではダウン・ストリームのみを取り扱うこととします。

2 売上高と売上原価（仕入）

連結会社間で商品売買を行った場合、**売上高と売上原価を連結会計上相殺消去します**。これは、商品の売買も連結ベースでは企業集団内部の商品の移動にすぎないからです。

連結修正仕訳は財務諸表上の科目である**『売上高』**と**『売上原価』**[*01]で行います。

*01）連結P/Lでは売上原価の内訳は示さないので、「仕入高」とはしません。

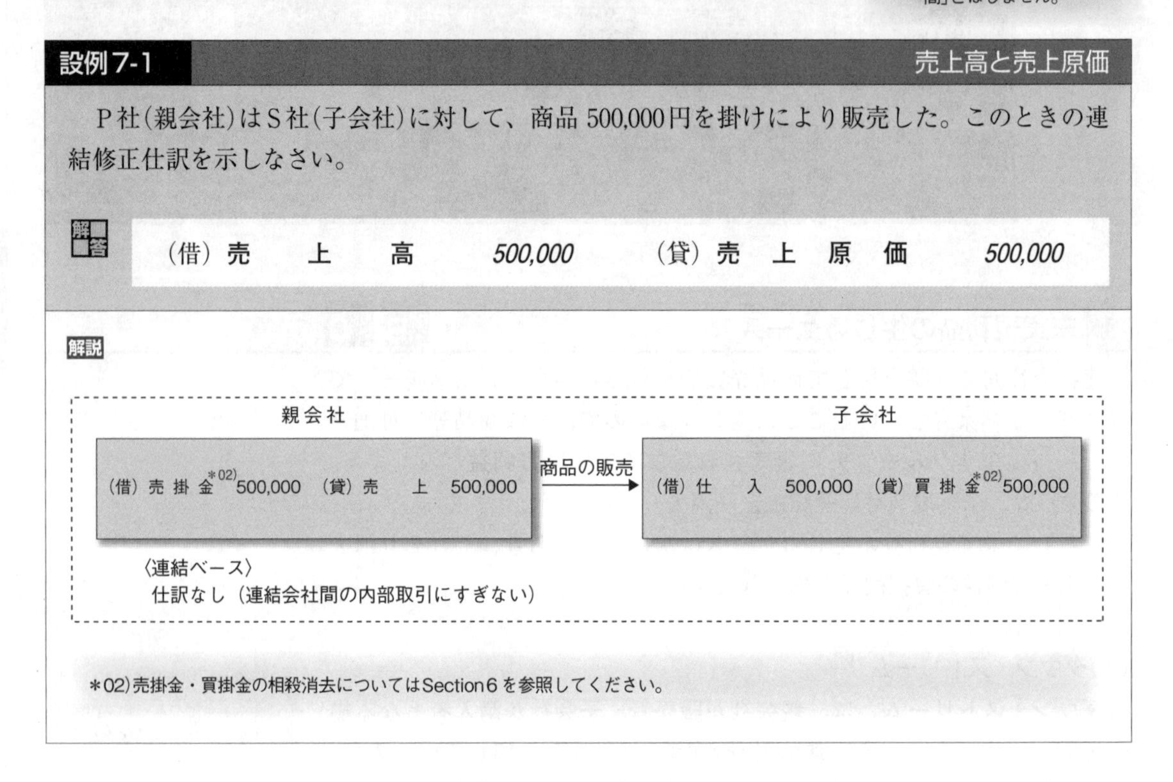

設例 7-1　売上高と売上原価

P社（親会社）はS社（子会社）に対して、商品500,000円を掛けにより販売した。このときの連結修正仕訳を示しなさい。

解答

（借）売上高	500,000	（貸）売上原価	500,000

解説

＊02）売掛金・買掛金の相殺消去についてはSection6を参照してください。

3 棚卸資産の未実現利益の消去

簿B　財計C　▶▶簿問題集：問題8,9,10

1．期末商品に含まれる未実現利益

親会社が子会社に棚卸資産を販売し、期末まで企業グループ外部に売却せず手許に残っている場合、期末の棚卸資産に含まれる未実現利益を全額消去し、これを親会社が全額負担します。

設例 7-2　棚卸資産の未実現利益の消去 1

P社（親会社）はS社（子会社）に原価率80％で商品を販売している。S社の期末商品 2,000円はP社から仕入れたものである。このときの連結修正仕訳を示しなさい。

解答

（借）売上原価	400	（貸）商品	400[*01]

＊01）2,000円×0.2＝400円

解説

期末商品2,000円に含まれる内部利益400円は未実現のため、連結貸借対照表の『商品』から控除します。また、その金額を売上原価に加算します。これは、個別財務諸表上、期末商品に未実現利益が含まれていた分だけ売上原価が過小計上されていたためです[*02]。

*02)売上原価の求め方
期首棚卸高＋当期仕入高－期末棚卸高＝売上原価

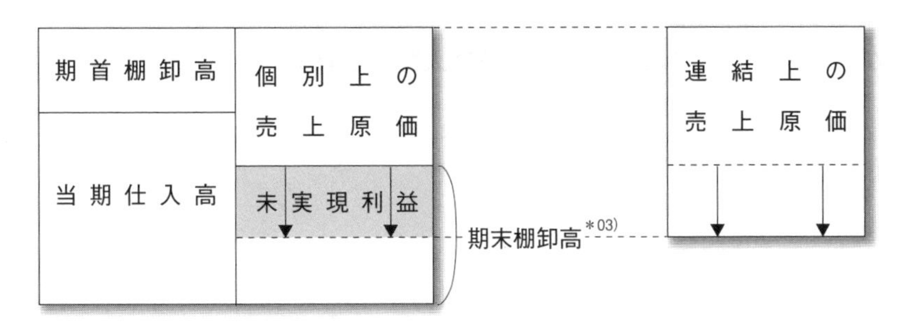

*03)期末棚卸高の過大計上＝売上原価の過小計上⇒ 売上原価に加算

2．期首商品に含まれる未実現利益

未実現利益を含んだ期末商品は、翌期には期首商品となります。期首商品に含まれる未実現利益については次の処理を行います。

設例7-3 棚卸資産の未実現利益の消去2

P社(親会社)はS社(子会社)に80%の原価率(前期も同じ)で商品を販売している。S社の期首商品3,000円はP社から仕入れたものである。このときの連結修正仕訳を示しなさい。

解答

(借)	利益剰余金	600[*04]	(貸)	売上原価	600

*04)3,000円×0.2=600円

解説

①前期に行った連結修正仕訳を再び行います。

(借) 利益剰余金	600	(貸) 商品	600

前期の売上原価の修正なので、『利益剰余金』で処理します。

②期首商品に含まれる未実現利益は当期にはすべて実現したと考えます[*05]。そこで、この金額を売上原価から控除します。これは、期首商品に未実現利益が含まれていた分だけ**売上原価が過大計上されていた**ためです。

*05)先入先出法と仮定し、期首商品は当期中にすべて販売したと考えます。

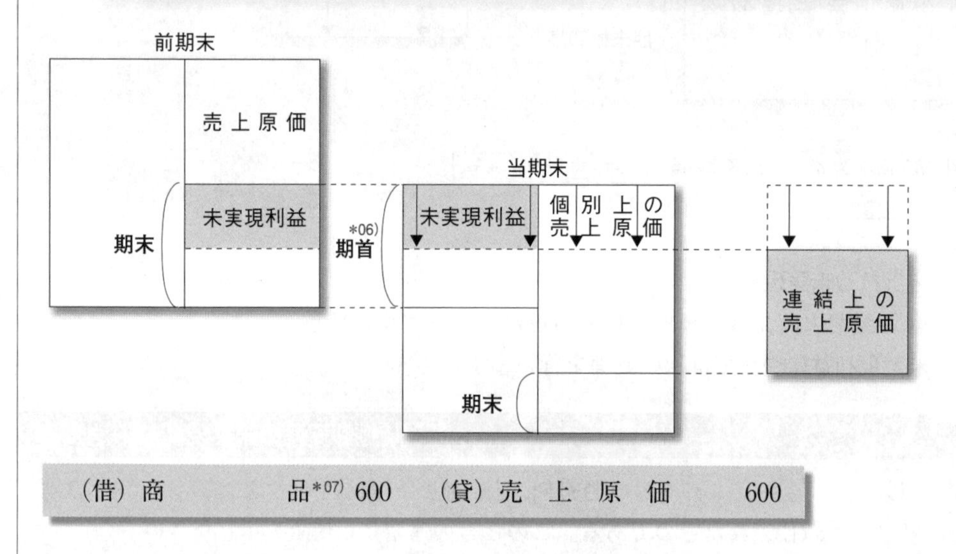

(借) 商品[*07]	600	(貸) 売上原価	600

①、②の仕訳を合計すると、解答の仕訳になります。

*06)期首棚卸高の過大計上＝売上原価の過大計上⇒ 売上原価から減算

*07)①の仕訳によって連結B/Sの期末商品を減らしてしまっているので、それを相殺消去します。

Section 8

持分法の基礎知識

連結の範囲には含まれないけど、一定割合の株式は保有しているので何かしらの処理を適用したい・・そんな企業には持分法を適用します。連結会計を適用していなくても、通称"一行連結"と呼ばれるこの方法を使えば、純利益や純資産に与える影響は連結会計を適用した場合と同様になります。連結会計の考え方をコンパクトにして、工夫された会計処理を見ていきましょう。

1 持分法の意義・必要性

1．持分法の意義

持分法とは、投資会社の被投資会社に対する投資額を評価するにあたり、**被投資会社の活動に応じてその投資勘定**[*01]**を各期ごとに修正していく方法**です[*02]。

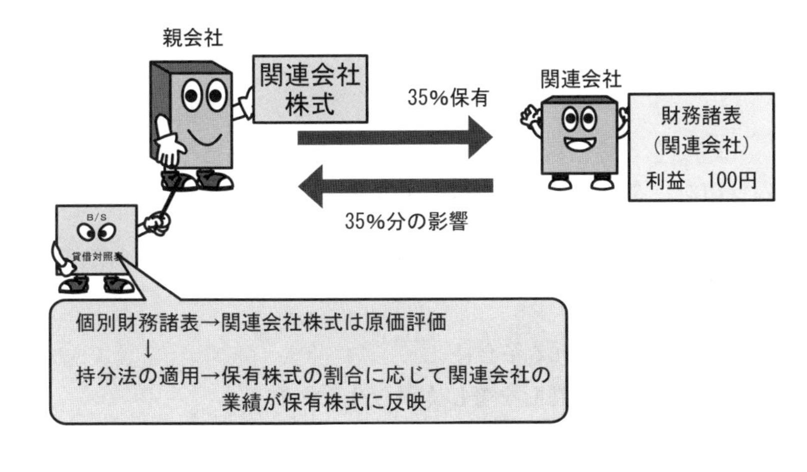

＊01）被投資会社に対する投資を表す勘定を、本書では「投資勘定」と呼ぶことにします。具体的には、投資勘定を『関係会社株式』『○社株式』などとして仕訳を行います。

＊02）持分法にかかる仕訳は、連結修正仕訳に含まれます。

２．持分法の必要性

被投資会社の株式は、**個別上**では関係会社株式として原則、取得原価で評価します(原価法)。しかし、それでは被投資会社の活動成果を財務諸表上に反映することができません。

そこで、連結子会社のみならず、その他の関係会社を含めた**企業グループ全体の経営成績を連結財務諸表に反映**するために、**連結上**では被投資会社の株式(連結子会社株式を除く)を**持分法**により評価する必要があります。

	被投資会社の株式の評価方法
個　別　上	原価法
連　結　上	**持分法**

2 持分法の前提

持分法は、被投資会社に対する投資会社持分の変動を**“連結上”反映する方法**です。したがって、持分法の適用は、**他の連結子会社がすでに存在して連結財務諸表を作成していることが前提**となります。

3 持分法の適用範囲

以下にあげる非連結子会社および関連会社に対する投資については、原則として持分法を適用しなければなりません。

１．非連結子会社

非連結子会社とは、以下の理由から連結範囲に含めない子会社をいいます。

(1)強制：連結範囲に含めてはならない。

①　支配が一時的であると認められる子会社

②　連結することで利害関係者の判断を著しく誤らせるおそれがある子会社

(2)容認：連結範囲に含めないことができる。

重要性の乏しい子会社

2．関連会社

(1) 意義

関連会社とは、企業(その子会社を含む)が、出資・人事・資金・技術・取引等の関係を通じて、子会社以外の他の企業の財務・営業方針の決定に対して**重要な影響を与えることができる**場合における、当該他の企業をいいます(**影響力基準**)。

(2) 影響力基準による判定

以下の**いずれか**に該当する場合、影響力が認められるものとして、その企業を**関連会社と判定**します。

- その企業の議決権株式の**20%以上**を実質的に所有している場合
- その企業の議決権株式の取得割合が**20%未満であっても**、一定の議決権(15%以上)を有しており、かつ当該企業の**財務・営業方針の決定に対して重要な影響を与えることが可能**な場合

3．持分法適用範囲外の企業

更生会社、破産会社等であって、かつ当該会社の財務・営業方針の決定に対して**重要な影響を与えることができない企業**は、**関連会社に該当しない**ものとして、持分法を適用しません。

持分法を適用する場合、持分法適用会社が「非連結子会社」か「関連会社」かにより、会計処理が一部異なってきます。しかし、本書ではより出題可能性が高い**関連会社**のみを取り扱っていきます。

4 持分法適用にあたり使用する被投資会社財務諸表

持分法の適用にあたり、**被投資会社の直近の財務諸表**を用います。

連結決算日と被投資会社の決算日に差異がある場合でも、原則として直近の財務諸表を用います。ただし、当該差異の期間内に重要な取引・事象等が発生しているときは、必要な修正・注記を行います。

Section 9

持分法の処理

ここからは持分法の具体的な処理を学習します。連結会計とは仕訳は異なるものの、数値の算定等における基本的な考え方など共通点が多くあります。そのため、連結会計をしっかり学習していれば、持分法はスムーズに理解することができるでしょう。

1 持分法の基本的な処理

持分法では、被投資会社の直近の財務諸表にもとづいて、被投資会社に対する投資勘定を修正するだけなので、基本的な処理はその**投資勘定**[*01]**を増減させるのみ**となります。また、そのときの相手勘定は**『持分法による投資損益』**(営業外損益)で処理します。

*01)以後、設例では『A社株式』という具体的な勘定科目を用いて説明します。

(1)投資勘定を増やす場合

(借) A 社 株 式　×××　(貸) 持分法による投資損益　×××

(2)投資勘定を減らす場合

(借) 持分法による投資損益　×××　(貸) A 社 株 式　×××

2 株式取得時の処理

簿B 財計C

持分法を適用する企業の株式を取得したときは、連結会計と異なり、投資と資本[*01]の相殺消去は行いません。ただし、**投資差額(のれん・負ののれん)の算定は行います**。

のれんが生じる場合[*02]、**株式取得時の連結修正仕訳は不要**です。のれんに相当する金額は、**20年以内**に定額法などにより償却していきます。

*01)連結会計における「資本」と同じで、「純資産」とは異なります。
資本＝株主資本＋評価・換算差額等＋評価差額

*02)負ののれんが生じた場合、負ののれんが生じた事業年度の利益(持分法による投資損益)で処理します。

投資額 －(被投資会社の資本 × 投資会社持分割合)＝ {⊕のれん ／ ⊖負ののれん}

3 資産・負債の評価替え　簿B 財計C

1．評価替えの処理

持分法の適用にあたっては、投資日に被投資会社の資産・負債を時価に評価替えします。この時価評価により生じる**評価差額は被投資会社の資本**とします。

ただし、連結会計と異なり**当該評価替えの仕訳自体は行わず**、実際には**評価差額の金額算定のみを行う**[*01)]点に注意が必要です。

*01) 被投資会社の財務諸表は合算しないためです。

・イメージは連結同様の仕訳で

(借) 資　　　産	1,000	(貸) 評 価 差 額	1,000

・実際は…

(借) 仕 訳 な し		(貸)	

2．評価替えの方法

被投資会社が**関連会社の場合**、被投資会社の**資産・負債の時価と簿価との差額**のうち、**投資会社持分に相当する部分（取得割合分）のみを時価評価**し、評価差額を算定します。これを**部分時価評価法**[*02)]といいます。

*02) 非連結子会社の場合、全面時価評価法により評価替えします。

評価差額 ＝（時価 － 簿価）× 取得割合

設例 9-1　　資産・負債の評価替え

×1年3月31日に、P社はA社の発行済議決権株式の30％を50,000円で取得し、持分法適用会社とした。同日におけるA社の純資産の部は次のとおりである。

資本金　100,000円　　資本剰余金　20,000円　　利益剰余金　30,000円

この他、土地（簿価80,000円）の時価は85,000円である。以下の場合における、(1)持分法適用に係る仕訳および(2)のれんの金額を示しなさい。なお、当期は×1年3月31日を決算日とする1年である。

(1)　(借) 仕　訳　な　し[*03)]　　　　(貸)

(2)　*3,500*[*07)] 円

*03) 株式を取得した時点では、個別会計上の処理と同じです。したがって仕訳不要となります。

解説

①差額の算定のイメージ

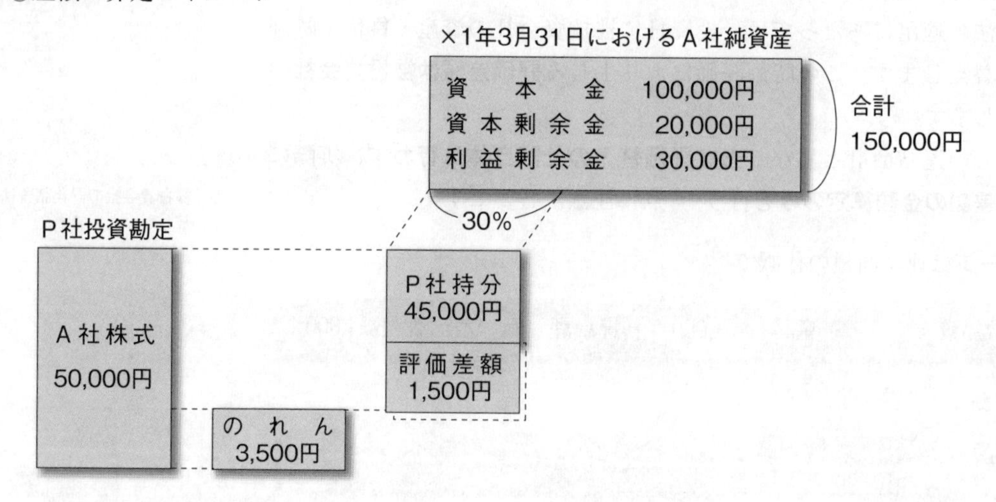

②タイムテーブル*04)

	×1.3.31
取得割合	30%
取得原価	50,000
資本金	100,000
資本剰余金	20,000
利益剰余金	30,000
合計	150,000
P社持分	45,000 *05)
評価差額(P社持分)	1,500 *06)
のれん	3,500 *07)

*04)①のイメージとは別で、実際に数値を算定するときはタイムテーブルを用います。

*05)150,000円×0.3＝45,000円

*06)(85,000円－80,000円)×0.3＝1,500円

*07)50,000円－(45,000円＋1,500円)＝3,500円

なお、部分時価評価法では、A社株式を追加取得するケースに対応するため、この位置に評価差額を書きます。ただし、本書では追加取得は扱っていません。

4 持分法適用後の処理

▶▶簿問題集：問題11

1．開始仕訳

連結会計同様、持分法においても**開始仕訳**により、**過年度の持分法適用仕訳すべてを１つにまとめて行います**。また、過年度の『持分法による投資損益』は**連結損益計算書項目**であり、過年度に利益剰余金勘定に振り替えられているため、『**利益剰余金**』に振り替えます。

(例)　前期(×２年度)に当社はＡ社(持分法適用会社、当社が30％所有)について、当期純利益の振替えにより6,000円の持分法による投資損益の計上と、のれん5,000円について250円の償却を行った。

(借)Ａ 社 株 式	5,750	(貸)利益剰余金 持分法による投資損益	5,750 *01)

*01) 6,000円－250円
=5,750円

2．当期の持分法適用仕訳

(1)のれんの償却

のれんが生じた場合、連結会計と同様に、**発生後20年以内に定額法などの方法により償却**します。ただし、持分法の場合、のれんの償却額は『**持分法による投資損益**』に含めて処理し、償却したのれんの額だけ投資勘定を減らすことになります。

なお、負ののれんが生じた場合、発生年度にすべてを当期の利益として『**持分法による投資損益**』に含めて計上し、**その後の処理は不要**になります。

(例)　当期(×３年度)にのれん5,000円について、250円の償却を行う。

(借)持分法による投資損益 のれん償却額	250	(貸)Ａ 社 株 式	250

(2)当期純損益の振替え

投資後に被投資会社が当期純損益を計上した場合、当該**当期純損益のうち投資会社持分に相当する額**を『**持分法による投資損益**』として計上するとともに、**同額を投資勘定に加減**します。

投資勘定増減額 ＝ 被投資会社の当期純損益 × 投資会社持分割合
持分法による投資損益

(例)　当期(×３年度)にＡ社(持分法適用会社、当社が30％所有)は当期純利益30,000円を計上した。

(借)Ａ 社 株 式	9,000	(貸)持分法による投資損益	9,000 *02)

*02) 30,000円×30%
=9,000円

(3) 剰余金の配当

被投資会社からの剰余金の配当は、連結会計と同様、投資会社からすれば、**投資の一部が現金化して払戻しされた**と考えることができます。したがって、投資会社が計上した**受取配当金と投資勘定を相殺消去**します。

投資勘定増減額 = 被投資会社からの剰余金配当 × 投資会社持分割合
受取配当金取消額

(例) 当期にA社(持分法適用会社、当社が30%所有)は12,000円の配当を行った。

(借)受取配当金	3,600	(貸)A社株式	3,600 *03)

*03) 12,000円×30%=3,600円

3. 投資勘定の算定(のれんが生じる場合)

のれんが生じる場合、**連結貸借対照表上の投資勘定**は、被投資会社資本のうち**投資会社持分**に**のれん**の未償却残高を加算するか、またはそれぞれの仕訳を考慮して算定します。

連結B/S上の投資勘定 = 被投資会社資本×投資会社持分割合+のれん残高
投資会社持分

設例 9-2　持分法適用にかかる連結修正仕訳

P社は、×1年3月31日にA社の発行済議決権株式の30%を50,000円で取得し、持分法適用会社とした。次の資料にもとづいて、当期(×2年3月31日を決算日とする1年)の持分法適用にかかる連結修正仕訳を示しなさい。

【資　料】

(1) A社純資産の部(×1年3月31日)

資本金　100,000円　　資本剰余金　20,000円　　利益剰余金　30,000円

(2) ×1年度株主資本等変動計算書

当期純利益20,000円　　剰余金の配当12,000円

(3) のれんは発生年度の翌年から20年で均等償却する。

解答

(借) 持分法による投資損益	250 *06)	(貸) A社株式	250
(借) A社株式	6,000	(貸) 持分法による投資損益	6,000 *07)
(借) 受取配当金	3,600	(貸) A社株式	3,600 *08)

解説

①タイムテーブル

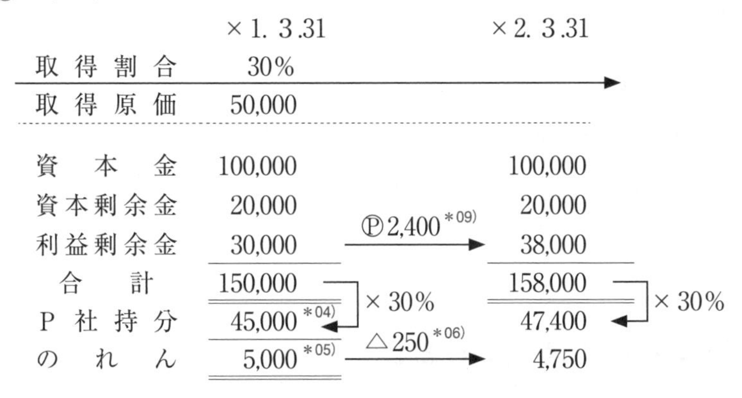

②持分法の図

A社株式の評価額の計算を図で表すと次のようになります。

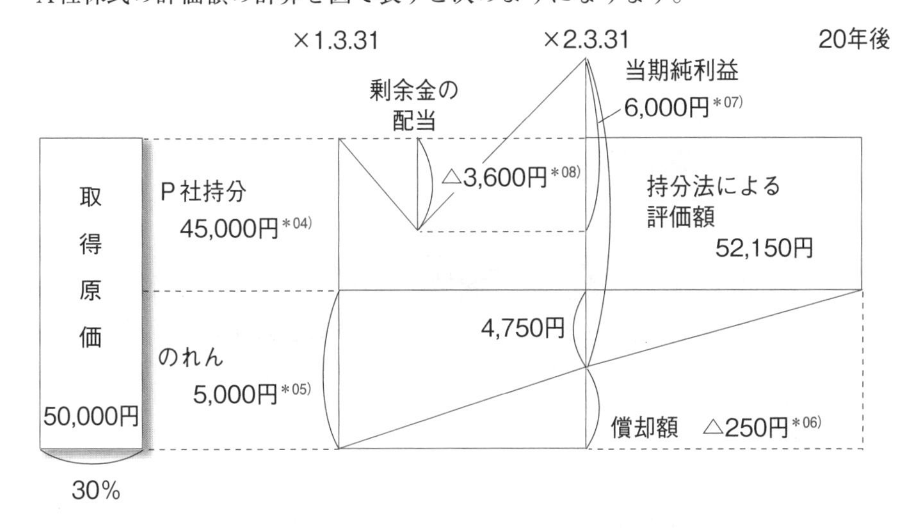

③連結財務諸表

また、連結財務諸表は次のようになります。

連結損益計算書		連結貸借対照表	
Ⅳ営業外収益		A社株式 52,150*12)	
持分法による投資利益*10)	5,750*11)		

*04) 150,000円×0.3=45,000円

*05) 50,000円−45,000円=5,000円

*06) 5,000円÷20年=250円

*07) 20,000円×0.3=6,000円

*08) 12,000円×0.3=3,600円

*09) 6,000円−3,600円=2,400円

*10) 連結損益計算書の表示は、『持分法による投資利益』となります。

*11) △250円+6,000円=5,750円

*12) 47,400円（P社持分）+4,750円（のれん）=52,150円
または、50,000円−250円+6,000円−3,600円=52,150円

5 棚卸資産の未実現利益の消去（ダウン・ストリーム） 簿B 財計C

投資会社と関連会社又は非連結子会社が行った商品売買取引による棚卸資産の未実現利益は、消去しなければなりません。

(1) 関連会社の棚卸資産の未実現利益

関連会社の棚卸資産のうち投資会社が付加した未実現利益は、投資会社における関連会社の投資割合に応じた額を消去しなければなりません。

なお、未実現利益の消去は、売上高から行います。

未実現利益 ＝ 棚卸資産 × 利益率 × 投資割合

(2) 非連結子会社の棚卸資産の未実現利益

非連結子会社の棚卸資産のうち投資会社が付加した未実現利益は、全額を消去しなければなりません。

なお、未実現利益の消去は、売上高から行います。

未実現利益 ＝ 棚卸資産 × 利益率

設例 9-3　棚卸資産の未実現利益

A社の棚卸資産のうちP社(投資会社)から仕入れた商品は以下のとおりである。なお、P社がA社に商品の販売を行うさいの利益率は20％である。よって、当期に必要な仕訳を示しなさい。

前期末商品	50,000円
当期末商品	60,000円

問１　A社はP社の関連会社であり、P社の投資割合が30％の場合
問２　A社はP社の非連結子会社であり、P社の投資割合が60％の場合

解答

問１　関連会社

１．開始仕訳

(借) 利益剰余金	*3,000*	(貸) 売上高	*3,000*

２．未実現利益の消去

(借) 売上高	*3,600*	(貸) A社株式	*3,600*

問２　非連結子会社

１．開始仕訳

(借) 利益剰余金	*10,000*	(貸) 売上高	*10,000*

２．未実現利益の消去

(借) 売上高	*12,000*	(貸) A社株式	*12,000*

解説

問1

1．開始仕訳

50,000円 × 20% × 30% = 3,000円

2．未実現利益

60,000円 × 20% × 30% = 3,600円

問2

1．開始仕訳

50,000円 × 20% = 10,000円

2．未実現利益

60,000円 × 20% = 12,000円

Section 10

包括利益と包括利益計算書

諸外国の財務諸表では利益の一種として「包括利益」というものが開示されていますが、これまでの日本の財務諸表では開示されていませんでした。

そのため、「世界中の企業の包括利益を比べてどの企業の株式を買うか決めよう」と考えている投資家(特に海外の投資家)に、「日本の企業は包括利益が分からない」という不都合が生じていることなどが問題となり、わが国においても、連結財務諸表について包括利益を表示することとなりました。

1 包括利益とは

1. 包括利益の意義

「包括利益の表示に関する会計基準」*01)では、包括利益を**「ある企業の特定期間の財務諸表において認識された純資産の変動額のうち、当該企業の純資産に対する持分所有者との直接的な取引によらない部分」**と定義しています。

*01) 当面の間、本会計基準は個別財務諸表には適用されません。したがって包括利益の表示は連結財務諸表においてのみ行われることになります。

ここで、持分所有者とは**株主**と**新株予約権者**、連結財務諸表の場合にはこれに**非支配株主**を加えた三者のことを指します。

すなわち、包括利益とは純資産の変動額のうち、以下のものを控除したものといえます。

○包括利益とはならない純資産の変動額

(＝純資産に対する持分所有者との直接的な取引)*02)

- 新株の発行
- 剰余金の配当
- 新株予約権の発行　　など

*02) 資本取引と損益取引のうち、資本取引に近いものとイメージすると理解しやすくなります。

2．包括利益の構成

(1) その他の包括利益

包括利益のうち、当期純利益に含まれない部分を**その他の包括利益**といいます。

その他の包括利益の具体例としては、以下の項目の変動額が該当します。

- その他有価証券評価差額金
- 繰延ヘッジ損益
- 為替換算調整勘定[*03]
- 退職給付に係る調整額[*03]　　　など

*03) 本書では取り上げません。

つまり、主に個別貸借対照表で「評価・換算差額等」に計上されていたものの当期変動額がその他の包括利益に該当することとなります。

また、「その他の包括利益」という利益が連結財務諸表で表示されることとなったため、個別貸借対照表や個別株主資本等変動計算書で「評価・換算差額等」として表示していたものは、連結貸借対照表と連結株主資本等変動計算書では**「その他の包括利益累計額」**として表示されることになります[*04]。

*04) 個別上では、引き続き「評価・換算差額等」として表示されるため、個別と連結で区分名称が異なる点に注意してください。

(2) 包括利益とその他の包括利益との関係

包括利益とその他の包括利益の関係をまとめると次のとおりです。

<table>
<tr><th></th><th>個別財務諸表</th><th colspan="2">連結財務諸表</th></tr>
<tr><td rowspan="3">包括利益</td><td rowspan="2">当期純利益</td><td>親会社株主に帰属する当期純利益</td><td rowspan="2">当期純利益</td></tr>
<tr><td>非支配株主に帰属する当期純利益</td></tr>
<tr><td>評価・換算差額等</td><td colspan="2">その他の包括利益</td></tr>
</table>

また、連結財務諸表における純資産の変動と包括利益の関係を示すと、以下の図のようになります。

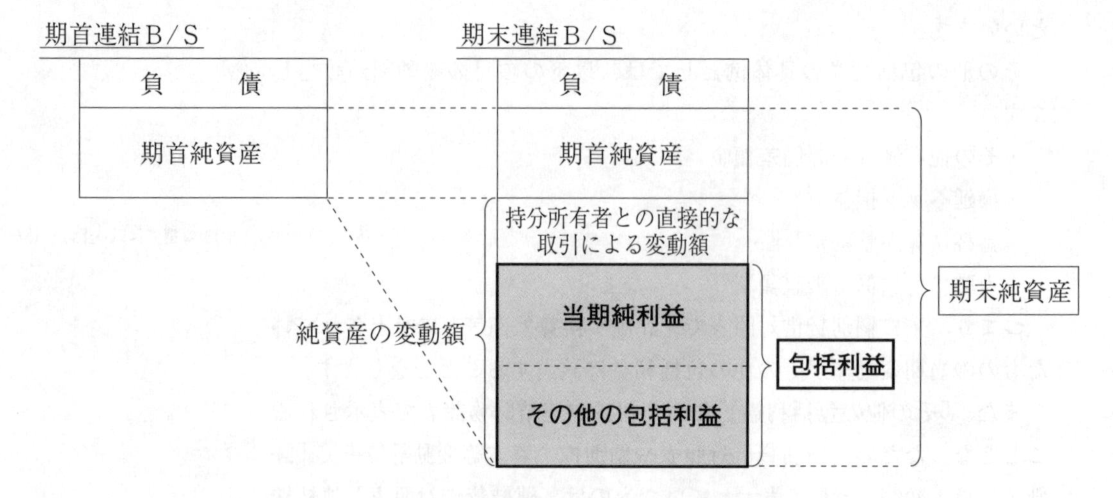

なお、連結株主資本等変動計算書と連結貸借対照表のひな型は以下のようになります。

連結株主資本等変動計算書

	株　主　資　本		その他の包括利益累計額	非支配株主持分
	資　本　金	利益剰余金	その他有価証券評価差額金	
当期首残高	×××	×××	×××	×××
新株の発行	×××			
親会社株主に帰属する当期純利益		×××		
株主資本以外の項目の当期変動額			×××	×××
当期末残高	×××	×××	×××	×××

連結貸借対照表

負債合計	×××
Ⅰ　株　主　資　本	
1　資　本　金	×××
2　利益剰余金	×××
Ⅱ　**その他の包括利益累計額**	
1　その他有価証券評価差額金	×××
Ⅲ　非支配株主持分	×××

3．親会社株主と非支配株主に係る包括利益

連結損益計算書における当期純利益を非支配株主に係る利益(非支配株主に帰属する当期純利益)と親会社株主に係る利益(親会社株主に帰属する当期純利益)に分けたように、包括利益も**非支配株主に係る包括利益**と**親会社株主に係る包括利益**の2つに分けることができます。

包括利益のうち、当期純利益は非支配株主に帰属する当期純利益と親会社株主に帰属する当期純利益に分けることは上記のとおりですが、その他の包括利益も親会社株主にかかるものと非支配株主にかかるものに分けることとなります。

このとき、親会社が計上するその他有価証券評価差額金[*05)]の当期変動額は、全額が親会社株主に係る包括利益となります。

一方、子会社が計上するその他有価証券評価差額金の当期変動額は、持分比率に応じて親会社株主に係る包括利益となる部分と非支配株主持分に係る包括利益となる部分に分けられます。

上記のことを図で表すと、以下のイメージとなります[*06)]。

＊05) ここでは、その他の包括利益の代表例として、その他有価証券評価差額金の当期変動額で考えることにします。

＊06) 簡略化するため、のれんの償却や未実現利益の消去などの複雑な処理は考慮しない状態を想定して図示しています。

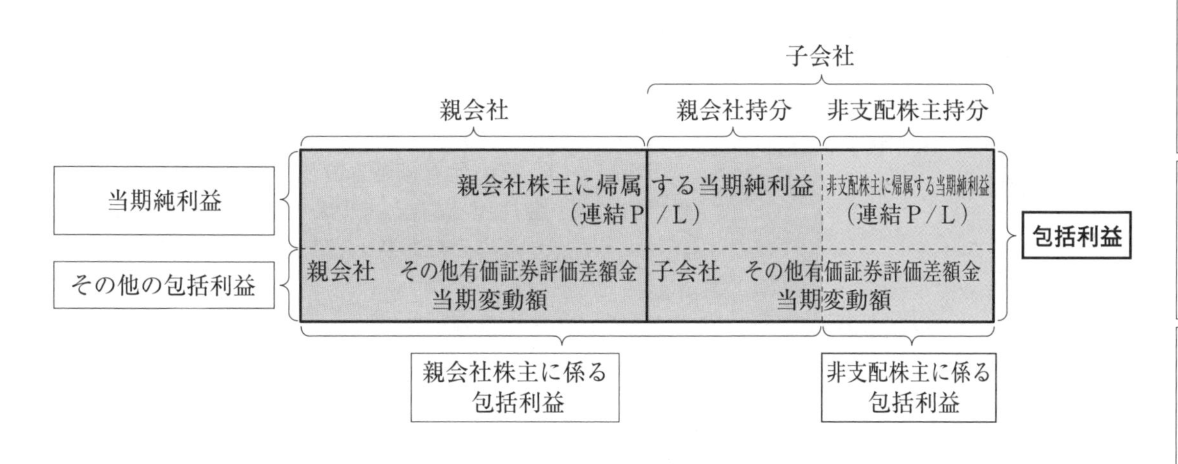

設例 10-1　包括利益の計算

以下の資料にもとづき、NS社の連結財務諸表における当期の包括利益を計算しなさい。なお、税効果会計は無視する。また、当期に子会社の資本金および新株予約権の変動、剰余金の配当はなかった。

【資　料】

1．連結株主資本等変動計算書　（単位：円）

	株主資本			その他の包括利益累計額*07)	新株予約権	非支配株主持分	純資産合計
	資本金	利益剰余金	株主資本合計	その他有価証券評価差額金			
当期首残高	10,000	4,000	14,000	500	200	300	15,000
当期変動額							
新株の発行	5,000		5,000				5,000
親会社株主に帰属する当期純利益		3,000	3,000				3,000
株主資本以外の項目の当期変動額(純額)				600	400	1,000	2,000
当期末残高	15,000	7,000	22,000	1,100	600	1,300	25,000

2．連結損益計算書(一部)　（単位：円）

税金等調整前当期純利益	7,000
法人税等	3,000
当期純利益	4,000
非支配株主に帰属する当期純利益	1,000
親会社株主に帰属する当期純利益	3,000

3．その他の事項

(1) NS社(親会社)は期中に新株を発行し、5,000円が払い込まれた。

(2) NS社(親会社)は期中に新株予約権を発行し、400円が払い込まれた。

(3) その他有価証券評価差額金はNS社(親会社)が保有しているその他有価証券にかかるものであり、当期に有価証券の売却は行っていない。

*07) 連結株主資本等変動計算書なので、「評価・換算差額等」ではなく「その他の包括利益累計額」と表示します。

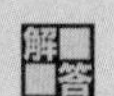

連結財務諸表における包括利益　4,600　円

解説

連結財務諸表における包括利益は以下の式により求めることができます。

包括利益 ＝ 当期純利益 ＋ その他の包括利益

このうち、その他の包括利益はその他有価証券評価差額金の当期変動額600円のみであるため、上記の式にあてはめると包括利益が計算できます。

包括利益　＝　4,000円（当期純利益）　＋　600円（その他の包括利益）　＝　4,600円

また、包括利益の意義から以下の式により包括利益を求めることもできます。

包括利益 ＝ 純資産の増加額 － 持分所有者との直接的な取引による影響額

持分所有者との直接的な取引は、新株の発行5,000円と新株予約権の発行400円なので、純資産の増加額からこの2つの金額を除くことでも包括利益を求めることができます。

包括利益 ＝ （25,000円－15,000円）（純資産の増加額） － （5,000円＋400円）（持分所有者との直接的な取引） ＝ 4,600円

2 包括利益を表示する目的と経緯

1．包括利益を表示する目的

包括利益を表示する目的は、**期中に認識された取引および経済的事象(資本取引を除く)により生じた純資産の変動を報告**することにあります。これにより、財務諸表利用者が企業全体の事業活動について検討するのに役立つ情報が提供されることが期待されます。

また、資本取引を除く純資産の変動と包括利益とのクリーン・サープラス関係が明示されることを通じて、財務諸表の理解可能性と比較可能性が高まるとも考えられています。

2．国際的な会計基準とのコンバージェンス

わが国で「評価・換算差額等」に表示されていた項目の変動額は、国際的な会計基準では「その他の包括利益」とされており、その変動額を当期純利益と合わせて包括利益として表示する定めがありました。

しかし、わが国の「評価・換算差額等」の変動額は株主資本等変動計算書に表示されるだけで、それと当期純利益とを合わせて包括利益として表示する定めはありませんでした*01)。

*01) 日本の企業と外国の企業で包括利益を比較させることが難しいのが現状でした。

そのため、わが国でも包括利益の表示に関する会計基準を定めることにより、国際的な会計基準とのコンバージェンスを図ることができると考えられています。

3．当期純利益との関係

包括利益が表示されるようになっても、**これまで計算されてきた当期純利益の重要性が低くなる訳ではありません**。

包括利益に関する情報と当期純利益に関する情報をあわせて利用することにより、企業活動の成果についての情報の全体的な有用性を高めることが、包括利益の表示を導入することの目的と考えられています。したがって、当期純利益については何ら変更点はなく、従来どおり計算・表示されることになります*02)。

*02)「包括利益を表示すれば、当期純利益は不要だ」ということにはなりません。

3 包括利益の表示方法

▶▶簿問題集：問題12
▶▶財問題集：問題13

1．概要

連結財務諸表における包括利益は当期純利益とその他の包括利益の合計であるため、連結損益計算書で計算した当期純利益にその他の包括利益を加減して包括利益を表示します。

このとき、包括利益を表示する形式には**2計算書方式**と**1計算書方式**の2つがあり、いずれかの方法を選択して*01)包括利益を表示します。

*01) どちらか一方が原則的な方法という訳ではありません。

なお、連結財務諸表ではいずれの形式でも、親会社株主に係る包括利益と非支配株主に係る包括利益を表示します。また、その他の包括利益は原則として**税効果を控除した金額**で表示します。

2．2計算書方式

2計算書方式では、連結損益計算書において親会社株主に帰属する当期純利益を計算し、それとは別に**連結包括利益計算書**[*02)]を作成し、当期純利益にその他の包括利益を加減することで包括利益を計算・表示します。

*02) 包括利益計算書は、英語で "Statement of comprehensive income" というため、C/Iと略すこともあります。

連結損益計算書

	×××
税金等調整前当期純利益	×××
法人税等	×××
当期純利益	×××
非支配株主に帰属する当期純利益	×××
親会社株主に帰属する当期純利益	×××

連結包括利益計算書

当期純利益	×××
その他の包括利益：	
その他有価証券評価差額金	×××
繰延ヘッジ損益	×××
その他の包括利益合計	×××
包括利益	×××
（内訳）	
親会社株主に係る包括利益	××
非支配株主に係る包括利益	××

設例 10-2　2計算書方式

P社は×1年3月31日にS社発行済株式の70%を取得し支配した。×2年度(×2年4月1日～×3年3月31日)の以下の資料にもとづき、2計算書方式による連結包括利益計算書を作成し、親会社株主に係る包括利益と非支配株主に係る包括利益の金額を付記しなさい。なお、その他有価証券はP社のみ保有しているものとし、実効税率は30%とする。

【資　料】

1．連結損益計算書

連結損益計算書　(単位：円)

Ⅰ　売　上　高	45,000
Ⅱ　売 上 原 価	20,000
Ⅲ　販売費及び一般管理費	15,000
税金等調整前当期純利益	10,000
法人税等	3,000
当期純利益	7,000
非支配株主に帰属する当期純利益	1,500
親会社株主に帰属する当期純利益	5,500

2．その他有価証券に関する資料

P社は×1年4月1日に甲社株式を3,000円で購入し、その他有価証券に分類している。

前期末(×2年3月31日)と当期末(×3年3月31日)の時価は次のとおりであった。

	前期末	当期末
甲社株式時価	3,500円	4,200円

なお、当期においてその他有価証券の追加取得及び売却は行っていない。

解答

連結包括利益計算書　(単位：円)

当期純利益	*7,000*
その他の包括利益：	
その他有価証券評価差額金	*490*
包括利益	*7,490*
（内訳）	
親会社株主に係る包括利益	*5,990*
非支配株主に係る包括利益	*1,500*

解説

1．その他の包括利益の計算

その他の包括利益となるその他有価証券評価差額金の金額は、次のように計算します。

	(A)前期末	(B)当期末	当期変動額((B)－(A))
①取得原価	3,000円	3,000円	—
②時価	3,500円	4,200円	700円
③差額(②－①)	500円	1,200円	700円
④税効果額(③×30%)	150円	360円	210円
⑤その他有価証券評価差額金計上額(③－④)	350円	840円	490円

その他の包括利益（490円）

2．親会社株主に係る包括利益と非支配株主に係る包括利益の計算

その他有価証券評価差額金は親会社であるP社に帰属するものであるため、その当期変動額であるその他の包括利益はすべて親会社株主に係る包括利益となり、非支配株主に係る包括利益の金額は非支配株主に帰属する当期純利益と一致することになります。

親会社株主に係る包括利益：5,500円（親会社株主に帰属する当期純利益）＋ 490円（その他の包括利益）＝ 5,990円

非支配株主に係る包括利益：1,500円(非支配株主に帰属する当期純利益)

3．1計算書方式

1計算書方式では、**連結損益及び包括利益計算書**という1つの計算書で当期純利益の表示と包括利益の表示を行います。

連結損益及び包括利益計算書

⋮	⋮
税金等調整前当期純利益	×××
法人税等	×××
当期純利益[*03]	×××
(内訳)	
親会社株主に帰属する当期純利益	×××
非支配株主に帰属する当期純利益	×××
その他の包括利益：	
その他有価証券評価差額金	×××
繰延ヘッジ損益	×××
その他の包括利益合計	×××
包括利益	×××
(内訳)	
親会社株主に係る包括利益	××
非支配株主に係る包括利益	××

＊03）当期純利益の下に親会社株主と非支配株主の利益を示したうえで、当期純利益にその他の包括利益を加減して包括利益を計算します。

設例 10-3　　1計算書方式

設例10－2の資料にもとづいて、1計算書方式により連結損益及び包括利益計算書を作成し、親会社株主に係る包括利益と非支配株主に係る包括利益の金額を付記しなさい。

解答

連結損益及び包括利益計算書　(単位：円)

Ⅰ	売　　上　　高	*45,000*
Ⅱ	売　上　原　価	*20,000*
Ⅲ	販売費及び一般管理費	*15,000*
	税金等調整前当期純利益	*10,000*
	法人税等	*3,000*
	当期純利益	*7,000*
	(内訳)	
	親会社株主に帰属する当期純利益	*5,500*
	非支配株主に帰属する当期純利益	*1,500*
	その他の包括利益：	
	その他有価証券評価差額金	*490*
	包括利益	*7,490* *04)
	(内訳)	
	親会社株主に係る包括利益	*5,990*
	非支配株主に係る包括利益	*1,500*

*04) 1計算書方式と2計算書方式は表示形式が異なるだけなので、包括利益の計算過程はどちらも同じものとなります。

〈その他の包括利益の表示形式(容認処理)〉

包括利益を表示するさいのその他の包括利益の計上額は、原則として税効果を控除した金額とします。

しかし、容認処理として税効果控除前の金額を計上し、その他の包括利益の末尾にまとめて税効果額を控除する形式も認められています。

仮に、**設例10－2**のその他の包括利益を容認処理で表示した場合の連結包括利益計算書は、次のようになります。

連結包括利益計算書　(単位：円)

当期純利益	7,000
その他の包括利益：	
その他有価証券評価差額金	700
その他の包括利益に係る税効果額	△210
その他の包括利益合計	490
包括利益	7,490

〈2計算書方式と1計算書方式の選択適用〉

2計算書方式と1計算書方式にはそれぞれ以下のような利点があります。

2計算書方式	1計算書方式
1計算書方式では包括利益が強調されすぎる可能性があるが、2計算書方式では当期純利益と包括利益が明確に区分されるという利点がある。	一覧性、明瞭性、理解可能性等の点で2計算書方式よりも利点がある。

国際的な会計基準では両方式とも認められており、かつ、どちらの方式でも包括利益の内訳として表示される内容は同様であり、選択制にしても比較可能性を著しく損なうものではないと考えられているため、わが国の会計基準でも選択適用が認められるようになっています。

4 組替調整

1．組替調整とは

組替調整(リサイクリング)とは、当期または過去の期間にその他の包括利益に含まれていた部分(未実現利益)を、当期純利益(実現利益)に移し替えることをいいます*01)。

*01) たとえば、前期より保有していたその他有価証券を売却したときに調整を行います。

2．組替調整額

組替調整額とは、当期純利益を構成する項目のうち、当期または過去の期間にその他の包括利益に含まれていた部分をいいます。

組替調整額は、当期および過去の期間にその他の包括利益に含まれていた項目が当期純利益に含められた金額にもとづいて計算されます*02)。

*02) 具体的には、投資有価証券評価損や投資有価証券売却損益等があります。

3．注記事項

組替調整額は、その他の包括利益の内訳項目ごとに注記します。当該注記はその他の包括利益に関する税効果の注記とあわせて記載することができます。

4．注記のひな型

原則：注記）組替調整額と税効果を別個に記載した場合

その他有価証券評価差額金：		
当期発生額	×××	
組替調整額	△×××	×××
繰延ヘッジ損益：		
当期発生額	×××	×××
税効果調整前合計		×××
税効果額		△×××
その他の包括利益合計		×××

容認：注記）組替調整額と税効果をあわせて記載した場合

その他有価証券評価差額金：	
当期発生額	×××
組替調整額	△×××
税効果調整前	×××
税効果額	△×××
その他有価証券評価差額金	×××
繰延ヘッジ損益：	
当期発生額	×××
税効果額	△×××
繰延ヘッジ損益	×××
その他の包括利益合計	×××

設例 10-4 組替調整（リサイクリング）

以下の資料にもとづき、P社における×２年度の組替調整額の注記を作成しなさい。

【資料】

- P社は×０年度末にＳ社を100％子会社化している。
- P社は×１年度に取得したその他有価証券（取得原価3,000円、前期末時価3,500円）を期中に4,100円で売却している。
- P社は、上記以外その他有価証券を保有していない。
- 実効税率は30％とする。

解答

（注記）組替調整額

その他有価証券評価差額金：	
当期発生額	600
組替調整額	△ 1,100
税効果調整前	△ 500
税効果額	150
その他の包括利益合計	△ 350

解説

1．当期発生額

当期発生額は当期に発生した評価損益となるため、前期末時価と売却時点の時価の差額です。または、他の項目を計算した後に、逆算して求めます。

4,100円－3,500円＝600円

2．組替調整額

組替調整額は、当期純利益を構成する項目のうち、当期または過去の期間にその他の包括利益に含まれていた部分です。本問では投資有価証券売却益の金額が組替調整額となります。

4,100円－3,000円＝1,100円

3．その他の包括利益合計額：(600円－1,100円)×(1－30%)＝△350円

その他の包括利益は、連結包括利益計算書の金額と一致するため、以下のように求めることもできます。

(3,500円－3,000円)×(1－30%)－0円＝350円(当期末は0のため350円の減少)
（前期末：(3,500円－3,000円)×(1－30%)、当期末：0円）

参考

連結損益計算書

投資有価証券売却益	1,100
税金等調整前当期純利益	1,100
法人税、住民税及び事業税	330
当期純利益	770
非支配株主に帰属する当期純利益	0
親会社株主に帰属する当期純利益	770

連結包括利益計算書

当期純利益	770
その他の包括利益:	
その他有価証券評価差額金	△350
包括利益	420
(内訳)	
親会社株主に係る包括利益	420
非支配株主に係る包括利益	0

連結株主資本等変動等計算書

	その他の包括利益累計額
	その他有価証券評価差額金
当期首残高	350
当期変動額	
株主資本以外の項目の当期変動額(純額)	△350
当期末残高	0

Chapter 15

キャッシュ・フロー会計

商品を仕入れたり、従業員を雇ったり、企業が何かをするには必ずといっていいほど「お金(キャッシュ)」が必要になるため、キャッシュの動き(キャッシュ・フロー)は投資家たちにとって興味のある情報です。しかし、貸借対照表や損益計算書ではキャッシュ・フローの状況がよくわかりません。そこで作成されるのが、キャッシュ・フロー計算書です。

このChapterでは、キャッシュ・フロー計算書の作成について学習します。

Section 1

キャッシュ・フロー計算書の概要

キャッシュ・フロー計算書とは、文字どおり「お金の流れ」を表す計算書のことです。ビジネスの世界では「勘定あって銭足らず」という言葉があり、利益があがっていても、手許の現金が不足しているため、債務の支払いが滞って倒産にいたる企業もあります。

このSectionでは、貸借対照表や損益計算書ではわからない「お金の流れ」を教えてくれる、キャッシュ・フロー計算書の概要について学習します。

1 キャッシュ・フロー計算書とは

キャッシュ・フロー計算書[*01]とは、**一会計期間における企業の資金の動き**(キャッシュ・フロー[*02])の状況を、**一定の活動に区分**(営業活動・投資活動・財務活動)して**表示**する財務諸表です。

*01)英語では"Cash Flow Statement"というため、「C/F」や「C/S」と略すことがありますが、本書では「C/F」と略すことにします。

*02)キャッシュ・フローも、「C/F」と略すことがあります。

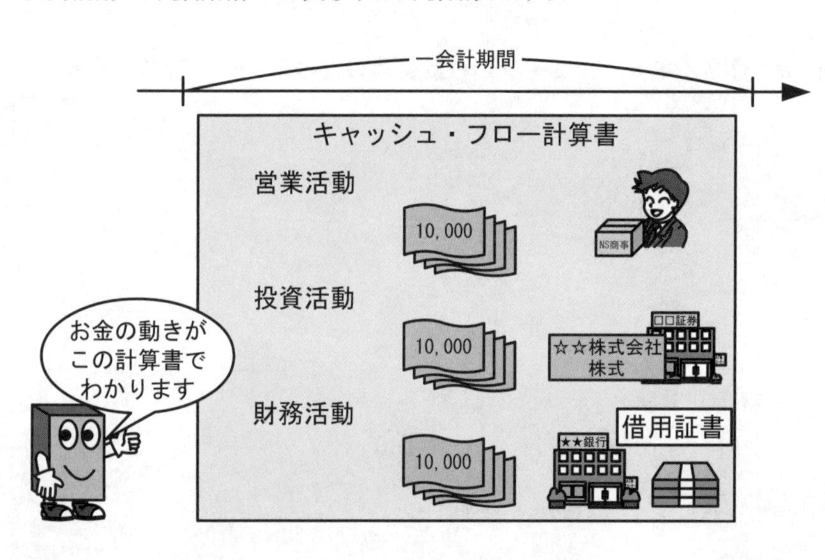

2 キャッシュの範囲

キャッシュ・フロー計算書におけるキャッシュ(資金)とは、(1)**現金**および(2)**現金同等物**のことをいいます。

(1)現金

現金とは、**手許現金**[*01]**および要求払預金**のことをいいます。なお、要求払預金とは当座預金や普通預金など、事前通知なしで(または事前通知後数日で)容易に元本を引き出せる預金のことです。

*01)簿記上での現金と考えてください。

(2)現金同等物

現金同等物とは、**容易に換金可能であり、かつ価値の変動について僅少なリスクしか負わない**[*02)]**短期投資**をいいます。なお、短期投資とは、取得日から満期日までの期間が**3カ月以内**のもの[*03)]をいいます。

*02)「現金同等物」は、現金と同等に支払手段として役立つ資産が該当します。売買目的有価証券などは容易に換金可能な短期投資ですが、価値の変動について**僅少なリスクとはいえないため**、現金同等物には含まれません。

*03)定期預金などは、期間が3カ月以内のものかどうかで、現金同等物に含まれるか否かが分かれます。問題文での日付に注意しましょう。

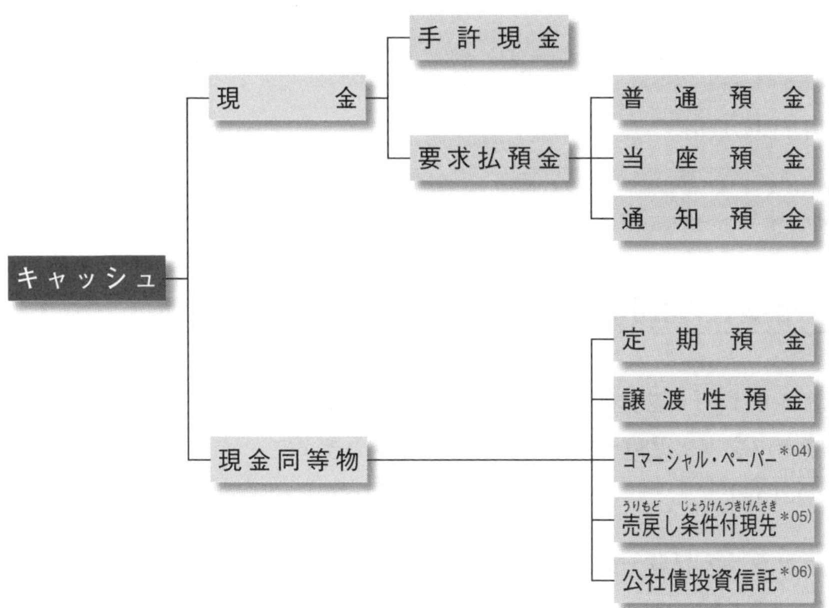

*04)資金調達のために企業が短期的に振り出す約束手形です。

*05)元利確定の金融商品の一種です。

*06)証券会社の貯蓄商品の代表例で、MMFや中期国債ファンドなどがその一例です。

3 キャッシュ・フロー計算書の対象とならない取引 簿B 財計B

現金及び現金同等物の増減をともなわない取引は、「キャッシュ・フロー計算書」の記載対象とはなりません。

①現金及び現金同等物の増減をともなわない取引(交換取引)

(借) 建　物	××	(貸) 有 価 証 券	××

②現金及び現金同等物相互間の取引

(借) 現　金	××	(貸) 当 座 預 金	××

4 キャッシュ・フロー計算書の表示 簿A 財計A

1．表示区分

キャッシュ・フロー計算書では、「Ⅰ営業活動によるキャッシュ・フロー」、「Ⅱ投資活動によるキャッシュ・フロー」、「Ⅲ財務活動によるキャッシュ・フロー」の3つに区分表示します。

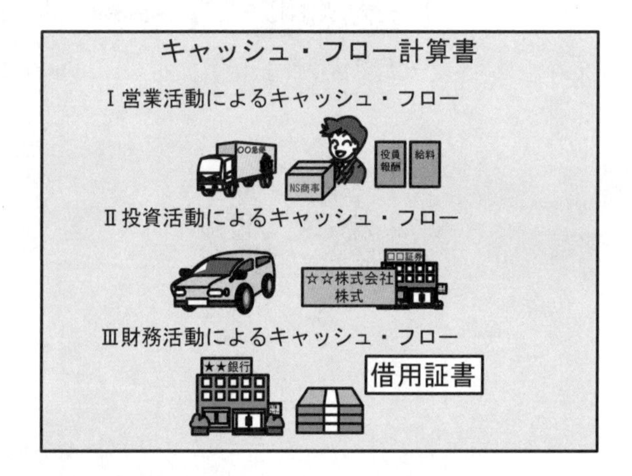

(1) 営業活動によるキャッシュ・フロー

営業損益計算の対象となった取引のほか、投資活動および財務活動以外の取引によるキャッシュ・フローを記載し、企業本来の営業活動によってどれだけの資金を獲得できたのかを表します。

(2) 投資活動によるキャッシュ・フロー

固定資産の取得および売却、現金同等物に含まれない短期投資の取得および売却によるキャッシュ・フローを記載し、企業が将来に向けて自社の価値を高めるために、どれだけ資金を投資し、回収したのかを表します。

(3) 財務活動によるキャッシュ・フロー

資金の調達および返済によるキャッシュ・フローを記載し、企業が営業、投資活動を行うにあたり、どれだけの資金を調達し、返済したのかを表します。

2. キャッシュ・フロー計算書の末尾表示

キャッシュ・フロー計算書では、末尾に現金及び現金同等物に関する内容を表示します。

キャッシュ・フロー計算書

Ⅰ	営業活動によるキャッシュ・フロー	××	
Ⅱ	投資活動によるキャッシュ・フロー	××	
Ⅲ	財務活動によるキャッシュ・フロー	××	
Ⅳ	**現金及び現金同等物に係る換算差額**	××	
Ⅴ	**現金及び現金同等物の増加額(減少額)**	××	←― Ⅴ＝Ⅰ＋Ⅱ＋Ⅲ＋Ⅳ
Ⅵ	**現金及び現金同等物の期首残高**	××	
Ⅶ	**現金及び現金同等物の期末残高**	××	←― Ⅶ＝Ⅴ＋Ⅵ

外貨建ての現金及び現金同等物から生じる換算差額(為替差損益)は、現金及び現金同等物の増減に影響する項目なので、「**Ⅳ 現金及び現金同等物に係る換算差額**」として表示します*01)。

*01) 詳しくはSection 4で学習します。

そして、Ⅰ～Ⅳの合計を「**Ⅴ 現金及び現金同等物の増加額(減少額)**」とし、「Ⅵ 現金及び現金同等物の期首残高」と合計することで、「**Ⅶ 現金及び現金同等物の期末残高**」を表示します。

5 キャッシュ・フロー計算書のひな型

これまでに学習した内容をふまえてキャッシュ・フロー計算書のひな型を示すと、次のようになります。

<直接法>

キャッシュ・フロー計算書　(単位：千円)

自×1年4月1日　至×2年3月31日

Ⅰ 営業活動によるキャッシュ・フロー	
営業収入	307,000
原材料又は商品の仕入支出	△ 130,000
人件費支出	△ 50,000
その他の営業支出	△ 20,000
小計	107,000
利息及び配当金の受取額	2,100
利息の支払額	△ 1,000
損害賠償金の支払額	△ 1,500
法人税等の支払額	△ 40,000
営業活動によるキャッシュ・フロー	66,600

Ⅱ　投資活動によるキャッシュ・フロー	
有価証券の取得による支出	△ 1,000
有価証券の売却による収入	5,000
有形固定資産の取得による支出	△ 30,000
有形固定資産の売却による収入	10,000
投資有価証券の取得による支出	△ 2,000
投資有価証券の売却による収入	3,000
貸付けによる支出	△ 10,000
貸付金の回収による収入	10,000
投資活動によるキャッシュ・フロー	△ 15,000
Ⅲ　財務活動によるキャッシュ・フロー	
短期借入れによる収入	10,000
短期借入金の返済による支出	△ 1,000
長期借入れによる収入	40,000
長期借入金の返済による支出	△ 1,000
リース債務の返済による支出	△ 1,000
社債の発行による収入	20,000
社債の償還による支出	△ 10,000
株式の発行による収入	10,000
自己株式の取得による支出	△ 2,000
配当金の支払額	△ 20,000
財務活動によるキャッシュ・フロー	45,000
Ⅳ　現金及び現金同等物に係る換算差額	400
Ⅴ　現金及び現金同等物の増加額	97,000
Ⅵ　現金及び現金同等物の期首残高	30,000
Ⅶ　現金及び現金同等物の期末残高	127,000

＜間接法＞

キャッシュ・フロー計算書　（単位：千円）

自×1年４月１日　至×2年３月31日

Ⅰ　営業活動によるキャッシュ・フロー	
税引前当期純利益	100,000
減価償却費	3,000
貸倒引当金の増加額	4,000
受取利息及び受取配当金	△ 2,000
支払利息	1,000
為替差損	800
固定資産売却益	△ 300
損害賠償損失	1,500
売上債権の増加額	△ 700
棚卸資産の減少額	200
仕入債務の減少額	△ 500
小計	107,000

以下直接法と同じ

Section 2 営業活動によるキャッシュ・フロー

損益計算書上で「営業利益」を計上しているということは、メイン業務である営業活動できちんと利益をあげていることを示しています。それでは、営業活動をとおしてきちんとキャッシュも稼げているのでしょうか？

このSectionでは、その答えを教えてくれる「営業活動によるキャッシュ・フロー」について学習します。

1 営業活動によるキャッシュ・フローの記載

1．記載項目

営業活動によるキャッシュ・フローの区分に記載するキャッシュ・フローには、次のようなものがあります。

・営業活動に係るキャッシュ・フロー
①商品及び役務の販売による収入
②商品及び役務の購入による支出
③従業員及び役員に対する報酬の支出
・投資活動・財務活動以外に係るキャッシュ・フロー
④利息及び配当金の受取額
⑤利息の支払額
⑥災害による保険金収入
⑦損害賠償金の支払額
⑧法人税等の支払額

上記のうち、**④利息及び配当金の受取額**　**⑤利息の支払額**などの利息や支払配当金に関するキャッシュ・フローの表示区分については、次の2つの方法があります。

(1)財務諸表との関連を重視した区分方法

受取利息*01)、受取配当金および支払利息*02)は損益計算に反映されるため、「営業活動によるキャッシュ・フロー」に記載します。

支払配当金は損益計算に反映されないため、「財務活動によるキャッシュ・フロー」に記載します。

*01)有価証券利息を含みます。

*02)社債利息、ファイナンス・リース取引のリース料支払額(支払利息相当額)を含みます。

(2) 活動との関連を重視した区分方法

受取利息および受取配当金は投資活動による成果であるため、「投資活動によるキャッシュ・フロー」に記載します。

支払利息および支払配当金は財務活動上のコストであるため、「財務活動によるキャッシュ・フロー」に記載します。

(1) の方法

	営業活動	投資活動	財務活動
受取利息	○		
受取配当金	○		
支払利息	○		
支払配当金			○

(2) の方法

	営業活動	投資活動	財務活動
受取利息		○	
受取配当金		○	
支払利息			○
支払配当金			○

2．表示方法

営業活動によるキャッシュ・フローの表示方法としては、直接法と間接法の2つの方法があります*03)。

*03) 選択した表示方法は、毎期継続して適用しなければなりません。

表示方法	内　容
直接法	主要な取引ごとに収入総額と支出総額を表示する方法
間接法	税引前当期純利益に必要な調整項目(非資金損益項目および営業活動にかかる資産負債の増減、投資、財務活動に含まれる損益項目)を加減して表示する方法

2 直接法による表示

営業活動によるキャッシュ・フローを直接法によって表示する場合、営業収入、原材料または商品の仕入支出、人件費支出など、**主要な取引ごとに収支総額を表示**します。

また、営業活動にかかるキャッシュ・フローの収支合計を、いったん「小計」の行に集計し、その下に投資活動・財務活動以外にかかるキャッシュ・フローを記載します。

〈営業活動によるキャッシュ・フロー(直接法)〉

Ⅰ　営業活動によるキャッシュ・フロー		
営業収入	×××	(1)
原材料又は商品の仕入支出	△×××	(2)
人件費支出	△×××	(3)
その他の営業支出	△×××	(4)
小計*01)	×××	
利息及び配当金の受取額	×××	(5)
利息の支払額	△×××	(5)
損害賠償金の支払額	△×××	(6)
法人税等の支払額	△×××	(6)
営業活動によるキャッシュ・フロー	×××	

*01) 小計の金額が、キャッシュを中心に考えたときの営業利益に相当します。

(1) 営業収入

営業収入とは、主として現金売上額、売上債権(売掛金・受取手形)の回収額であり、他にも前受金の受取額、割引手形による収入額[*02]、が該当します。

なお、実際手取額を収入額とするため、売上割引は控除します。

*02) 割引手形による収入額は、額面総額による場合と、手形売却損を控除した手取額による場合があります。問題文の指示に従ってください。

(2) 原材料または商品の仕入支出

仕入支出とは、主として現金仕入額、仕入債務(買掛金・支払手形)の支払額であり、他にも前渡金の支払額が該当します。なお、実際支払額を支出額とするため、仕入割引は控除します。

(3) 人件費支出

人件費支出には、従業員や役員の給料や報酬、賞与などが含まれます。

なお、キャッシュ・フロー計算書に記載される金額は、実際支払額であり、期首・期末に前払額・未払額があれば、損益計算書上に計上される金額と異なるため、注意が必要です。

(4) その他の営業支出

商品の仕入支出、人件費支出以外の営業活動にかかる支出[*03]を合計して記載します。なお、減価償却費や貸倒引当金繰入などは、支出をともなわない費用なので計算には含めません。

*03) 家賃や地代の支払額、リース料(オペレーティング・リース)などが該当します。P/L上の「販売費及び一般管理費」のうち、人件費以外の科目の支払額と覚えておきましょう。

(5) 利息および配当金の受取額・利息の支払額

受取利息・配当金の受取額と、支払利息の支払額を営業活動によるキャッシュ・フローの区分に記載する方法の場合では、小計の下に実際受払額を記載します。損益計算書上に計上される金額と異なるため、注意が必要です。

(6) その他の投資活動・財務活動のいずれにも属さない項目

投資活動・財務活動以外にかかるキャッシュ・フロー(損害賠償金の支払額や法人税等の支払額[*04])も、小計の下に実際の受払額を記載します。

*04) 法人税の支払額については、理論的には課税された活動区分別に分割して表示することが考えられますが、現実的に分割して表示することは困難であるため、営業活動によるキャッシュ・フローの項目に記載されます。

設例2-1　営業活動によるキャッシュ・フロー(直接法)

次の資料にもとづいて、直接法によるキャッシュ・フロー計算書(営業活動によるキャッシュ・フローまで)を作成しなさい(単位：円)。

【資料1】　貸借対照表

	前期末	当期末
現　　　　金	200	320
売　掛　金	400	300
貸倒引当金	△ 10	△ 20
商　　　　品	700	800
建　　　　物	1,600	1,600
減価償却累計額	△ 200	△ 400
資　産　合　計	2,690	2,600
買　掛　金	500	300
未払法人税等	200	220
資　本　金	1,000	1,000
利益準備金	100	170
繰越利益剰余金	890	910
負債・純資産合計	2,690	2,600

【資料2】　損益計算書

売　上　高	3,000
売　上　原　価	1,200
売　上　総　利　益	1,800
貸倒引当金繰入	10
給　料　・　賞　与	600
減　価　償　却　費	200
消　耗　品　費	100
営　業　利　益	890
受　取　配　当　金	400
税引前当期純利益	1,290
法　人　税　等	500
当　期　純　利　益	790

(1)　受取配当金にかかるキャッシュ・フローは、営業活動によるキャッシュ・フローの区分に表示する。

(2)　商品売買はすべて掛けで行われている。

キャッシュ・フロー計算書　(単位：円)

営業活動によるキャッシュ・フロー	
営　業　収　入	3,100
商品の仕入による支出	△ 1,500
人　件　費　支　出	△ 600
その他の営業支出	△ 100
小　　　計	900
配当金の受取額	400
法人税等の支払額	△ 480
営業活動によるキャッシュ・フロー	820

解説

(1)営業収入

売掛金の期首・期末高、売上高より当期の売掛金の回収額を計算します。

売　掛　金

売掛金	
期首 400円	回収(差額) 3,100円
売上 3,000円	期末 300円

(2)商品の仕入支出

商品の期首・期末高、売上原価より当期仕入高を計算し、買掛金の期首・期末高より当期の買掛金の支払額を計算します。

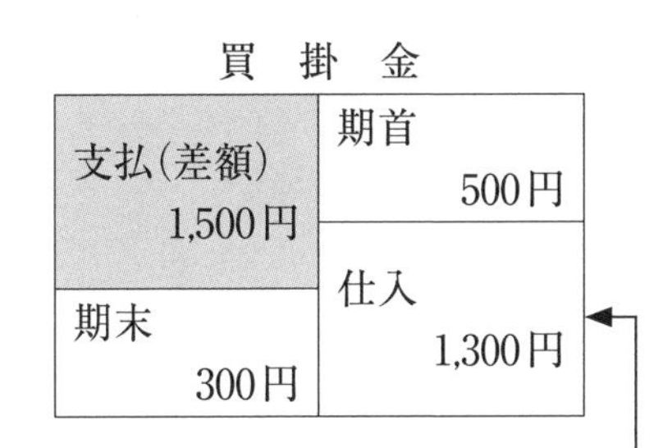

(3)人件費支出：給料・賞与600円

(4)その他の営業支出：消耗品費100円

(5)配当金の受取額：受取配当金400円

(6)法人税等の支払額

未払法人税等がある場合、P/L法人税等の金額と実際支払額にズレが生じるため、注意が必要です。

未払法人税等

未払法人税等	
支払(差額) 480円	期首 200円
期末(未払) 220円	P/L計上*05) 500円

*05)仮払法人税等は考えず、当期の法人税等をいったんすべて未払法人税等に計上したと考えると、ボックス図がつくりやすくなります。

3 間接法による表示

間接法では、損益計算書の税引前当期純利益をベースに、この税引前当期純利益と営業活動によるキャッシュ・フローとのズレである、次の(1)～(4)の項目を調整することで、営業活動によるキャッシュ・フローを計算します。

〈営業活動によるキャッシュ・フロー(間接法)〉

Ⅰ 営業活動によるキャッシュ・フロー		
税引前当期純利益*01)	×××	
減価償却費	×××	(1)非資金損益項目
貸倒引当金の増加額*02)	×××	
受取利息及び受取配当金	△×××	(2)営業外損益・特別損益項目
支払利息	×××	
為替差益	△×××	
有形固定資産売却益	△×××	
損害賠償損失	×××	
売上債権の増加額	△×××	(3)営業資産・負債の増減項目
棚卸資産の減少額	×××	
仕入債務の減少額	△×××	
小計	×××	
利息及び配当金の受取額	×××	(4)直接法の場合と同じ内容
利息の支払額	△×××	
損害賠償金の支払額	△×××	
法人税等の支払額	△×××	
営業活動によるキャッシュ・フロー	×××	

*01) スタートは税引前当期純利益です。『税引前』という点に注意しましょう。

*02) このほか、退職給付引当金や役員賞与引当金などの増減額も同様に記載されます。

間接法の営業活動によるキャッシュ・フローの区分（小計）までの調整は、税引前当期純利益をスタートとして損益計算書の特別損益、営業外損益を調整して営業利益まで逆算します。

逆算した営業利益は発生ベースのため、営業活動に係る調整を行い、営業利益をキャッシュベースに調整を行います。

損 益 計 算 書

税引前当期純利益（スタート）	特別利益（−）
	営業外収益（−）
特別損失（＋）	営業利益（発生ベース）
営業外費用（＋）	

↓ 非資金損益項目（減価償却費）
棚卸資産の増減
売上債権の増減
仕入債務の増減

営業利益（キャッシュベース）
営業活動によるキャッシュ・フローの小計

(1) 非資金損益項目

減価償却費や貸倒引当金繰入(戻入)は、損益計算書上では損益計上され、利益に影響を与えてはいますが、実際に現金を支払ったわけではありません。このような項目を**非資金損益項目**といい、税引前当期純利益に加減します。

	キャッシュ・フロー計算書における調整
非資金収益	減　算(−)
非資金費用	加　算(+)

(2) 営業外損益・特別損益項目

営業活動によるキャッシュ・フローの区分(小計より上)は、損益計算書の営業損益区分と対応します。そのため、税引前当期純利益の金額に含められている営業外損益・特別損益の金額を、損益計算書と逆にして加減することで、税引前当期純利益から営業活動に関係しない金額を除外します[*03]。

ただし、**営業活動に関係して発生したものは、例外的にこの調整は行いません**[*04]。

	キャッシュ・フロー計算書における調整
営業外収益・特別利益	減　算(−)
営業外費用・特別損失	加　算(+)

*03) 受取利息および受取配当金や支払利息もここでは、損益計算書と対応させるため、損益計算書の金額を逆にして加減します。小計以下の利息の受取額等では実際受払額になるので、注意してください。

*04) このような項目については、「(3)営業資産・負債の増減項目」で考慮されるため、この段階では考慮しません。

11 組織再編
12 リース会計Ⅱ
13 純資産会計Ⅱ
14 連結会計
15 キャッシュ・フロー会計
16 デリバティブ
17 帳簿組織
18 伝票会計

(3) 営業資産・負債の増減項目

利益をキャッシュ・フローに調整するために、営業活動にかかる資産・負債の増減額(期首・期末の差額)を調整します。

営業資産とは、売上債権(売掛金・受取手形)や棚卸資産など、営業活動にかかる資産*05)をいいます。

営業負債とは、仕入債務(買掛金・支払手形)など、営業活動にかかる負債*06)をいいます。

この営業資産と営業負債の増減額は、次のように調整します。

*05) ほかには、販売費及び一般管理費に含まれる項目に対する前払費用も含まれます。

*06) ほかには、販売費及び一般管理費に含まれる項目に対する未払費用も含まれます。

	増　減	キャッシュ・フロー計算書における調整
営業資産	増加額	減　算(－)
	減少額	加　算(＋)
営業負債	増加額	加　算(＋)
	減少額	減　算(－)

(4) 小計以下の項目

小計より下の項目は、直接法による場合と同じものとなります。

設例2-2　営業活動によるキャッシュ・フロー(間接法)

次の資料にもとづいて、間接法によるキャッシュ・フロー計算書(営業活動によるキャッシュ・フローまで)を作成しなさい(単位：円)。

【資料1】　貸借対照表

	前期末	当期末
現金	200	320
売掛金	400	300
貸倒引当金	△ 10	△ 20
商品	700	800
建物	1,600	1,600
減価償却累計額	△ 200	△ 400
資産合計	2,690	2,600
買掛金	500	300
未払法人税等	200	220
資本金	1,000	1,000
利益準備金	100	170
繰越利益剰余金	890	910
負債・純資産合計	2,690	2,600

【資料2】　損益計算書

売上高	3,000
売上原価	1,200
売上総利益	1,800
貸倒引当金繰入	10
給料・賞与	600
減価償却費	200
消耗品費	100
営業利益	890
受取配当金	400
税引前当期純利益	1,290
法人税等	500
当期純利益	790

(1)　受取配当金にかかるキャッシュ・フローは、営業活動によるキャッシュ・フローの区分に表示する。

(2)　商品売買はすべて掛けで行われている。

解答

キャッシュ・フロー計算書　(単位：円)

営業活動によるキャッシュ・フロー	
税引前当期純利益	1,290
減価償却費	200
貸倒引当金の増加額	10
受取配当金	△ 400
売上債権の減少額	100
棚卸資産の増加額	△ 100
仕入債務の減少額	△ 200
小計	900
配当金の受取額	400
法人税等の支払額	△ 480
営業活動によるキャッシュ・フロー	820

解説

(1)非資金損益項目

減価償却費：200円(加算)

貸倒引当金：20円－10円＝10円(増加：加算)

(2)営業外損益・特別損益項目

受取配当金：400円(減算)

(3)営業資産・負債の増減項目

売上債権(売掛金)：300円－400円＝△100円(減少：加算)

棚卸資産(商　品)：800円－700円＝　100円(増加：減算)

仕入債務(買掛金)：300円－500円＝△200円(減少：減算)

(4)その他の項目

小計より下の項目は、**設例2-1**と同じです。

4 その他の論点

簿B 財計C

▶▶簿問題集：問題1～6
▶▶財問題集：問題10

1．営業収入の計算(決済条件が多岐にわたる場合)

商品売買について、現金や掛け、手形などさまざまな決済条件で行っている場合、直接法における営業収入や仕入支出の計算が複雑になります。

損益計算書の売上高・売上原価(または当期商品仕入高)と、前期末と当期末における売上債権・仕入債務の金額から営業収入・仕入支出を求める場合、特に条件が明示されていない取引は、**仕入・売上は掛けで行い、掛代金の決済はすべて手形で行ったと考え**、手形の決済による収支額を営業収入・仕入支出と考えて計算します[*01]。

＊01）あくまでも解答上のテクニックです。

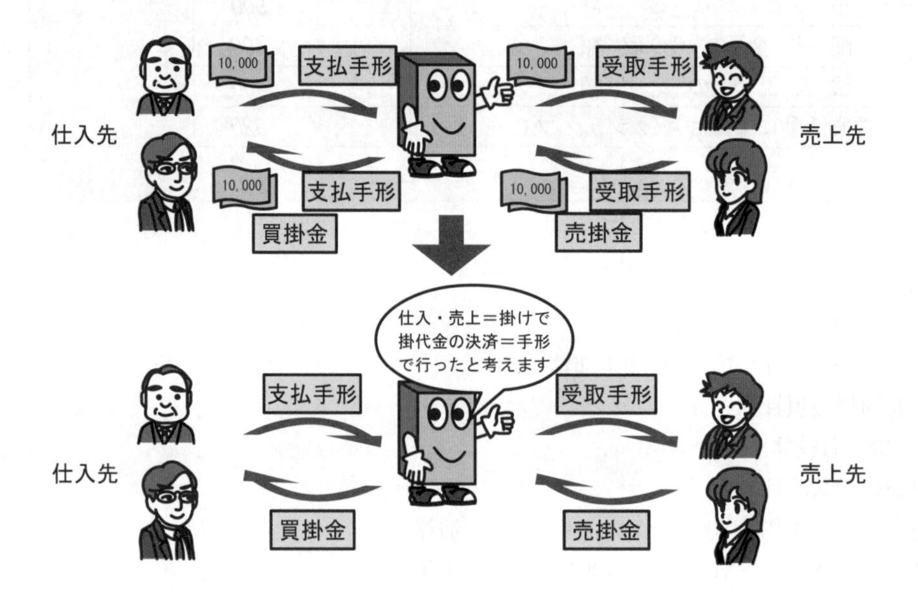

設例2-3　営業収入の計算(決済条件が多岐にわたる場合)

次の資料にもとづいて、直接法によって営業活動によるキャッシュ・フローの区分を作成する場合における、営業収入の金額を求めなさい(単位：円)。

【資料1】　貸借対照表

	前期末	当期末
：	：	：
売　掛　金	5,200	4,500
受　取　手　形	3,200	4,300
：	：	：
資　産　合　計	×××	×××
：	：	：
前　受　金	200	800
：	：	：
負債・純資産合計	×××	×××

【資料2】　その他の事項

1　損益計算書に計上された当期の売上高は20,000円である。

2　当期の売上のうち、前受金による売上は400円であった。

3　当期の仕入のさい、持っていた他店振出しの約束手形800円を裏書譲渡している。

4　買掛金支払いのため、得意先の引受けを得て為替手形900円を振り出した。

解答　営業収入　*18,500*　円

解説

現金売上、売上債権(売掛金・受取手形)回収の内訳が資料から判明しないため、「全額掛売上 → 手形による掛代金の受取り」によるものと仮定し、最終的に受取手形のうち当期回収された金額を営業収入とします。なお、前受金の受取額*02)も営業収入です。

売　掛　金

借方	貸方
期首　5,200円	受取手形(差額)　19,400円
売上　19,600円	買掛金(為手*03))　900円
	期末　4,500円

受取手形

借方	貸方
期首　3,200円	回収(差額)　17,500円
売掛金　19,400円	仕入(裏書)　800円
	期末　4,300円

掛売上：20,000円－400円＝19,600円

前　受　金

借方	貸方
売上　400円	期首　200円
期末　800円	受取(差額)　1,000円

営業収入：17,500円＋1,000円＝18,500円

＊02)前渡金の支払額が仕入支出となる点も、あわせて確認しておきましょう。

＊03)為替手形の取引は間違えやすいので注意しましょう。
(借)買掛金　900　(貸)売掛金　900

2．貸倒れ

期中に貸倒れがあり、それによって貸倒引当金が取り崩された場合、**「貸倒引当金繰入（戻入）」の金額と「貸倒引当金の増加額（減少額）」は一致しません。**間接法によって表示している場合、注意が必要です。

設例2-4 貸倒れ（貸倒引当金）

次の資料にもとづいて、直接法および間接法により営業活動によるキャッシュ・フローの区分（小計まで）を作成しなさい。ただし、当社の商品売買はすべて掛けによって行っており、期首・期末における商品の在庫はなかった。また、前期発生の売掛金のうち100円、当期発生の売掛金のうち150円が、期中に貸し倒れている（単位：円）。

【資料１】 貸借対照表

	前期末	当期末
：	：	：
売掛金	2,400	2,600
貸倒引当金	△ 120	△ 130
：	：	：
資産合計	×××	×××
：	：	：
買掛金	1,400	1,100
：	：	：
負債・純資産合計	×××	×××

【資料２】 損益計算書

売上高	10,000
売上原価	4,000
売上総利益	6,000
販売費及び一般管理費	
貸倒損失	150
貸倒引当金繰入	110
税引前当期純利益	5,740

（単位：円）

直接法による場合	
営業収入	*9,550*
商品の仕入支出	△ *4,300*
小計	*5,250*

間接法による場合	
税引前当期純利益	*5,740*
貸倒引当金の増加額	*10*
売上債権の増加額	△ *200*
仕入債務の減少額	△ *300*
小計	*5,250*

解説

1．直接法による場合

(1)営業収入

売　掛　金

借方		貸方	
期首	2,400円	回収(差額)	9,550円
売上	10,000円	貸損	150円
		貸引	100円
		期末	2,600円

(2)商品の仕入支出

商　　品

借方		貸方	
仕入	4,000円	売上原価	4,000円

買　掛　金

借方		貸方	
支払(差額)	4,300円	期首	1,400円
期末	1,100円	仕入	4,000円

2．間接法による場合

間接法による場合、非資金損益項目として調整する金額は「貸倒引当金の増加額(減少額)」であり、「貸倒引当金繰入(戻入)」の金額ではない点に注意が必要です。

貸倒引当金：130円－120円＝10円(増加：加算)

売上債権(売掛金)：2,600円－2,400円＝200円(増加：減算)

仕入債務(買掛金)：1,100円－1,400円＝△300円(減少：減算)

3．棚卸減耗損と商品評価損

棚卸資産に対して、棚卸減耗損や商品評価損が計上された場合、その分の利益が減少するとともに棚卸資産も減少します。そのため、費用と支出のズレは、棚卸資産の増減額と一致します。

したがって、間接法では棚卸減耗損や商品評価損が計上されていても、キャッシュ・フロー計算書上は**棚卸資産の増減額を調整するだけでよい**ことになります。

設例2-5　棚卸減耗損・商品評価損

期首商品は1,000円である。期中、商品3,000円を現金により仕入れ、商品3,500円を5,000円で現金で売り上げた。

期末商品帳簿棚卸高は500円であり、棚卸減耗損20円と商品評価損30円が計上された。

営業活動によるキャッシュ・フロー(小計まで)を直接法および間接法により作成しなさい。

損益計算書 (単位：円)

売上高	5,000
売上原価	
(商品評価損含む)	3,530
売上総利益	1,470
棚卸減耗損	20
税引前当期純利益	1,450

解答　(単位：円)

直接法による場合	
営業収入	*5,000*
商品の仕入支出	△ *3,000*
小計	*2,000*

間接法による場合	
税引前当期純利益	*1,450*
棚卸資産の減少額	*550*
小計	*2,000*

解説

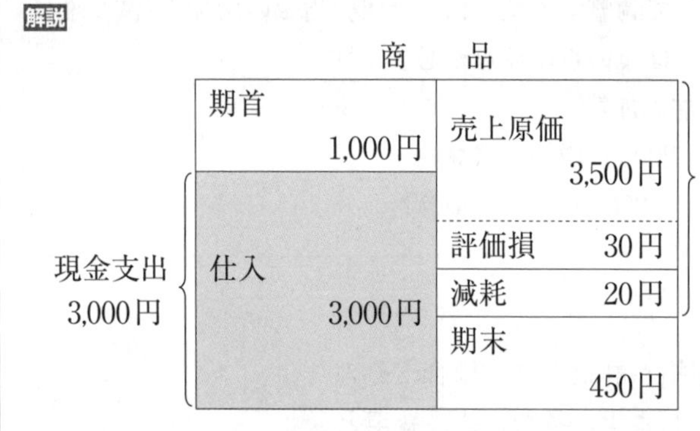

費用と支出のズレ：
3,550円－3,000円＝550円

棚卸資産(商品)：
450円－1,000円＝△550円
(減少：加算)

4. 営業活動にかかる経過勘定の増減額

給料や営業費の支払いなど、営業活動にかかる費用に対して前払費用や未払費用を計上している場合、損益計算書上の費用と実際の支出にズレが生じることになります。そのため、間接法の場合は、**営業活動にかかる前払費用や未払費用に関しても、営業資産・営業負債の増減額としてキャッシュ・フロー計算書に記載**する必要があります。

設例2-6　営業活動にかかる経過勘定の増減額

次の資料にもとづいて、直接法および間接法により営業活動によるキャッシュ・フロー(小計まで)を作成しなさい。なお、商品売買はすべて現金を通じて行っており、期首・期末に在庫はないものとする。前払費用はその他の営業費にかかるもの、未払費用は給料にかかるものである(単位：円)。

【資料1】 貸借対照表

	前期末	当期末
:	:	:
前払費用	100	150
:	:	:
資産合計	×××	×××
:	:	:
未払費用	220	300
:	:	:
負債・純資産合計	×××	×××

【資料2】 損益計算書

売上高		10,000
売上原価		4,000
売上総利益		6,000
販売費及び一般管理費		
給料	2,200	
その他の営業費	1,400	3,600
税引前当期純利益		2,400

解答

(単位：円)

直接法による場合	
営業収入	*10,000*
商品の仕入支出	△ *4,000*
人件費支出	△ *2,120*
その他の営業支出	△ *1,450*
小計	*2,430*

間接法による場合	
税引前当期純利益	*2,400*
前払費用の増加額	△ *50*
未払費用の増加額	*80*
小計	*2,430*

解説

1．給料

未払費用(給料)

支払 2,120円	期首 220円
	P/L計上 2,200円
期末 300円	

費用と支出のズレ：2,200円－2,120円＝80円
一致
未払費用：300円－ 220円＝80円(増加：加算)

2．その他の営業費

前払費用(その他の営業費)

期首 100円	P/L計上 1,400円
支払 1,450円	
	期末 150円

費用と支出のズレ：1,400円－1,450円＝△50円
一致
前払費用：150円－100円＝50円(増加：減算)

Section 3

投資活動・財務活動によるキャッシュ・フロー

営業活動は企業活動の中心となるものですが、もちろん、それ以外の活動でもキャッシュの動きがあります。建物を買ったり、借入金の返済をしたり、配当金を支払ったり…。日常的に何度も行われるものではありませんが、これも企業に重要な活動です。このような活動から生じたキャッシュ・フローは、どのように記載されていくのでしょうか。

このSectionでは、投資活動・財務活動によるキャッシュ・フローについて学習します。

1 投資活動によるキャッシュ・フローの記載

投資活動によるキャッシュ・フローの区分に記載するキャッシュ・フローには、次のようなものがあります*01)。

表示方法は、収入総額と支出総額を算定して表示する方法によります。

<キャッシュ・フロー計算書>

Ⅱ　投資活動によるキャッシュ・フロー	
有価証券*02)の取得による支出	△×××
有価証券の売却による収入	×××
有形固定資産の取得による支出	△×××
有形固定資産の売却による収入	×××
投資有価証券の取得による支出	△×××
投資有価証券の売却による収入	×××
貸付けによる支出	△×××
貸付金の回収による収入	×××
：	
投資活動によるキャッシュ・フロー	×××

*01) 貸借対照表の借方にある科目をイメージすると、覚えやすいでしょう。
このほかに、現金及び現金同等物に該当しない(期間が3カ月より長い)定期預金の預入れや払戻しなども、この区分に該当します。

*02) 勘定科目上は「有価証券」でも現金同等物に該当するものは、ここでいう「有価証券の取得・売却」には該当しないので、注意しましょう。

2 財務活動によるキャッシュ・フローの記載

簿A 財計A

▶▶簿問題集：問題7
▶▶財問題集：問題11

財務活動によるキャッシュ・フローの区分に記載するキャッシュ・フローには、次のようなものがあります[*01]。

<キャッシュ・フロー計算書>

Ⅲ 財務活動によるキャッシュ・フロー	
短期借入れによる収入	×××
短期借入金の返済による支出	△×××
長期借入れによる収入	×××
長期借入金の返済による支出	△×××
社債の発行による収入[*02]	×××
社債の償還による支出	△×××
株式の発行による収入[*02]	×××
自己株式の取得による支出	△×××
配当金の支払額	△×××
：	
財務活動によるキャッシュ・フロー	×××

＊01）貸借対照表の貸方にある科目をイメージすると、覚えやすいでしょう。
このほかに、ファイナンス・リース取引のリース料支払額（元本相当額）なども、この区分に記入されます。

＊02）発行費用等を除いた手取額で記載します。

設例3-1 投資活動・財務活動によるキャッシュ・フロー

次の資料にもとづいて、キャッシュ・フロー計算書の投資活動によるキャッシュ・フローと財務活動によるキャッシュ・フローの区分の記載を完成させなさい。なお、取引はすべて現金で行っている（単位：円）。

【資料１】 貸借対照表

	前期末	当期末
：	：	：
有価証券	1,600	900
貸付金	400	600
建物	4,800	2,800
減価償却累計額	△ 600	△ 500
：	：	：
資産合計	×××	×××
：	：	：
短期借入金	3,600	3,000
資本金	4,000	4,800
：	：	：
負債・純資産合計	×××	×××

【資料２】

1 帳簿価額1,200円の有価証券を売却し、売却益200円を計上した（なお、当期末において有価証券評価損100円を計上している。評価損益は切放法により処理している）。

2 貸付金の当期回収額は280円である。

3 取得原価2,000円の建物（前期末減価償却累計額200円）を期首に2,400円で売却した。

4 短期借入金（借入期間はすべて１年以内）の当期返済額は4,000円である。

5 当期に新株を発行し、現金800円の払込みを受けた。

6 当期中に株主に対し、配当金40円を現金で支払った。

解答

キャッシュ・フロー計算書 (単位：円)

：	：
Ⅱ 投資活動によるキャッシュ・フロー	
有価証券の取得による支出	△ 600
有価証券の売却による収入	1,400
有形固定資産の売却による収入	2,400
貸付けによる支出	△ 480
貸付金の回収による収入	280
投資活動によるキャッシュ・フロー	3,000
Ⅲ 財務活動によるキャッシュ・フロー	
短期借入れによる収入	3,400
短期借入金の返済による支出	△ 4,000
株式の発行による収入	800
配当金の支払額	△ 40
財務活動によるキャッシュ・フロー	160

解説

1．有価証券

有価証券

借方	貸方
期首 1,600円	売却(帳簿価額)＊03) 1,200円
	評価損 100円
取得(差額) 600円	期末 900円

有価証券の取得による支出： 600円(ボックス図より)
有価証券の売却による収入：1,400円(仕訳より)

借方		貸方	
(借)現金預金	1,400	(貸)有価証券	1,200
		有価証券売却益	200

貸借差額 → 1,400

2．有形固定資産

建物

借方	貸方
期首 4,800円	売却 2,000円
	期末 2,800円

上のボックス図により、有形固定資産の当期中の取得はないと判断できます。

3．貸付金・短期借入金

貸付金

借方	貸方
期首 400円	回収 280円
貸付(差額) 480円	期末 600円

短期借入金

借方	貸方
返済 4,000円	期首 3,600円
期末 3,000円	借入(差額) 3,400円

＊03)有価証券の売却原価は帳簿価額です。売却価額にしないように注意しましょう。

Section 4

その他の論点

キャッシュ・フロー計算書は、現金及び現金同等物という１つのものの動きだけを追っていく、ちょっと変わった存在です。
このSectionでは、これまでの内容以外で注意しなければならない論点およびキャッシュ・フロー計算書のひな型について学習します。

1 外貨建取引にかかるキャッシュ・フロー

▶▶簿問題集：問題 8,9

外貨建取引によって生じる為替差損益は、キャッシュ・フロー計算書上、発生要因によって取扱いが異なるため、注意が必要です。

1．現金及び現金同等物に係る為替差損益

期末に現金及び現金同等物を換算したさいや、期中に外国通貨を邦貨に両替したさいに発生する為替差損益は、財務活動によるキャッシュ・フローの下のキャッシュ・フロー計算書の末尾において「**現金及び現金同等物に係る換算差額**」として記載します。

また、現金及び現金同等物に係る為替差損益は、営業活動によるキャッシュ・フローに影響しないため、他の営業外損益・特別損益項目と同様に、「**間接法の調整項目**」となります。

営業活動による
キャッシュ・フローに
影響しないため
間接法の調整項目です

設例4-1　　現金及び現金同等物に係る為替差損益

次の資料にもとづいて、営業活動によるキャッシュ・フローの区分を(1)直接法によった場合、(2)間接法によった場合の、キャッシュ・フロー計算書を作成しなさい(単位：円)。

【資料1】　貸借対照表

	前期末	当期末
現金預金	14,000	15,530
：	：	：
資産合計	×××	×××
：	：	：
負債・純資産合計	×××	×××

【資料2】　損益計算書

売上高	50,000
売上原価	48,000
売上総利益	2,000
営業外費用	
為替差損	470
税引前当期純利益	1,530

【資料3】　その他の事項

1　現金預金に含まれる外国通貨の当期における取引は、次のとおりであった。なお、期首に外国通貨は保有していなかった。

当期取得額：18,720円(180ドル、1ドル＝104円で取得)

当期邦貨両替額：5,250円(上記で取得した50ドルを両替)

期末有高：130ドル(決算日における為替レートは、1ドル＝100円であった)

2　売上取引および仕入取引は、すべて現金で行っている。また、期首および期末に商品の在庫はなかった。

3　貸借対照表の現金預金と現金及び現金同等物の範囲は一致しているものとする。

解答

(1)直接法によった場合

キャッシュ・フロー計算書　　(単位：円)

Ⅰ　営業活動によるキャッシュ・フロー	
営業収入	50,000
商品の仕入支出	△ 48,000
営業活動によるキャッシュ・フロー	2,000
Ⅱ　現金及び現金同等物に係る換算差額	△ 470
Ⅲ　現金及び現金同等物の増加額	1,530
Ⅳ　現金及び現金同等物の期首残高	14,000
Ⅴ　現金及び現金同等物の期末残高	15,530

(2)間接法によった場合

キャッシュ・フロー計算書　　(単位：円)

Ⅰ　営業活動によるキャッシュ・フロー	
税引前当期純利益	1,530
為替差損	470
営業活動によるキャッシュ・フロー	2,000
Ⅱ　現金及び現金同等物に係る換算差額	△ 470
Ⅲ　現金及び現金同等物の増加額	1,530
Ⅳ　現金及び現金同等物の期首残高	14,000
Ⅴ　現金及び現金同等物の期末残高	15,530

解説

邦貨両替時：

(借) 現金預金	5,250	(貸) 現金預金	5,200 *01)
		為替差損益	50

決算時：

(借) 為替差損益	520 *02)	(貸) 現金預金	520

為替差損益：50円－520円＝△470円(差損)

この為替差損470円は、現金及び現金同等物にかかるものなので、「現金及び現金同等物に係る換算差額(減算)」および「間接法の調整項目(加算)」として表示します。

＊01) @104円×50ドル＝5,200円
＊02) (@100円－@104円)×130ドル＝△520円

2．投資活動・財務活動に係る為替差損益

貸付金の回収や借入金の返済など、投資活動・財務活動に係る為替差損益は、実際に行った投資活動・財務活動のキャッシュ・フローに含めて記載します。つまり、貸付金・借入金は、為替差損益を加味した**実際受払額**で記載します。

また、投資活動・財務活動に係る為替差損益は、営業活動によるキャッシュ・フローに影響しないため、他の営業外損益・特別損益項目と同様に、「**間接法の調整項目**」となります。

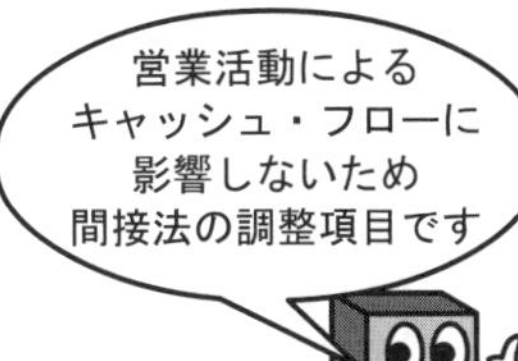

設例4-2　投資活動・財務活動に係る為替差損益

次の資料にもとづいて、営業活動によるキャッシュ・フローの区分を(1)直接法によった場合、(2)間接法によった場合の、キャッシュ・フロー計算書(財務活動によるキャッシュ・フローまで)を作成しなさい(単位：円)。

【資料1】　貸借対照表

	前期末	当期末
：	：	：
土　　地	5,000	8,000
：	：	：
資 産 合 計	×××	×××
：	：	：
負債・純資産合計	×××	×××

【資料2】　損益計算書

売　上　高	30,000
売 上 原 価	28,000
売上総利益	2,000
営業外収益	
為 替 差 益※	250
税引前当期純利益	2,250

※この為替差益は、すべて【資料3】に示した取引に関して発生したものである。

【資料3】　その他の事項

1　当期首に、国外の土地30ドルを取得した。なお、土地取得時の為替レートは1ドル＝100円、代金支払時の為替レートは1ドル＝98円であった。

2　期首の短期借入金5,200円は外貨建ての借入金(50ドル)であり、全額を期中に5,250円で返済した。

3　当期に借り入れた短期借入金はすべて外貨建ての借入金60ドル(借入時の為替レートは1ドル＝107円)であり、期末時点で返済していない。なお、決算日の為替レートは1ドル＝103円であった。

4　売上および仕入取引はすべて現金で行っており、期首および期末に商品の在庫はなかった。

解答

(1)直接法によった場合

キャッシュ・フロー計算書　(単位：円)

Ⅰ　営業活動によるキャッシュ・フロー	
営　業　収　入	30,000
商 品 の 仕 入 支 出	△ 28,000
営業活動によるキャッシュ・フロー	2,000
Ⅱ　投資活動によるキャッシュ・フロー	
有形固定資産の取得による支出	△ 2,940
投資活動によるキャッシュ・フロー	△ 2,940
Ⅲ　財務活動によるキャッシュ・フロー	
短期借入れによる収入	6,420
短期借入金の返済による支出	△ 5,250
財務活動によるキャッシュ・フロー	1,170

(2)間接法によった場合

キャッシュ・フロー計算書　(単位：円)

Ⅰ　営業活動によるキャッシュ・フロー	
税引前当期純利益	2,250
為替差益	△　250
営業活動によるキャッシュ・フロー	2,000
Ⅱ　投資活動によるキャッシュ・フロー	
有形固定資産の取得による支出	△　2,940
投資活動によるキャッシュ・フロー	△　2,940
Ⅲ　財務活動によるキャッシュ・フロー	
短期借入れによる収入	6,420
短期借入金の返済による支出	△　5,250
財務活動によるキャッシュ・フロー	1,170

解説

投資活動・財務活動に係るキャッシュ・フローは、実際の受払額を円換算した金額を表示します。

有形固定資産の取得による支出(土地購入代金支払額)：@98円×30ドル＝2,940円

土地取得時：	(借)土地	3,000	(貸)未払金	3,000
代金支払時：	(借)未払金	3,000	(貸)現金預金	2,940
			為替差損益	60

短期借入れによる収入：@107円×60ドル＝6,420円

借入時：	(借)現金預金	6,420	(貸)短期借入金	6,420
決算時：	(借)短期借入金	240	(貸)為替差損益	240

短期借入金の返済による支出：5,250円(資料3－2より)

返済時：	(借)短期借入金	5,200	(貸)現金預金	5,250
	為替差損益	50		

また、損益計算書に計上されている為替差益250円は、営業活動に関係しないものなので、他の営業外損益項目と同様に、「間接法の調整項目(減算)」として表示します。

為替差損益：60円＋240円－50円＝250円(為替差益)

3．営業活動に係る為替差損益

売上債権(売掛金・受取手形)・仕入債務(買掛金・支払手形)の期末換算など、営業活動によって生じた為替差損益については、営業活動によるキャッシュ・フローの区分を(1)直接法、(2)間接法のどちらによって表示しているのかで、扱いが異なります。

(1)直接法の場合

営業収入や仕入支出などを**実際受払額で記載**することにより、為替差損益を加味することができます。

(2)間接法の場合

円建ての金額で売上債権・仕入債務の増減額を表示することで、為替差損益を加味することができます。

なお、営業活動に係る為替差損益は、**「間接法の調整項目」ではありません**。そのため、営業外活動に係る為替差損益(間接法の調整項目)を算定するうえで、為替差損益総額から控除します。

営業外活動に係る為替差損益 ＝ 為替差損益総額 －(3)営業活動に係る為替差損益
間接法の調整項目
＝(1)現金及び現金同等物に係る為替差損益
＋(2)投資活動・財務活動に係る為替差損益

為替差損益のC／F上の扱い(表示)

	C／F末尾「現金及び現金同等物の換算差額」	間接法の調整項目
(1)現金及び現金同等物に係るもの	○	○
(2)投資活動・財務活動に係るもの	×	○
(3)営業活動に係るもの	×	×

設例4-3 営業活動に係る為替差損益

次の資料にもとづいて、営業活動によるキャッシュ・フローの区分を(1)直接法によった場合、(2)間接法によった場合の、キャッシュ・フロー計算書(営業活動によるキャッシュ・フローのみ)を作成しなさい(単位：円)。

【資料1】 貸借対照表

	前期末	当期末
：	：	：
売掛金	3,200	4,000
：	：	：
資産合計	×××	×××
：	：	：
負債・純資産合計	×××	×××

【資料2】 損益計算書

売上高	20,000
売上原価	18,000
売上総利益	2,000
営業外費用	
為替差損	10
税引前当期純利益	1,990

【資料3】 その他の事項

1 当期より国外向けの販売を行ったため、外貨建売掛金の発生および回収が生じることとなった。当期の外貨建売掛金の変動は次のとおりである。

当期外貨建売上(すべて掛け)	80ドル	(販売時の為替レート 1ドル＝95円)
当期回収額(円貨にて回収)	50ドル	(回収時の為替レート 1ドル＝93円)
当期末外貨建売掛金残高	30ドル	(決算時の為替レート 1ドル＝98円)

2 上記以外の売上と、それにかかる売掛金は円建てである。

3 仕入取引はすべて現金で行っている。また、期首および期末に商品の在庫はなかった。

解答

(1)直接法によった場合

キャッシュ・フロー計算書 (単位：円)

Ⅰ 営業活動によるキャッシュ・フロー	
営業収入	*19,190*
商品の仕入支出	△ *18,000*
営業活動によるキャッシュ・フロー	*1,190*

(2)間接法によった場合

キャッシュ・フロー計算書 (単位：円)

Ⅰ 営業活動によるキャッシュ・フロー	
税引前当期純利益	*1,990*
売上債権の増加額	△ *800*
営業活動によるキャッシュ・フロー	*1,190*

解説

(1)　直接法の場合、下記の仕訳をふまえて売掛金のボックス図を作成し、営業収入の金額を算定します。

(2)　間接法の場合、営業活動に係る為替差損10円は調整項目とせず、売上債権の増減額のみを調整します。

①販　売　時：（借）売　　掛　　金　7,600　（貸）売　　　　　上　7,600

②売掛金回収時：（借）現　金　預　金　4,650　（貸）売　　掛　　金　4,750
　　　　　　　　　　　為　替　差　損　益　100

③決　算　時：（借）売　　掛　　金　90　（貸）為　替　差　損　益　90

売　掛　金

借方	貸方
期首　3,200円	回収（差額）　19,190円
売上　20,000円	換算　100円
	期末　4,000円
換算　90円	

収益と収入のズレ：
（20,000円 − 100円 + 90円）＊03) − 19,190円 = 800円
　　　　　　　　　　　　　　　　　　　　　　↕一致
売上債権（売掛金）：4,000円 − 3,200円 = 800円
（増加：減算）

＊03) 売上取引による収益は、売上高の他に、売掛金の回収や期末における換算で生じた為替差損益も含めて考え、収益と収入のズレを計算します。

Chapter 16

デリバティブ

皆さんは、将来に不安を感じることってありませんか？　もしも、将来の不安を事前に回避できたら安心して日々の生活が送れますよね。今日では金融取引が盛んに行われているだけに、株価や金利、為替相場などの将来の変動がとても気になり、また、いつどれだけ下落するかわからないので不安がいっぱいです。

このChapterでは、この不安を回避するヘッジ会計について学習します。カタカナ言葉が多く登場し、また取引自体も掴みづらいので手ごわいところですが、がんばってクリアしましょう。

Section 1 デリバティブ

デリバティブの会計処理は苦手とされる方が多いようです。デリバティブの仕訳が難しいというよりもデリバティブの取引自体の内容が捉えにくいことが原因のようです。しかし、難しく考える必要はありません。イメージとしては将来の商品値段のあてっこをしていると考えればいいでしょう。

自分の予想があたれば得をするし、はずれれば損をします。

会計処理のポイントは決算時に時価評価し、もともとの評価額との差額を収益または費用として処理することです。

このSectionでは、デリバティブについて学習します。

1 デリバティブとは

デリバティブとは「金融派生商品（きんゆうはせいしょうひん）」と訳されるとおり、株式、債券といった金融商品*01)から副次的に生まれた金融商品をいいます。

*01) これを原資産といいます。

たとえば、債券そのものではなく、「一定の期日に、一定の金額で債券を売る権利や買う権利」を商品化したもので、その取引をデリバティブ取引といいます。このようなデリバティブ取引によって、リスクや損失を回避したり、少ない金額で多額の利益を獲得*02)したりすることが可能になります。

*02) ただし、読みがはずれると多額の損失を被ることになります。

一般に、先物取引、スワップ取引およびオプション取引の３つに分類され、デリバティブ取引は通常、リスク・ヘッジ目的（相場変動等により被るリスクを回避する目的）、投機目的（相場の変動による利益の獲得目的）の2つがあります。

デリバティブ取引は、**契約締結時**に認識されます。ただし、先物取引やスワップ取引の場合、契約締結時におけるデリバティブ取引から生じる債権および債務は等価値であるため、デリバティブの価値はゼロとなります。しかし、契約締結時以降は、市場価格の変動により、デリバティブ取引から差益または差損が生じます。この差益が、デリバティブ取引による正味の債権であり、差損がデリバティブ取引による正味の債務となります。

2 デリバティブ取引の会計処理

デリバティブ取引では、市場価格の変動などによって生じる債権・債務の純額を『先物取引差金（さきものとりひきさきん）』や『金利スワップ資産』、『オプション資産』などの資産・負債として捉え*01)、**期末には時価で評価し、評価差額は原則として当期の損益**として処理します。

*01) 本書で使用している科目は一例です。本試験では問題文の指示に従ってください。

> デリバティブ取引によって生じる債権・債務は、期末に時価で評価します。

デリバティブ取引について、投資家、企業の双方にとって意味のある価値は正味の債権または債務の時価であり、時価が貸借対照表価額とされます。

また、デリバティブ取引により生じる正味の債権および債務の時価の変動は、企業にとっての財務活動の成果であると考えられ、ヘッジ*02)にかかるものを除き、当期の損益として処理します。

*02) 「避ける」という意味があり、時価等の変動による影響を避けて当期の損益を計算します。

<デリバティブ取引により生じる正味の債権および債務の取扱い>

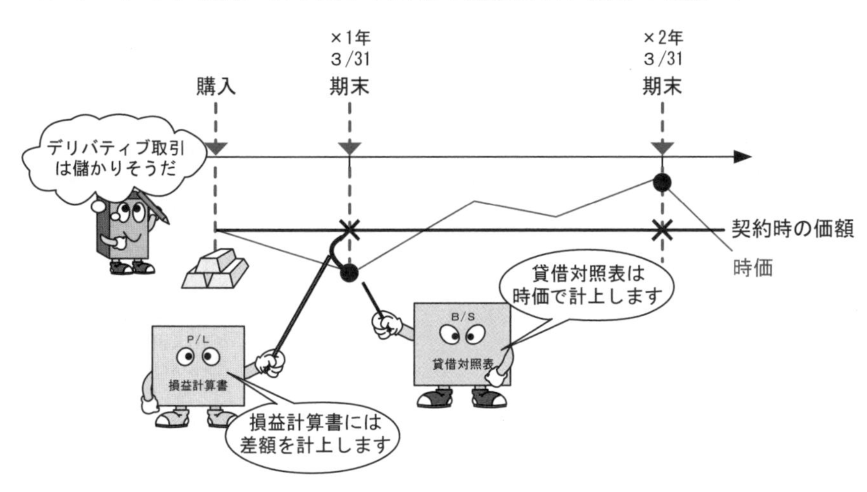

3 先物取引

簿C 財計C ▶▶簿問題集：問題1,2

1．意義

先物取引とは、将来の一定の期日(限月(げんげつ))に、特定の商品を一定の価格(約定価格(やくじょうかかく))で、一定の数量だけ売買することを約束する契約をいいます。先物取引には次のような特徴があります。

(1)時　価：市場取引であり、時価が成立しています。

(2)証拠金：取引に入るさいに証拠金が必要です。なお、新規に買うことを約束する場合の取引を「買建(かいだ)て」、新規に売ることを約束する場合の取引を「売建(うりだ)て」といいます。

(3)決　済：現物(げんぶつ)の受渡しはほとんどされることはなく[*01)]、反対売買(買建てなら売り、売建てなら買い)により差額のみを決済(これを差金決済(さきんけっさい)といいます)します。

*01)現物の受渡しを行うものを、先渡取引といいます。為替予約は将来の一定の期日に一定の価格で通貨の受払いをするため通貨先渡取引に該当します。

2．種類

先物取引には、対象となる原資産によって商品先物取引や債券先物取引、通貨先物取引[*02)]などがあります。

*02)為替予約が該当します。

3．損益の認識

先物取引を反対売買によって行う場合、損益は次のように認識します。

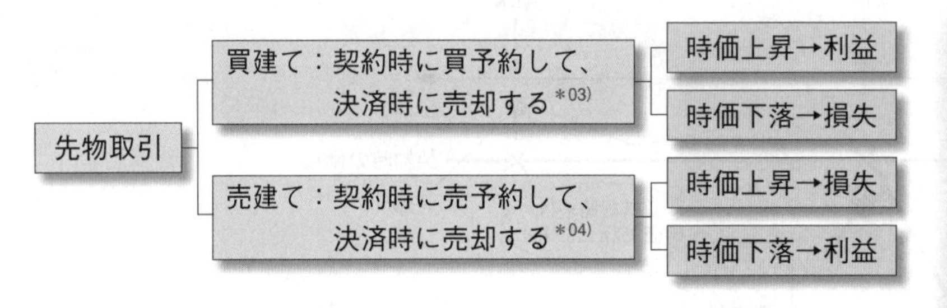

*03)たとえば、10,000円の買予約をした場合に先物の時価が8,000円のときに決済すると、10,000円で買い8,000円で売るので差額2,000円の損失となります。

*04)たとえば、10,000円の売予約をした場合に先物の時価が8,000円のときに決済すると、8,000円で買い10,000円で売るので差額2,000円の利益となります。

<買建てとは>

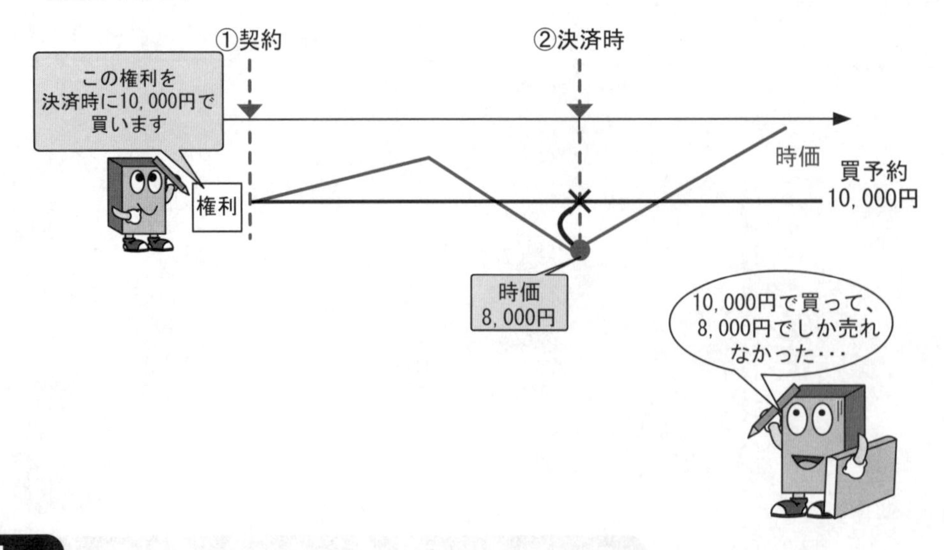

<売建てとは>

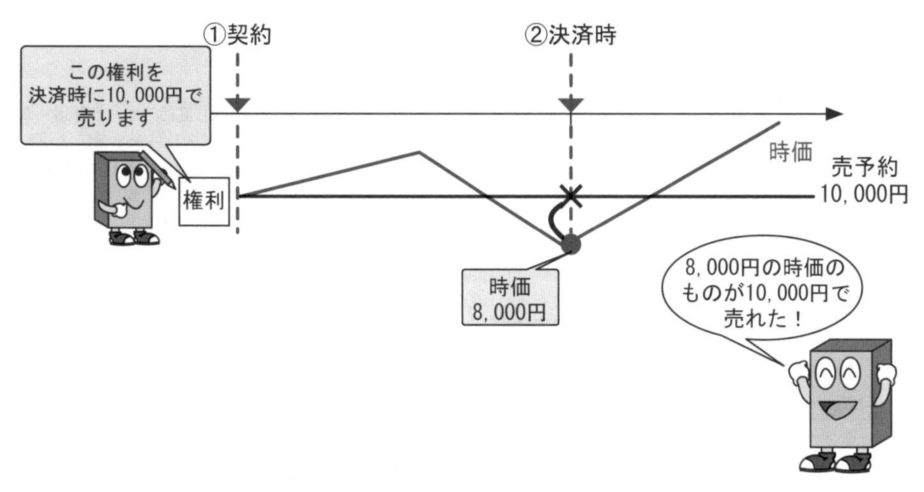

4. 会計処理

(1) 契約時

契約時に支払う証拠金について、『先物取引証拠金』(流動資産または固定資産)として処理します。

(2) 決算時

先物取引にかかる時価評価差額を『先物損益』として処理し、損益計算書には『先物利益』または『先物損失』(営業外収益または営業外費用)として純額で表示します。相手勘定は『先物取引差金』(表示区分は問題の指示に従ってください)とします。

(3) 翌期首

前期末の評価差額について振り戻します*05)。

*05) 基本的には振戻処理を行いますが、翌期首の振戻処理を行わない場合も考えられます。その場合は問題の指示に従ってください。

(4) 決済時

先物取引の時価評価差額を『先物損益』として処理します。また、証拠金の回収を行います。

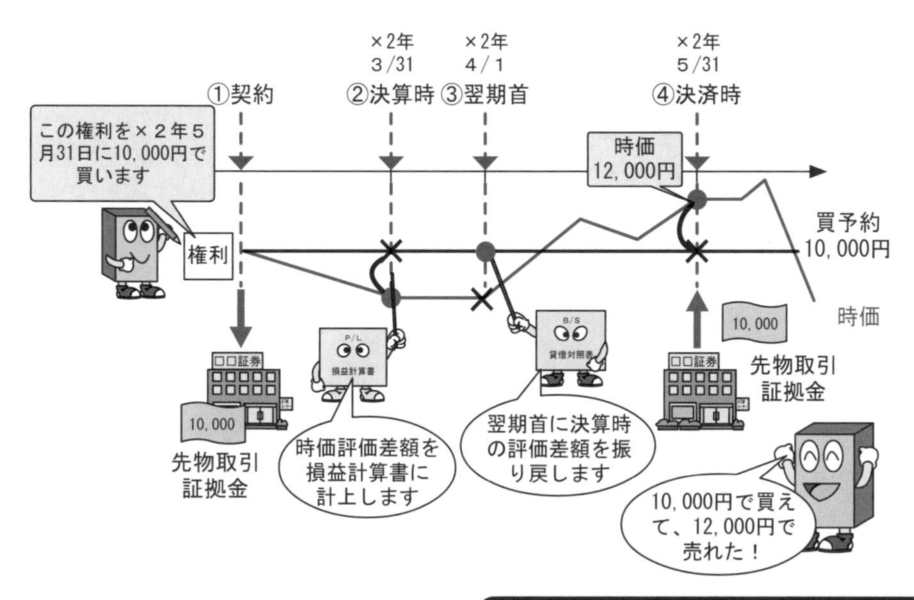

5．商品先物取引

金、大豆からガソリン、コーヒーにいたるまで、さまざまな商品を対象として先物取引が行われています。取引は一定の単位で行われ、先物商品は月単位で時価が異なります＊06)。

＊06)同じ商品でも、5月限月の商品(5月末までに決済しなければならない商品)と6月限月の商品とでは時価が異なります。

＜商品先物取引＞

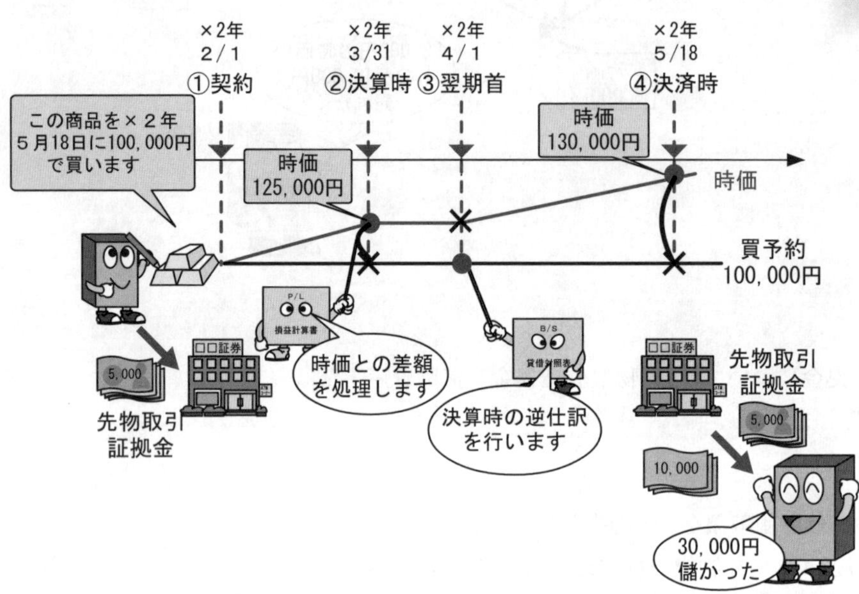

設例 1-1　商品先物取引

次の取引の仕訳を示しなさい。

(1) 契約時(×2年2月1日)

6月末日を限月とするA先物商品を1,000円/個で1枚買い建てた。なお、A先物商品の売買単位は1枚あたり100個であり、証拠金8,000円を現金で支払った。

(2) 決算時(×2年3月31日)

6月末日を限月とするA先物商品の時価は1,250円/個であった。

(3) 翌期首(×2年4月1日)

翌期首につき、先物取引の評価差額を振り戻す。

(4) 決済時(×2年5月18日)

投資利益を確定させるため、6月末日を限月とするA先物商品を100個売り建て、売却代金は現金で受け取った(反対売買)。この時のA先物商品の時価は1,300円/個であった。これにともなって証拠金8,000円を回収した。

(1)	(借)	先物取引証拠金	8,000	(貸)	現金預金	8,000
(2)	(借)	先物取引差金	25,000	(貸)	先物損益	25,000
(3)	(借)	先物損益	25,000	(貸)	先物取引差金	25,000
(4)	(借)	現金預金	30,000	(貸)	先物損益	30,000
	(借)	現金預金	8,000	(貸)	先物取引証拠金	8,000

解説

(1) 契約時(×2年2月1日)

先物取引証拠金を支払います。

(2) 決算時(×2年3月31日)

先物損益：(@1,250円－@1,000円)×100個＝25,000円(差益)

先物相場の変動によって生じた損益を『先物損益』で処理し、相手勘定は『先物取引差金』で処理します。

(3) 翌期首(×2年4月1日)

翌期首には、決算時の仕訳の逆仕訳を行います。

(4) 決済時(×2年5月18日)

先物損益：(@1,300円－@1,000円)×100個＝30,000円(差益)

反対売買によって決済されたときは、先物取引の契約時から決済時までに生じた先物相場の変動による損益を『先物損益』で処理します。また、先物取引証拠金を回収します。

6．債券先物取引

債券先物取引で対象物となるのは、「標準物」といわれる国債であり、実在する国債を取引(受渡し)することはほとんどありません。したがって、大体の場合は現物を引き取らず、反対売買をして取引を終えることになります。

設例 1-2 債券先物取引

次の取引の仕訳を示しなさい。

(1) 契約時(×2年2月1日)
国債先物100,000円(1,000口)を額面@100円につき@95円で売り建て、証拠金として4,900円を現金で支払った。

(2) 決算時(×2年3月31日)
同日の国債先物の時価は@97円であった。

(3) 翌期首(×2年4月1日)
翌期首につき、先物取引の評価差額を振り戻す。

(4) 決済時(×2年5月18日)
反対売買を行い、差金を現金で決済した。なお、同日の国債先物の時価は@98円であった。これにともなって証拠金4,900円を回収した。

解答

(1)	(借)	先物取引証拠金	4,900	(貸)	現金預金	4,900
(2)	(借)	先物損益	2,000	(貸)	先物取引差金	2,000
(3)	(借)	先物取引差金	2,000	(貸)	先物損益	2,000
(4)	(借)	先物損益	3,000	(貸)	現金預金	3,000
	(借)	現金預金	4,900	(貸)	先物取引証拠金	4,900

解説

(1) 契約時(×2年2月1日)
先物取引証拠金を支払います。

(2) 決算時(×2年3月31日)
先物損益：(@95円－@97円)×1,000口＝△2,000円(差損)

(3) 翌期首(×2年4月1日)
翌期首には、決算時の仕訳の逆仕訳を行います。

(4) 決済時(×2年5月18日)
先物損益：(@95円－@98円)×1,000口＝△3,000円(差損)

Section 2

ヘッジ会計

時価下落による損失をカバーするためにデリバティブ取引を行えば、それを財務諸表上にも適切に表す必要があります。これがヘッジ会計です。

ポイントは実際に保有している株式や国債などの資産にかかる損益と、デリバティブ取引にかかる損益とを同じ会計期間に計上する点です。

Section 1ではデリバティブ取引を単独で行った場合の処理について学習しました。このSectionでは、もともと株式や国債などの資産を実際に保有していて、その時価下落による損失をカバーするためにデリバティブ取引を行った場合の処理について学習します。

1 ヘッジ取引とは

現物(げんぶつ)の国債を購入したときに、国債を将来一定の価格で売るという先物取引を行うことによって、国債の時価の変動リスクを回避(ヘッジ)することができます。

このようにヘッジ対象(現物の国債など)の価格変動リスク等を回避するために、デリバティブ(先物取引)をヘッジ手段として用いる取引*01)をヘッジ取引といいます。

*01) Section 1の債券先物取引との違いは、国債の現物を持たずに単独で先物取引を行うか、国債の現物を持ったうえで価格下落に備えて先物取引を行うかの違いです。

2 ヘッジ会計とは

1. ヘッジ会計とは

ヘッジ会計とは、ヘッジ対象(現物の国債など)にかかる損益とヘッジ手段(先物取引)にかかる損益を同一の会計期間に認識する処理をいい、ヘッジの効果を財務諸表に反映させることを目的としています。ヘッジ会計を適用できる取引は、ヘッジ取引のうち一定の要件を満たすものに限られます*01)。

*01) Section 1で「デリバティブ取引は時価評価し評価差額は当期の損益として処理する」と学習しましたが、ヘッジ会計では評価差額を原則として当期の損益として認識せずに繰り延べます。そのため、ヘッジ会計はデリバティブ取引の例外的処理といえます。

ヘッジ会計の目的は、ヘッジ対象とヘッジ手段にかかる損益を同一の会計期間に認識することにあります。

2．ヘッジ会計の必要性

ヘッジ手段であるデリバティブ取引については、原則的に処理すれば時価評価され損益が認識されます。しかし、ヘッジ対象にかかる相場変動等は損益に反映されるとは限りません[*02]。この場合、両者の損益が期間的に対応しなくなり、ヘッジ対象の相場変動等による損失の可能性がヘッジ手段によって補われているという経済的実態が財務諸表に反映されないこととなります。そこで、ヘッジ対象およびヘッジ手段にかかる損益を同一の会計期間に認識し、ヘッジの効果を財務諸表に反映させるための特殊な会計処理であるヘッジ会計が必要となります。

*02）その他有価証券をヘッジ対象とした場合、全部純資産直入法を採用すると、時価評価による評価差額は当期の損益には反映されません。
（借）その他有価証券×××
（貸）その他有価証券評価差額金×××

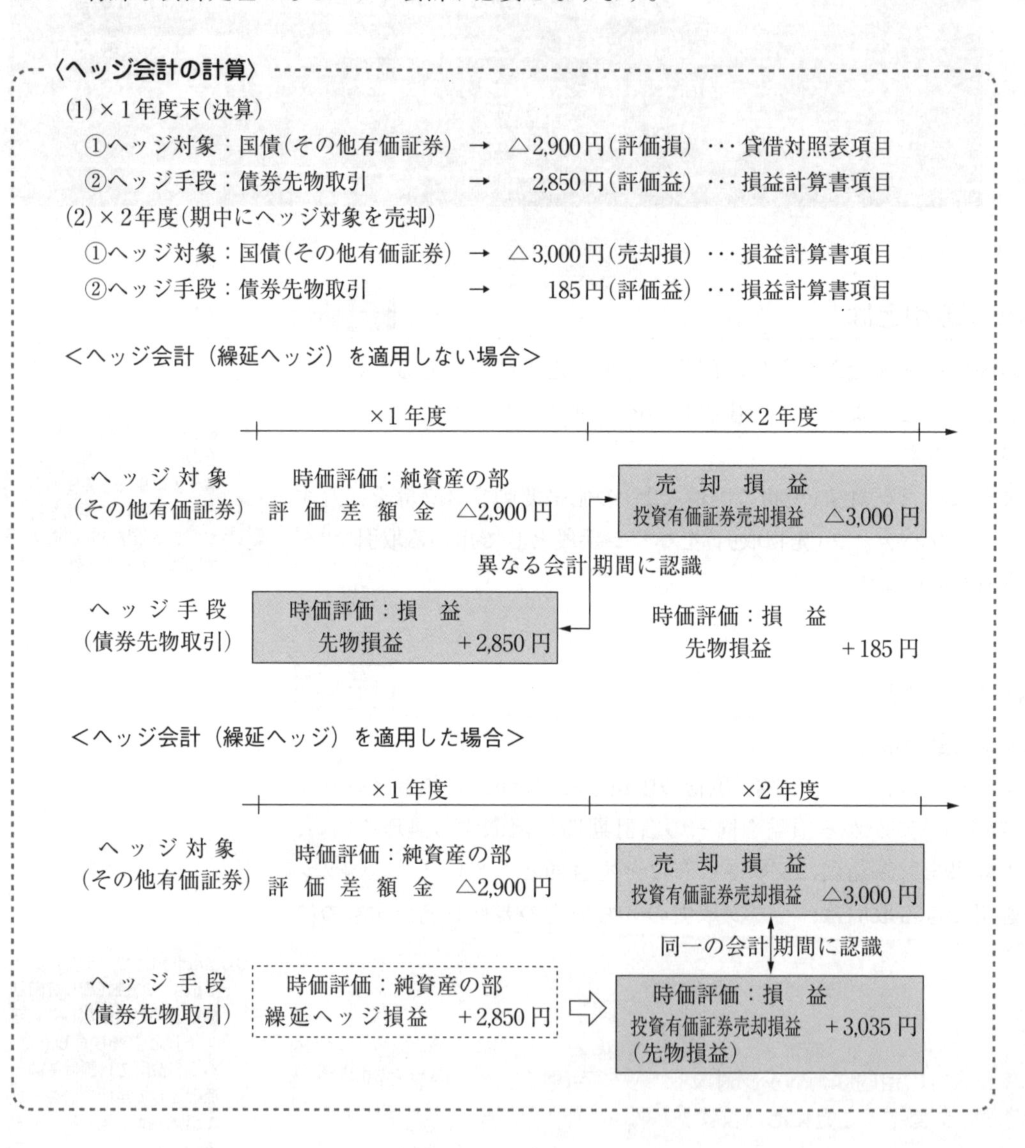

〈ヘッジ会計が適用されるヘッジ対象〉

(1) 相場変動等による損失の可能性がある資産または負債で、相場等の変動が評価に反映されていないもの*03)。
(2) 相場等の変動が評価に反映されているが、評価差額が損益として処理されないもの*04)。
(3) 資産または負債にかかるキャッシュ・フローが固定され、その変動が回避されるもの*05)。
(4) 予定取引により発生が見込まれる資産または負債。

*03) 商品をヘッジ対象とした場合の商品先物取引などが該当します。

*04) 債券をヘッジ対象とした場合の債券先物取引などが該当します。

*05) 外貨資産または負債をヘッジ対象とした場合の為替予約などが該当します。

予定取引とは、契約は成立していないが、取引予定時期、取引予定物件、取引予定量、取引予定価格等の取引条件が合理的に予測可能であり、かつそれが実行される可能性が極めて高い取引をいいます。

<ヘッジ会計>

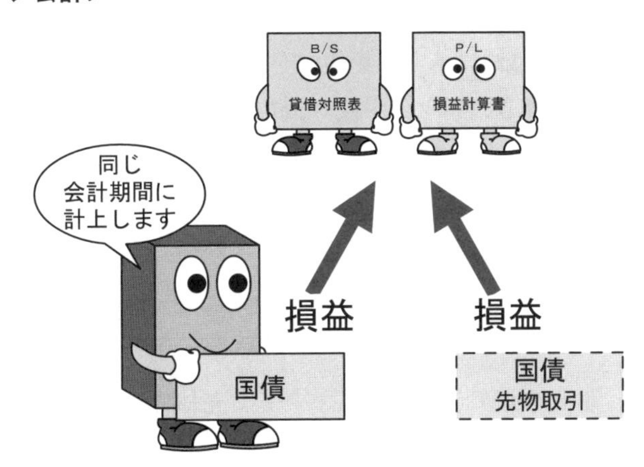

3 ヘッジ会計の処理

▶▶簿問題集：問題 3,4

ヘッジ会計の処理には**(1)繰延ヘッジ**と**(2)時価ヘッジ**の２つの処理方法があり、繰延ヘッジが原則処理になります。

(1)繰延ヘッジ(原則)

①意義

繰延ヘッジとは、時価評価されているヘッジ手段(デリバティブ取引)にかかる損益を、ヘッジ対象にかかる損益が認識されるまで繰り延べる方法をいいます。

②会計処理

(ⅰ)決算時

ヘッジ手段(デリバティブ取引)を時価に評価替えし、評価差額は『繰延ヘッジ損益』(純資産の部の評価・換算差額等に表示)として処理します。

(ⅱ)決済時

ヘッジ対象(国債現物など)の損益認識時にヘッジ手段(デリバティブ取引)の損益を認識します。このとき、ヘッジ手段の損益の表示区分はヘッジ対象の損益の表示区分にあわせます。つまり、ヘッジ対象が商品であれば、ヘッジ手段の損益の表示区分を売上原価とし、ヘッジ対象が株式であれば、ヘッジ手段の損益を投資有価証券売却損(益)として表示します。

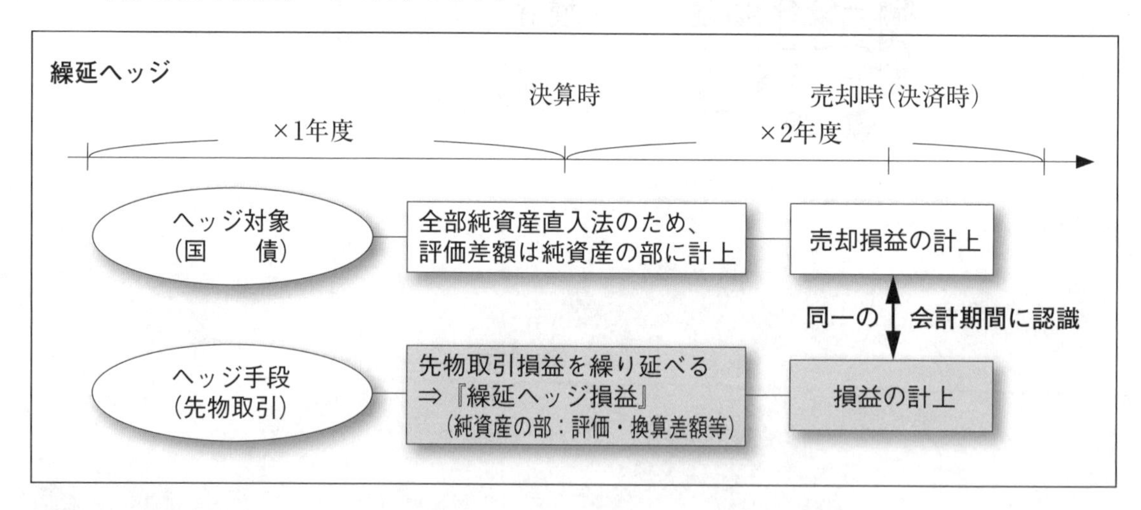

繰延ヘッジでは、デリバティブ取引（ヘッジ手段）にかかる損益を繰り延べることで、ヘッジ対象とヘッジ手段にかかる損益を同一の会計期間に認識します。

設例 2-1 先物取引・繰延ヘッジ

次の取引の仕訳を示しなさい。当社は取得原価97,000円（額面@100円につき@97円で取得）の国債をその他有価証券として保有している。ヘッジ会計は繰延ヘッジを採用し、税効果会計については無視すること[*01]。

(1) 契約時（×2年2月1日）
国債の時価の変動によるリスクをヘッジするために、国債先物100,000円を額面@100円につき@95円で売建て、証拠金として4,900円を支払った。

(2) 決算時（×2年3月31日）
同日の国債現物の時価は@94.5円であり、国債先物の時価は@93円であった。その他有価証券の評価は全部純資産直入法を採用している。

(3) 翌期首（×2年4月1日）
先物取引の評価差額を振り戻す。

(4) 決済時（×2年5月18日）
国債現物を時価@94円で売却し、代金を現金で受け取った。
なお、国債先物について反対売買を行い、差金を現金で決済した。国債先物の時価は@92.5円であった。

解答

(1)	(借)	先物取引証拠金	4,900	(貸)	現金預金	4,900
(2)	(借)	その他有価証券評価差額金	2,500	(貸)	投資有価証券	2,500
	(借)	先物取引差金	2,000	(貸)	繰延ヘッジ損益	2,000
(3)	(借)	投資有価証券	2,500	(貸)	その他有価証券評価差額金	2,500
	(借)	繰延ヘッジ損益	2,000	(貸)	先物取引差金	2,000
(4)	(借)	現金預金	94,000	(貸)	投資有価証券	97,000
		投資有価証券売却損	3,000			
	(借)	現金預金	2,500	(貸)	投資有価証券売却益	2,500
	(借)	現金預金	4,900	(貸)	先物取引証拠金	4,900

*01) 税効果の仕訳（決算時、税率30%）

(2)	(借)	繰延税金資産	750	(貸)	投資有価証券	2,500
		その他有価証券評価差額金	1,750			
	(借)	先物取引差金	2,000	(貸)	繰延税金負債	600
					繰延ヘッジ損益	1,400
(3)	(借)	投資有価証券	2,500	(貸)	繰延税金資産	750
					その他有価証券評価差額金	1,750
	(借)	繰延税金負債	600	(貸)	先物取引差金	2,000
		繰延ヘッジ損益	1,400			

解説

(1) 契約時（×2年2月1日）　先物取引証拠金を支払います。

(2) 決算時（×2年3月31日）
国債現物（ヘッジ対象）：（@94.5円－@97円）×1,000口＝△2,500円
国債先物（ヘッジ手段）：（@95円－@93円）×1,000口＝2,000円
ヘッジ対象の評価差額について、損益が認識されず『その他有価証券評価差額金』（純資産の部の評価・換算差額等に表示）として処理します。したがって、ヘッジ手段についても損益を認識せず、『繰延ヘッジ損益』（純資産の部の評価・換算差額等に表示）として処理します。

(3) 翌期首（×2年4月1日）　翌期首には、決算時の仕訳の逆仕訳を行います。

(4) 決済時（×2年5月18日）
国債現物（ヘッジ対象）：（@94円－@97円）×1,000口＝△3,000円

国債先物(ヘッジ手段)：(@95円－@92.5円)×1,000口＝2,500円

ヘッジ対象について損益(売却損益)が認識されたため、ヘッジ手段にかかる損益についても認識します。

(2)時価ヘッジ(例外)

①意義

時価ヘッジとは、ヘッジ対象(国債現物など)にかかる損益を認識することにより、その損益とヘッジ手段(デリバティブ取引)にかかる損益とを同一の会計期間に認識する方法をいいます。

時価ヘッジを適用できるのは、ヘッジ対象がその他有価証券の場合のみです。

②会計処理

(i)決算時

ヘッジ対象(国債現物など)にかかる評価差額を当期の損益として処理します[*02]。

ヘッジ手段(デリバティブ取引)にかかる評価差額はデリバティブ取引の原則どおり当期の損益として処理します。

(ii)決済時

ヘッジ手段の損益の表示区分は、ヘッジ対象の損益の表示区分にあわせます。つまり、時価ヘッジの場合ヘッジ対象が株式(その他有価証券)なので、ヘッジ手段の表示区分を投資有価証券売却損益として表示します。

*02)その他有価証券で全部純資産直入法を採用している場合や部分純資産直入法で評価差益がでている場合でも、損益として処理します。部分純資産直入法で評価差損がでている場合はもともと損失として処理するので時価ヘッジは問題となりません。

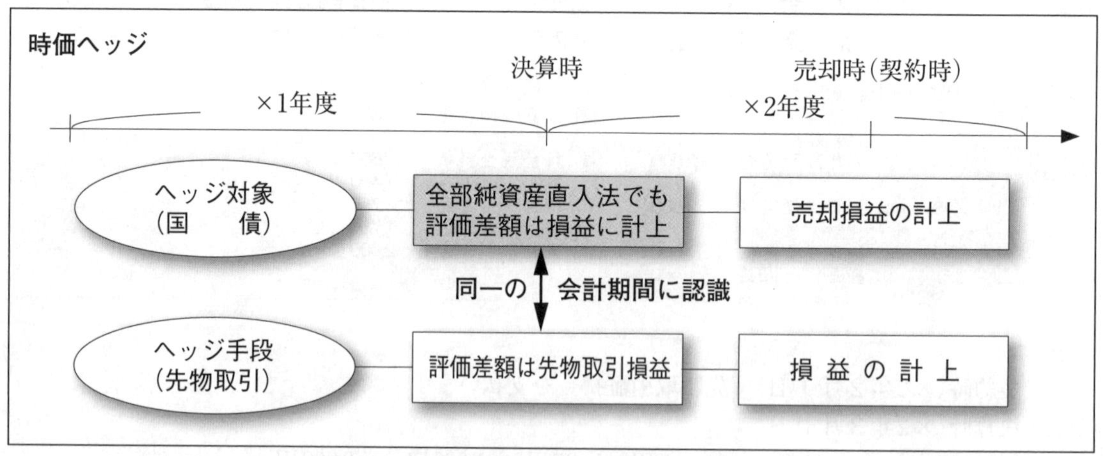

Point

時価ヘッジでは、ヘッジ対象にかかる評価差額を当期の損益として処理をすることで、ヘッジ対象とヘッジ手段にかかる損益を同一の会計期間に認識します。

設例 2-2　先物取引・時価ヘッジ

設例2-1において、ヘッジ会計について時価ヘッジを採用した場合の仕訳を示しなさい。

解答

(1)	(借)	先物取引証拠金	4,900	(貸)	現金預金	4,900
(2)	(借)	投資有価証券評価損益	2,500	(貸)	投資有価証券	2,500
	(借)	先物取引差金	2,000	(貸)	先物損益	2,000
(3)	(借)	投資有価証券	2,500	(貸)	投資有価証券評価損益	2,500
	(借)	先物損益	2,000	(貸)	先物取引差金	2,000
(4)	(借)	現金預金	94,000	(貸)	投資有価証券	97,000
		投資有価証券売却損益	3,000			
	(借)	現金預金	2,500	(貸)	投資有価証券売却損益	2,500
	(借)	現金預金	4,900	(貸)	先物取引証拠金	4,900

(3)予定取引におけるヘッジ会計の処理[*03)]

予定取引とは、現時点においては商品売買などの取引・契約が成立していないが、近い将来に実行される可能性の高い取引をいいます。ここでは、この取引に備えて為替予約を行った場合の処理を見ていきます。

たとえば、次期に商品を輸出する取引に備えて当期に為替予約を行ったとしましょう。ヘッジ会計では、ヘッジ対象(売上代金)にかかる損益とヘッジ手段(通貨先物取引：為替予約)にかかる損益を同一の会計期間に認識するため、取引が実行されるまでヘッジ手段にかかる損益を繰り延べます。

そして、取引実行時に繰延ヘッジ損益をヘッジ対象にかかる損益(売上等)に加減して、損益計上します。

また、振当処理を適用した場合には、外貨建取引および外貨建金銭債権債務に為替予約相場による円換算額を付すことができます。

*03) このテーマについては、外貨建て取引の知識が必要となるので、教科書Ⅱ基礎完成編で取り上げた外貨換算会計についても復習しておきましょう。

設例 2-3　予定取引

次の取引について、(1)ヘッジ会計(繰延ヘッジ)を適用した場合と(2)振当処理を適用した場合の仕訳を示しなさい。なお、(2)については、外貨建取引および外貨建金銭債権債務に為替予約相場による円換算額を付す方法によること。仕訳の必要がない場合は、借方科目欄に「仕訳なし」と記入すること。なお、税効果会計については無視することとする。

① 予約日(×1年2月1日)
×1年5月1日に予定されている商品1,000ドルのドル建て輸出取引の代金の決済に備えて、この取引をヘッジするために、決済日を×1年5月31日とする1,000ドルの為替予約(売予約*04))を行った。

② 決算日(×1年3月31日)
決算日のため、必要な会計処理を行う。

③ 期首(×1年4月1日)

④ 売上日(×1年5月1日)
商品1,000ドルの輸出取引を行った。この取引は掛けで行われた。

⑤ 決済日(×1年5月31日)
売掛金1,000ドルと、為替予約が決済された。

為替レートは次のとおりである。

日付	直物為替相場	先物為替相場
×1年2月1日	116円	115円
×1年3月31日	114円	112円
×1年5月1日	110円	108円
×1年5月31日	106円	—

*04) ドルを先物為替相場で銀行に売る契約をいいます。

解答

			借方科目	金額		貸方科目	金額
(1)	①	(借)	仕訳なし		(貸)		
	②	(借)	為替予約	3,000	(貸)	繰延ヘッジ損益	3,000
	③	(借)	仕訳なし		(貸)		
	④	(借)	売掛金	110,000	(貸)	売上	110,000
		(借)	為替予約	4,000	(貸)	繰延ヘッジ損益	4,000
		(借)	繰延ヘッジ損益	7,000	(貸)	売上	7,000
	⑤	(借)	現金預金	106,000	(貸)	売掛金	110,000
			為替差損益	4,000			
		(借)	現金預金	9,000	(貸)	為替予約	7,000
						為替差損益	2,000
(2)	①	(借)	仕訳なし		(貸)		
	②	(借)	為替予約	3,000	(貸)	繰延ヘッジ損益	3,000
	③	(借)	繰延ヘッジ損益	3,000	(貸)	為替予約	3,000
	④	(借)	売掛金	115,000	(貸)	売上	115,000
	⑤	(借)	現金預金	115,000	(貸)	売掛金	115,000

解説

(1)　ヘッジ会計(繰延ヘッジ)を適用した場合

売掛金の処理に関する仕訳と、為替予約に関する仕訳を別々に行います。

	売掛金の処理	為替予約の処理
①予約日 ×1年 2月1日	仕　訳　な　し	仕　訳　な　し
②決算日 ×1年 3月31日	仕　訳　な　し	(借)為　替　予　約 3,000 (貸)繰延ヘッジ損益 3,000 (@115円－@112円)×1,000ドル＝3,000円 為替予約について時価評価を行いますが、まだ売り上げていないため、評価差額を繰り延べます。
③期　首 ×1年 4月1日	仕　訳　な　し	仕　訳　な　し この場合、売上日に『繰延ヘッジ損益』を『売上』に加減する関係で、通常は期首の振戻処理を行いません。
④売上日 ×1年 5月1日	(借)売　掛　金 110,000 (貸)売　　上 110,000 @110円×1,000ドル＝110,000円	(借)為　替　予　約 4,000 (貸)繰延ヘッジ損益 4,000 (@112円－@108円)×1,000ドル＝4,000円 決算時から売上時までの為替予約について時価評価を行います。 (借)繰延ヘッジ損益 7,000 (貸)売　　上 7,000 評価差額をヘッジ対象にかかる損益に加減します。
⑤決済日 ×1年 5月31日	(借)現金預金 106,000 (貸)売　掛　金 110,000 為替差損益 4,000	(借)現金預金 9,000 (貸)為替予約 7,000 為替差損益 2,000 (@115円－@106円)×1,000ドル＝9,000円 現金による差金決済額9,000円のうち、7,000円は売上に加減し、残額2,000円は売上代金の決済損益をヘッジしています。

(2)　振当処理を適用した場合

①予約日 ×1年 2月1日	仕　訳　な　し
②決算日 ×1年 3月31日	翌期の取引に備えて為替予約を行った場合、振当の対象となる輸出取引はまだ存在しないため、為替予約自体の取引のみを決算日に時価評価し、評価差額を繰り延べます。 (借)為　替　予　約 3,000 (貸)繰延ヘッジ損益 3,000 (@115円－@112円)×1,000ドル＝3,000円
③期　首 ×1年 4月1日	期首に為替予約の評価差額を振り戻します。 (借)繰延ヘッジ損益 3,000 (貸)為　替　予　約 3,000
④売上日 ×1年 5月1日	輸出取引に先物為替相場による円換算額を付します。 (借)売　掛　金 115,000 (貸)売　　上 115,000 @115円×1,000ドル＝115,000円
⑤決済日 ×1年 5月31日	売掛金は為替予約相場で決済します。 (借)現金預金 115,000 (貸)売　掛　金 115,000

4 ヘッジ会計の税効果

簿B 財計C ▶▶簿問題集：問題5

ヘッジ会計（繰延ヘッジ）で税効果会計を適用する場合には、デリバティブ取引の評価替えによる差額のうち、税効果相当額を控除した金額を**『繰延ヘッジ損益』**として計上します。

これは、損益計算書を経由せず、直接、貸借対照表に記載されるその他有価証券評価差額金の処理と同じ考え方によります。

設例 2-4　ヘッジ会計

次の資料にもとづいて、その他有価証券および先物取引に関する仕訳を示しなさい。法人税等の法定実効税率は30％である。

なお、当社は取得原価48,000円（額面金額100円につき96円で500口取得）の国債（満期日×7年9月30日）を、その他有価証券として保有している。

(1)　×2年10月1日に、国債の時価の変動による価格変動リスクをヘッジするために、国債先物50,000円（500口）を額面100円につき94円で売り建て、証拠金として200円を小切手を振り出して支払った（現金預金勘定で処理）。

(2)　×3年3月31日（期末）に、その他有価証券と先物取引の時価評価を行う。

その他有価証券については、全部純資産直入法を適用し、先物取引についてはヘッジ会計（繰延ヘッジ）を適用する。

同日の国債現物の時価は額面100円につき93円であり、国債先物の時価は額面100円につき91.6円であった。

(1)	(借)	先物取引証拠金	200	(貸)	現金預金	200
(2)	(借)	繰延税金資産	450 *02)	(貸)	投資有価証券	1,500 *01)
		その他有価証券評価差額金	1,050 *03)			
	(借)	先物取引差金	1,200 *04)	(貸)	繰延税金負債	360 *05)
					繰延ヘッジ損益	840 *06)

*01) $50,000円\times\frac{93円}{100円}-48,000円=\triangle 1,500円$

*02) 1,500円×0.3＝450円

*03) 1,500円×（1－0.3）＝1,050円

*04) $50,000円\times\frac{94円}{100円}-50,000円\times\frac{91.6円}{100円}=1,200円$

*05) 1,200円×0.3＝360円

*06) 1,200円×（1－0.3）＝840円

このChapterでの表示と注記

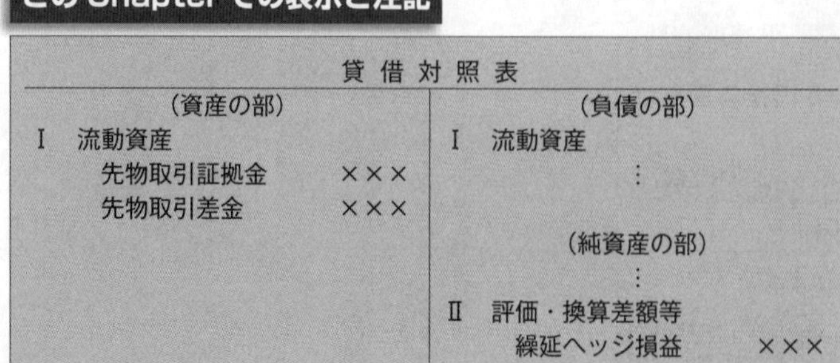

貸借対照表

（資産の部）		（負債の部）	
Ⅰ 流動資産		Ⅰ 流動資産	
先物取引証拠金	×××	⋮	
先物取引差金	×××		
		（純資産の部）	
		⋮	
		Ⅱ 評価・換算差額等	
		繰延ヘッジ損益	×××

損益計算書

⋮	
Ⅳ 営業外収益	
先物利益	×××
Ⅴ 営業外費用	
⋮	

Chapter 17

帳簿組織

財務諸表を作成するためには、その基礎となる帳簿の記録が不可欠です。帳簿の記録が正確でなければ、それを基礎にして作られる財務諸表も不正確になってしまいます。とはいえ、取引が増えれば帳簿の記入が面倒になるため、できれば帳簿の記入は効率的に行いたいものです。

このChapterでは、効率的な帳簿への記録方法を中心に学習します。細かい記入内容よりも、帳簿同士の関係性を中心に確認していきましょう。

Section 1

帳簿の種類と単一仕訳帳制度

「簿記」という言葉は、「帳簿記入」の略であるという説もあるくらい、簿記と帳簿は切っても切れない関係にあります。
このSectionでは、もう一度、帳簿について確認しておきましょう。

1 帳簿の種類

企業が設ける帳簿には、必ず設けなければならない**主要簿**と、必要に応じて設ける**補助簿**があります。

主要簿には、すべての取引を仕訳し、その発生順(日付順)に記入する**仕訳帳**(しわけちょう)と、その仕訳を転記する各勘定口座をすべて集めた**総勘定元帳**(そうかんじょうもとちょう)の2つがあります。

補助簿には、**補助記入帳**[*01]と、**補助元帳**[*02]の2種類があり、帳簿の種類をまとめると、以下のとおりです。

＊01) ある取引の内容の詳細を記録する帳簿です。

＊02) ある勘定の残高や内訳の詳細を記録する帳簿です。

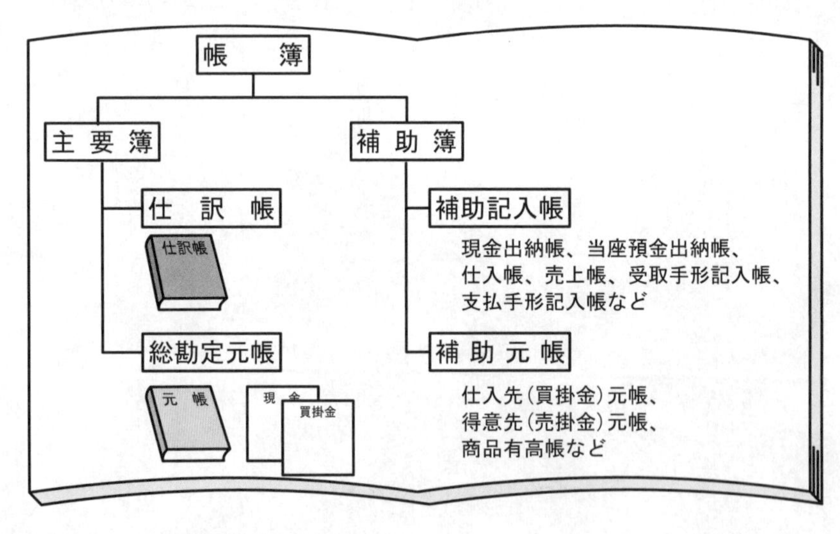

帳簿は主要簿、補助簿という区分け以外に、原始簿、転記簿と区分けすることができます。

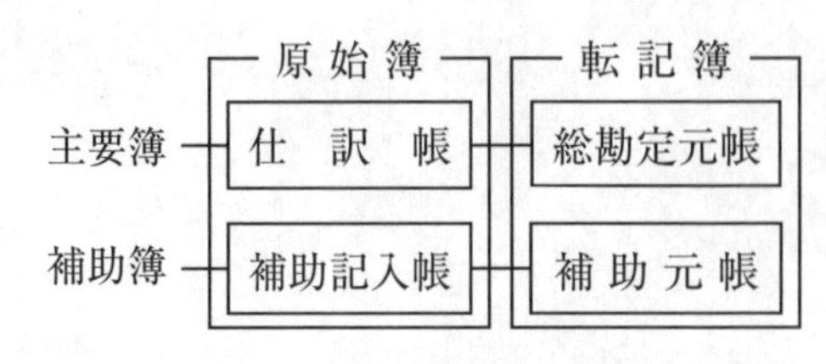

2 単一仕訳帳制度の基本形

簿C

1冊の仕訳帳を用いて仕訳を記録する方法を、**単一仕訳帳制度**といいます。もっとも基本的な形は、1冊の仕訳帳に記入し、そのつど総勘定元帳にのみ転記していく**単一仕訳帳・単一元帳制**です。

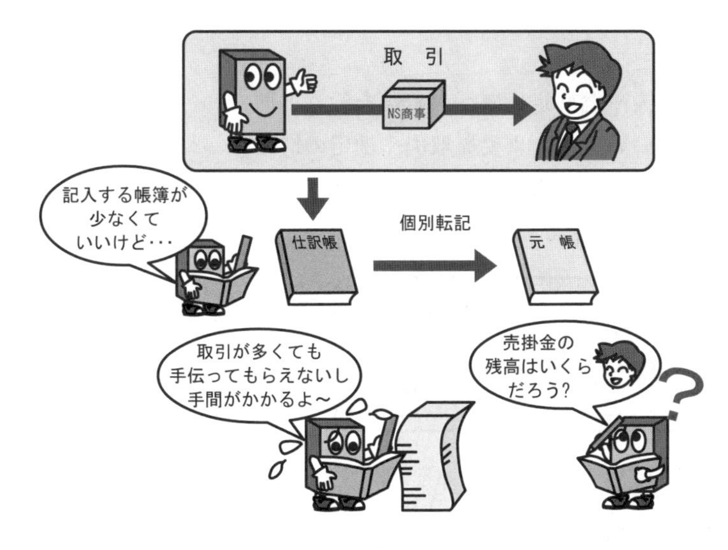

仕　訳　帳

×9年		摘　要		元丁	借　方	貸　方
4	1	（当座預金）		2	400	
			（受取手形）	18		400
	2	（売 掛 金）		3	300	
			（売　　上）	25		300

この記帳方法はシンプルでわかりやすいという長所がある反面、次のような短所があります。

① 取引や勘定の詳細な情報*01)を得ることができない。

② 仕訳帳への記入事務が分担できない*02)。

③ 取引量が増えると転記の手間がかかる。

そのため、取引量が少ない比較的小規模な事業者以外では、望ましい方法とはいえません。

*01)得意先別の売掛金の残高や、振り出した手形の金額や満期日などの情報です。

*02)仕訳帳は発生順(日付順)に記帳するため、1冊しか設けられません。

3 単一仕訳帳制度の応用

単一仕訳帳・単一元帳制の欠点を克服するために、これをベースにして改良を加えた記帳方法として(1)**補助簿併用制**と(2)**多欄式仕訳帳**(たらんしき)が考えられました[*01]。

*01) さらに改良を加えた結果、仕訳帳を1つから複数にしたものが、次のSectionで学習する特殊仕訳帳制度といえます。

(1)補助簿併用制

補助簿併用制とは、仕訳帳への記入や総勘定元帳への転記を行うと同時に、補助簿への記入を行う方法をいいます。重要な取引や勘定の詳細な記録を補助簿に記入することによって、仕訳帳や総勘定元帳だけではわからない情報も補助簿から知ることができます。

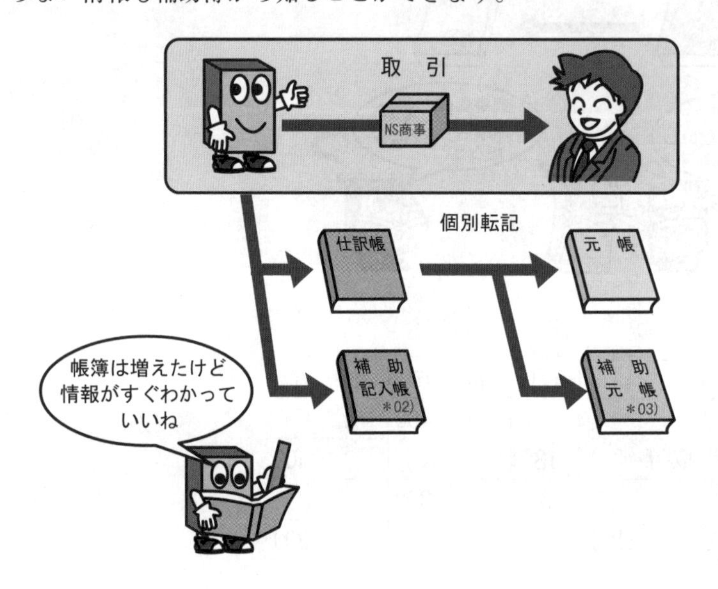

*02) 取引の内容を補助的に記入しておきます。

*03) 相手先別の売掛金などを詳細に記録しておきます。

(2)多欄式仕訳帳

仕訳帳の金額欄が1つではなく、複数あるものを**多欄式仕訳帳**といいます。この多欄式仕訳帳では売上や仕入、売掛金や買掛金など、取引の発生頻度が高い勘定に特別な欄を設け、そこに記入された取引については1週間や1カ月といった一定期間ごとにまとめて総勘定元帳に転記[*04]します。これにより、転記の手間を軽減させることができます。

*04) これを**合計転記**といいます。

仕　訳　帳

当座預金	仕入	諸口	元丁	日付		摘　　要	元丁	諸口	売上	当座預金
400			✓	4	1	(当座預金)(受取手形)	18	400		
		300	3		2	(売 掛 金)(売　　上)	✓		300	

Section 2 特殊仕訳帳制度

単一仕訳帳制度では、仕訳を記録できる帳簿が1冊しかないため、取引量が増えると記帳が追いつかなくなってしまいます。
このSectionでは記帳の合理化を目的とした特殊仕訳帳制度について学習します。

1 特殊仕訳帳の概要

特殊仕訳帳とは、補助記入帳に仕訳帳の機能をもたせた帳簿のことです。この特殊仕訳帳により、取引内容ごとに複数の帳簿に仕訳を記入できるようになり、そこから総勘定元帳に転記することで、記帳業務を合理化させることができます*01)。この帳簿システムを**特殊仕訳帳制度**(または**複数仕訳帳制度**)といいます。

*01)多欄式仕訳帳を使用することで転記の手間を軽減することはできましたが、仕訳帳は1冊のままであるため、記帳業務の分担が行えないという短所は解決できません。

2 特殊仕訳帳の種類と仕訳

特殊仕訳帳制度では、企業の取引の実情に応じて取引数の多い勘定や重要度の高い取引に対して、次のような特殊仕訳帳が設けられます。それぞれの帳簿に記入される基本的な仕訳は、次のとおりです。

① **現金出納帳***01)…現金の増減に関する取引(現金取引)を記入

現金の増加:	(現　金)	×××	(○○○)	×××
現金の減少:	(○○○)	×××	(現　金)	×××

② **当座預金出納帳**…当座預金の増減に関する取引(当座取引)を記入

当座預金の増加:	(当座預金)	×××	(○○○)	×××
当座預金の減少:	(○○○)	×××	(当座預金)	×××

③ **仕入帳**…仕入取引(仕入戻し・値引き等を含む*02))を記入

商品の仕入:	(仕　入)	×××	(○○○)	×××
戻し・値引等:	(○○○)	×××	(仕　入)	×××

④ **売上帳**…売上取引(売上戻り・値引き等を含む*02))を記入

商品の販売:	(○○○)	×××	(売　上)	×××
戻り・値引等:	(売　上)	×××	(○○○)	×××

⑤ **支払手形記入帳**…手形による債務の発生に関する取引を記入*03)

手形債務の発生:	(○○○)	×××	(支払手形)	×××

⑥ **受取手形記入帳**…手形による債権の発生に関する取引を記入*04)

手形債権の発生:	(受取手形)	×××	(○○○)	×××

*01)現金出納帳の代わりに、小口現金出納帳が特殊仕訳帳として採用されることもありますが、現金出納帳とほぼ同じなので、ここでは省略します。

*02)返品や値引きなどの取引を仕入帳・売上帳に記帳する際、実務上は朱記(赤字で記入)しますが、学習上は特に気にする必要はありません。

*03)手形債務の減少の仕訳は記帳しません。

*04)手形債権の減少の仕訳は記帳しません。

また、以上の特殊仕訳帳に加えて、単一仕訳帳制度で用いる仕訳帳もあります。これを特殊仕訳帳に対して普通仕訳帳といい、特殊仕訳帳に記入されない取引は、すべて**普通仕訳帳**に記入されることになります*05)。

*05)特殊仕訳帳制度だからといって、単一仕訳帳制度で用いる仕訳帳を使わなくなるというわけではありません。

3 特殊仕訳帳における転記 

特殊仕訳帳制を実施する場合、総勘定元帳への転記と、補助元帳への転記には以下のルールがあります。

1. 総勘定元帳への転記

普通仕訳帳に記入された取引は、単一仕訳帳制度の場合と同じように取引のつど、総勘定元帳へ転記(個別転記)します。

一方、特殊仕訳帳に記入された取引については、相手勘定によって次のように転記方法が異なります。

① 特殊仕訳帳の親勘定*01)

特殊仕訳帳の親勘定は、ある一定の期間に発生した取引を合計して転記(合計転記)します。

*01)現金出納帳の現金や、仕入帳の仕入、支払手形記入帳の支払手形などのことです。

② 相手勘定の特別欄

特殊仕訳帳の相手勘定のうち特別欄に記入された取引は、頻繁に取引が生じる相手科目であるため、親勘定と同様に合計転記することで、転記の手間を軽減させます。

③ 相手勘定の諸口欄

特殊仕訳帳の相手勘定のうち諸口欄に記入された取引は、記入のつど、総勘定元帳へ転記(個別転記)します。

2. 補助元帳への転記

補助元帳への転記は、普通仕訳帳・特殊仕訳帳を問わず、すべて個別転記します。

帳簿と総勘定元帳への転記の関係をまとめると、次のようになります。

記入される帳簿	相手勘定	転記の仕方
普通仕訳帳	特殊仕訳帳の親勘定	合計転記
	特殊仕訳帳の親勘定以外の勘定	個別転記
特殊仕訳帳	特別欄に設けられている勘定	合計転記
	諸口欄の勘定	個別転記

設例 2-1　　特殊仕訳帳における転記

当社では当座預金出納帳のみを特殊仕訳帳として使用している。当座預金出納帳の当月の記入を参考に総勘定元帳への転記と、当座預金出納帳の元丁欄の記入を行いなさい。

なお、総勘定元帳の元丁番号は、次のとおりである。

〔総勘定元帳〕　当座預金：12　売掛金：14　支払手形：21　買掛金：22　売上：41

解答

（単位：円）

当座預金出納帳

日付		勘定科目	摘要	元丁	売掛金	諸口	日付		勘定科目	摘要	元丁	買掛金	諸口
4	2	売掛金	A商店	✓	300		4	8	支払手形		21		140
	14	売上		41		200		22	買掛金	甲商店	✓	220	
					300	*200*						*220*	*140*
	30		売掛金	14		*300*		30		買掛金	22		*220*
	〃		当座預金	12		*500*		〃		当座預金	12		*360*
	〃		前月繰越	✓		*200*		〃		**次月繰越**	✓		*340*
						700							*700*

総勘定元帳

当座預金　12

4/1	前月繰越	200	**4/30 当座預金出納帳**	*360*
30	**当座預金出納帳**	*500*		

売掛金　14

4/1	前月繰越	700	**4/30 当座預金出納帳**	*300*

支払手形　21

4/8	**当座預金出納帳**	*140*	4/1 前月繰越	500

買掛金　22

4/30	**当座預金出納帳**	*220*	4/1 前月繰越	500

売上　41

			4/14 当座預金出納帳	*200*

解説

特別欄を設けている勘定科目の総勘定元帳への転記は合計転記であるため、取引を記入した時点では転記しません。したがって、元丁欄に「✓」(チェック・マーク)を記入し、個別転記をする必要がないことを明示します。

4 普通仕訳帳を通じての合計転記（合計仕訳） 

特殊仕訳帳への記入を総勘定元帳へ転記する方法として、特殊仕訳帳から直接転記する方法のほかに、特殊仕訳帳に記入された取引を合計した仕訳(**合計仕訳**)を普通仕訳帳に記入して、そこから転記する方法があります(大陸式簿記法)。

この場合、特殊仕訳帳からは合計転記しないため、合計転記を行うものの元丁欄はすべて「✓」(チェック・マーク)を付け、普通仕訳帳から転記します。また、個別転記する項目については、特殊仕訳帳からの転記が済んでいるため、合計仕訳の記入で転記する必要がありません。そのため、その科目については普通仕訳帳の元丁欄に「✓」(チェック・マーク)を記入します。

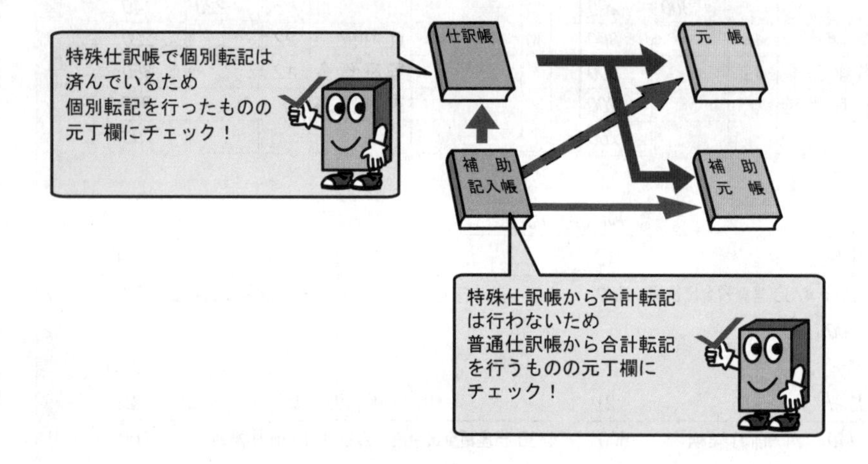

設例 2-2　合計仕訳

当社では、普通仕訳帳のほかに特殊仕訳帳として当座預金出納帳のみを使用している。当座預金出納帳の当月の記入は以下のとおりであった。総勘定元帳へ転記するための合計仕訳を普通仕訳帳に記入しなさい。ただし、各勘定の元丁番号は以下のとおりである。

当座預金：11　売掛金：14　支払手形：21　買掛金：22　借入金：23　売上：41　仕入：51　給料：52

当座預金出納帳　（単位：円）

日付		勘定科目	摘要	元丁	売上	売掛金	諸口	日付		勘定科目	摘要	元丁	仕入	買掛金	諸口
4	5	売上		✓	300			4	8	支払手形		21			140
	9	売掛金		✓		240			13	仕入		✓	280		
	15	借入金		23			800		22	買掛金		✓		380	
	20	売掛金		✓		520			25	給料		52			190
					300	760	800						280	380	330
	30		売上	✓			300		30		仕入	✓			280
	〃		売掛金	✓			760		〃		買掛金	✓			380
	〃		当座預金	✓			1,860		〃		当座預金	✓			990
	〃		前月繰越	✓			420		〃		**次月繰越**	✓			**1,290**
							2,280								2,280

解答

普通仕訳帳　（単位：円）

日付		摘要		元丁	借方	貸方
4	30	（当座預金）	諸口*01)	11	*1,860*	
			（売上）	41		*300*
			（売掛金）	14		*760*
			（諸口）	✓		*800*
	〃	諸口	（当座預金）	11		*990*
		（仕入）		51	*280*	
		（買掛金）		22	*380*	
		（諸口）		✓	*330*	

*01）普通仕訳帳において勘定科目が2つ以上となる場合、「諸口」と書きます。
なお、この場合の諸口は勘定科目ではないため、カッコ（　）でくくりません。

Section 3

二重仕訳と二重転記の回避

当座預金出納帳、売上帳、仕入帳を特殊仕訳帳にしたところ、当座仕入や当座売上は１つの取引なのに、２つの特殊仕訳帳に記入することになるのですがこれでよいのでしょうか？　また、そのさいの転記はどのようにすればよいのでしょうか？

このSectionでは二重仕訳と二重転記の回避について学習します。

1 二重仕訳・二重転記とその回避

特殊仕訳帳制度では、同一取引の仕訳が２つの帳簿に重複して記帳されることがあります。これを**二重仕訳**といい、このままSection ２で説明したルールに従って転記すると、二重に転記されてしまうことになります。これを**二重転記**といい、これでは正しい記帳とはならないため、これを回避する方法が必要となります。

たとえば、当座預金出納帳と売上帳を特殊仕訳帳として使用していて、商品100円を売り上げ小切手を受け取り直ちに当座口座に入金した場合の記帳を考えてみましょう。

<仕訳>

（借）当　座　預　金　　100　（貸）売　　　　　上　　100

<誤った記帳>

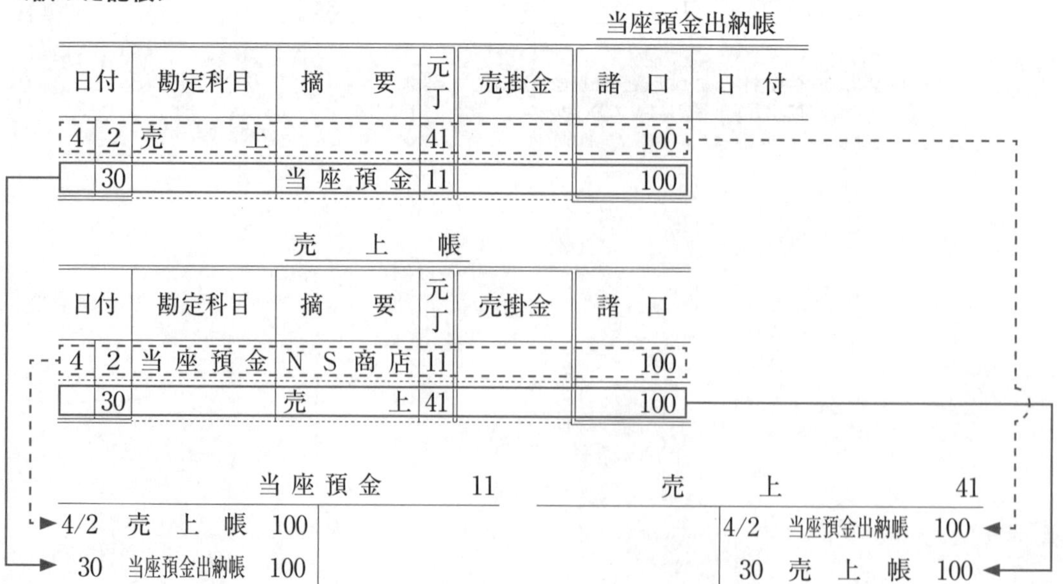

当座預金出納帳

日付		勘定科目	摘　要	元丁	売掛金	諸　口	日　付
4	2	売　　上		41		100	
	30		当座預金	11		100	

売　上　帳

日付		勘定科目	摘　要	元丁	売掛金	諸　口
4	2	当座預金	N S 商店	11		100
	30		売　　上	41		100

当座預金　11

借方		
4/2	売上帳	100
30	当座預金出納帳	100

売　上　41

貸方		
4/2	当座預金出納帳	100
30	売上帳	100

（注）- - -▶：個別転記　──▶：合計転記

誤った記帳例を見ると、1つの当座売上が2つの帳簿に記入されているため、このまま転記すると二重に転記されてしまい、その結果、当座の増加も売上も実際の取引額の2倍になってしまいます。

そこで、総勘定元帳への転記についてはSection 2で学習した転記のルールに加え、「**他の特殊仕訳帳の親勘定には転記しない**」というルールが必要になります*01)。そのルールに従った記帳は、次のようになります。

*01) 二重に仕訳しても二重に転記しないことで正しい帳簿を作成します。

<正しい記帳>

当座預金出納帳

日付		勘定科目	摘　要	元丁	売掛金	諸　口	日　付
4	2	売　上		✓		100	
	30		当座預金	11		100	

売　上　帳

日付		勘定科目	摘　要	元丁	売掛金	諸　口
4	2	当座預金	NS商店	✓		100
	30		売　上	41		100

当座預金　11

借方	貸方
4/30 当座預金出納帳 100	

売　上　41

借方	貸方
	4/30 売上帳 100

他の特殊仕訳帳の親勘定については、元丁欄に「✓」(チェック・マーク)を付けて、個別転記は行いません。その結果、二重仕訳された取引について、二重転記される事態を回避することができます。

2 二重仕訳となる取引 

すでに述べたように、複数の仕訳帳を設けている場合[*01]、1つの取引が2つの仕訳帳に記入されることによって二重仕訳が発生してしまいます。

*01) 二重仕訳は普通仕訳帳と特殊仕訳帳との間で起こることもあります。

二重仕訳となる取引は、設ける特殊仕訳帳の種類によって異なりますが、各帳簿の関係とそれによって生じる二重仕訳を図にまとめると、以下のようになります。

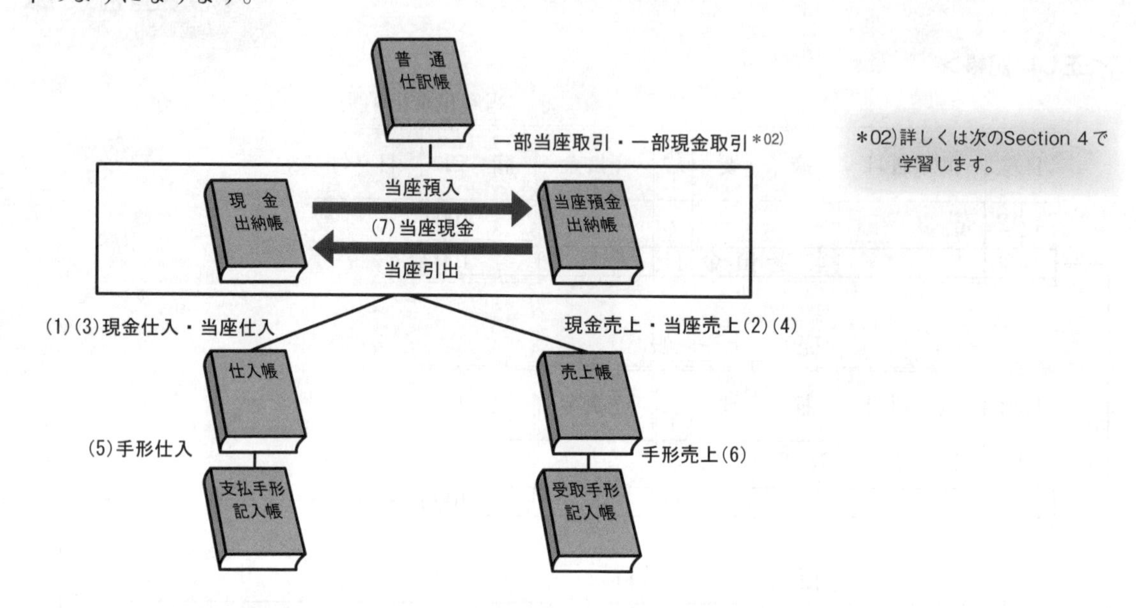

*02) 詳しくは次のSection 4で学習します。

図に示した特殊仕訳帳が設けてあり、線で結ばれた取引がある場合は二重仕訳となるため、記帳するさいは二重転記を回避する必要があります。

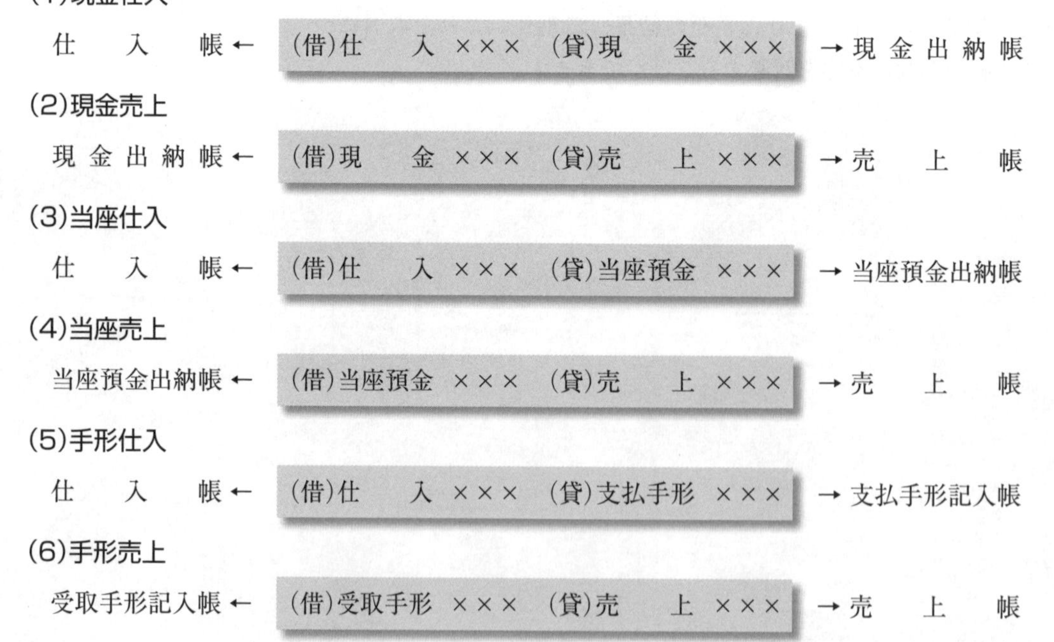

(1)現金仕入

仕入帳 ← (借)仕入 ××× (貸)現金 ××× → 現金出納帳

(2)現金売上

現金出納帳 ← (借)現金 ××× (貸)売上 ××× → 売上帳

(3)当座仕入

仕入帳 ← (借)仕入 ××× (貸)当座預金 ××× → 当座預金出納帳

(4)当座売上

当座預金出納帳 ← (借)当座預金 ××× (貸)売上 ××× → 売上帳

(5)手形仕入

仕入帳 ← (借)仕入 ××× (貸)支払手形 ××× → 支払手形記入帳

(6)手形売上

受取手形記入帳 ← (借)受取手形 ××× (貸)売上 ××× → 売上帳

(7)当座現金

当座預金出納帳 ←　(借)当座預金　×××　(貸)現　　金　×××　→ 現金出納帳

現金出納帳 ←　(借)現　　金　×××　(貸)当座預金　×××　→ 当座預金出納帳

3 具体的な記帳方法

二重転記の回避について、以下の設例を通じて確認してみましょう。

設例 3-1　具体的な記帳方法（複数の特殊仕訳帳を用いる場合）

普通仕訳帳のほかに当座預金出納帳、売上帳、仕入帳、受取手形記入帳、支払手形記入帳を特殊仕訳帳としている。以下の取引について、当座預金出納帳、売上帳、受取手形記入帳への記入と当座預金勘定、受取手形勘定、売上勘定への転記を示しなさい。ただし、各勘定の元丁番号は以下のとおりとし、補助元帳への転記は行わない。

当座預金：11　受取手形：13　売掛金：14　買掛金：22　売上：41　仕入：51　給料：52

[取引]

4月2日：A商店に対して商品650円を販売し、代金は掛けとした。
　　3日：4月2日にA商店に販売した商品について、50円分が品違いのため返品された。
　　5日：B商店に対して商品200円を販売し、代金は小切手で受け取り直ちに当座口座に入金した。
　　6日：B商店に対する売掛金500円について、同店振出しの約束手形で回収した。
　　9日：A商店に対する売掛金300円を小切手を受け取り、直ちに当座口座に入金した。
　16日：甲商店に対する買掛金150円について、小切手を振出した。
　20日：C商店に商品460円を販売し、代金は同店振出しの約束手形で受け取った。
　21日：従業員に対する給料80円を当座で支払った。
　25日：B商店に商品700円を販売し、代金は掛けとした。
　29日：乙商店から商品250円を仕入れ、代金は小切手を振出した。

解答

(単位：円)

(1)当座預金出納帳

当座預金出納帳

日付		勘定科目	摘　要	元丁	売掛金	諸　口	日付		勘定科目	摘　要	元丁	買掛金	諸　口
4	5	売　上		✓		200	4	16	買掛金	甲商店	✓	150	
	9	売掛金	A商店	✓	300			21	給　料		52		80
								29	仕　入		✓		250
					300	200						150	330
	30		売掛金	14		300		30		買掛金	22		150
	〃		当座預金	11		500		〃		当座預金	11		480
	〃		前月繰越	✓		400		〃		次月繰越	✓		420
						900							900

(2) 売上帳

売　上　帳

日付		勘定科目	摘　要	元丁	売掛金	諸　口
4	2	売　掛　金	A　商　店	✓	*650*	
	3	売　掛　金	A 商 店(戻り)	✓	*50*	
	5	当 座 預 金		✓		*200*
	20	受 取 手 形		✓		*460*
	25	売　掛　金	B　商　店	✓	*700*	
					1,350	*660*
	30		売　掛　金	14		*1,350*
	〃		総 売 上 高	41		*2,010*
	〃		売 上 戻 り 高	41/14		*50*
			純 売 上 高			*1,960*

(3) 受取手形記入帳

受取手形記入帳

日付		勘定科目	摘　要	元丁	売掛金	諸　口
4	6	売　掛　金	B　商　店	✓	*500*	
	20	売　　　上	C　商　店	✓		*460*
					500	*460*
	30		売　掛　金	14		*500*
	〃		受 取 手 形	13		*960*

(4) 総勘定元帳への転記

当 座 預 金　11

4/1	前月繰越	400	4/30	当座預金出納帳	*480*
30	当座預金出納帳	*500*			

受 取 手 形　13

4/1	前月繰越	200			
30	受取手形記入帳	*960*			

売　上　41

4/30	売 上 帳	*50*	4/30	売 上 帳	*2,010*

当座売上、手形売上、当座仕入が二重仕訳になる点に注意しましょう。

4 二重仕訳金額

簿C ▶▶簿問題集：問題 4,5

単一仕訳帳制度を採用している場合、大陸式簿記法では開始仕訳を行うため、普通仕訳帳に記入された金額の合計は合計試算表の合計額と一致します[*01]。

ところが特殊仕訳帳を採用している場合、二重仕訳があるため単一仕訳帳制度に見られる対応関係が崩れ、そのままでは記帳や転記のチェックを行うことができません。そこで、**普通仕訳帳に合計仕訳**を記入して合計転記を行う場合、二重仕訳の金額を計算し、その金額を差し引くことで、普通仕訳帳の合計額と合計試算表の合計額を一致させます。

*01) このような対応関係があるので、記帳や転記のチェックやミスの発見ができます。

普通仕訳帳

日付		摘要	元丁	借方	貸方
		合計		○○○	○○○
		二重仕訳控除金額		××	××
				△△△	△△△

← 合計試算表の合計額と一致

設例 3-2 二重仕訳の金額

設例 3 - 1 における二重仕訳の金額を計算しなさい。

解答 *910* 円

解説

設例 3 - 1 における二重仕訳は次の3つの取引です。

4月5日：当座売上　200円
20日：手形売上　460円
29日：当座仕入　250円
合計：910円

なお、図を使って整理すると、計算しやすくなります。

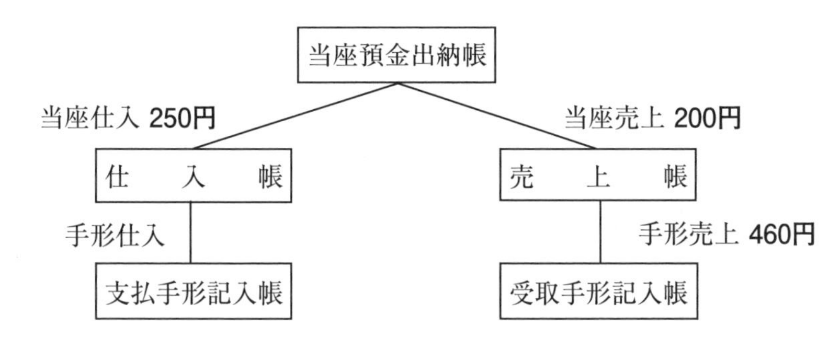

Section 4

一部現金・一部当座取引の記帳

商品を仕入れたり売ったりした場合、代金の一部だけを現金や小切手で決済して、残りは掛けとするケースが多々あります。そのようなとき、特殊仕訳帳への記入はどのように行えばよいのでしょうか。

このSectionでは一部現金・一部当座取引の記帳について学習します。

1 一部現金・一部当座取引

▶▶簿問題集：問題2,3

特殊仕訳帳制度において代金の支払いや受入れの一部を現金や当座預金を通じて行っている場合、現金出納帳や当座預金出納帳にどのように記入するのかが問題になります。

この場合、**(1)取引を分割して記帳する方法**、**(2)取引を擬制して記帳する方法**、**(3)取引の全体を普通仕訳帳に記帳する方法**、という3つの記帳方法が考えられます[*01]。

*01)問題文の指示や資料から、どの方法によって記帳されているのかを読み取れるようになりましょう。

(1)取引を分割して記帳する方法

1つの取引を当座取引(現金取引)とそれ以外の取引に分割し、当座取引(現金取引)は当座預金出納帳(現金出納帳)に記入し、それ以外の部分は普通仕訳帳に記入します。

このように記帳すると、取引の全体像がわからなくなるという欠点が生じます。

(2)取引を擬制して記帳する方法

いったん、全額を当座預金(現金)で決済したと考えて当座預金出納帳(現金出納帳)に記入し、すぐにその他の勘定に振り替える仕訳を当座預金出納帳(現金出納帳)に記入します。

このように記帳すると、当座預金(現金)の動きが実際と異なるという欠点が生じます。

(3)取引の全体を普通仕訳帳に記帳する方法

取引を分解せずに全体を普通仕訳帳に記入したうえで、当座取引(現金取引)にかかる部分は当座預金出納帳(現金出納帳)に記入します。

このように記帳すると、普通仕訳帳と当座預金出納帳(現金出納帳)との間で二重仕訳がされるという欠点が生じます。

設例 4-1 一部当座取引

普通仕訳帳の他に当座預金出納帳のみを用いている場合、次の取引について①取引を分割して記帳する方法、②取引を擬制して記帳する方法、③取引の全体を普通仕訳帳に記帳する方法のそれぞれにより、当座預金出納帳と普通仕訳帳の記入がどのように記帳されるかを示しなさい。なお、各勘定の元丁番号は次のとおりである。

預り金：27　　給料：52

〔取引〕4月25日に、従業員に対する給料100円について源泉所得税10円を差し引き、残額を当座で支払った。

解答

(単位：円)

①取引を分割して記帳する方法

基本となる仕訳：(借)給　　料　90　　(貸)当座預金　90　⇒　当座預金出納帳

　　　　　　　　(借)給　　料　10　　(貸)預 り 金　10　⇒　普通仕訳帳

当座預金出納帳

諸　口	日付		勘定科目	摘　　要	元丁	買掛金	諸　口
	4	25	給　　料		52		*90*

普 通 仕 訳 帳

日付		摘　　要	元丁	借　方	貸　方
4	25	(給　　料)	52	*10*	
		(預　り　金)	27		*10*

②取引を擬制して記帳する方法

基本となる仕訳：(借)給　　料　100　　(貸)当座預金　100　⇒　当座預金出納帳

　　　　　　　　(借)当座預金　10　　(貸)預 り 金　10　⇒　当座預金出納帳

当座預金出納帳

日付		勘定科目	摘　要	元丁	売掛金	諸　口	日付		勘定科目	摘　要	元丁	買掛金	諸　口
4	25	預　り　金		27		*10*	4	25	給　　料		52		*100*

③取引の全体を普通仕訳帳に記帳する方法[*02)]

基本となる仕訳：(借)給　　料　100　　(貸)当座預金 ✓ 90 ⎫⇒　普通仕訳帳
　　　　　　　　　　　　　　　　　　　　　預 り 金　10 ⎭

　　　　　　　　(借)給　　料 ✓ 90　　(貸)当座預金　90　⇒　当座預金出納帳

当座預金出納帳

諸　口	日付		勘定科目	摘　　要	元丁	買掛金	諸　口
	4	25	給　　料		✓		*90*

普 通 仕 訳 帳

日付		摘　　要	元丁	借　方	貸　方
4	25	(給　　料)　諸　　口	52	*100*	
		(当 座 預 金)	✓		*90*
		(預　り　金)	27		*10*

＊02) この方法の場合、✓を付けた部分が二重仕訳となるので注意しましょう。

Chapter 18

伝票会計

前のChapterで、特殊仕訳帳制度で取引の種類ごとに記帳作業を分担させれば、効率的な記録が行えることを学びました。この記帳作業をもっと分担させる目的で生み出されたのが、1枚の紙に1つの仕訳を記入していく伝票会計です。

このChapterでは、伝票を使った会計処理について学習します。

Section 1

伝票会計の概要

取引(仕訳)を記入する仕訳帳は1冊しかないため、記帳作業を分担するにも限界があります。取引ごとにバラバラになった紙に複数の担当者が仕訳を記入すれば、分担もでき効率もよくなります。

このSectionでは、伝票会計の概要について学習します。

1 伝票とは

伝票とは、取引の内容を簡潔明瞭にまとめた紙片のことです。仕訳帳に記入する代わりに伝票に記入する*01)ことによって、取引の種類により記帳作業を分担することができるというメリットがあります。

*01)伝票に記入することを、「起票」といいます。

2 伝票会計の種類

伝票会計は、用いる伝票の種類によって**(1) 1伝票制**、**(2) 3伝票制**、**(3) 5伝票制**に分類されます。

(1) 1伝票制

仕訳伝票の1種類のみを用いて処理する方法です。

(2) 3伝票制

入金伝票、出金伝票、振替伝票の3種類の伝票を用いて処理する方法です。

(3) 5伝票制

入金伝票、出金伝票、仕入伝票、売上伝票、振替伝票の5種類の伝票を用いて処理する方法です。

3 伝票会計の記帳の流れ

取引が記入された伝票は仕訳帳の役割をもっているため、その伝票の記入にもとづいて総勘定元帳への転記を行う必要があります。**個別転記**[*01] を行ってもよいのですが、取引量が多いと転記の手間が掛かり、合理的ではありません。

*01)伝票1枚ごとに転記することです。

そこで、定期的に伝票の記入内容を集計する表を作り、そこから**合計転記**を行うことで転記の手間を軽減させる工夫が採られます。このとき作成されるものを**仕訳集計表**といい、集計する期間に応じて**仕訳日計表**(1日の場合)、**仕訳週計表**(1週間の場合)などと呼ばれます。

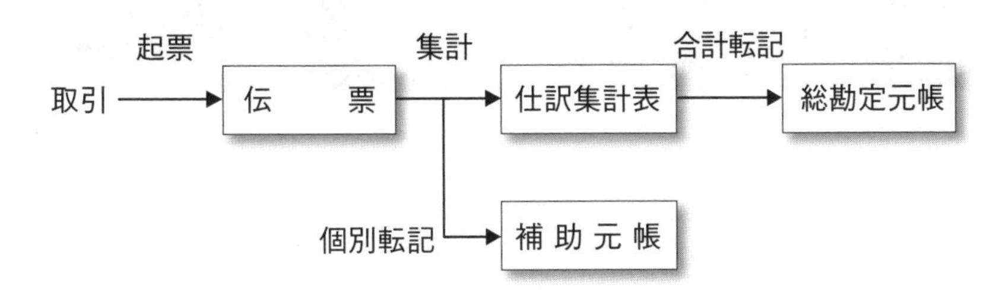

4 1伝票制 

1伝票制とは、仕訳伝票のみを用いるもっともシンプルな方法です。仕訳伝票に発生した取引の仕訳を記入します。

設例 1-1 1伝票制

当社では、1伝票制による伝票会計を導入している。次の(1)、(2)の取引を起票しなさい。

(1) 商品100円を仕入れ、代金は掛けとした。

(2) 土地200円を購入し、代金は現金で支払った。

(1)

仕訳伝票			
(借)仕　入	*100*	(貸)買 掛 金	*100*

(2)

仕訳伝票			
(借)土　地	*200*	(貸)現　金	*200*

Section 2

3伝票制

伝票会計は記帳作業の分担を行いやすいのですが、1伝票制では記入する内容が仕訳帳と変わらないので、記帳作業そのものの軽減にはつながりません。
このSectionでは、3伝票制について学習します。

1 3伝票制の概要

3伝票制とは、**入金伝票**と**出金伝票**、**振替伝票**の3種類の伝票を用いる伝票会計です。

入金取引は入金伝票に、出金取引は出金伝票に記入します。したがって、それらの伝票に記入された取引を仕訳すれば、以下のようになります。

入金伝票：(借)現　　金	×××	(貸)○　○　○	×××
出金伝票：(借)○　○　○	×××	(貸)現　　金	×××

上記の仕訳からもわかるとおり、入金伝票の借方と出金伝票の貸方は必ず『現金』です。そのため、入金伝票と出金伝票には、相手科目と金額のみを記入します。そして**入金伝票・出金伝票に記入されない取引は、すべて振替伝票に記入します**[*01]。

*01) 振替伝票は仕訳と同じ形式で記入されます。

振替伝票：(借)○　○　○　×××　　(貸)○　○　○　×××

設例 2-1　　3伝票制

当社では、3伝票制による伝票会計を導入している。次の(1)～(3)の取引を起票しなさい。
(1)　×年4月1日　商品 10,000円を売り上げ、代金は現金で受け取った。
(2)　×年5月25日　備品 8,000円を購入し、代金は現金で支払った。
(3)　×年8月10日　商品 20,000円を仕入れ、代金は掛けとした。

解答

(1)

入金伝票	
売　　上	10,000

(2)

出金伝票	
備　　品	8,000

(3)

振替伝票			
(借)仕　　入	20,000	(貸)買 掛 金	20,000

〈各伝票のひな型例〉

(1)入金伝票

入金取引のさいに起票する伝票です。

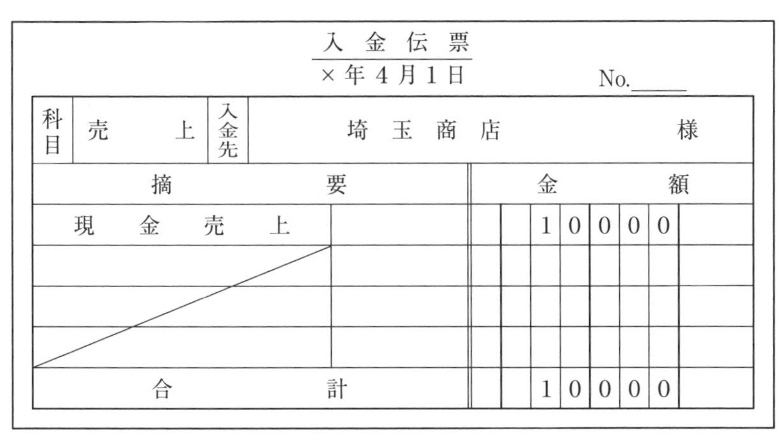

入 金 伝 票

× 年 4 月 1 日　　No.＿＿＿

科目	売　上	入金先	埼 玉 商 店　様

摘　要		金　額
現 金 売 上		10000
合　計		10000

(2)出金伝票

出金取引のさいに起票する伝票です。

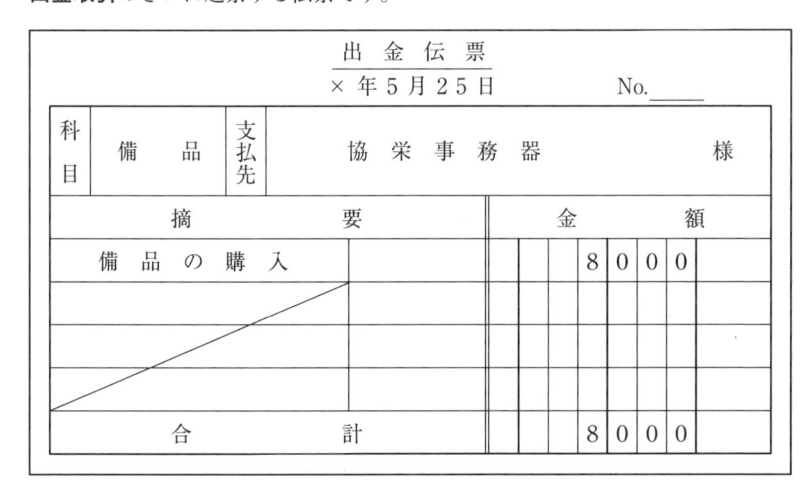

出 金 伝 票

× 年 5 月 25 日　　No.＿＿＿

科目	備　品	支払先	協 栄 事 務 器　様

摘　要		金　額
備 品 の 購 入		8000
合　計		8000

(3)振替伝票

入金・出金取引以外のすべての取引について起票する伝票です。

振 替 伝 票

× 年 8 月 10 日　　No.＿＿＿

金　額	借方科目	摘　要	貸方科目	金　額
20000	仕　入	千葉商店より	買 掛 金	20000
		S商品を仕入れ		
		100個、@200円		
20000		合　計		20000

2 一部現金取引

以下の取引のように、代金の一部を現金で受け取ったり、支払ったりした取引を**一部現金取引**といいます。

(例) 商品15,000円を販売し、代金のうち5,000円は現金で受け取り、残額は掛けとした。

(借)	現金	5,000	(貸) 売上	15,000
	売掛金	10,000		

この取引は、このままでは入金伝票に記入するのか振替伝票に記入するのかがはっきりしません。このような場合には、**(1) 取引を分割する記入方法**と**(2) 取引を擬制する記入方法**のどちらかで記入することになります。

2つの方法では振替伝票に記入される金額と、入金伝票の相手科目が異なるという点がポイントです。

(1)取引を分割する記入方法

上記の取引を「**5,000円の現金売上**」と「**10,000円の掛売上**」に分割し、現金売上の部分については入金伝票に、掛売上の部分については振替伝票に記入します。

(借) 現金	5,000	(貸) 売上	5,000	⇒	**入金伝票**
(借) 売掛金	10,000	(貸) 売上	10,000	⇒	**振替伝票**

入金伝票

売上	5,000

振替伝票

(借)売掛金	10,000	(貸)売上	10,000

(2)取引を擬制する記入方法

いったん全額を掛売上と考え、ただちに売掛金のうち5,000円を現金で回収したと考えます*01)。

(借) 売掛金	15,000	(貸) 売上	15,000	⇒	**振替伝票**
(借) 現金	5,000	(貸) 売掛金	5,000	⇒	**入金伝票**

振替伝票

(借)売掛金	15,000	(貸)売上	15,000

入金伝票

売掛金	5,000

*01)いったん全額を現金売上と考えたのでは、おかしなことになってしまいます。
入金伝票：
(借)現金 15,000
(貸)売上 15,000
出金伝票：
(借)売掛金 10,000
(貸)現金 10,000
現金を支払い、売掛金が増えるという取引はあり得ないからです。

〈一部現金取引と間違えやすい取引〉

以下の例は、一部現金取引と間違えやすいので注意が必要です。

(例)　取得原価10,000円の有価証券を12,000円で売却し、代金は現金で受け取った。

(借) 現　金	12,000	(貸) 有価証券	10,000
		有価証券売却益	2,000

この場合は、(1)取引を分割する方法で処理します*02)。

入金伝票	
有価証券	10,000

入金伝票	
有価証券売却益	2,000

*02) 入金伝票には相手勘定を1つしか書けないので、入金取引で貸方科目が2つ以上になる場合は、貸方科目ごとに入金伝票を起票します。出金取引における出金伝票も同じです。

Section 3

5伝票制

3伝票制では、現金取引について入金伝票や出金伝票を用いることで記帳作業が軽減されましたが、頻繁に行う売上取引や仕入取引も同じようにできれば、もっと記帳作業は軽減されると思いませんか？

このSectionでは、5伝票制について学習します。

1 5伝票制の概要

▶▶簿問題集：問題1

5伝票制では、3伝票制で使用する3種類の伝票に加え、**仕入伝票**と**売上伝票**という2種類の伝票も使って取引を記入します。

仕入伝票と売上伝票は、掛けで仕入や販売を行ったと仮定して記入する特徴があります。したがって、この2つの伝票に記入された取引は、必ず以下のような仕訳となります。

仕入伝票：(借)仕　　入	×××	(貸)買　掛　金	×××
売上伝票：(借)売　掛　金	×××	(貸)売　　上	×××

また、返品や値引きなどの取引も仕入伝票と売上伝票に記入します。そのさい、実務上は通常の仕入や売上と区別するため、赤字で記入します[*01)]。したがって、仕入伝票や売上伝票に赤字で記入された取引は、必ず以下のような仕訳になります。

*01) 実際の試験問題はモノクロ印刷であるため、字体を太くしたり注釈を付けたりして、赤字記入であることを示しています。

仕入伝票：(借)買　掛　金	×××	(貸)仕　　入	×××
売上伝票：(借)売　　上	×××	(貸)売　掛　金	×××

もし、現金で決済したり、手形で決済したりといった場合は、「ただちに掛代金を決済した」として他の伝票を記入することになります。3伝票制での「取引を擬制する記入方法」に近い方法といえます。

設例 3-1　　5伝票制

当社では、５伝票制による伝票会計を導入している。次の(1)～(5)の取引を起票しなさい。

(1)　商品100円を仕入れ、代金は掛けとした。

(2)　商品を200円で売り上げ、代金は掛けとした。

(3)　かねて仕入れていた商品に汚れがあったため、10円の値引きを受けた。

(4)　商品300円を仕入れ、代金は現金で支払った。

(5)　商品を400円で売り上げ、代金のうち半額は得意先振出しの約束手形を受け取り、残額は掛けとした。

解答

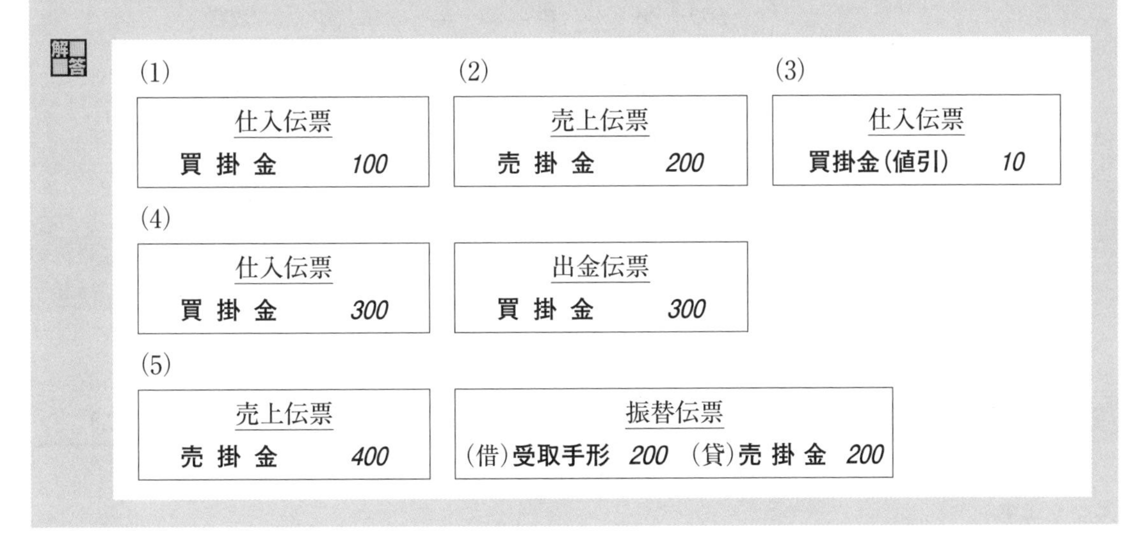

５伝票制を採用している場合の仕訳集計表では必ず「借方・仕入と貸方・買掛金」、「借方・売掛金と貸方・売上」の金額が一致します[*02]。

*02) 仕入取引と売上取引を必ず掛けで行ったと仮定して起票するため、金額が一致します。

仕 訳 日 計 表

×年○月○日　　(単位：円)

借　方	勘定科目	貸　方
	：	
○○○	売　掛　金	
	：	
	買　掛　金	△△△
	売　　　上	○○○
	：	
△△△	仕　　　入	
	：	

必ず一致

設例 3-2　仕訳日計表への集計

設例３－１で起票された伝票の記入にもとづいて仕訳日計表を作成しなさい。

解答

仕　訳　日　計　表

×年○月○日　　(単位：円)

借　方	勘　定　科　目	貸　方
	現　　金	300
200	受 取 手 形	
600	売 掛 金	200
310	買 掛 金	400
	売　　上	600
400	仕　　入	10
1,510		1,510 *03)

*03) 仕訳日計表の合計金額と伝票に記入された金額の合計金額は必ず一致します。

2　3伝票制との違い

▶▶簿問題集：問題 2,3

3伝票制と5伝票制では、仕入取引と売上取引における伝票の記入が異なります。

5伝票制では、仕入取引と売上取引をすべて掛取引として仮定して記入するため、代金の一部を現金で決済したときは、3伝票制における「取引を擬制する記入方法」と同じ考え方で記入することになります*01)。この場合、3伝票制で振替伝票に記入される取引(掛仕入・掛売上の取引)が、5伝票制では仕入伝票や売上伝票に記入されることになります。

*01) いったん掛取引として処理し、ただちに掛けを現金で決済したと考えます。

設例 3-3　3伝票制と5伝票制

次の(1)～(4)の3伝票制で起票された伝票をもとに、その取引を5伝票制によって起票すると、どのようになるのかを示しなさい。

〔3伝票制の起票〕

(1)

出金伝票
買 掛 金　300

(2)

振替伝票
(借)仕　入 500 (貸)買 掛 金 500

(3)

入金伝票
売　上　700

(4)

振替伝票
(借)仕　入 800 (貸)買 掛 金 800

出金伝票
買 掛 金　200

解答

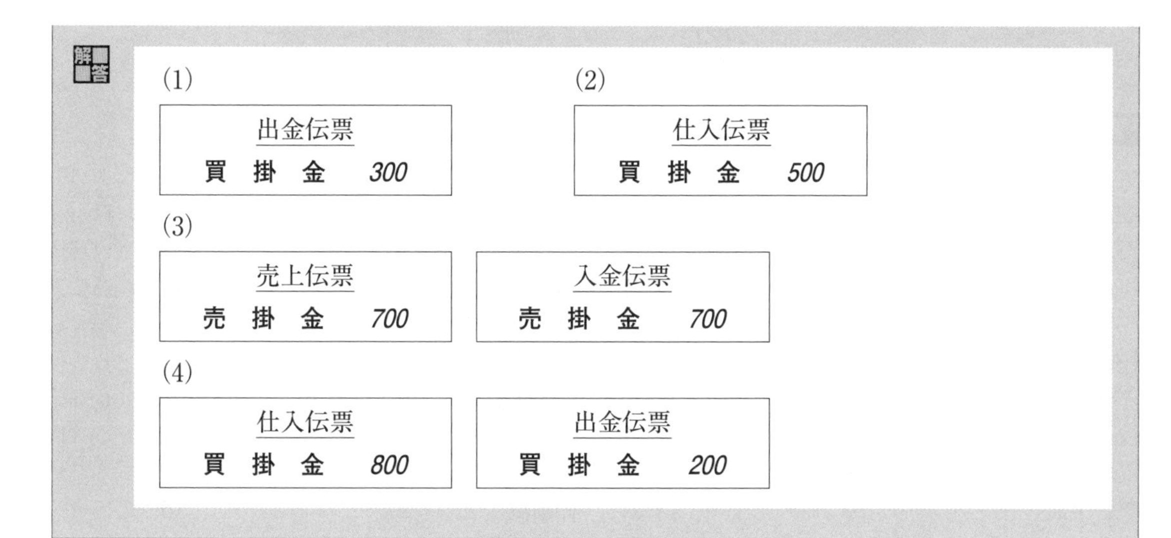
(1)

出金伝票	
買掛金	300

(2)

仕入伝票	
買掛金	500

(3)

売上伝票	
売掛金	700

入金伝票	
売掛金	700

(4)

仕入伝票	
買掛金	800

出金伝票	
買掛金	200

解説

(1) 仕入取引でも売上取引でもないため、3伝票制と5伝票制の起票は同じものとなります。

(2) 振替伝票の記入から、商品500円を掛けで仕入れた取引であることがわかります。
仕入取引であるため、5伝票制では仕入伝票に記入されることになります。

(3) 入金伝票の記入から、商品を700円で売り上げ、代金は現金で受け取った取引であることがわかります。売上取引であるため、5伝票制では売上伝票に記入することになりますが、売上伝票はいったん掛けで取引したと仮定するため、ただちにその掛代金を現金で回収したという取引を入金伝票に記入する必要があります。

(借)	売掛金	700	(貸)	売上	700	⇒	売上伝票
(借)	現金	700	(貸)	売掛金	700	⇒	入金伝票

(4) 振替伝票と出金伝票の記入から、商品800円を仕入れ、代金のうち200円は現金で支払い、残額は掛けとした取引であることがわかります。仕入取引であるため、5伝票制では仕入伝票に記入することになります。3伝票制で「取引を擬制する記入方法」によって起票されているため、出金伝票の起票はそのままで、振替伝票に記入された掛仕入取引を仕入伝票に記入することになります。

(借)	仕入	800	(貸)	買掛金	800	⇒	仕入伝票
(借)	買掛金	200	(貸)	現金	200	⇒	出金伝票

索　引

あ行

か行

さ行

た行

な行

は行

ま行

や行

ら行

わ 行

2025年度版

税理士試験教科書・問題集・理論集 ラインナップ

簿記論・財務諸表論の教材

税理士試験教科書　簿記論・財務諸表論Ⅰ　基礎導入編【2025年度版】	3,630円（税込）	好評発売中
税理士試験問題集　簿記論・財務諸表論Ⅰ　基礎導入編【2025年度版】	3,300円（税込）	好評発売中
税理士試験教科書　簿記論・財務諸表論Ⅱ　基礎完成編【2025年度版】	3,630円（税込）	好評発売中
税理士試験問題集　簿記論・財務諸表論Ⅱ　基礎完成編【2025年度版】	3,300円（税込）	好評発売中
税理士試験教科書　簿記論・財務諸表論Ⅲ　応用編【2025年度版】	3,630円（税込）	好評発売中
税理士試験問題集　簿記論・財務諸表論Ⅲ　応用編【2025年度版】	3,300円（税込）	好評発売中
税理士試験教科書　財務諸表論　理論編【2025年度版】	2024年12月発売予定	

法人税法の教材

税理士試験教科書・問題集　法人税法Ⅰ　基礎導入編【2025年度版】	3,300円（税込）	好評発売中
税理士試験教科書　法人税法Ⅱ　基礎完成編【2025年度版】	3,630円（税込）	好評発売中
税理士試験問題集　法人税法Ⅱ　基礎完成編【2025年度版】	3,300円（税込）	好評発売中
税理士試験教科書　法人税法Ⅲ　応用編【2025年度版】	2024年12月発売予定	
税理士試験問題集　法人税法Ⅲ　応用編【2025年度版】	2024年12月発売予定	
税理士試験理論集　法人税法【2025年度版】	2,420円（税込）	好評発売中

相続税法の教材

税理士試験教科書・問題集　相続税法Ⅰ　基礎導入編【2025年度版】	3,300円（税込）	好評発売中
税理士試験教科書　相続税法Ⅱ　基礎完成編【2025年度版】	3,630円（税込）	好評発売中
税理士試験問題集　相続税法Ⅱ　基礎完成編【2025年度版】	3,300円（税込）	好評発売中
税理士試験教科書　相続税法Ⅲ　応用編【2025年度版】	2024年12月発売予定	
税理士試験問題集　相続税法Ⅲ　応用編【2025年度版】	2024年12月発売予定	
税理士試験理論集　相続税法【2025年度版】	2,420円（税込）	好評発売中

消費税法の教材

税理士試験教科書・問題集　消費税法Ⅰ　基礎導入編【2025年度版】	3,300円（税込）	好評発売中
税理士試験教科書　消費税法Ⅱ　基礎完成編【2025年度版】	3,630円（税込）	好評発売中
税理士試験問題集　消費税法Ⅱ　基礎完成編【2025年度版】	3,300円（税込）	好評発売中
税理士試験教科書　消費税法Ⅲ　応用編【2025年度版】	2024年12月発売予定	
税理士試験問題集　消費税法Ⅲ　応用編【2025年度版】	2024年12月発売予定	
税理士試験理論集　消費税法【2025年度版】	2,420円（税込）	好評発売中

国税徴収法の教材

税理士試験教科書　国税徴収法【2025年度版】	4,620円（税込）	好評発売中
税理士試験理論集　国税徴収法【2025年度版】	2,420円（税込）	好評発売中

※　書名・価格・発行年月は変更する場合もございますので、予めご了承ください。（2024年11月現在）

本書の発行後に公表された法令等及び試験制度の改正情報、並びに判明した誤りに関する訂正情報については、弊社WEBサイト内の**『読者の方へ』**にてご案内しておりますので、ご確認下さい。

https://www.net-school.co.jp/

なお、万が一、誤りではないかと思われる箇所のうち、弊社WEBサイトにて掲載がないものにつきましては、**書名（ＩＳＢＮコード）と誤りと思われる内容**のほか、お客様の**お名前及び郵送の場合はご返送先の郵便番号とご住所**を明記の上、弊社まで**郵送またはe-mail**にてお問い合わせ下さい。

＜郵送先＞　〒101－0054
東京都千代田区神田錦町3－23 神田錦町安田ビル３階
ネットスクール株式会社　正誤問い合わせ係

＜e - mail＞　seisaku@net-school.co.jp

※正誤に関するもの以外のご質問、本書に関係のないご質問にはお答えできません。
※**お電話によるお問い合わせはお受けできません。**ご了承下さい。

税理士試験　教科書
簿記論・財務諸表論Ⅲ　応用編　【2025年度版】

2024年11月14日　初版　第１刷

著　　　者　ネットスクール株式会社
発　行　者　桑原知之
発　行　所　ネットスクール株式会社　出版本部
〒101－0054　東京都千代田区神田錦町3－23
電 話　03（6823）6458（営業）
ＦＡＸ　03（3294）9595
https://www.net-school.co.jp
執筆総指揮　熊取谷貴志
表紙デザイン　株式会社オセロ
編　　　集　吉川史織　安倍淳
ＤＴＰ制作　中嶋典子　石川祐子　吉永絢子
有限会社ドアーズ本舎　長谷川正晴
印刷・製本　日経印刷株式会社

　ISBN　978-4-7810-3821-6